副詞	主として動詞や形容詞を修飾する語		
	語を修飾する	動詞を修飾する	Look at the picture carefully. (その絵を注意して見てください)
		形容詞を修飾する	The baby is fast asleep. (赤ちゃんはぐっすり眠っている)
		副詞を修飾する	He plays tennis very well. (彼はとても上手にテニスをする)
	句を修飾する		She sat right behind him. (彼女は彼の真後ろに座った)
	節を修飾する		Tom bought the book only because he liked its cover. (トムはその表紙が気に入ったというだけでその本を買った)
	文全体を修飾する		Luckily she passed the examination. (幸い彼女は試験に合格した)

助動詞	動詞とともに使われ「可能・推量・意志・義務」などを補足的に説明する語		
	can	「〜できる」 (能力・可能)	He can run fast. (彼は速く走ることができる)
		「〜してもよい」 (許可・依頼)	You can use my computer. (僕のコンピューターを使ってもいいよ)
		(否定の推量) *否定形で	She cannot be in Tokyo. (彼女が東京にいるはずがない)
	must	「〜しなければならない」(義務)	They must clean their room. (彼らは部屋を掃除しなければならない)
		(強い禁止) *否定形で	You mustn't use your smartphone here. (ここでスマートフォンを使ってはならない)
		「〜に違いない」 (確信のある推量)	They must be tourists. (彼らは観光客に違いない)
	may	「〜かもしれない」 (推量)	He may come to our party. (彼は私たちのパーティーに来るかもしれない)
		「〜してもよい」 (許可)	May I leave early today? (今日は早退してもいいですか)
	*上記は主な助動詞と用法の例		

<table>
<tr><td rowspan="8">接続詞</td><td colspan="3">語と語, 句と句, 節と節を接続する働きをする語(句)</td></tr>
<tr><td rowspan="3">等位接続詞
(同等の要素を接続)</td><td>語と語を接続</td><td>Are you for **or** against the plan?
(あなたはその計画に賛成ですか, 反対ですか)</td></tr>
<tr><td>句と句を接続</td><td>To go **or** not to go is up to you.
(行くか行かないかはあなた次第です)</td></tr>
<tr><td>節と節を接続</td><td>He is over seventy, **but** he still can run 20 kilometers.
(彼は70を超えているが, まだ20キロメートルを走ることができる)</td></tr>
<tr><td rowspan="3">従位接続詞</td><td>主節と従節を接続</td><td>They took a rest **because** they were tired.
(彼らは疲れたので一休みした)</td></tr>
<tr><td>名詞節を導く</td><td>It is strange **that** he didn't notice the mistake.
(彼がその間違いに気づかなかったとは変だ)</td></tr>
<tr><td>副詞節を導く</td><td>We enjoyed playing baseball **when** we were children.
(私たちは子どもの頃, 野球をして楽しんだ)</td></tr>
<tr><td colspan="3"></td></tr>
<tr><td rowspan="4">前置詞</td><td colspan="3">名詞とともに「前置詞+名詞」(=句)の形で用いて補語, 形容詞, 副詞の働きをする語</td></tr>
<tr><td colspan="2">補語の働き</td><td>Your notebook is **on** the desk. (←「場所」を表す)
(あなたのノートは机の上にある)</td></tr>
<tr><td colspan="2">形容詞の働き
(形容詞句)</td><td>Who is that boy **in** a red shirt? (←「着衣」を表す)
(赤いシャツを着ているあの少年は誰?)</td></tr>
<tr><td colspan="2">副詞の働き
(副詞句)</td><td>She always gets up **at** 6 o'clock. (←「時」を表す)
(彼女はいつも6時に起きる)</td></tr>
</table>

Bright Stage

［ブライトステージ］

New Edition

英文法・語法問題

瓜生 豊 編著

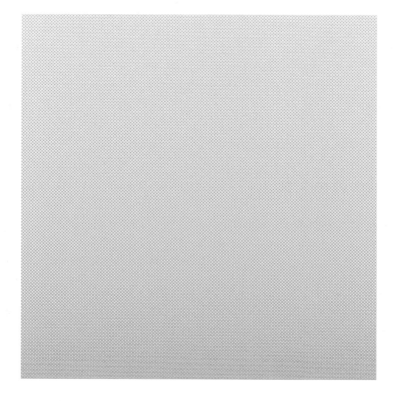

桐原書店

はじめに

INTRODUCTION

近年の大学入試は，文法･語法知識を問う問題とともに，その知識を英語４技能（リーディング・リスニング・ライティング・スピーキング）についてさまざまな形で運用する力を問う問題がますます大きな比重を占めるようになっています。

大学入学共通テストをはじめとしてより実用的な英語に対応する力（例えば英語の資料を素早く読み解く力）を問う入試問題が増えていますし，国公立大を中心として指導要領に沿った論理的思考力・判断力・表現力（例えば社会的な話題について筋の通った意見を英語で書く力）を評価する問題を課す動きもあります。

他方，択一式の文法・語法問題も私大を中心に多数の入試で出題され，全体的な入試の競争激化により合格のために高い正答率が必要とされています。

このような状況の中，受験生の皆さんが英文法・語法の知識を定着させるとともに，その知識を英語４技能の高度な運用力に結び付けて，大学入試を突破するための「英文法・語法本」として本書を書きました。

本書は「大学入学共通テスト・国公立大入試・私大入試・英語の各種検定試験」のすべてに対応する英文法・語法の知識と運用力を養成するものです。客観式問題を中心とした本編の問題で基本事項を理解し習得した後は，英文読解や英作文の実戦演習を行う「応用問題にTry!」で発展的な力を養成します。すべての英文は「対訳式完成文リスト」として巻末やデジタルコンテンツで用意しています。このようなコンテンツを通して，効果的に学習を進める方法を目的別に紹介します。

効果的学習のススメ

METHOD

1 > 大学入学共通テスト対策

文法知識を直接問う問題は出題されませんが，読解問題やリスニング問題で得点するためには正しい文法知識が欠かせません。4 択問題の演習と巻末の**100英文**の音読がお勧めです。

2 > 私立大学入試対策

文法知識を直接問う問題が出題されるため，４択問題の演習で英文法・語法の知識を完全に習得する必要があります。問題英文をマスキングした状態で音声を聴き取る学習もお勧めです。

3 > 国公立大学二次対策

本書のすべての問題を完全にした後は「応用問題にTry!」で読解問題と英作文問題の演習に取り組んでください。さらに問題英文をマスキングし日本語訳を見て英文を話す瞬間英作文トレーニングもお勧めです。

オススメ
学習法動画

本書の特長　FEATURES

Bright Stage を改訂するにあたり，学習者の皆さんの英語力を総合的に底上げするためにさまざまな工夫を取り入れました。具体的には以下の5項目に沿って改善しました。

1 > 英文法・語法知識定着［Grammar・Usage］

英文法・語法の補強となる情報をまとめたTARGETでは，紙面の許す限り例文を大幅に増加しました。さらにPart 1・2に掲載の「応用問題にTry!」では押さえておきたい応用問題を**28題**追加したほか，学習者の定着状況や目的に応じて3種類の学習動画を用意しました。

❶「英文法基本項目」解説動画　**基本レベル**
表紙の裏に掲載されている「英文法基本項目」に関する解説動画（**全19本**）で，英文法を理解する際に必要な品詞や句・節などの用語や基本知識が身につきます。

❷「TARGET」解説動画　**標準／発展レベル**
英文法・語法の重要情報をまとめたTARGETは，巻末にまとめて再掲載しているほか，理解を深めるための解説動画を**40本**提供しています。

❸「弱点克服」解説動画　**発展レベル**
正答率が40%以下の問題に絞り，理解を深めるための解説動画を**26本**提供しています。

2 > イディオム知識定着［Idioms］

イディオムを扱う問題は，語句整序（並び替え）問題など幅広い形式の問題で出題されます。また，大学入学共通テストの英文中でも英熟語は頻出であることから，Part3 イディオムを約**200問**，追加収録しました。

3 > リスニング力強化［Listening］

Part 1 文法からPart 4 会話表現までのすべての英文音声を専用サイトより無料で提供しています。さらに「オンライン対訳式完成文リスト」ではすべての英文をマスキングして音声を聴き取り，シャドーイングやディクテーションに活用してリスニング力を高めることができます。

4 > 読解力強化［Reading］

Part 1・2に掲載の「応用問題にTry!」では難関大入試の読解問題（日本語訳）を掲載しています。英文読解の実戦的な演習でレベルアップを図ることができます。

5 > 英作文力強化［Writing］

Part 1・2に掲載の「応用問題にTry!」では難関大入試の英作文問題を掲載しています。巻末の「対訳式完成文リスト」には，英作文に役立つ**100英文**をピックアップして掲載しているほか，「オンライン対訳式完成文リスト」では英文をマスキングして音声を聴き取り，瞬間英作文の演習で使える英文のストックを増やすことができます。

本書の構成

本編の問題

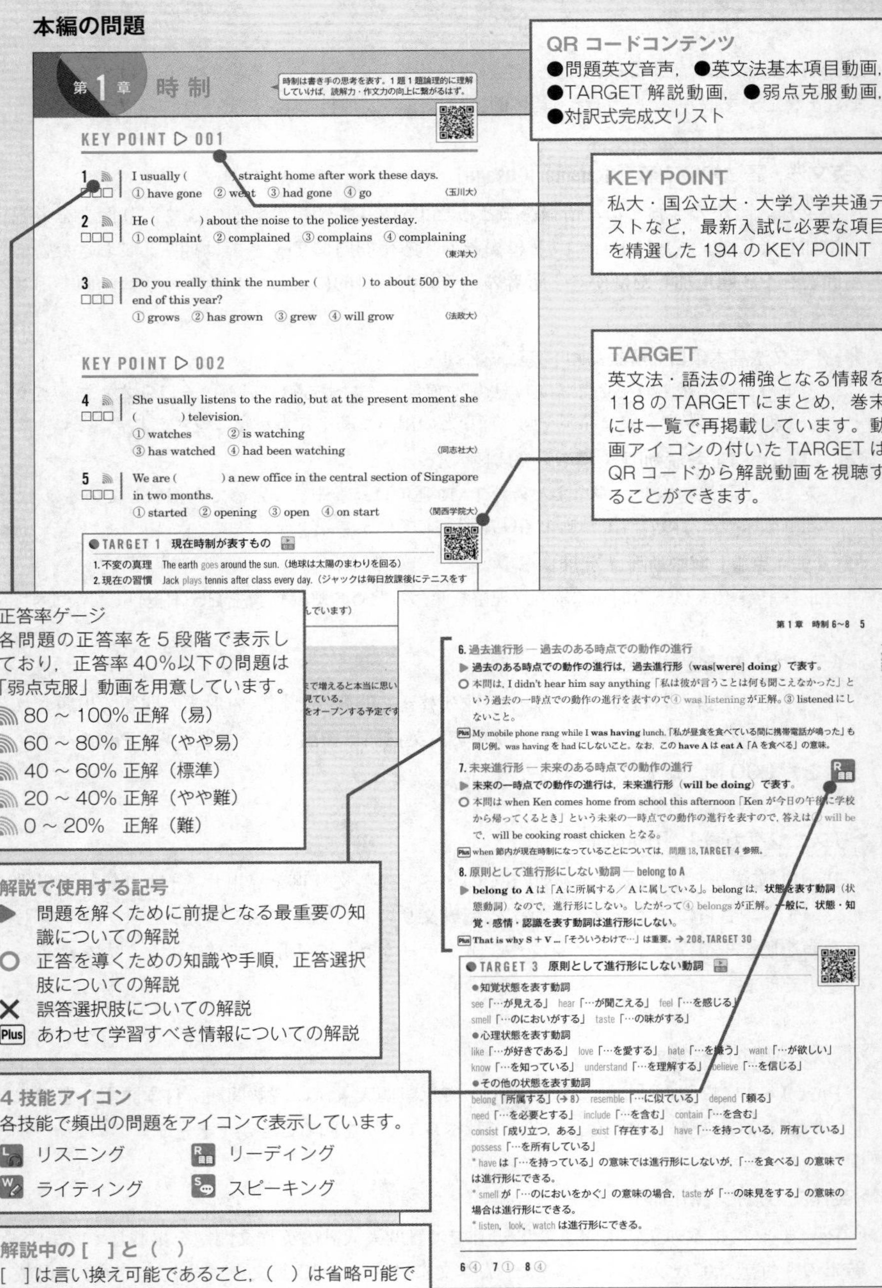
第1章 時制
時制は書き手の思考を表す。1題1題論理的に理解していけば，読解力・作文力の向上に繋がるはず。
KEY POINT ▷ 001
1 I usually ( ) straight home after work these days.
① have gone ② went ③ had gone ④ go (玉川大)
2 He ( ) about the noise to the police yesterday.
① complaint ② complained ③ complains ④ complaining (東洋大)
3 Do you really think the number ( ) to about 500 by the end of this year?
① grows ② has grown ③ grew ④ will grow (法政大)
KEY POINT ▷ 002
4 She usually listens to the radio, but at the present moment she ( ) television.
① watches ② is watching ③ has watched ④ had been watching (同志社大)
5 We are ( ) a new office in the central section of Singapore in two months.
① started ② opening ③ open ④ on start (関西学院大)
TARGET 1 現在時制が表すもの
1. 不変の真理 The earth goes around the sun.（地球は太陽のまわりを回る）
2. 現在の習慣 Jack plays tennis after class every day.（ジャックは毎日放課後にテニスをす
第1章 時制6～8 5
6. 過去進行形 ― 過去のある時点での動作の進行
▶ 過去のある時点での動作の進行は，過去進行形（was[were] doing）で表す。
○ 本問は，I didn't hear him say anything「私は彼が言うことは何も聞こえなかった」という過去の一時点での動作の進行を表すので④ was listening が正解。③ listened にしないこと。
Plus My mobile phone rang while I was having lunch.「私が昼食を食べている間に携帯電話が鳴った」も同じ例。was having を had にしないこと。なお，この have A は eat A「A を食べる」の意味。
7. 未来進行形 ― 未来のある時点での動作の進行
▶ 未来の一時点での動作の進行は，未来進行形（will be doing）で表す。
○ 本問は when Ken comes home from school this afternoon「Ken が今日の午後に学校から帰ってくるとき」という未来の一時点での動作の進行を表すので，答えは① will be で，will be cooking roast chicken となる。
Plus when 節内が現在時制になっていることについては，問題 18，TARGET 4 参照。
8. 原則として進行形にしない動詞 ― belong to A
▶ belong to A は「A に所属する／A に属している」。belong は，状態を表す動詞（状態動詞）なので，進行形にしない。したがって④ belongs が正解。一般に，状態・知覚・感情・認識を表す動詞は進行形にしない。
Plus That is why S + V ...「そういうわけで…」は重要。→ 208，TARGET 30
TARGET 3 原則として進行形にしない動詞
●知覚状態を表す動詞
see「…が見える」 hear「…が聞こえる」 feel「…を感じる」
smell「…のにおいがする」 taste「…の味がする」
●心理状態を表す動詞
like「…が好きである」 love「…を愛する」 hate「…を嫌う」 want「…が欲しい」
know「…を知っている」 understand「…を理解する」 believe「…を信じる」
●その他の状態を表す動詞
belong「所属する」(→8) resemble「…に似ている」 depend「頼る」
need「…を必要とする」 include「…を含む」 contain「…を含む」
consist「成り立つ，ある」 exist「存在する」 have「…を持っている，所有している」
possess「…を所有している」
* have は「…を持っている」の意味では進行形にしないが，「…を食べる」の意味では進行形にできる。
* smell が「…のにおいをかぐ」の意味の場合，taste が「…の味見をする」の意味の場合は進行形にできる。
* listen, look, watch は進行形にできる。
6④ 7① 8④
QR コードコンテンツ
●問題英文音声，●英文法基本項目動画，●TARGET 解説動画，●弱点克服動画，●対訳式完成文リスト
KEY POINT
私大・国公立大・大学入学共通テストなど，最新入試に必要な項目を精選した 194 の KEY POINT
TARGET
英文法・語法の補強となる情報を 118 の TARGET にまとめ，巻末には一覧で再掲載しています。動画アイコンの付いた TARGET は QR コードから解説動画を視聴することができます。
正答率ゲージ
各問題の正答率を5段階で表示しており，正答率40%以下の問題は「弱点克服」動画を用意しています。
80～100% 正解（易）
60～80% 正解（やや易）
40～60% 正解（標準）
20～40% 正解（やや難）
0～20% 正解（難）
解説で使用する記号
▶ 問題を解くために前提となる最重要の知識についての解説
○ 正答を導くための知識や手順，正答選択肢についての解説
✕ 誤答選択肢についての解説
Plus あわせて学習すべき情報についての解説
4技能アイコン
各技能で頻出の問題をアイコンで表示しています。
L リスニング R リーディング
W ライティング S スピーキング
解説中の [ ] と ( )
[ ] は言い換え可能であること，( ) は省略可能であることを表しています。
• so[as] は「so は as に言い換え可能」という意味
• (in) doing は「in は省略可能」という意味

「応用問題にTry!」コーナー

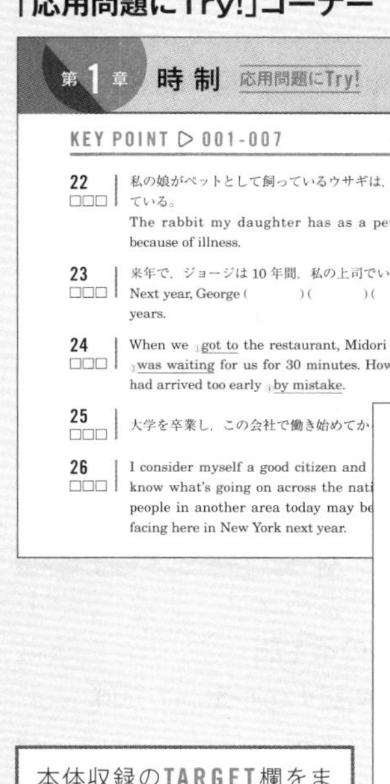

第1章 時制 応用問題にTry!

KEY POINT ▷ 001-007

22 □□□ 私の娘がペットとして飼っているウサギは，病気のせいで死にかけている。
The rabbit my daughter has as a pet (　　　) (　　　) because of illness. (関西学院大)

23 □□□ 来年で，ジョージは10年間，私の上司でいることになります。
Next year, George (　　　) (　　　) (　　　) my boss for ten years. (法政大)

24 □□□ When we ①got to the restaurant, Midori ②complained that she ③was waiting for us for 30 minutes. However, it turns out she had arrived too early ④by mistake. (南山大)

25 □□□ 大学を卒業し，この会社で働き始めてか

26 □□□ I consider myself a good citizen and know what's going on across the nati people in another area today may be facing here in New York next year.

応用問題に Try!
本編の４択問題で基礎知識を身につけた後に取り組む応用問題です。４択以外の文法問題，英作文問題（Writing），英文読解問題（Reading）に取り組み，レベルアップを図ります。

TARGET一覧

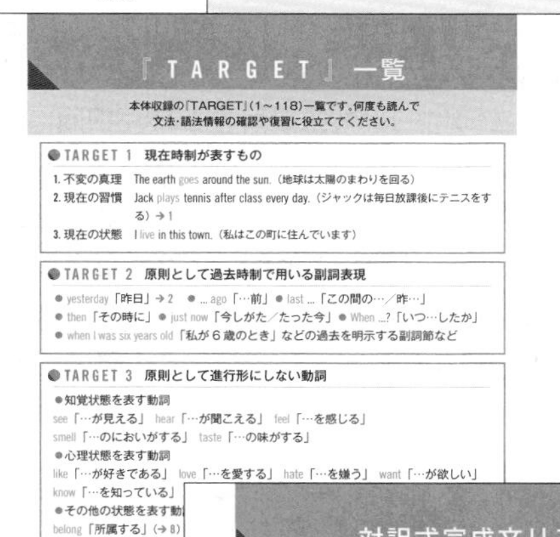

『TARGET』一覧

本体収録の『TARGET』(1～118)一覧です。何度も読んで文法・語法情報の確認や復習に役立ててください。

● TARGET 1 現在時制が表すもの
1. 不変の真理 The earth goes around the sun.（地球は太陽のまわりを回る）
2. 現在の習慣 Jack plays tennis after class every day.（ジャックは毎日放課後にテニスをする）→1
3. 現在の状態 I live in this town.（私はこの町に住んでいます）

● TARGET 2 原則として過去時制で用いる副詞表現
● yesterday「昨日」→2 ● ... ago「…前」● last ...「この間の…／昨…」
● then「その時に」● just now「今しがた／たった今」● When ...?「いつ…したか」
● when I was six years old「私が６歳のとき」などの過去を明示する副詞節など

● TARGET 3 原則として進行形にしない動詞
●知覚状態を表す動詞
see「…が見える」 hear「…が聞こえる」 feel「…を感じる」
smell「…のにおいがする」 taste「…の味がする」
●心理状態を表す動詞
like「…が好きである」 love「…を愛する」 hate「…を嫌う」 want「…が欲しい」
know「…を知っている」
●その他の状態を表す動
belong「所属する」(→8)

本体収録のTARGET欄をまとめて確認できるように再掲載したページです。文法・語法情報の確認や復習に活用できます。

対訳式完成文リスト

対訳式完成文リスト

Bright Stage収録問題のうち，特に英文読解や英作文，英会話に役立つ100問の完成文リストを掲載しました。何度も声に出して読んで暗唱しましょう。

12 □□	大過去の用法 — had done	As soon as I shut the door, I realized I had left the key inside. ドアを閉めるとすぐに中に鍵を置き忘れてきたことに気がついた。
20 □□	慣用表現「Sが…してから～になる」	It has been ten years since the two companies merged. その２社が合併してから10年が経った。
28 □□	否定の受動態	A lot of food is thrown away because it is not consumed in time. 期限内に消費されないため，多くの食べ物が捨てられている。
36 □□	「S＋V＋O＋do」の形をとる動詞の受動態	He was seen to go out of the room. 彼は部屋から出るのを（人に）見られた。
50 □□	have only to do の用法	You have only to let me have a glance at it. あなたは私にそれをちょっと見せてくれるだけでいいんです。
53 □□	助動詞の need	You need not tell her if you don't want to. あなたがそうしたくなければ，彼女に話す必要はありません。
57 □□	used to do の用法	Before he got sick, he used to practice every day. 彼は病気になる前は，毎日練習していたものだった。
59 □□	would rather do の用法	I would rather come on Sunday than on Saturday. 私は土曜日よりもむしろ日曜日に来たいと思います。
61 □□	had better do の用法	Oh dear. It's already five o'clock and I'm late. I had better leave now. おやまあ。もう５時で，遅くなってしまいました。私はもう出た方がいいですね。
62 □□	must have done の用法	A : The window was unlocked and there is mud on the floor. B : So the thief must have come into the apartment that way. A：窓は鍵が開けられていて，床には泥がついています。 B：それなら，泥棒はそうやってアパートに入ったに違いない。

対訳式完成文リスト
本書の英文のうち，英作文に役立つ**100英文**を精選。QRコードからは，すべての英文の音声再生のほか，**マスキング機能**を使った**リスニング**や**瞬間英作文**の演習に取り組み，使える英文のストックを増やします。

学習者の皆さんが本書を最大限に活用し，合格の栄冠をつかんでくだされはこれにまさる喜びはありません。最後になりましたが，これまでにご意見をお寄せいただいた全国の先生方，日ごろ質問をとおして本書をより効率的に学習できるものにするヒントを与えてくれた生徒諸君にこの場を借りて御礼申し上げます。

2024年秋

編著者記す

CONTENTS もくじ

PART 1 | 文法

PART 2 | 語 法

PART 3 | イディオム

PART 4 | 会話表現

本書の音声は，各章のQRコードのほか，桐原書店ホームページ上のストリーミング再生で聞くこともできます。ダウンロードも同様です。

本書の問題は「きりはらの森」で学習することができます（無料／要登録）。スマホ・タブレット・PCで音読や4択問題に取り組めます。

PART 1
文法

Bright Stage

第1章 時制

時制は書き手の思考を表す。1題1題論理的に理解していけば，読解力・作文力の向上に繋がるはず。

KEY POINT ▷ 001

1 □□□ I usually (　　　　) straight home after work these days.
① have gone　② went　③ had gone　④ go 〈玉川大〉

2 □□□ He (　　　　) about the noise to the police yesterday.
① complaint　② complained　③ complains　④ complaining 〈東洋大〉

3 □□□ Do you really think the number (　　　　) to about 500 by the end of this year?
① grows　② has grown　③ grew　④ will grow 〈法政大〉

KEY POINT ▷ 002

4 □□□ She usually listens to the radio, but at the present moment she (　　　　) television.
① watches　② is watching
③ has watched　④ had been watching 〈同志社大〉

5 □□□ We are (　　　　) a new office in the central section of Singapore in two months.
① started　② opening　③ open　④ on start 〈関西学院大〉

TARGET 1 現在時制が表すもの 動画

1. 不変の真理　The earth goes around the sun.（地球は太陽のまわりを回る）
2. 現在の習慣　Jack plays tennis after class every day.（ジャックは毎日放課後にテニスをする）→1
3. 現在の状態　I live in this town.（私はこの町に住んでいます）

1 このごろ，私は仕事の後はたいていまっすぐ家に帰る。
2 彼は昨日，その騒音について警察に苦情を伝えた。
3 あなたは，その数が今年の終わりまでにおよそ500まで増えると本当に思いますか。
4 彼女はいつもならラジオを聞くけれど，今はテレビを見ている。
5 2カ月後に，シンガポールの中心部に新しいオフィスをオープンする予定です。

KEY POINT ▷ 001　基本時制の用法（現在，過去，未来）

1. 現在時制 — 現在の習慣

▶ **現在時制**は，一時的な「現在」だけを表すのではなく**「現在」を中心に「過去」「未来」にも当てはまる状態・動作を表す**。「現在」の一瞬だけでなく時間的な幅があることに注意。

○ 現在の習慣的動作は，現在時制で表す。本問の場合は習慣を表す副詞 **usually** に着目し，④ go を選ぶ。

Plus 現在時制は，時間的な幅があることから，「現在」だけでなく「過去」「未来」にも当てはまる「**不変の真理**」も現在時制で表すことも押さえておこう。

2. 過去時制

▶ **過去のある時点での動作・状態・事実などは過去時制で表す**。

○ 本問の場合は，過去を表す副詞 **yesterday** に着目し，過去時制の② complained を選ぶ。

Plus complain about A to B = complain to B about A「A について B に不満を言う」は重要表現。

3. 未来時制

▶ **未来のことは，will do の形を用いて表すのが基本**。

○ 本問は，未来を表す副詞句 **by the end of this year**「今年の終わりまでに」に着目し，④ will grow を選ぶ。

KEY POINT ▷ 002　進行形の用法（現在，過去，未来）

4. 現在進行形

▶ **動作がある時点で進行していることを表す場合，進行形（be doing）を用いる**。

○ **at the present moment**「今」（= now）に着目する。現在の一時的な動作を表すのは現在進行形なので，② is watching を選ぶ。

5. 現在進行形 — 未来の予定

▶ 現在進行形で未来の予定を表すことがある。

○ 進行形は are doing の形で表すので現在分詞の② opening を選ぶ。

Plus 本問の **are opening** a new office は「新しいオフィスをオープンしている」ではなくて,「新しいオフィスをオープンする予定である」の意味。**I'm seeing** my brother tomorrow.「明日，弟と会う予定です」も同じ例。なお，この **see A** は **meet A**「A に会う」の意味。

---

1 ④　**2** ②　**3** ④　**4** ②　**5** ②

6 □□□ | I didn't hear him say anything because I (　　　) to music.
① had listened　② have listened　③ listened　④ was listening
〈学習院大〉

7 □□□ | When Ken comes home from school this afternoon, his mother (　　　) cooking roast chicken.
① will be　② would be　③ has been　④ had been　〈獨協大〉

8 □□□ | Actually, he is rather conservative. That is why he (　　　) to that political party.
① was belonging　② was belonged
③ is belonging　④ belongs　〈明治大〉

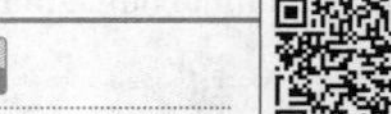

TARGET 2　原則として過去時制で用いる副詞表現

- yesterday「昨日」→ 2
- ... ago「…前」
  Egyptians kept cats as pets over 4,000 years ago.
  (エジプト人は，4000年以上前にネコをペットとして飼っていた)
- last ...「この間の…／昨…」
  I watched the movie last weekend.（私は先週末，その映画を観た）
- then「その時に」
  Then my teacher pushed the door into the classroom.
  (その時，先生がドアを押して教室に入ってきた)
- just now「今しがた／たった今」
  I noticed the error in the report just now.（つい先ほど，その報告書の誤りに気づいた）
- When ...?「いつ…したか」
  When did you finish your presentation?
  (あなたはいつプレゼンテーションを終えたのですか)
- when I was six years old「私が6歳のとき」などの過去を明示する副詞節など
  My family moved to Tokyo when I was six years old.
  (私が6歳のとき，私の家族は東京に引っ越した)

6　私は音楽を聞いていたので，彼が言うことは何も聞こえなかった。
7　ケンが今日の午後に学校から帰ってくるとき，彼の母親はローストチキンを調理しているだろう。
8　実は，彼はかなり保守的だ。だから彼はその政党に入っている。

6. 過去進行形 — 過去のある時点での動作の進行

▶ **過去のある時点での動作の進行は，過去進行形（was[were] doing）で表す。**

○ 本問は，I didn't hear him say anything「私は彼が言うことは何も聞こえなかった」という過去の一時点での動作の進行を表すので④ was listening が正解。③ listened にしないこと。

Plus My mobile phone rang while I **was having** lunch.「私が昼食を食べている間に携帯電話が鳴った」も同じ例。was having を had にしないこと。なお，この **have A** は **eat A**「A を食べる」の意味。

7. 未来進行形 — 未来のある時点での動作の進行

▶ **未来の一時点での動作の進行は，未来進行形（will be doing）で表す。**

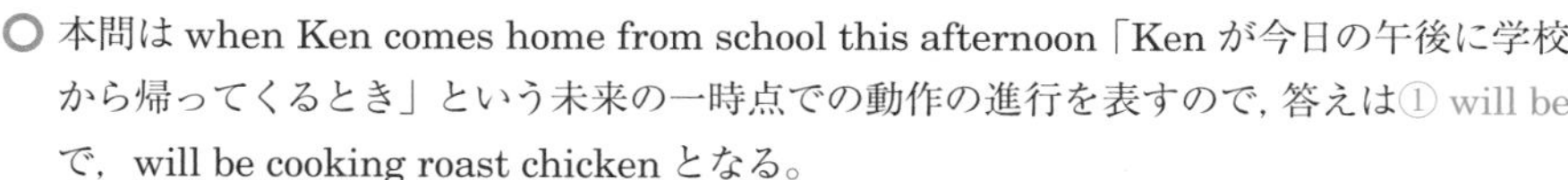

○ 本問は when Ken comes home from school this afternoon「Ken が今日の午後に学校から帰ってくるとき」という未来の一時点での動作の進行を表すので，答えは① will be で，will be cooking roast chicken となる。

Plus when 節内が現在時制になっていることについては，問題 18, TARGET 4 参照。

8. 原則として進行形にしない動詞 — belong to A

▶ **belong to A** は「A に所属する／A に属している」。belong は，**状態を表す動詞**（状態動詞）なので，進行形にしない。したがって④ belongs が正解。**一般に，状態・知覚・感情・認識を表す動詞は進行形にしない。**

Plus **That is why S + V ...**「そういうわけで…」は重要。→ 208, TARGET 30

TARGET 3　原則として進行形にしない動詞

●知覚状態を表す動詞

see「…が見える」　hear「…が聞こえる」　feel「…を感じる」
smell「…のにおいがする」　taste「…の味がする」

●心理状態を表す動詞

like「…が好きである」　love「…を愛する」　hate「…を嫌う」　want「…が欲しい」
know「…を知っている」　understand「…を理解する」　believe「…を信じる」

●その他の状態を表す動詞

belong「所属する」（→ 8）　resemble「…に似ている」　depend「頼る」
need「…を必要とする」　include「…を含む」　contain「…を含む」
consist「成り立つ，ある」　exist「存在する」　have「…を持っている，所有している」
possess「…を所有している」

* have は「…を持っている」の意味では進行形にしないが，「…を食べる」の意味では進行形にできる。

* smell が「…のにおいをかぐ」の意味の場合，taste が「…の味見をする」の意味の場合は進行形にできる。

* listen，look，watch は進行形にできる。

6 ④　**7** ①　**8** ④

KEY POINT ▷ 003

9 □□□
A：“Are Mary and Tom still living in Tokyo?”
B：“No. They (　　　　) to Beijing.”
① are just moved　② had just moved
③ have just moved　④ will just move　〈青山学院大〉

10 □□□
A：What’s Danny’s brother like?
B：I don’t know. I (　　　　) him before.
① don’t meet　② didn’t meet
③ won’t meet　④ have never met　〈玉川大〉

11 □□□
We had arranged to meet at seven, but Taro was so late that, when he finally arrived, my friends and I (　　　　) dessert.
① already have had　② already to have
③ be having already　④ had already had　〈慶應義塾大〉

12 □□□
As soon as I shut the door, I realized I (　　　　) the key inside.
① was left　② had left　③ would leave　④ have left
〈東京経済大〉

9 A：「メアリーとトムはまだ東京に住んでいるのですか」
B：「いいえ。彼らは北京に引っ越したばかりです」
10 A：ダニーのお兄さんはどんな人ですか。
B：わかりません。今まで一度も彼に会ったことがないので。
11 私たちは７時に会うように取り決めていたが，タロウはかなり遅れたので，彼がやっと到着したときには，私の友人と私はすでにデザートを食べ終わっていた。
12 ドアを閉めるとすぐに中に鍵を置き忘れてきたことに気がついた。

KEY POINT ▷ 003　完了形の用法（現在，過去，未来）

9. 現在完了 — 完了・結果

▶ **現在を基点として，それまでの「完了・結果」「経験」「(状態の) 継続」を表す場合には，現在完了（have[has] done）を用いる。**

○ 現在完了は，「過去の事実」が「現在の状況」とつながっていることが前提。本問の場合，No. と答えているところから，「メアリーとトムは今，東京にいない」という現在の状況がある。「北京へ引っ越した」という過去の事実が，「今，東京にいない」という現在の状況とつながっているので，「完了・結果」を表す現在完了③ have just moved が入る。

Plus There is milk all over the kitchen floor because my wife **has broken** the bottle.「妻がビンを割ってしまったので，台所の床一面が牛乳だらけになっている」も同じ例。「ビンを割った」のは過去の事実だが，「牛乳だらけになっている」という現在の状況とつながっているので，現在完了で表す。

Plus **move to A**「A に引っ越す」は重要。

10. 現在完了 — 経験

▶ **現在完了には，現在までの「経験」を表す用法がある。**

○「過去から現在まで彼に会った経験は一度もない」という内容をつかんで，否定語 never を含む現在完了④ have never met を選ぶ。

✕ ② didn't meet は不可。「以前，彼に会わなかった」は過去の事実だが，「(だから) 彼がどんな人かわからない」という現在の状況につながっていないことに注意。

Plus **What is S like?**「S はどのような人［もの］なのか」は重要表現。**What is your new school like?** なら「新しい学校はどんな感じですか」の意味。→ 260

11. 過去完了 — 完了・結果

▶ **過去のある時点を基点として，それまでの「完了・結果」「経験」「(状態の) 継続」を表す場合には，過去完了（had done）を用いる。**基本的に，過去完了が表す意味は，問題 9, 10 で扱った現在完了（have done）と同じで，基点となる時点が現在から過去のある時点に移行したもの。

○ 本問は，when 節で示された過去の時点を基点にして，それまでに my friends and I が have dessert「デザートを食べる」という動作を完了していたことを表している。したがって，過去完了（had done）の④ had already had が入る。

12. 大過去の用法 — had done

▶ **2 つの過去の事柄があって，一方が他方より「前」にあったことを表す場合を大過去というが，**形は問題 11 で扱った**過去完了と同じ had done を用いる。**

○ 本問は，「私が気づいた」時点よりも，「鍵を中に置き忘れてきた」時点の方が「前」であることを示している。したがって，**大過去（had done）**の② had left が正解。

---

9 ③　**10** ④　**11** ④　**12** ②

13 □□□ The government report on science and technology released last month describes how technological progress ( ) people's lives by 2035.

① changes ② is changing
③ will be changed ④ will have changed 〈立教大〉

14 □□□ If I go to Hawaii again, I ( ) there ten times.

① would have visited ② have visited
③ had visited ④ will have visited 〈駒澤大〉

KEY POINT ▷ 004

15 □□□ People ( ) peace for ten years since the end of the regime.

① are enjoying ② enjoy
③ will have enjoyed ④ have been enjoying 〈駒澤大〉

16 □□□ Mr. Brown ( ) for nearly thirty minutes when his client arrived.

① will have waited ② has been waiting
③ has waited ④ had been waiting 〈東海大〉

13 先月発表された科学技術に関する政府の報告書は，2035 年までに技術の進歩が人々の生活をどのように変えているのかについて述べている。
14 もう一度ハワイに行けば，私は 10 回そこを訪れたことになる。
15 その体制の終わり以来，人々は 10 年の間，平和を享受してきた。
16 顧客が到着したとき，ブラウン氏は 30 分近く待っていた。

13. 未来完了 — 完了・結果

▶ **未来のある時点を基点として，それまでの「完了・結果」「経験」「(状態の) 継続」を表す場合には，未来完了 (will have done) を用いる。**基本的に，未来完了が表す意味は，現在完了 (have done → 9, 10) と同じで，基点が現在から未来のある時点に移行したものと考えればよい。

○ 本問は，**by 2035**「2035 年までに」という未来の一時点までに「変わる」という動作が完了することを表すので，**未来完了 (will have done)** の④ will have changed が入る。

14. 未来完了 — 経験

○「もう一度ハワイに行く」という未来の一時点で「10 回訪れたことになる」という経験を表すので，**未来完了 (will have done)** の形である④ will have visited を選ぶ。

Plus if 節内が現在時制になっていることについては，問題 18, TARGET 4 参照。

KEY POINT ▷ 004　完了進行形の用法（現在，過去，未来）

15. 現在完了進行形 — 現在における動作の継続

▶ **動作動詞（進行形にできる動詞）で，現在を基点として，それまでの動作の継続を表す場合には，現在完了進行形 (have[has] been doing) を用いる。**

○ for ten years「10 年間」という期間を表す表現と，since the end of the regime「その体制の終わり以来」という表現があることから，その時を基点に enjoy peace「平和を享受する」という動作動詞で現在までの継続を表す必要があるので，現在完了進行形 (have[has] been doing) の④ have been enjoying が正解になる。

Plus We **have known** each other since we entered this college.「この大学に入って以来，私たちは知り合いです」は，現在までの「お互い知っている」という状態の継続を表す。know は進行形にしない動詞 (→ 8, TARGET 3) なので，have been knowing とならないことに注意。**状態動詞（原則として進行形にしない動詞）が現在までの状態の継続を表す場合には，現在完了進行形 (have[has] been doing) ではなく，現在完了形 (have[has] done) を用いることも，**ここで押さえておこう。

16. 過去完了進行形 — 過去における動作の継続

▶ **動作動詞（進行形にできる動詞）で，過去のある時点を基点として，それまでの動作の継続を表す場合には，過去完了進行形 (had been doing) を用いる。**基本的に，過去完了進行形が表す意味は，問題 15 で扱った現在完了進行形 (have been doing) と同じで，基点となる時点が現在から過去のある時点に移行したものと考える。

○ when 節で示された過去の時点「顧客が到着した（とき）」を基点にして，それまでに「30 分近く待っていた」という動作の継続を表すので，**過去完了進行形 (had been doing)** の④ had been waiting を選ぶ。

---

13 ④　14 ④　15 ④　16 ④

17 □□□ By the end of this year, I (　　　) for this bank for eight years.
① had been working ② had worked
③ will have been working ④ will work 〈近畿大〉

KEY POINT ▷ 005

18 □□□ Oh, my train's arriving. I'll call you later when (　　　) more time.
① I had ② I have ③ I'll have ④ I'm having 〈慶應義塾大〉

19 □□□ I can't tell if it (　　　) tomorrow.
① is raining ② has been raining
③ rains ④ will rain 〈駒澤大〉

● TARGET 4 when 節と if 節の見分け — 副詞節か名詞節かの区別

動画

● when 節のケース

(1) 副詞節「…するとき」— when は時を表す副詞節を導く接続詞 → 18
when 節内が未来のことでも，現在形を用いる。
I'll call you when she comes home.（彼女が帰宅したら，あなたに電話します）

(2) 名詞節「いつ…するか」— when は名詞節を導く疑問副詞
when 節内が未来のことであれば，will を用いる。
I don't know when she will come home.（彼女がいつ帰宅するかわかりません）
S V O

● if 節のケース

(1) 副詞節「もし…すれば」— if は条件を表す副詞節を導く接続詞
if 節内が未来のことでも，現在形を用いる。
I'll stay home if it rains tomorrow.（明日雨が降れば私は家にいます）

(2) 名詞節「…するかどうか」— if は名詞節を導く接続詞（= whether）→ 19, 390
if 節内が未来のことであれば，will を用いる。通例，動詞や be sure の目的語で用いられる。
I don't know if it will rain tomorrow.（明日雨が降るかどうかわかりません）
S V O

17 今年の末には，私はこの銀行で８年間働いてきたことになる。
18 ああ，私の電車がもうすぐ来ます。後でもっと時間があるときに電話することにします。
19 明日雨が降るかどうかわかりません。

17. 未来完了進行形 ― 未来における動作の継続

▶ **動作動詞（進行形にできる動詞）で，未来のある時点を基点として，それまでの動作の継続を表す場合，未来完了進行形（will have been doing）を用いる。**基本的に，未来完了進行形が表す意味は，問題 15 で扱った現在完了進行形（have been doing）と同じで，基点となる時点が現在から未来のある時点に移行したもの。

○ 副詞句 by the end of this year で示された未来の一時点「今年の終わりまでに」を基点にして，それまでに「8 年間この銀行で働いてきた（ことになる）」という動作の継続を表すので，未来完了進行形（will have been doing）の③ will have been working を選ぶ。

KEY POINT ▷ 005　時・条件の副詞節と名詞節

18. 時・条件の副詞節 ― 節内は現在時制

▶ **時・条件を表す副詞節内では，**原則として，**未来のことでも will は用いず，現在時制を用いる。**

○「電話することにします」は未来のことだが，時を表す when 節内は未来のことでも現在時制を用いるので，未来時制（will do）の③ I'll have ではなく，現在時制の② I have を選ぶ。

Plus I don't know if it **will rain** tomorrow.「明日雨が降るかどうかわかりません」という例文の if 節は他動詞 know の目的語となる名詞節「…かどうか（ということ）」なので，if 節内が未来のことであれば will を用いる。→ 19, TARGET 4
after S + V ...「…した後に」，**before S + V ...**「…する前に」，**until S + V ...**「…するまで」，**as soon as S + V ...**「…するとすぐに」，**by the time S + V ...**「…するときまでには」は必ず副詞節になるので，節内では未来のことであっても原則的に現在形を用いることも押さえておこう。

19. 名詞節の if 節 ― 未来のことは未来時制

▶ **if 節が名詞節の場合，if 節内では未来のことは未来時制（will do）で表す。**

○ 本問は，他動詞用法の tell が，名詞節の if[whether] 節を目的語にとる形 **tell if [whether] S + V ...**「…かどうかわかる」だと気づくかがポイント。本問の if 節「明日雨が降るかどうか（ということ）」は未来のことなので④ will rain が正解となる。

Plus なお，I **can't tell if[whether] S + V ...**「私は…かどうかわからない」は I **don't know** if[whether] S + V ... と同意。tell の場合には can[can't] とともに用いることも覚えておこう。→ TARGET 4
I **can't tell** if he is serious or not.
= I **don't know** if he is serious or not.（彼が本気か本気でないかわかりません）

---

17 ③　18 ②　19 ④

KEY POINT ▷ 006

20 □□□ It (　　　　) ten years since the two companies merged.
① has been　② has passed　③ is passed　④ passed 〈青山学院大〉

KEY POINT ▷ 007

21 □□□ Look at those black clouds up there. It's (　　　　) rain.
① will　② going to　③ coming to　④ to be 〈関西外大〉

● TARGET 5 「…してから～（時間）になる」の表現 動画

以下の英文は，伝わる内容はほぼ同意と考えてよい。

(1) It has been[is] three years *since* he died. → 20
（彼が死んで３年になる）

(2) Three years have passed *since* he died.

(3) He died three years *ago.*

(4) He has been dead *for* three years.

*(1)～(3) は，ほかの「…してから～になる」の表現に一般化することが可能だが，(4) は die の形容詞 dead の場合のみ成り立つ表現。

20 その２社が合併してから 10 年が経った。
21 あの黒い雲を見て。雨が降りそうだ。

KEY POINT ▷ 006　「S が…してから～になる」

20. 慣用表現 ―「S が…してから～になる」

▶ **It has been[is] ＋ 時間 ＋ since S ＋ 過去形 ...**「S が…してから～になる」は重要表現。

✕ ② has passed にしないこと。動詞 pass を使うなら, Ten years **have passed** since the two companies merged. となる。→ TARGET 5

Plus 主語の **It** は「時」(**= the length of time**) を表し,「2 社が合併した」時点から現在までの時間を表す。

KEY POINT ▷ 007　未来を表す be going to do

21. 未来を表す be going to do

▶ **be going to do は未来のことを示す表現で,「…するつもりだ (主語の意志)」と「…しそうだ (主観的判断)」**の 2 つの意味を表す。

○ 本問は後者の用法。第 1 文の内容から「上空に黒い雲があるので, 雨が降りそうだ」の内容をつかみ, be going to do の形である② going to を選ぶ。

✕ ③ coming to は不可。be coming to do で「…しそうだ」の意味を表すことはない。

Plus What **are** you **going to do** this weekend?「今度の週末, 何をするつもりですか」は「…するつもりだ (主語の意志)」の用法。
なお, **be going to do** は発話時点よりも前から続く「意志」を表す。例えば, **I'm going to be a doctor**. と発言すれば,「(前から) 医者になろうと思っている」の意味になる。

Plus きわめて近い未来を表す **be about to do, be on[at] the point of doing**「まさに…するところだ」も一緒に押さえておこう。
Something terrible **is about to happen**. (何か恐ろしいことが, まさに起ころうとしている)
The bus **is on the point of starting** from the bus stop. (バスがバス停からまさに出発しようとしている)

---

20 ①　**21** ②

第1章 時制 応用問題にTry!

KEY POINT ▷ 001-007

22 □□□ 私の娘がペットとして飼っているウサギは，病気のせいで死にかけている。

The rabbit my daughter has as a pet (　　　)(　　　) because of illness. 〈関西学院大〉

23 □□□ 来年で，ジョージは10年間，私の上司でいることになります。

Next year, George (　　　)(　　　)(　　　) my boss for ten years. 〈法政大〉

24 □□□ When we ①<u>got to</u> the restaurant, Midori ②<u>complained</u> that she ③<u>was waiting</u> for us for 30 minutes. However, it turns out she had arrived too early ④<u>by mistake</u>. 〈南山大〉

25 □□□ 大学を卒業し，この会社で働き始めてから20年になる。 〈同志社大〉

26 □□□ I consider myself a good citizen and I think it's important to know what's going on across the nation. The problems of the people in another area today may be the same ones we'll be facing here in New York next year. 〈滋賀大〉

ヒント

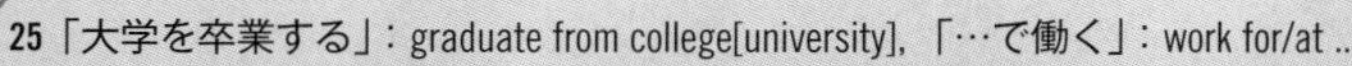

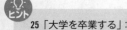

25「大学を卒業する」: graduate from college[university], 「…で働く」: work for/at ...

26 consider A B「A を B と考える」, what's going on（= what's happening）「何が起こっているのか」, across the nation「国中，国のいたるところで」, the same ones we'll be facing = the same problems (which) we'll be facing「私たちが直面しているのと同じ問題」

24 私たちがレストランに着いたとき，ミドリは30分私たちを待っていたと文句を言った。しかし，彼女が誤って早く来すぎていたことがわかった。

KEY POINT ▷ 001-007

22. 現在進行形 → 4

○ **die**「死ぬ／枯れる」の進行形は動作がまだ完結していないことを表すので,「**死にかけている**」の表現は，進行形の **be dying** で表現する。主語が the rabbit なので，現在進行形は is dying となるはず。

23. 未来完了 ― 状態の継続 → 13

○ 問題 13 で扱った未来完了（**will have done**）を作れるかが，本問のポイント。「来年」という未来の一時点まで「上司でいる」状態が継続するという内容なので，George is my boss「ジョージは私の上司です」を想定して, George will have been my boss とまとめればよい。

24. 過去完了進行形 ― 過去における動作の継続 → 16

○ was waiting が間違い。Midori は「不満を言った」時点で,「30 分待っていた」と考えられるので，**過去進行形ではなく過去完了進行形**になる。過去進行形は過去の一時点での動作を表すため，for 30 minutes と一緒に用いることができない。したがって，③ was waiting を had been waiting に修正する。

25. 慣用表現 ―「S が…してから～になる」→ 20

○ 問題文の「働き始めてから 20 年になる」は，**It has been[is] ＋時間＋ since S ＋過去形**の形を使って表すことができる。「大学を卒業し,」は「大学を卒業した後」と考えて，after doing の形で表現すればよい。

26. 未来進行形 ― 未来のある時点での動作の進行 → 7

○ 第 2 文の we'll be facing が未来進行形。第 1 文の and の後は，I think it's important to know ...「…を知ることは重要だと思う」の形式主語構文。know の目的語が what's going on across the nation「国中で何が起きているのか」という名詞節となっている。第 2 文は，The problems of ... may be the same ones ～「…の問題は～と同じ問題になるかもしれない」の S + V + C の構造であることを見抜く。補語である the same ones[=problems] は後に続く関係代名詞節の先行詞。目的格の関係代名詞 which[that] が省略されている。the same ones <(which) we'll be facing ... year> と考える。

---

22 is dying　**23** will have been　**24** ③ was waiting → had been waiting

25 It has been[is] 20 years since I started working for[at] this company after graduating[I graduated] from college[university].

26 私は自分のことを善良な市民であると考え，国中で何が起こっているかを知ることは大事だと考えている。別の地域に暮らす人々の今日の問題は，ここニューヨークで来年私たちが直面している問題と同じなのかもしれない。

第2章 態

助動詞＋be done, 完了［進行］形の受動態, 群動詞の受動態, be done+by 以外の前置詞は重要。完璧にしよう。

KEY POINT ▷008

27 □□□

A：I tried to call Takeshi yesterday, but my call couldn't go through.

B：He turned his phone off as he didn't want to (　　　).

① disturb　② be disturbed　③ disturbing　④ have disturbed

〈専修大〉

28 □□□

A lot of food is thrown away because (　　　) in time.

① it does not consume　② it has not consumed

③ it is not consumed　④ it is not consuming

〈立命館大〉

KEY POINT ▷009

29 □□□

The other day he (　　　) in French by a foreigner.

① was spoken to　② spoke to　③ was spoken　④ spoken up

〈駒澤大〉

KEY POINT ▷010

30 □□□

Almost a million copies of the book (　　　) so far.

① has been sold　② has sold

③ have been sold　④ are being sold

〈法政大〉

27　A：昨日，タケシに電話しようとしたんだけど，つながらなかったよ。
　　B：彼は邪魔されたくなかったから，電話の電源を切ったんだ。
28　期限内に消費されないため，多くの食べ物が捨てられている。
29　先日，彼は外国人からフランス語で話しかけられた。
30　その本は，これまでほぼ 100 万部が売れている。

KEY POINT ▷ 008　受動態の基本

27. 受動態の基本と by A の省略

▶ **受動態は他動詞で作り，be done で表す。**

○ 主語の he と他動詞の disturb「…の邪魔をする」の関係が，「彼は邪魔される（のを望まなかった）」という内容から受動関係が成立していることを見抜く。したがって **be done** の形② be disturbed を選ぶ。

Plus 受動態では，動作主（動作する側）を示す必要がある場合は by A で表すが，動作主が明らかな場合や不明の場合は省略する。本問の場合は by you あるいは by anyone が省略されている。

28. 否定の受動態

▶ **否定の受動態は，be not done で表す。**

○ 主語の it（= a lot of food）と他動詞 consume「…を消費する」の関係が，「それは消費されない」という内容であることから否定の受動関係が成立していることを見抜く。したがって **be not done** の形③ it is not consumed を選ぶ。

KEY POINT ▷ 009　群動詞の受動態

29. 群動詞（2 語以上から成る動詞）の受動態

▶ **2 語以上から成る動詞を群動詞というが，群動詞を受動態にする場合，その群動詞を 1 つのまとまった他動詞として考える。**

○ A spoke to B.「A は B に話しかけた」の受動態は，
S　V　O
B **was spoken to by A**.「B は A に話しかけられた」となる。したがって，① was spoken to が正解。was spoken の後の to を忘れないこと。

KEY POINT ▷ 010　完了形／「助動詞＋ be done」／進行形

30. 完了形の受動態

▶ **現在完了の受動態は，have been done で表す。**

○ 主語の almost a million copies of the book「その本のほぼ 100 万部」と他動詞 sell「…を売る」の関係が受動関係であることと，**so far**「これまで」（= up to the present）があることから，過去のある時点から現在までの「継続」の内容であることを見抜き，③ have been sold を選ぶ。

✕ ① has been sold は不可。almost a million copies は複数扱いの主語なので，has ではなく have になるはず。④ are being sold は進行形の受動態なので不可。→ 32

Plus 過去完了の受動態は **had been done** で表すことも，ここで押さえる。

27 ②　28 ③　29 ①　30 ③

31 □□□ The problem should (　　　　) immediately.
① be solved　② be solving　③ solve　④ to solve 〈立命館大〉

32 □□□ Improvements are still (　　　　) in survey methods and practices.
① at making　② being made　③ have made　④ to made
〈東海大〉

KEY POINT ▷ 011

33 □□□ More and more tourists from abroad are visiting Japan. Many of them are (　　　　) Japanese manga.
① interested in　② interesting of
③ interesting to　④ interested to 〈玉川大〉

34 □□□ I was (　　　　) in a sudden shower on my way to the station.
① caught　② fixed　③ rained　④ set 〈関西学院大〉

TARGET 6　by 以外の前置詞と結びつく慣用表現

- be interested in A「A に興味がある」→ 33
  Paul is interested in astronomy.（ポールは天文学に興味がある）
- be covered with A「A に覆われている」
  The top of the desk was covered with dust.
  （その机の上は，ほこりで覆われていた）
- be caught in A「A（雨や交通渋滞など）にあう」→ 34
  We were caught in a traffic jam during rush hour on Friday.
  （私たちは金曜日のラッシュアワーで交通渋滞にあった）
- be satisfied with A「A に満足している」
  They were satisfied with their new house.（彼らは新しい家に満足していた）

31 その問題はすぐに解決されるべきだ。
32 調査の方法と実施については，いまだに改善がされているところだ。
33 海外からますます多くの観光客が日本を訪れている。彼らの多くは日本の漫画に興味を持っている。
34 私は駅へ向かう途中で，にわか雨に降られた。

31. 助動詞がある場合の受動態

▶ **助動詞がある場合の受動態は，「助動詞 ＋ be done」で表す。**

○ 主語の the problem と他動詞 solve「…を解決する」の関係が受動関係であることを見抜き，「**助動詞 ＋ be done**」の形である① be solved が正解となる。

32. 進行形の受動態 — 進行形の受動態は be being done で表す

○ S make improvements「改善する」の進行形の受動態は，

V　　O

improvements **are being made**「改善されている」となるはず。したがって，② being made を選ぶ。

KEY POINT ▷ 011　by 以外の前置詞を用いる慣用表現

33. by 以外の前置詞を用いる慣用表現（1）

▶ **be done の表現には by 以外の前置詞と結びつくものがある。**

○「彼らの多くは日本の漫画に興味がある」の内容から，主語の many of them と他動詞 interest「（人）に興味を持たせる」の関係が受動関係にあることを見抜く。「興味がある → 興味を持たされている」は be interested で表せるが，「A に興味がある」は be interested by A ではなく，**be interested in A** で表す。→ TARGET 6

Plus 本問の **be interested in A**「A に興味がある」は by 以外の前置詞と結びつく表現の代表例。慣用表現として押さえよう。

34. by 以外の前置詞を用いる慣用表現（2）

○ 考え方は問題 33 と同じ。**be caught in A**「A（雨や交通渋滞など）にあう」で押さえる。→ TARGET 6

31 ①　32 ②　33 ①　34 ①

35 □□□ Mt. Fuji is (　　　　) as "Fuji-san" in Japanese.
① called　② known　③ named　④ referred　〈立教大〉

KEY POINT ▷ 012

36 □□□ He was seen (　　　　) out of the room.
① go　② gone　③ having gone　④ to go　〈東京理科大〉

TARGET 7 be known の後の前置詞句

- be known to A「A（人）に知られている」
  This song is known to all Japanese.
  （その歌はすべての日本人に知られている）
- be known for A「A で知られている」
  British people are known for their love of nature.
  （イギリス人は自然を愛することで知られている）
- be known as A「A として知られている」→ 35
  He is known as a jazz pianist.
  （彼はジャズピアニストとして知られている）
- be known by A「A で見分けられる」
  A tree is known by its fruit.
  （果実を見れば木の良し悪しがわかる ＝ 人は行為によって判断される）

35 Mt. Fuji は，日本語では「フジサン」として知られている。
36 彼は部屋から出るのを（人に）見られた。

35. by 以外の前置詞を用いる慣用表現（3）

▶ 他動詞 know を用いた受動態 be known には，**be known to A**「A（人）に知られている」，**be known for A**「A で知られている」，**be known as A**「A として知られている」，**be known by A**「A で見分けられる」の表現がある。→ TARGET 7

○ 本問は，be known as A「A として知られている」を知っているかがポイント。

✕ ① called，③ named，④ referred を使う場合は，それぞれ次の通り。

・Mt. Fuji is called "Fuji-san" in Japanese.

・Mt. Fuji is named "Fuji-san" in Japanese.

・Mt. Fuji is referred to as "Fuji-san" in Japanese.

call A B「A を B と呼ぶ」，**name A B**「A を B と名づける」，**refer to A as B**「A を B と呼ぶ」の受動態は，**A is called B**「A は B と呼ばれる」，**A is named B**「A は B と名づけられる」，**A is referred to as B**「A は B と呼ばれる」となる。

KEY POINT ▷ 012　「S + V + O + do」の形をとる動詞の受動態

36.「S + V + O + do」の形をとる動詞の受動態

▶ **see A do**「A が…するのが見える」**の受動態は，be seen to do**「…するのを見られる」になることに注意。

○ 本問は，S saw him go out of the room.
　　　　　　V　O　　C

という文の受動態を考える。C（補語）の原形不定詞は受動態では to do になることから，④ to go を選ぶ。

Plus **make A do**「A に…させる」の受動態も **be made to do**「…させられる」になる。一緒に覚えておこう。He **was made to go** there alone.（彼は一人でそこに行かされた）

35 ②　36 ④

KEY POINT ▷ 008-012

37 □□□
A majority of committee members ①were ②in favor of the proposal at the beginning, but now so many people are ③opposed to it that it is ④sure to turn down. 〈学習院大〉

38 □□□
Many more (are / being / done / studies / the cause / to find) and treatments for this disease. 〈岩手医科大〉

39 □□□
西サハラの自然の資源は，領土の将来が決まるまでは利用すべきではない。
Western Sahara's (be / natural / not / should / until / utilized / wealth) the territory's future is decided. 〈立命館大〉

40 □□□
私は駅に行く途中，外国人に話しかけられた。

41 □□□
During the breeding season, each pair of birds claims and defends a nesting ground or territory. Those are established by fighting and displaying, but once established, territorial boundaries are respected by neighbors. 〈熊本大〉

40 on the[one's] way to A「Aに向かう途中で」
41 the breeding season「繁殖期」，claim「…を主張する」，a nesting ground or territory「巣作りの場所や縄張り」，those = a nesting ground or territory，displaying「誇示［すること］」，once established = once (they are) established「いったん定められると」，boundary「境界」

37 委員会のメンバーの大半は，当初その提案に賛成だったが，今ではとても多くの人たちがそれに反対しているので，却下されることは確実だ。
38 この病気の原因と治療法を見つけるために，さらに多くの研究が行われているところだ。

KEY POINT ▷ 008-012

37. 群動詞（2 語以上から成る動詞）の受動態 → 29

○ it is sure to turn down が間違い。主語の it (= the proposal) と群動詞 turn down「…を却下する」の関係は受動関係だから，it is sure to be turned down「その提案は必ず却下される」になるはず。したがって，④ sure to turn を sure to be turned に修正する（→ 29）。sure は it is sure that 節や物事を主語にすることはできないが，be sure to do という形にすることはできる。

Plus **a majority of A**「A の大多数」，**be in favor of A**「A に賛成である」，**be sure to do**「必ず…する」は重要。

38. 進行形の受動態 → 32

○ 進行形の受動態は，**be being done**「…されている」なので，まず Many more studies are being done「さらに多くの研究が行われている」とする。次に，残りの選択肢から，to find A and B「A と B を見つけるために」を想定し，to find the cause (and treatments for this disease)「この病気の原因と治療法を見つけるために」とまとめればよい。

39. 助動詞がある場合の受動態 → 31

○ まず，Western Sahara's natural wealth「西サハラの自然の資源」と主語をまとめる。次に，should not be utilized「利用されるべきではない（…を利用すべきではない）」として，最後に接続詞 until（→ 396）を置き，until the territory's future is decided「領土の将来が決められるまで」と完成する。

40. 群動詞（2 語以上から成る動詞）の受動態 → 29

○ 問題文の「私は（…に）話しかけられた」は，群動詞 speak to A「A に話しかける」の受動態を想定して I was spoken to（by ...）と表現すればよい。

41. 受動態の基本 → 27

○ 問題文の are established，are respected by はいずれも受動態の形。once established も，once（they are）established の主語と be 動詞が省略された形（→ 290）。また，established by fighting and displaying の by は動作主ではなく手段・方法を表す。

---

37 ④ sure to turn → sure to be turned

38 studies are being done to find the cause

39 natural wealth should not be utilized until

40 I was spoken to by a foreigner on the[my] way to the station.

41 繁殖期の間，トリのつがいはそれぞれ巣作りの場所や縄張りを主張してそれを守る。それらは闘ったり，力を誇示したりすることによって定まるが，いったん定められると，縄張りの境界は周囲のトリたちに尊重される。

第 3 章 助動詞

ひとつの助動詞に複数の用法があるので，英文中の用法の確定は読解上重要。丁寧に理解していこう。

KEY POINT ▷013

42 □□□
You (　　　) not believe this, but I plan to become a professional jazz musician.
① can　② may　③ must　④ should 〈京都産業大〉

43 □□□
He (　　　) be in because I can hear his radio.
① shall　② must have　③ has　④ must 〈上智大〉

44 □□□
You (　　　) be serious. You must be joking.
① aren't　② can't　③ weren't　④ didn't 〈西南学院大〉

45 □□□
話してもいいですか。
(　　　) I speak to you?
① Will　② May　③ Shall　④ Must 〈山梨学院大〉

TARGET 8 「確信度」の順位 動画

● 「話者の確信度」は must が一番高く，could が一番低い。（左から右へ「確信度」が下がる）
must / will / would / ought to / should / can / may / might / could
* can は「理論上の可能性」。may は「単なる推量」で 50%の「確信度」。

TARGET 9 may / can / must 動画

(1) may
① 「…かもしれない」→ 42　② 「…してもよい」→ 45
③ （否定文で）「…してはいけない」
You may not come here tomorrow.（明日はここに来てはいけません）
④ 「S が…でありますように」（May ＋ S ＋ 原形 ...! の形で）
May you both have long and happy lives!（あなたたち２人が長く幸せに暮らしますように）

(2) can
① 「…できる」
He can solve the problem easily.（彼はその問題を容易に解くことができる）

42 信じないかもしれませんが，私はプロのジャズ・ミュージシャンになるつもりです。
43 彼のラジオの音が聞こえるので，彼は中にいるに違いない。
44 まさか本気じゃないでしょうね。ご冗談でしょう。

KEY POINT ▷ 013　may / can / must

42.「推量」の may

○ 文意から，② may「…かもしれない」を選ぶ。

Plus「推量」を表す **may**「…かもしれない」は「単なる推量」で「話者の確信度」は 50%。She **may** be late. は「彼女は遅刻するかもしれない」の意味だが，「(逆に言えば）遅刻しないかもしれない（状況次第だ)」の意味も含むことに注意。

may ..., but ～「…かもしれないが，～」はよく用いられる表現。but 以下に書き手の主張が表されている。

43.「確信」の must

○ 文意から，④ must「…に違いない」を選ぶ。

Plus「確信」を表す **must**「…に違いない」は「話者の確信度」が一番高い（→ TARGET 8)。反意表現 **cannot[can't]**「…のはずがない」と一緒に覚えておこう。

44.「可能性」の can — cannot の意味

○ 文意から，② can't「…のはずがない」を選ぶ。→ 43

Plus **can** には「能力」を表す「…できる」だけではなく，「可能性」を表す「…でありうる」の用法もある。この用法の can は「理論上の可能性」と呼ばれ，「(根拠・証拠などに基づいて）…でありうる」の意味をもつ。否定の **can't[cannot]** は「(根拠・証拠などに基づいて）…である可能性はない」から「…のはずがない」の意味になると考えればよい。→ TARGET 9

45.「許可」の may

○「…してもよい」の意味を表す② May を選ぶ。→ TARGET 9

May I speak to A? は「A に話してもいいですか」の意味を表す。

---

② 「…でありうる」

Smoking can cause cancer.（喫煙はガンを引き起こす可能性がある）

③（疑問文で）「はたして…だろうか」

Can the rumor be true?（そのうわさは果たして本当だろうか）

④（否定文で）「…のはずがない」→ 44　⑤「…してもよい（＝ may)」→ 46

(3) must

① 「…に違いない」→ 43（⇔ cannot「…のはずがない」)

② 「…しなければならない」(⇔ don't have to / need not / don't need to「…する必要はない」)

You must mail this letter today.（今日，この手紙を出さなければなりません）

You don't have to[need not / don't need to] mail this letter today.

（今日，この手紙を出す必要はありません）

③（否定文で）「…してはいけない」→ 47

---

42 ②　43 ④　44 ②　45 ②

46 □□□ If you like, you (　　　) use this computer for your next presentation.
① ought to ② should ③ must ④ can 〈神奈川大〉

KEY POINT ▷014

47 □□□ You (　　　) eat or drink in the theater. It's not allowed.
① must ② have to ③ must not ④ don't have to 〈玉川大〉

48 □□□ We (　　　) stay late at the office tomorrow. We are working on a big project at the moment.
① won't ② shouldn't ③ have to ④ can't 〈法政大〉

49 □□□ "Do you have to attend the meeting this afternoon?" "(　　　), but I'd like to know more about the new committee. So I will."
① I think so ② I'm not ③ I don't have to ④ I hope so. 〈明治大〉

50 □□□ You have (　　　) to let me have a glance at it.
① hardly ② never ③ nothing ④ only 〈早稲田大〉

51 □□□ Oh, it's already eleven o'clock? (　　　) go home now.
① I've gotten ② I've got to ③ I had had to ④ I'm having to 〈桜美林大〉

46 よろしければ，このコンピューターを次回のプレゼンテーションに使っていいですよ。
47 劇場の中では，何かを食べたり飲んだりしてはいけません。それは認められていません。
48 私たちは明日，会社で遅くまで残業しなくてはなりません。私たちは今，大きなプロジェクトに取り組んでいるのです。
49 「今日の午後，あなたは会議に出席する必要がありますか」「その必要はないですが，新しい委員会について詳しく知りたいんです。だから参加します」
50 あなたは私にそれをちょっと見せてくれるだけでいいんです。
51 ああ，もう 11 時ですか。すぐに帰らなければなりません。

46.「許可」の can

○ 文意から，④ can「…してもよい」を選ぶ。**can にも，may 同様，「許可」を表す用法がある。** → TARGET 9

KEY POINT ▷ 014　must / have to / should

47.「義務」の must ― must not の意味

▶ **must** には問題 43 で扱った「確信」を表す用法だけでなく，「義務」を表し「…しなければならない」の意味になる用法もある。この用法の否定形 must not は「強い禁止」を表し，「…してはいけない」の意味になる。「許可」の may の否定形 **may not も**「…してはいけない」**の意味を表すが，must not よりも意味的に柔らかい。** → TARGET 9

Plus「義務」の **must** の同意表現として **have to** がある。一般的に must は話し手が自分の立場や権限から相手に課す義務であり，意味的に強い。have to は，周囲の状況が課す義務であり，must よりも意味的に柔らかい。→ 48

✕ ④ don't have to は不可。don't have to do は「…する必要はない」（= need not do / don't need to do）の意味。→ 49, 53, TARGET 9

48.「義務」の have to

○ 文意から，問題 47 で扱った③ have to「…しなければならない」を選ぶ。

Plus 同意表現の **have got to do** も，ここで押さえておこう。
I've got to go home. **= I have to** go home.（帰宅しなければならない）

49. don't have to do の意味

○ 文意から，問題 47 で扱った③ I don't have to (attend the meeting this afternoon) を選ぶ。

50. have only to do の用法

▶ **have only to do** は，「…しさえすればよい」の意味を表す。助動詞の慣用表現として押さえる。

Plus **let A do**「A に…させてやる」（→ 495, TARGET 74），**have a glance at A**「A をちらっと見る」（= **glance at A**）は重要。let me have a glance at it は「私にそれをちょっと見せる」の意味。

Plus 同意表現の **All S have to do is (to) do ...**「S は…しさえすればよい」も重要。この構造の場合，補語は原形不定詞か to 不定詞で表し，動名詞は用いないことに注意。
All you have to do is (to) let me have a glance at it.

51. have got to do の用法

▶ 問題 48 で扱った **have got to do**「…しなければならない」（**= have to do**）を知っているかが，本問のポイント。

---

46 ④　47 ③　48 ③　49 ③　50 ④　51 ②

52 □□□ It's late in the evening. I think we (　　　) go home now.
① ought　② had to　③ should　④ would 〈日本大〉

KEY POINT ▷015

53 □□□ You (　　　) tell her if you don't want to.
① need not to　② have not to　③ need not　④ don't have 〈日本大〉

54 □□□ A：How (　　　) you insult me!
B：Sorry, I didn't mean to. Would you forgive me?
① dare　② shall　③ may　④ need 〈専修大〉

KEY POINT ▷016

55 □□□ We all tried to push the truck, but it (　　　) move. Finally, we called the car service center.
① will　② would　③ won't　④ wouldn't 〈名古屋工業大〉

● TARGET 10　should do と ought to do → 52

(1) should do / ought to do　①「…すべきだ」　②「当然…するはずだ」
① I don't know what I should[ought to] do.（何をすべきなのかわかりません）
② He has left home now. He should[ought to] get to the office in an hour.
（彼は今，家を出たところです。1 時間で会社に着くはずです）

(2) should not do / ought not to do「…すべきでない」
You should not[ought not to] tell the secret to her.（あなたはその秘密を彼女に言うべきではない）

＊(1) の②「当然…するはずだ」の用例は，以下を参照。

52　もう夜も更けました。私たちはすぐに家に帰るべきだと思います。
53　あなたがそうしたくなければ，彼女に話す必要はありません。
54　A：よくも私にそんな失礼なことが言えますね。
B：すみません，そんなつもりはなかったんです。許していただけませんか。
55　私たちはみんなでトラックを押そうとしたが，どうしても動かなかった。結局，私たちはカーサービスセンターに電話した。

52.「義務・当然」の should

○ 文意から，③ should「…すべきだ」を選ぶ。

Plus 同意表現の **ought to do**「…すべきだ」もここで押さえる。ただし，ought to do よりも should do の方が意味的に弱い。したがって，should は「義務」というよりは「勧告」(「…した方がいい」) で用いられることも多い。**should do**，**ought to do** はともに「当然」を表し，「当然…するはずだ」の意味になる用法もある。→ TARGET 10

Plus「感情」を表す **should** も重要。感情を表す語句に続く that 節内で使われ，「…するなんて」という「驚き・意外・怒り」などの感情を表す。
I'm surprised that you **should** feel so depressed.
(あなたがそんなに憂うつになるなんて驚きです)

KEY POINT ▷ 015　助動詞の need／助動詞の dare

53. 助動詞の need

▶ need は，動詞だけでなく助動詞としても用いられる。ただし，need が助動詞として使えるのは，疑問文（**Need S do ...?**）と否定文（**S need not do ... .**）の場合だけ。肯定文では用いない。「…する必要がある」は動詞の need を用いて，need to do で表すことに注意。

○ 本問は，助動詞 need を用いた否定文 **S need not do**「S は…する必要はない」を問う問題。

✕ ① need not to は不可。need not の後は原形。④ don't have は，don't have to なら可。
→ 49, TARGET 9

Plus「…する必要はない」は，**need not do = don't need to do = don't have to do** で押さえておこう。

54. 助動詞としての dare

▶ **dare**「あえて…する」は，動詞としても用いられるが，疑問文・否定文では助動詞として用いることもできる。**How dare S do ...!**「よくも S は…できるね」は，話者の S に対する「憤慨・怒り」の気持ちを表す。慣用表現として押さえておく。

KEY POINT ▷ 016　would / used to do / had better do

55. 過去の強い拒絶を表す would not do

▶ **wouldn't[would not] do** は，「（過去において）どうしても…しようとしなかった」（**= refused to do**）の意味を表す。

Plus 本問のように，無生物主語でも用いることに注意。なお，同意表現の **refuse to do** も無生物主語を用いることができる。

Plus **won't[will not] do**「どうしても…しようとしない」(**= refuse to do**) もここで押さえておこう。
The door **won't[refuses to]** open.（ドアがどうしても開かない）

---

52 ③　53 ③　54 ①　55 ④

56 □□□ When we were children, we (　　　) go skating every winter.
① liked ② would ③ might ④ wanted 〈杏林大〉

57 □□□ Before he got sick, he (　　　) to practice every day.
① likes ② used ③ was allowing ④ would 〈明治大〉

58 □□□ My brother said he (　　　) to go to Paris, but he doesn't have enough money.
① would like ② will like ③ must have liked ④ will be liked 〈神奈川大〉

59 □□□ I would rather (　　　) on Sunday than on Saturday.
① come ② came ③ comes ④ coming 〈青山学院大〉

60 □□□ I'd rather (　　　) out today.
① don't go ② not go ③ not going ④ not to go 〈立命館大〉

61 □□□ Oh dear. It's already five o'clock and I'm late. I (　　　) leave now.
① could ② had better ③ ought ④ should to 〈慶應義塾大〉

56 私たちが子どもだった頃，毎年冬になるとスケートに行ったものだった。
57 彼は病気になる前は，毎日練習していたものだった。
58 私の兄はパリに行きたいと言ったが，十分なお金を持っていない。
59 私は土曜日よりもむしろ日曜日に来たいと思います。
60 今日はどちらかといえば出かけたくない。
61 おやまあ。もう５時で，遅くなってしまいました。私はもう出た方がいいですね。

56. 過去の習慣的動作を表す would

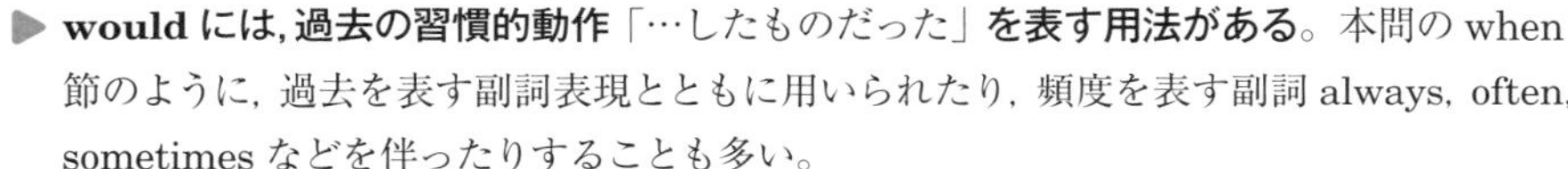

▶ **would には, 過去の習慣的動作「…したものだった」を表す用法がある。**本問の when 節のように, 過去を表す副詞表現とともに用いられたり, 頻度を表す副詞 always, often, sometimes などを伴ったりすることも多い。

57. used to do の用法

▶ **used to do は, 現在と対比させて過去の習慣的動作「…したものだった」と, 過去の継続的状態「以前は…だった」を表す。**

○ 本問は, 過去の習慣的動作「…したものだった」を表す用法。

Plus 問題 56 で述べたように, **would** にも **used to** と同様に過去の習慣的動作を表す用法があり, 同じように用いられることも多いが, 次の点では厳密に用法を区別する。
used to は現在と対照させた過去の動作を表し得るが, would は現在と対照させた文脈では用いることができないという点である。つまり, used to は通例, 「今ではその習慣は行われていない」の意味を含み, would にはその意味はなく, 個人的な回想をする場合に用いられることが多い。

58. would like to do の用法

▶ **would like to do**「…したい」= want to do で押さえる。前者の方が丁寧な表現。

Plus 否定表現の wouldn't like to do「…したくない」も重要。

59. would rather do の用法

▶ **would rather[sooner] do** は「むしろ…したい」の意味を表す。

60. would rather not do の用法

○ 問題 59 で扱った would rather do の否定形 would rather not do「むしろ…したくない」が本問のポイント。

61. had better do の用法

▶ **had better do**「…した方がよい」は助動詞の慣用表現として押さえる。had better の後には動詞の原形がくる。

Plus **had better do** の否定形 **had better not do**「…しない方がよい」もここで押さえておこう。not の位置に注意。
You **had better not** wander around here.（この辺りをぶらつかない方がいいよ）

---

56 ②　57 ②　58 ①　59 ①　60 ②　61 ②

KEY POINT ▷ 017

62 □□□
A : The window was unlocked and there is mud on the floor.
B : So the thief (　　　　) come into the apartment that way.
① may　② must have　③ ought to　④ should　〈学習院大〉

63 □□□
He (　　　　) have got lost on the way. He's come here by himself so many times.
① must　② will　③ can't　④ didn't　〈日本大〉

64 □□□
Taro (　　　　) there yesterday, but nobody saw him.
① might be　② might have been
③ must have to be　④ should be　〈関西学院大〉

65 □□□
I'm sorry that I couldn't follow the very last part of her speech. I (　　　　) more carefully.
① would be listened　② was listened
③ am to be listened　④ should have listened　〈青山学院大〉

● TARGET 11 「助動詞＋have done」の意味 動画

(1) must have done「…したに違いない」→ 62
(2) can't[cannot / couldn't] have done「…したはずがない」→ 63
(3) could have done「…したかもしれない」
I could have left the key at home.（そのカギを家に置いてきたかもしれない）
(4) may[might] have done「…したかもしれない」→ 64
(5) may[might] not have done「…しなかったかもしれない」
The package may not have arrived yet.（荷物はまだ届いていないかもしれない）
(6) needn't[need not] have done「…する必要はなかったのに（実際はした）」
I need not have hurried to the station; the train was delayed.
（駅まで急ぐ必要はなかった。電車は遅れていた）
(7) should have done / ought to have done
① 「…すべきだったのに（実際はしなかった）」→ 65, 74
② 「当然…した［している］はずだ」

62 A：窓は鍵が開けられていて，床には泥がついています。
B：それなら，泥棒はそうやってアパートに入ったに違いない。
63 彼が来る途中で道に迷ったはずはない。ここには一人で何度も来たことがあるんだから。

KEY POINT ▷ 017　「助動詞＋ have done」など

62. must have done の用法

▶ **must have done** は「…した[だった]に違いない」の意味を表す。

63. cannot have done の用法

▶ **cannot[can't] have done** は「…したはずがない」の意味を表す。

64. may have done の用法

▶ **might[may] have done** は「…したかもしれない」の意味を表す。

○ 本問は S might have been there yesterday.「S は昨日そこにいたかもしれない」の形となっている。

✕ ① might be は不可。might に過去の推量「(過去に) …したかもしれない」を表す用法はない。

Plus might は may より確信度は下がるが，ほぼ同意で，**might do** は「(ひょっとすると) …するかもしれない」の意味を表す。

65. should have done の用法

▶ **should have done** には (1)「…すべきだったのに (実際はしなかった)」，(2)「当然…した[している]はずだ」の 2 つの意味がある。

○ 本問は，前文の内容から (1) の用法だとわかるはず。

② Tom should[ought to] have come back by now, but he isn't here.
(トムはもう戻ってもいいはずだが，まだここにはいない)

(8) should not have done / ought not to have done ｛「…すべきではなかったのに (実際はした)」
You should not[ought not to] have bought such an expensive jacket.
(そんなに高価なジャケットを買うべきではなかったのに)

(9) would like to have done / would have liked to do「…したかったのだが(実際はできなかった)」
I would like to have known about the changes in meeting rooms.
= I would have liked to know the changes in the meeting room.
(会議の部屋が変更したことを知りたかったのだが)

---

62 ②　**63** ③　**64** ②　**65** ④

64 タロウは，昨日そこにいたのかもしれないが，誰も彼を見かけなかった。
65 彼女のスピーチのまさに最後の部分を理解できなかったのが残念です。私はもっと注意深く耳を傾けるべきでした。

66 □□□ During the 1970s, many students demanded that student committees (　　　　) the power to make decisions about school rules.

① be given　② will give by　③ to give it　④ giving to　〈東海大〉

KEY POINT ▷ 018

67 □□□ You can't be (　　　　) cars in crossing this street.

① careful so that　② so careful that
③ so careful with　④ too careful of　〈法政大〉

TARGET 12 後に「that＋S（＋should）＋原形」の形が続く動詞・形容詞 動画

(1) 動詞

- insist「主張する」
- demand「要求する」→ 66
- require「要求する」
- request「懇願する」
- order「命令する」
- propose「提案する」
- suggest「提案する」
- recommend「勧める」　など

(2) 形容詞

- necessary「必要な」
- essential「不可欠な」
- important「重要な」
- right「正しい」
- desirable「望ましい」　など

*過去時制でも that 節中の「should ＋ 原形」または「原形」は変化しない。

66　1970 年代に，多くの学生は，学生委員会が校則に関する決定権を与えられるよう要求した。
67　この通りを横切る際には，どんなに車に注意してもしすぎることはない。

66. demand that S ＋ 原形「S が…することを要求する」

▶ **demand, propose, insist, order など，要求・提案・命令などを表す動詞の目的語となる that 節内は原則として「S ＋ 原形」または「S should ＋ 原形」の形をとる。**

○ 本問は「S ＋ 原形」となっており，① be given を選ぶ。

Plus **It is ... that S ＋ V ～の形式主語構文で，「...」に important や necessary などの「必要・要求」などを表す形容詞がくる場合，that 節内は原則として「S should ＋ 原形」または「S ＋ 原形」の形になることも押さえておこう。**なお，It was ... that S ＋ V ～と過去時制であっても「S should ＋ 原形」や「S ＋ 原形」は変わらない点にも注意。→ TARGET 12

It is important that Tom (should) **learn** to control his temper.
（トムが自分の感情を抑えられるようになることが重要です）
It was necessary that they (should) **create** their works by hand.
（彼らは手作業で自分たちの作品を作る必要があった）

KEY POINT ▷ 018　助動詞を含む慣用表現

67. can't ... too ～の慣用表現

▶ **can't[cannot] ... too** ～は「どんなに～しても…しすぎることはない」の意味を表す重要表現。→ TARGET 13

○ 本問は，**be careful of A**「A に注意する」の表現が **can't be too careful of A**「A にどんなに注意してもしすぎることはない」になっていることを見抜く。

TARGET 13　助動詞を含む慣用表現

(1) cannot ... too ～＝ cannot ... enough ～「どんなに～しても…しすぎることはない」→ 67
(2) cannot help doing ＝ cannot help but do
　① 「…せずにはいられない」→ 68，② 「…するのは仕方ない」
　② He could not help feeling that way. ＝ He could not help but feel that way.
　（彼がそんなふうに感じるのは仕方ないことだった）
(3) may well do　① 「…するのも当然だ」，② 「おそらく…するだろう」
　① You may well complain about the treatment.
　（あなたがその扱いに対して不平を言うのは当然だ）
　② It may well rain tonight.
　（おそらく今晩，雨が降るだろう）
(4) might[may] as well do ... as do ～「～するくらいなら…する方がよい／～するのは…するようなものだ」
　We might as well walk home as try to catch a taxi here.
　（ここでタクシーを拾おうとするくらいなら，歩いて家に帰った方がいい）
(5) might[may] as well do「…してもいいだろう／…する方がいいだろう」→ 69

---

66 ①　**67** ④

68 □□□ She tried to be serious but she couldn't help (　　　　).
① that she laughed　② to laugh
③ to have laughed　④ laughing 〈法政大〉

69 □□□ It takes so long by train. You (　　　　) as well fly.
① should　② might　③ can　④ would 〈青山学院大〉

70 □□□ There was an important entrance examination last month, and I (　　　　) it.
① cannot pass　② could pass
③ had passed　④ was able to pass 〈日本大〉

68 彼女は真剣になろうとしたが，笑わずにはいられなかった。
69 電車ではかなり時間がかかる。飛行機を使ってもいいだろう。
70 先月に大事な入試があり，合格することができた。

68. cannot help doing の用法

▶ **cannot help doing** は，(1)「(感情的に)…せずにはいられない」，(2)「…するのは仕方ない」の意味を表す。→ TARGET 13

○ 本問は，but の前の内容「彼女は真剣になろうとした」から，(1) の意味だと考える。

Plus 同意表現の **cannot help but do**，**cannot but do**（文語）もここで押さえておく。
She **couldn't help laughing**. = She **couldn't help but laugh**. = She **couldn't but laugh**.
(彼女は笑わずにはいられなかった)

69. might as well do の用法

▶ **might[may] as well do** は「…してもいいだろう」の意味を表す。→ TARGET 13

Plus この表現は，might[may] as well ... as not do ～の省略で「(～しないのも)…するのも同じであろう」が本来の意味。したがって，had better do のような「積極的な提案」ではなく「消極的な提案」を示す場合に用いることに注意。

70. was able to do の用法 — could do との区別

▶「(過去に) …する能力が備わっていた［…することが可能だった］」の場合は **could do** も **was[were] able to do** もともに用いられる。他方,「(過去のある時に) …する能力があり［…することが可能であり］，実際にその行為・動作を行った」の場合，**was[were] able to do** は用いられるが，could do は実際に行ったかどうか不明なので不可であることに注意。

○ 本問は「入試に合格することができた」わけだから，④ was able to pass を選ぶ。

Plus 以下の例も同じ。

○ I went to Tokyo last week, and I **was able to** meet her then.

✕ I went to Tokyo last week, and I could meet her then.
(私は先週東京に行き，その時に彼女に会うことができた)

Plus 否定文の場合は，「実際にその行為・動作が行われなかった」のだから，どちらを用いても意味に大差はない。下記の例文では，**wasn't able to** の代わりに **couldn't** を用いても可。
She **wasn't able to**[**couldn't**] come to the restaurant on time then.
(その時，彼女はレストランに時間どおりに来ることができなかった)

---

68 ④　69 ②　70 ④

助動詞 応用問題にTry!

KEY POINT ▷ 013-018

71 □□□ A : I can't find my passport anywhere. It must have been stolen.
B : You had (   ) do something about it right now.
〈福島大〉

72 □□□ I ①may ②so well give ③up the attempt ④at once.
〈宮崎大〉

73 □□□ Mary (have / very proud / must / of / been / her son).
〈高崎経済大〉

74 □□□ You (seminar / attended / have / to / ought / yesterday's) at the city hall.
〈獨協大〉

75 □□□ 車を運転するときは，いくら注意してもしすぎることはありません。

76 □□□ An elephant should run faster than a horse — at least in theory. That's because big creatures have more of the type of muscle cells used for acceleration. Yet mid-sized animals are the fastest on Earth.
〈新潟大〉

75 drive a car「車を運転する」
76 in theory「理論的には」, That's because ...「それは…だからだ」, muscle cell「筋肉細胞」, acceleration「加速」, mid-sized「中型の」

71 A：パスポートがどこにも見つかりません。盗まれたに違いありません。
B：すぐにそれについて何かをした方がいいよ。
72 私は，すぐにその試みをあきらめてもいいだろう。
73 メアリーは，自分の息子をとても誇りに思っていたに違いない。
74 あなたは，市役所での昨日のセミナーに出席すべきでした。

KEY POINT ▷ 013-018

71. had better do の用法 → 61

○「パスポートがどこにもない。それは盗まれたに違いない」という A の発言から，**had better do**「…した方がよい」を用いて，You had better do something about it right now.「すぐにそのこと（パスポートがないこと）に関して何かした方がいい」とする。

Plus **must have done** は「…したに違いない」の意味。→ 62

72. may as well do の用法 → 69, TARGET 13

○「**…してもいいだろう**」は，**may[might] as well do** で表現するので，② so を as に修正すればよい。

Plus **give up A** は「A をあきらめる」，**at once** は「すぐに」（**= right away**）の意味。

73. must have done の用法 → 62

○ **must** を用いた **must have done**「…したに違いない」から，**must have been C**「C だったに違いない」を想定し，Mary must have been とまとめ，be proud of A「A を誇りに思う／A を自慢する」から，後も very proud of her son とまとめられる。

74. ought to have done の用法 → TARGET 11

○ **ought to** を用いた **ought to have done**「…すべきだったのに（実際はしなかった）」と attend A「A に出席する，A に参加する」（→ TARGET 80, 852）から，ought to have attended A「A に出席すべきだった」の形を作ればよい。

75. can't ... too 〜の慣用表現 → 67

○ 問題文の「いくら注意してもしすぎることはありません」は，重要表現 **can't[cannot] ... too 〜**「どんなに〜しても…しすぎることはない」を使って **cannot be too careful** と表すことができる。

76.「当然」の should「…するはずだ」→ TARGET 10

○ 第 1 文の **should** は「当然」の意味を表す用法。理論から導き出される結論として「当然…するはずだ」という文意となる。That's because の後は，**S have more of A**「S は A をより多く持っている」の構造。used for acceleration「加速に使われる」は muscle cells を後置修飾する過去分詞句。→ 133

---

71 better　**72** ② so → as　**73** must have been very proud of her son

74 ought to have attended yesterday's seminar

75 You cannot[can't] be too careful when you drive a car.

76 ゾウはウマよりも速く走るはずだ——少なくとも理論的には。それは，大きな生き物は加速に使われる筋肉細胞をより多く持っているからだ。しかし，地球上では中型動物が最も速い。

第4章 不定詞

不定詞には，名詞・形容詞・副詞用法があり，読解で頻出。作文で自在に操れるぐらい練習しておこう。

KEY POINT ▷019

77 □□□ The president decided (　　　) of the new product.
① putting off the promotion　② having put off the promotion
③ to put off the promotion　④ to have put off the promotion
〈名古屋工業大〉

78 □□□ Real wealth is (　　　) avoid doing what one would rather not do.
① being　② being able as to
③ to be able to　④ to find yourself able to
〈早稲田大〉

79 □□□ It is difficult for you (　　　) the English examination.
① is passing　② to passed　③ to pass　④ pass
〈福岡大〉

80 □□□ She (　　　) what I said.
① found impossible to believe
② found it impossible for believing
③ found it impossible to believe
④ found impossible believing
〈関西外大〉

KEY POINT ▷020

81 □□□ There is little time (　　　) this assignment.
① to finish　② finish　③ to be finished　④ finishing
〈東海大〉

77 社長は，新製品の宣伝を延期することにした。
78 真の豊かさとは，自分がしたくないことを避けることができることだ。
79 あなたがその英語の試験に合格することは難しい。
80 彼女は，私が言ったことを信じることが不可能だとわかった。
81 この宿題を終える時間はほとんどない。

KEY POINT ▷ 019　名詞用法の不定詞

77. 名詞用法の不定詞 — 目的語

▶ decide は不定詞を目的語にとる動詞。**decide to do**「…することにする」で押さえる。

Plus **put off A** は「A を延期する」。

78. 名詞用法の不定詞 — 補語

○ 本問は，補語が不定詞句になることに気づき，文意が通じる③ to be able to を選ぶ。

✕ 動名詞句も補語になるので，② being able as to は being able to であれば文法的に可となる。

79. It is ... for A to do. の形式主語構文

▶ 不定詞が主語になる場合は，形式主語 it を用いて不定詞句を後置し，文のバランスをとることがある。**It is ... (for A) to do.** は「(A が) ～するのは…だ」の意味を表す。**for A は不定詞の意味上の主語を明示する場合に用いる。**

Plus It is ... to do の形式主語構文で「人」を不定詞の意味上の主語として使い，人の性質を表す形容詞 **kind**「親切な」，**considerate**「思いやりがある」，**polite**「礼儀正しい」，**rude**「不作法な」，**wise**「賢い」，**foolish**「愚かな」，**careless**「不注意な」，**cruel**「冷酷な」などの語が補語にくる場合，It is ... of A（人）to do の形になる。一般にこの形は A（人）is ... to do. の形に言い換えることができる。
It was kind **of** him to help me. = He was kind to help me.（親切にも彼は私を手伝ってくれました）

80. 形式目的語を用いた find it impossible to do

▶ find O + C「O が C だとわかる」のような第 5 文型をとる動詞の目的語(O)を，名詞用法の不定詞(句)にする場合には，必ず形式目的語の it を用いて，不定詞(句)を補語(C)の後に置く。

○ 本問は，**S find it impossible to do**「S は…するのが不可能だとわかる」の形。したがって，③ found it impossible to believe を選ぶ。

KEY POINT ▷ 020　形容詞用法の不定詞

81. 形容詞用法の不定詞 — 同格関係

▶ **名詞を修飾する不定詞は，形容詞用法の不定詞**と呼ばれるが，その場合，修飾される名詞 A と不定詞の間には，**(1) 同格関係**（名詞の内容を説明するもの），**(2) 主格関係**（「A が…する」の関係），**(3) 目的格関係**（「A を…する」の関係）のいずれかの関係が成り立つ。

○ 本問は（1）同格関係の例。**time to do**「…する時間」で押さえておこう。

Plus 同格関係の不定詞をとる名詞には **time to do** 以外に **decision to do**「…する決心」，**plan[program / project] to do**「…する計画」，**way to do**「…する方法」，**courage to do**「…する勇気」などが代表例。

---

77 ③　78 ③　79 ③　80 ③　81 ①

82 □□□ Who was the first person (　　　　) the South Pole?
① reach　② reached　③ to reach　④ who reaches　〈大谷大〉

83 □□□ It is freezing outside. I felt very cold walking home. I want to have (　　　　).
① hot something to drink　② drinking something hot
③ hot drinking to something　④ something hot to drink
〈亜細亜大〉

84 □□□ We have a lot of problems (　　　　).
① to deal　② for dealing　③ to deal with　④ to be dealt
〈南山大〉

KEY POINT ▷ 021

85 □□□ A：Could you tell me (　　　　) get to the closest post office?
B：Sure. Go straight down this street and you'll see it on the right, across from the bank.
① can I　② how to　③ the way　④ where is　〈京都産業大〉

TARGET 14　疑問詞 ＋ to 不定詞の意味

- how to do「…する方法［仕方］，どのように…すべきか」→ 85
- where to do「どこに［で／に］…すべきか」
  I don't know where to park the car.（車をどこに止めたらよいのかわからない）
- when to do「いつ…すべきか」
  It has not been decided when to start.（いつ出発すべきかはまだ決定していない）
- what to do「何を…すべきか」
  He knows what to say.（彼は何を言うべきかわかっている）
- which to do「どれを…すべきか」
  Will you tell me which to choose?（どれを選んだらいいか，教えてくれませんか）
- what A to do「何の A を…すべきか」
  Tell me what time to start.（何時に出発すべきか教えてください）
- which A to do「どの A を…すべきか」
  I don't know which way is best.（どの方法が一番よいのかわからない）

82. 形容詞用法の不定詞 ― 主格関係

○ 問題 81 で述べた形容詞用法の不定詞の 3 つの中で，本問は，**(2) 主格関係**の例。the first person と，修飾する不定詞句 to reach the South Pole との関係が「S ＋ V」となっている。**the first A to do**「…する最初の A」で押さえておこう。

83. 形容詞用法の不定詞 ― 目的格関係

○ 問題 81 で述べた形容詞用法の不定詞の 3 つの中で，本問は **(3) 目的格関係**の例。something hot が drink の目的語となっている。

前提となる表現

drink something hot「何か熱いものを飲む」が
V　　　O

something hot to drink「何か熱い飲み物」になると考える。

✕ ① hot something to drink は不可。**something[anything / everything / nothing] を修飾する形容詞は後置する。something hot** を (×) hot something とは表現できない。

84. 形容詞用法の不定詞 ― 目的格関係，前置詞の残留

○ 問題 81 で述べた形容詞用法の不定詞の 3 つの中で，本問は，**(3) 目的格関係**の例。a lot of problems が deal with の目的語となっている。

deal with A「A を扱う，A を論じる」が

A to deal with「扱う[論じる]べき A」の形となり，前置詞 with が不定詞句内に残る。

KEY POINT ▷ 021　疑問詞 ＋ to 不定詞

85. 疑問詞 ＋ to 不定詞

▶ **「疑問詞 ＋ to 不定詞」は名詞句となり，文中で主語・動詞[前置詞]の目的語・補語になる。**

○ 本問は，how to get to the closest post office「一番近くの郵便局への行き方」が tell A B「A に B のことを言う」の目的語 B になっている。

---

82 ③　**83** ④　**84** ③　**85** ②

82 南極に初めて到達した人は誰ですか。
83 外は凍えるほど寒い。歩いて帰ったらとても寒く感じた。何か熱いものを飲みたい。
84 対処すべき問題はたくさんある。
85 A：一番近い郵便局への行き方を教えてもらえますか。
B：もちろんです。この通りを直進すると右側に，つまり銀行の向かい側に見えるでしょう。

KEY POINT ▷ 022

86 □□□ Harold went to the biggest bookstore in the town (　　　) gifts for his friend.
① to getting ② for getting ③ to get ④ for to get 〈上智大〉

87 □□□ He had to attend night school (　　　) improve his computer skills.
① in doing so ② for ③ in order to ④ as 〈鹿児島大〉

88 □□□ You should write carefully (　　　) as not to make mistakes.
① enough ② so ③ in ④ for 〈東洋大〉

89 □□□ She will be glad (　　　) that he has arrived safely.
① to know ② know ③ knowing ④ to have known 〈拓殖大〉

● TARGET 15 副詞用法の不定詞の意味と用法 動画

(1) 目的「…するために／…する目的で」→ 86
We must practice hard to win the game.
（その試合に勝つために，私たちは一生懸命練習しなければならない）

(2) 感情の原因「…して」→ 89
I was very glad to hear the news.（その知らせを聞いて，とてもうれしかった）

(3) 判断の根拠「…するなんて／…するとは」
He must be rich to have such a luxury watch.
（そんな高級腕時計を持っているなんて，彼は金持ちに違いない）

(4) 結果「その結果…する」→ 90
She grew up to be a famous scientist.（彼女は大きくなって有名な科学者になった）

(5) 条件「…すれば」
To hear her talk, you would take her for an American.
（彼女が話すのを聞けば，君は彼女をアメリカ人だと思うだろう）

(6) 形容詞の限定「…するには」
This river is dangerous to swim in.（この川は泳ぐには危険だ）
この構造の場合，主語の this river が前置詞 in の意味上の目的語となっている。原則として，以下の形式主語構文に変換できる。
It is dangerous to swim in this river.

86 ハロルドは友人への贈り物を買うために，この町でいちばん大きい書店に出かけた。
87 彼はコンピューターのスキルを上達させるために，夜間学校に通わなければならなかった。
88 ミスをしないように，注意深く書かなければいけません。
89 彼が無事到着していたことを知れば，彼女はうれしく思うでしょう。

KEY POINT ▷ 022

副詞用法の不定詞

86. 副詞用法の不定詞 — 目的

▶ **不定詞句で「…するために」の意味になり，「目的」を表す**用法がある。

○ 本問は，「贈り物を買うために」という内容にするために，不定詞の③ to get を選ぶ。

87. in order to do の用法

▶「目的」を表す不定詞の副詞用法であることをはっきりと示す場合に，**in order to do** や **so as to do**「…するために」を用いる。

Plus 否定形の **in order not to do，so as not to do**「…しないように」もここで押さえる。

Plus 不定詞の意味上の主語を明示する **in order for A to do**「A が…するために」も重要（→ 79）。ただし，**so as to do の意味上の主語は文の主語**なので，（×）so as for A to do の形は不可。

○ I'll do anything **in order for my daughter to be happy**.

✕ I'll do anything so as for my daughter to be happy.
（娘が幸せでいられるために，私は何でもするつもりです）

Plus **in order to do は文頭・文中で用いられるが，so as to do は文頭で用いられない。**

○ **In order to solve this case**, further information is needed.

✕ So as to solve this case, further information is needed.
（この事件を解決するためにはさらなる情報が必要です）

88. so as not to do の用法

○ 本問は，問題 87 で触れた **so as not to do**「…しないように」がポイント。② so を選び，so as not to make mistakes「ミスをしないように」を完成する。

89. 副詞用法の不定詞 — 感情の原因

▶ **glad / happy / angry / sorry / surprised / delighted**「喜んで」/ **hurt**「感情を害して」などの感情や気持ちを表す形容詞や過去分詞の分詞形容詞の後に不定詞を用いることで，**感情の原因**「…して」を表す。

○ 本問は，**be glad to do**「…してうれしい」を問う問題。

---

86 ③　87 ③　88 ②　89 ①

90 □□□ His grandfather lived (　　　) ninety-two and was the head of the company for many years.
① being　② to be　③ for being　④ till he would be　〈東海大〉

91 □□□ She is (　　　) buy everything.
① enough rich to　② enough to rich
③ rich enough to　④ rich to enough　〈國學院大〉

92 □□□ I came all the way from Hokkaido to see my aunt, (　　　) to find that she had moved.
① about　② as　③ enough　④ only　〈関西学院大〉

KEY POINT ▷ 023

93 □□□ I'll try (　　　) too much about the rankings.
① not to thinking　② to not thinking
③ not think　④ not to think　〈法政大〉

94 □□□ They don't seem (　　　) of the importance of the problem five years ago.
① being aware　② having been aware
③ to being aware　④ to have been aware　〈立命館大〉

90 彼の祖父は92歳まで生き，長年にわたってその会社の会長を務めた。
91 彼女は十分に金持ちなので何でも買える。
92 私ははるばる北海道からおばに会いにやって来たが，結局，彼女が引っ越していたことがわかっただけだった。
93 ランキングについては，あまり考えすぎないようにします。
94 5年前，彼らはその問題の重要性を認識していなかったようだ。

90. 副詞用法の不定詞 — 結果

▶ **副詞用法の「結果」を表す不定詞**は，慣用的な表現で用いられる。**(1) awake[wake (up)] to find[see] ...**「目が覚めると…だとわかる」，**(2) grow up to be C**「成長して C になる」，**(3) live to do ...**「…するまで生きる／生きて…する」が代表例。

○ 本問は，**live to be X**「X 歳まで生きる」がポイント。

91. 形容詞 ＋ enough to do の用法

▶ **形容詞［副詞］＋ enough to do** は，**「～するほど…／十分に…なので～する」**の意味を表す。enough が形容詞［副詞］を修飾する場合，その語の後に置くことに注意。

✕「十分お金持ちで」と日本語で考えて① enough rich to にしないこと。

Plus 同意表現の **so ＋ 形容詞［副詞］＋ as to do** もここで押さえておこう。
She is rich **enough to** buy everything. = She is **so** rich **as to** buy everything.

92. only to do — 逆説的な結果

▶ **only to do** で，逆説的な結果を表す用法。「…したが，結局～しただけだった」の意味を表す。

Plus 本問は，以下のように書き換えることができる。
I came all the way from Hokkaido to see my aunt, but (I) found that she had moved.

KEY POINT ▷ 023　不定詞の否定／完了不定詞

93. 不定詞の否定 — not to do

▶ 不定詞を否定する語（not / never）は不定詞の直前に置く。

○ **try to do**「…しようとする」の否定表現は，不定詞の前に not を置いて **try not to do**「…しないようにする」で表す。したがって，④ not to think が正解となる。

94. 完了不定詞

▶ **完了不定詞（to have done）は，文の述語動詞の時点よりも「前」であることを表す。**現在時制と完了不定詞が用いられている場合，完了不定詞が「過去」の内容を表しているか，「現在完了」の内容を表しているかは，文脈によって決まる。

○ 本問は，five years ago があるので「過去」の内容。It doesn't seem that they **were** aware of the importance of the problem **five years ago**. と書き換えられる。

Plus **be aware of A** は「A に気がついている」。

---

90 ②　**91** ③　**92** ④　**93** ④　**94** ④

KEY POINT ▷ 024

95 □□□ The problem was (　　　) complex for him to handle alone.
① so　② much　③ as　④ too　〈東洋大〉

96 □□□ I know I should go to the dentist's, but I just don't (　　　).
① want　② want either　③ want there　④ want to　〈関西学院大〉

KEY POINT ▷ 025

97 □□□ After a sleepless night, I suffered from headaches, (　　　) tiredness.
① at the cost of　② for the purpose of
③ in spite of　④ to say nothing of　〈東京理科大〉

98 □□□ To say (　　　), her knowledge of contemporary fiction surpasses that of her teacher.
① a few　② nothing　③ seldom　④ the least　〈関西学院大〉

95 その問題は，彼が一人で処理するには複雑すぎた。
96 私は歯医者に行くべきだとわかっているけれど，まったく行きたくない。
97 眠れない夜の後で，私は疲労感は言うまでもなく頭痛にも悩まされた。
98 控えめに言っても，現代小説についての彼女の知識は，彼女の先生の知識を上回っている。

KEY POINT ▷ 024　不定詞を用いた慣用表現／代不定詞

95. 不定詞を用いた慣用表現 — too ... for A to do

▶ **too ... to do** は「とても…なので～できない／～するには…すぎる」の意味を表す。

○ 本問は，不定詞の意味上の主語を表す for A が不定詞の直前に入った形。**too ... for A to do** で「とても…なので A は～できない／A が～するには…すぎる」の意味を表す。

96. 代不定詞

▶ 前述の動詞表現の反復を避けるために，**to だけを用いて不定詞の意味を表す用法がある**。これを**代不定詞**という。

○ 本問の代不定詞は I just don't want **to** (go to the dentist's). の内容だと考える。

Plus 不定詞を否定する語は不定詞の直前に置くので，否定の代不定詞は **not to** で表すこともここで押さえる。I opened the window, although my father told me **not to**.（私は，父が開けるなと言ったのに，窓を開けた）

KEY POINT ▷ 025　独立不定詞

97. 独立不定詞 — to say nothing of A

▶ **to say nothing of A**「A は言うまでもなく」は，独立不定詞と呼ばれる慣用表現。同意表現に，**not to speak of A**，**not to mention A** がある。正確に覚えておこう。

98. 独立不定詞 — to say the least

▶ **to say the least (of it)** は「控えめに言っても」の意味を表す独立不定詞。

---

95 ④　96 ④　97 ④　98 ④

KEY POINT ▷ 026

99 □□□ On the last day of the festival this year, a violin concert ( ) held at this hall.

① has been ② is to be ③ was to ④ had to 〈獨協大〉

TARGET 16 独立不定詞

- to tell (you) the truth「本当のことを言うと」
  To tell the truth, I was not satisfied with the restaurant's service.
  (実を言うと，私はレストランのサービスに満足していなかった)
- to be frank (with you)「率直に言えば」
  To be frank with you, the book was not interesting.
  (率直に言うと，その本はおもしろくなかった)
- so to speak[say]「いわば」
  This car is, so to speak, a next-generation vehicle.(この車はいわば，次世代の車だ)
- to begin[start] with「まず／第一に」
  To begin with, you have to do enough market research.
  (まず初めに，十分な市場調査をしなければなりません)
- to be sure「確かに」
  To be sure, he made a serious mistake.(確かに，彼は深刻な過ちを犯した)
- to do A justice「A を公平に評価すると」
  To do her justice, Mary is hard-working.(公平に評すれば，メアリーは働き者だ)
- to make matters worse「さらに悪いことには」
  I missed the train. To make matters worse, the next train was delayed.
  (私は電車に乗り遅れた。さらに悪いことに，次の電車は遅れた)
- to say the least (of it)「控え目に言っても」→ **98**
- strange to say「奇妙な話だが」
  Strange to say, no one noticed that Jack did not attend the seminar.
  (奇妙な話だが，ジャックがセミナーに出席していないことに誰も気づかなかった)
- not to say A「A とは言わないまでも」
  The mission was difficult, not to say impossible.
  (その任務は不可能とは言わないまでも困難だった)
- needless to say「言うまでもなく」
  Needless to say, human activities have affected the environment negatively.
  (言うまでもなく，人間の活動は環境に悪影響を与えてきた)
- to say nothing of A「A は言うまでもなく」→ **97**
  = not to speak of A / not to mention A

99 今年の祭りの最終日には，このホールでバイオリンのコンサートが開催される予定です。

KEY POINT ▷ 026　be + to 不定詞

99. be + to 不定詞 — 予定・運命

▶ **be + to 不定詞**の形で，「…する予定だ／…することになっている」の意味で，「**予定・運命**」を表す用法がある。

○ 本問は，a violin concert「バイオリンのコンサート」と hold「…を開催する」が受動関係であることに着目し，「開催される予定です」の内容とするために，② is to be を選ぶ。

TARGET 17 「be + to 不定詞」の用法 ▶動画

(1) 予定・運命「…する予定だ／…することになっている」→ 99
We are to meet Mr. Tanaka tomorrow morning.
(私たちは明日の朝，田中さんと会う予定です)

(2) 意図・目的「…するつもり（なら）／…するため（には)」(if 節で使われることが多い)
If you are to succeed, you must work hard.
(成功したいなら，一生懸命働かなければならない)

(3) 可能「…できる」(to be done と受動態になっている場合が多い)
The umbrella was not to be found.
(傘は見つからなかった)

(4) 義務・命令「…すべきだ／…しなさい」
You are to come home by five.
(5 時までに帰ってらっしゃい)

99 ②

KEY POINT ▷ 019-026

100 □□□ It goes without saying that health is above wealth.
= (　　　) (　　　) (　　　), health is above wealth.
〈大阪教育大〉

101 □□□ I think Don is very sensitive and can understand your feelings.
= I think Don is sensitive (　　　) (　　　) understand your feelings.
〈山梨大〉

102 □□□ ACME Corporation has provided a lot of jobs to people in our community. It was (local council / of our / that company / clever / to / bring) here.
〈名古屋工業大〉

103 □□□ (a / better / for / in / obtain / of / order / our / to / understanding / you) training, we have summarized it in this outline.
〈高知大〉

104 □□□ 彼女はあのような高価な車を買えるほど金持ちだ。

105 □□□ It's important for our children to learn to be responsible and to participate in the tasks of daily life in accordance with their age and abilities.
〈愛知県立大〉

ヒント

104 expensive「高価な」
105 learn to be responsible「責任を果たすことができるようになる」, participate in A (= take part in A)「Aに参加する」, task「任務,(義務としてやるべき)仕事」, in accordance with A (= according to A)「Aに応じて」

100 言うまでもなく，健康は富に勝る。
101 ドンはとても敏感だから，あなたの気持ちを理解できると思います。
＝ドンはあなたの気持ちを理解するのに十分敏感だと思います。
102 ACME Corporationは，地域社会の人々に多くの仕事を提供した。私たちの地元の議会があの会社をここに誘致したのは賢明だった。
103 あなたに私たちのトレーニング方法をよりよく理解してもらうために，私たちはこの概略にその内容をまとめました。

KEY POINT ▷ 019-026

100. 独立不定詞 ― needless to say

○ **Needless to say, S ＋ V ... .**「言うまでもなく…だ」を知っているかが本問のポイント。

→ TARGET 16

Plus **It goes without saying that S ＋ V ... .**「…は言うまでもないことだ」は，動名詞を用いた慣用表現。

→ TARGET 20

101. 形容詞 ＋ enough to do の用法 → 91

○ **形容詞 ＋ enough to do**「〜するほど…／十分に…なので〜する」を用いて，I think Don is sensitive **enough to understand your feelings**.「ドンはあなたの気持ちを理解するのに十分敏感だと思う」と同意の文を作ればよい。

102. It is ... of A to do の形式主語構文 → 79

○ 問題 79 で扱った **It is ... of A to do**「A が〜するのは…だ」を想定し，It was clever of our local council to bring that company here.「私たちの地元の議会があの会社（ACME Corporation）をここに誘致したのは賢明だった」とまとめる。

103. in order for A to do の用法 → 87

○ **in order to do**「…するために」に不定詞の意味上の主語を明示する **in order for A to do**「A が…するために」を文頭に立て，In order for you to obtain とし，obtain の目的語を a better understanding of our (training)「私たちのトレーニングに対するよりよい理解」とまとめる。

104. 形容詞 ＋ enough to do の用法 → 91

○ 問題文の内容は，**形容詞［副詞］＋ enough to do**「〜するほど…／十分に…なので〜する」の形を用いて表すことができる。

105. It is ... for A to do. の形式主語構文 → 79

○ 問題文は，**It is ... for A to do.** の形式主語構文なので，全体を「子どもたちが〜することは大切だ」と解釈できる。等位接続詞 and は to learn to be responsible と to participate in the tasks of daily life in accordance with their age and abilities を接続している。

---

100 Needless to say　**101** enough to

102 clever of our local council to bring that company

103 In order for you to obtain a better understanding of our

104 She is rich enough to buy an expensive car like that[such an expensive car].

105 私たちの子どもたちが責任を果たすことができるようになり，それぞれの年齢と能力に応じて日々の生活上の任務に参加することが大切です。

第5章 動名詞

動名詞を用いた慣用表現は，読解だけではなく作文でも頻出。問題を暗記し実践的に使えるようにしたい。

KEY POINT ▷ 027

106 □□□ (　　　) breakfast at the university cafeteria is recommended as a good way for college students to start the day with a well-balanced meal.

① Being eaten　② Having eaten　③ Eating　④ Eat　〈駒澤大〉

107 □□□ His ear trouble made (　　　) very difficult.

① be hearing　② having heard　③ hear　④ hearing　〈京都産業大〉

108 □□□ He is fond of (　　　) soccer.

① to play　② play　③ playing　④ played　〈駒澤大〉

109 □□□ Many people say that there is no chance (　　　) any lotteries, but my mother won a brand new car today!

① from winning　② of winning
③ to be won　④ for being won　〈東海大〉

KEY POINT ▷ 028

110 □□□ I am ashamed of (　　　) the answer to the question.

① not being known　② not being knowing
③ being not known　④ not knowing　〈名古屋工業大〉

106 大学の食堂で朝食を食べることは，大学生がバランスのとれた食事で一日を始めるよい方法だとして勧められている。
107 彼の耳の不調は，音の聞き取りをとても困難にした。
108 彼はサッカーをするのが大好きだ。
109 多くの人が宝くじの抽選に当たる可能性などまったくないと言いますが，私の母は今日，新品の自動車を勝ち取ったんです！
110 私はその問題の答えを知らなくて恥ずかしい。

KEY POINT ▷ 027　動名詞の基本

106. 主語となる動名詞(句)

▶ **動名詞(句)は文中で，主語・目的語・補語・前置詞の目的語として用いられる。**

○ 本問では，主語で用いられている。cafeteria までが主語で，S is recommended as A「S は A として勧められている」という文構造を見抜くこと。動名詞の③ Eating を選び，「大学の食堂で朝食を食べること」の意味になる主語を作る。

✕ ④ Eat は To eat であれば可。

Plus 以下の例は動名詞句が文の補語となっている場合。
One of his hobbies is **collecting foreign stamps and coins**.
（彼の趣味の 1 つは外国の切手とコインを集めることです）

107. 動詞の目的語となる動名詞

○ **make A very difficult**「A をとても困難にする」という第 5 文型の表現で，目的語である A に，hearing「聞くこと」という動名詞を選択できるかが本問のポイント。

108. 前置詞の目的語となる動名詞 (1)

○ **be fond of A**「A が大好きである」の表現で，前置詞 of の目的語である A に，playing soccer「サッカーをすること」という動名詞句を選択できるかが本問のポイント。

109. 前置詞の目的語となる動名詞 (2)

○ **there is no chance of A**「A の見込みがまったくない」の表現を見抜く。of の目的語に動名詞を用いた **there is no chance of doing**「…する見込みがまったくない」を想定し，② of winning を選ぶ。

KEY POINT ▷ 028　動名詞の否定／意味上の主語

110. 動名詞の否定 — not の位置

▶ **動名詞を否定する語 not / never は，動名詞の直前に置く。**

Plus **be ashamed of A**「A を恥じている」は重要表現。

---

106 ③　107 ④　108 ③　109 ②　110 ④

111 □□□
It is natural for workers to complain about their salary (　　　).
① be so cheap　② be so low
③ being too cheap　④ being too low　〈西南学院大〉

KEY POINT ▷029

112 □□□
The student tried to get into the classroom without (　　　) by the teacher.
① being noticed　② to have noticed
③ be noticed　④ noticed　〈大東文化大〉

113 □□□
As a result of (　　　) the dangerous waste properly, the hospital will need to pay a large fine.
① had not managed　② not being managed
③ not having managed　④ not to have managed　〈立命館大〉

111 労働者が，給料が低すぎることについて不満を言うのは当然だ。
112 その生徒は，先生に気づかれずに教室に入ろうとした。
113 危険な廃棄物を適切に管理してこなかったことの結果として，その病院は巨額の罰金を支払う必要があるだろう。

111. 動名詞の意味上の主語

▶ **動名詞の意味上の主語は，代名詞の場合は所有格または目的格，名詞の場合は所有格またはそのままの形で表す**。ただし，名詞が物の場合はそのままの形にする。

○ 本問は，**complain about A**「A について不満を言う」の A に their salary is too low という文を動名詞化した表現 their salary being too low「自分たちの給料が低すぎること」が入る。したがって，④ being too low が正解。their salary が being too low の意味上の主語となっている。

✕ ③ being too cheap は不可。cheap / expensive は，The car is cheap. のように「(品物が)安い／高い」の意味を表し，「(給料が)安い／高い」の場合には low / high，または small / large[big] を用いる。

KEY POINT ▷ 029　受動態の動名詞／完了の動名詞

112. 受動態の動名詞

▶ **受動態の動名詞は，being done** の形をとる。

○ 本問では，前置詞 without の目的語に受動態の動名詞句 being noticed by the teacher を作る。

113. 完了の動名詞 ― 完了動名詞の否定

▶ **完了動名詞（having done）は，文の述語動詞の時点よりも「前」**であることを表す。否定形は **not having done** で表す。

○ 本問は，**As a result of A**「A の結果として」の A に，(The hospital) has not managed the dangerous waste properly. という文を動名詞化した表現が入る。完了動名詞の否定形は，not having done で表すので，not having managed the dangerous waste properly「(病院が) 危険な廃棄物を適切に管理してこなかったこと」となる。したがって，③ not having managed が正解。

✕ having not managed にしないこと。**not / never は動名詞であれ完了の動名詞であれ，動名詞の直前に置く**。→ 110

111 ④　112 ①　113 ③

KEY POINT ▷030

114 □□□ A：Will you be at the meeting tomorrow?
B：Yes, I will. I look forward ( ) you again there.
① see ② to see ③ to seeing ④ will see 〈学習院大〉

115 □□□ She is not used to ( ) formal letters.
① write ② writing ③ writes ④ written 〈名古屋工業大〉

116 □□□ Though she is a shy student, she seems to be getting used ( ) in class.
① speak ② to speak ③ to speaking ④ spoken to 〈日本大〉

● TARGET 18 to do ではなく to doing となる表現

- look forward to A[doing] 「A[…すること]を楽しみに待つ」→ 114
- be used[accustomed] to A[doing] 「A[…すること]に慣れている」→ 115
- object to A[doing] 「A[…すること]に反対する」
  My son objected to being treated like a child.
  (私の息子は子ども扱いされることを嫌がった)
- devote A to B[doing]
  「A を B[…すること]にささげる／A を B[…すること]に充てる」
  I plan to devote my summer vacation to studying English.
  (私は夏休みを英語の勉強に充てるつもりです)
- come near (to) doing 「もう少しで…するところだ」
  I came near to being run over by a car.
  (私はもう少しで車にひかれるところだった)
- when it comes to A[doing] 「話が A[…すること]になると」
  When it comes to running, John is definitely the best at our school.
  (走ることとなると，ジョンは間違いなく学校で一番だ)
- What do you say to A[doing]? = What[How] about A[doing]? → 117
  「A はいかがですか[…しませんか]」

114 A：明日，会議に出る予定ですか。
B：はい，そうします。そこでまたあなたにお会いできるのを楽しみにしています。
115 彼女は改まった手紙を書くことに慣れていない。
116 彼女は内気な学生だが，クラスで話すことには慣れつつあるようだ。

KEY POINT ▷ 030　　to の後に動名詞（名詞）が続く表現

114. to の後に動名詞（名詞）が続く表現（1）— look forward to doing

▶ **look forward to A[doing]** は,「A[…すること]を楽しみに待つ」の意味を表す。

○ この to は, 不定詞を作る to ではなく前置詞なので, to do ではなく to doing になることに注意。

115. to の後に動名詞（名詞）が続く表現（2）— be used to doing

▶ **be used[accustomed] to A[doing]** は「A[…すること]に慣れている」の意味で「**状態**」を表す。

○ 本問は, 否定形の **be not used to doing**「…することに慣れていない」になっている。

116. to の後に動名詞（名詞）が続く表現（3）— get used to doing

▶ **get[become] used[accustomed] to A[doing]**「A[…すること]に慣れる」は「**動作**」を表す。「状態」は問題 115 を参照。

○ 本問は, get used to doing の進行形 **be getting used to doing**「…することに慣れつつある」となっているのを見抜くこと。

114 ③　115 ②　116 ③

117 □□□ What do you say to (　　　) a movie tonight?
① watch　② watching　③ watched　④ be watched

〈芝浦工業大〉

KEY POINT ▷ 031

118 □□□ There is no use (　　　) angry about it.
① to getting　② getting　③ to get　④ to be gotten 〈青山学院大〉

119 □□□ I have (　　　) on studying because I want to watch my favorite movies on TV.
① difficulty concentrating　② difficulty to concentrate
③ difficult concentrating　④ difficult to concentrate

〈青山学院大〉

● TARGET 19　(in) doing が後に続く表現

- be busy (in) doing「…することに忙しい」
  She is very busy (in) doing her homework.
  (彼女は宿題をするのにとても忙しい)
- spend A (in) doing「…するのにＡ(時間・お金)を使う」
  I usually spend two hours a day (in) doing my homework.
  (私はいつも宿題をするのに１日２時間使います)
- have difficulty[trouble] (in) doing「…するのに苦労する」→ 119
- have no difficulty[trouble] (in) doing「…することが容易だ／難なく…する」→ 127
  He has no difficulty (in) remembering names.
  (彼は人の名前を容易に覚えられる)
- There is no use[point / sense] (in) doing「…しても無駄だ」→ 118, 262

117 今夜，映画を見ませんか。
118 そのことで腹を立てるのは無駄なことだ。
119 私はテレビで大好きな映画を見たいので，勉強に集中するのに苦労している。

117. to の後に動名詞（名詞）が続く表現（4）― What do you say to doing?

▶ **What do you say to A[doing]?** は「A はいかがですか［…しませんか］」の意味を表す。

Plus 同意表現の **What[How] about A[doing]?** もここで押さえる。

KEY POINT ▷ 031　省略可能な in の後に動名詞が続く表現

118. 省略可能な in の後に動名詞が続く表現（1）― There is no use doing

▶ **There is no use[point / sense] (in) doing** は，「…しても無駄だ」の意味を表す。

○ **get angry about A** は「A のことで腹を立てる」。

Plus 同意表現の **It is no use[good] doing** や **It is useless to do** もここで押さえる。

There is no use[point / sense] (in) telling a lie.
（嘘をついても無駄です）
= **It is no use[good] telling** a lie.
= **It is useless to tell** a lie.

119. 省略可能な in の後に動名詞が続く表現（2）― have difficulty (in) doing

▶ **have difficulty (in) doing** は「…するのに苦労する」の意味を表す。

Plus **concentrate on A**「A に集中する」は重要表現。

---

117 ②　118 ②　119 ①

KEY POINT ▷ 032

120 □□□ There is ( ) what will happen tomorrow.
① no told ② not to tell ③ not telling ④ no telling 〈法政大〉

121 □□□ She did not feel ( ) attending the debate.
① for ② about ③ like ④ difficult 〈西南大〉

122 □□□ As soon as I arrived at the station, I was able to find him.
= ( ) at the station, I was able to find him.
① To arriving ② On arriving
③ With arriving ④ At arriving 〈高崎経済大〉

123 □□□ It ( ) without saying that anyone riding a motorcycle should wear a helmet.
① calls ② goes ③ takes ④ moves 〈獨協大〉

TARGET 20 動名詞を用いた慣用表現

- There is no doing「…できない」→ 120 = It is impossible to do
- feel like doing「…したい気がする」→ 121 = feel inclined to do
- on doing「…すると同時に／…するとすぐに」→ 122 = As soon as S + V ...
- in doing「…するときに／…している間に」 = when[while] S + V ...
  You should be careful in scuba diving.
  (スキューバダイビングをするときには気をつけるべきだ)
- It goes without saying that S + V ...「…は言うまでもないことだ」→ 123, 129
  = Needless to say, S + V ... (→ TARGET 16 参照)

120 何が明日起こるのかはわからない。
121 彼女はその議論に参加したいという気にならなかった。
122 駅に着くとすぐに，私は彼を見つけることができた。
123 バイクに乗る人は誰でもヘルメットをかぶるべきなのは，言うまでもないことだ。

KEY POINT ▷ 032　動名詞を用いた慣用表現

120. 動名詞を用いた慣用表現（1）— There is no doing

▶ **There is no doing** は「…できない」(**= It is impossible to do**）の意味を表す。

○ 本問の tell は，tell + wh 節で「…かを知る」の意味。

Plus 本問は，**It is impossible to tell** what will happen tomorrow. 以外に **No one can tell[We cannot tell]** what will happen tomorrow. と書き換えられることも押さえておこう。

121. 動名詞を用いた慣用表現（2）— feel like doing

▶ **feel like doing** は「…したい気がする」の意味を表す。

Plus 同意表現の feel inclined to do もここで覚えておこう。

122. 動名詞を用いた慣用表現（3）— on doing / in doing

▶ **on doing** は「…すると同時に，…するとすぐに」の意味を表す。類似表現の **in doing**「…するときに／…している間に」もここで押さえておこう。

In getting off the taxi, she slipped.（タクシーを降りるとき，彼女は足をすべらせた）

Plus **on doing** は **as soon as** で始まる節で言い換えられる場合が多い。**in doing** は **when[while]** で始まる節に言い換えられる場合が多い。

123. 動名詞を用いた慣用表現（4）— It goes without saying that S + V ...

▶ **It goes without saying that S + V ...** は，「…は言うまでもないことだ」の意味を表す。動名詞を用いた慣用表現として押さえる。→100

Plus 問題 100，**TARGET 16** で扱った **Needless to say, S + V ...**「言うまでもなく…だ」で書き換えられることも重要。

---

120 ④　121 ③　122 ②　123 ②

KEY POINT ▷ 033

124 □□□

This bicycle needs (   ).

① fixing ② being fixed

③ of fixing ④ of being fixed 〈青山学院大〉

KEY POINT ▷ 034

125 □□□

The TV program is worth (   ).

① watching ② being watched ③ of watching ④ to watch

〈法政大〉

124 この自転車は修理が必要だ。

125 そのテレビ番組は見る価値がある。

KEY POINT ▷ 033　A need[want] doing の用法

124. A need doing の用法

▶ **A need[want] doing.** は「A は…される必要がある」の意味を表す。この場合，**主語の A が必ず動名詞 doing の意味上の目的語**になることに注意。

○ 本問は，主語の this bicycle が fixing の意味上の目的語になっている。

Plus **A need doing.** は **A need to be done.** で言い換えられることも重要。

✕ ② being fixed では，主語の this bicycle が being fixed の意味上の目的語ではなく，意味上の主語となってしまうので，不可。

KEY POINT ▷ 034　A is worth doing の用法

125. A is worth doing の用法

▶ **worth** はかつて形容詞に分類されていたが，現在では前置詞と考えるのが一般的。したがって，動名詞や名詞を目的語にとる（不定詞は不可）。**A is worth doing** の形で「A は…する価値がある」の意味を表す。この場合，**主語の A が必ず動名詞の意味上の目的語になる**ことに注意。

○ 本問は，主語の the TV program が watching の意味上の目的語となっている。

✕ ② being watched は不可。主語の the TV program が being watched の意味上の目的語ではなく，意味上の主語となる。

Plus **主語の A が動名詞の後の前置詞の目的語**になる場合がある。以下の例は主語の This song が (listening) to の目的語となっている。

This song is worth listening **to** over and over again.
（この歌は何度も何度も繰り返し聞く価値がある）

Plus **A is worth doing.** は **It is worth doing A.** = **It is worth while to do A.** = **It is worth while doing A.** に言い換えられることも押さえておこう。**A is worth** ＋ 名詞「A は…の価値がある」も重要。

This house **is worth the price.**（この家はその価格の価値がある）
Kyoto **is worth visiting.**（京都は訪問する価値がある）
= **It is worth visiting** Kyoto.
= **It is worth while to visit** Kyoto.
= **It is worth while visiting** Kyoto.
= Kyoto is **worth a visit.**

124 ①　125 ①

KEY POINT ▷ 027-034

126 □□□ Language is not only a way of transmitting information but also (a / establishing / means / of / relationships / social).
〈名古屋市立大〉

127 □□□ 1時間あれば，そんな仕事も難なく片付けられるよ。
We (an / difficulty / finishing / have / hour / in / no / task / the / would). 〈兵庫県立大〉

128 □□□ Please accept ①my apologies for ②not provided you ③with information about the ④change in schedule for yesterday's meeting.
〈南山大〉

129 □□□ It (goes / if / saying / that / without / you) have a liver disease, you should avoid drinking alcohol. 〈東京医科大〉

130 □□□ 多くの人が，そのサッカーの試合を見るのを楽しみにしているようだ。〈Many people で書き始める〉

131 □□□ Most young people have difficulty contemplating their own old age or preparing for the discomfort and dependency that often accompany it.
〈県立広島大〉

130 the soccer game「そのサッカーの試合」
131 contemplate「…を熟考する」, prepare for A「A に備える」, discomfort「不便」, dependency「依存」, accompany「…に伴う，…に付随して起こる」, it = their own old age

126 言語は，情報を伝達する方法であるだけでなく，社会的関係を築く手段でもある。
128 あなたに昨日の会議のスケジュール変更に関する情報をさしあげなかったことを，おわび申し上げます。
129 もしあなたが肝臓に疾患を持っていれば，アルコールを飲むことを避けるべきなのは言うまでもありません。

KEY POINT ▷ 027-034

126. 前置詞の目的語となる動名詞 ➔ 108, 109

○ **a means of doing**「…する手段」を知っていれば，a means of establishing social relationships「社会的関係を築く手段」とまとめられる。means は単複同形で「手段，方法」の意味。

Plus **not only A but also B**「A だけでなく B も」は重要。a way of transmitting information は「情報を伝達する方法」の意味。

127. 省略可能な in の後に動名詞が続く表現 — have no difficulty (in) doing ➔ 119

○ 問題 119 で扱った **have difficulty (in) doing**「…するのに苦労する」を知っていれば，We would have no difficulty finishing the task「私たちはその仕事を終えるのにまったく苦労しないだろう」とまとめられる。次に，**「時の経過」を表す in**「今から…で」(➔ 435) を用いて，**in an hour**「今から 1 時間後に」とすればよい。

128. 前置詞の目的語となる動名詞／動名詞の否定 ➔ 108, 109, 110

○ ② not provided が間違い。ここでは②が前置詞 for の目的語となるので，動名詞で表す。**動名詞の否定は，not doing ...** なので（➔ 110），not providing you with information「あなたに情報を与えなかったこと」になるはず。したがって，not providing と修正する。

129. 動名詞を用いた慣用表現 — It goes without saying that S ＋ V ... ➔ 123

○ 動名詞を用いた慣用表現の **It goes without saying that S ＋ V ...**「…は言うまでもないことだ」(= **Needless to say, S ＋ V ...**) が本問のポイント。

130. to の後に動名詞（名詞）が続く表現 — look forward to doing ➔ 114

○「楽しみにしている」は **look forward to doing** を進行形にして表すことができる。「～ようだ」は seem to do を用いて表現できる。

131. 省略可能な in の後に動名詞が続く表現 — have difficulty (in) doing ➔ 119

○ 問題文は，**have difficulty (in) doing**「…するのに苦労する」の表現。doing のところに，等位接続詞 or で接続された contemplating ... age と preparing ... it が入った形。

---

126 a means of establishing social relationships

127 would have no difficulty finishing the task in an hour

128 ② not provided → not providing[not having provided]

129 goes without saying that if you

130 Many people seem to be looking forward to seeing[watching] the soccer game.

131 ほとんどの若者は，自分の老年期についてじっくり考えたり，それにしばしば伴う不便や依存状態に備えたりするのに苦労する。

第6章 分詞

現在分詞・過去分詞の用法は，英文を一読して見抜けるほど，練習が必要。分詞構文は特に完璧にしたい。

KEY POINT ▷035

132 □□□ My bicycle is completely broken, but the shop (　　　　) new bicycles is closed today.

① is selling　② selling　③ sells　④ sold　〈立命館大〉

133 □□□ A：Do you know that Chris had a skiing accident?

B：Yes. He has a (　　　　) leg, but I think he'll be OK.

① breaking　② broke　③ broken　④ break　〈法政大〉

KEY POINT ▷036

134 □□□ He remained (　　　　) on the bed.

① lie　② lying　③ to lie　④ lain　〈関西大〉

135 □□□ John sat (　　　　) by girls.

① surround　② surrounded

③ to surround　④ surrounding　〈高知工科大〉

132 私の自転車はすっかり壊れているが，新しい自転車を売る店は，今日は閉まっている。

133 A：クリスがスキー事故に遭ったことを知ってる？

B：うん。彼は脚を骨折しているけど，よくなると思うよ。

134 彼はベッドに横たわったままだった。

135 ジョンは女の子に囲まれて座っていた。

KEY POINT ▷ 035　名詞修飾の分詞

132. 名詞修飾の分詞 — 現在分詞

▶ **分詞 1 語が名詞を修飾する場合**, 原則として**名詞の前**に置く。**2 語以上の場合は名詞の後**に置く。修飾される名詞と分詞が**能動関係なら現在分詞**, **受動関係なら過去分詞**を用いる。

○ the shop「その店」と sell new bicycles「新しい自転車を売る」は能動関係なので, 現在分詞の② selling が入る。名詞 the shop を修飾する selling new bicycles は 2 語以上なので, その後に置く。

133. 名詞修飾の分詞 — 過去分詞

○ a leg「脚」と break「折る」は受動関係なので, 過去分詞の③ broken が正解。過去分詞 1 語なので, 修飾される名詞 leg の前に置く。**a broken leg**「骨折した脚」で覚えておこう。

KEY POINT ▷ 036　主格補語として用いられる分詞

134. 主格補語として用いられる分詞 — 現在分詞

▶ **分詞は, 主格補語**として用いられる。主語との間に**能動関係が成立すれば現在分詞**を, **受動関係が成立すれば過去分詞**を用いる。

○ remain には **S remain C.**「S は C のままである」の形があり, **主格補語の C には「名詞・形容詞・分詞」**などがくる。本問の主語 he と lie「横になる」は能動関係なので, ② lying が入る。**remain lying**「横になったままである」で覚えておこう。

Plus **remain ＋ done** は以下の例を参照。主語の the treasure「財宝」と bury「…を埋める」の間には受動関係が成立している。

The treasure **remains buried** somewhere in the island.
(財宝は, その島のどこかに埋もれたままである)

135. 主格補語として用いられる分詞 — 過去分詞

○ sit には **S sit doing[done]**「S は…しながら[されながら]座っている」の形があるが, John と surround「…を囲む」は受動関係なので, ② surrounded を選ぶ。**sit surrounded by A**「A に囲まれて座っている」で覚えよう。

132 ②　133 ③　134 ②　135 ②

KEY POINT ▷ 037

136 □□□ Professor Smith, I'm very sorry to have kept you (　　　) so long.

① wait ② waited ③ waiting ④ to wait 〈南山大〉

137 □□□ I asked her to keep me (　　　) of any new developments in the matter.

① informing ② to inform
③ informed ④ information 〈専修大〉

138 □□□ I couldn't make myself (　　　) above the noise of the traffic.

① hearing ② heard ③ having heard ④ to hear 〈北里大〉

139 □□□ The children are outside. I can see them (　　　) in the garden.

① to play ② to be playing ③ playing ④ being played 〈東邦大〉

136 スミス教授，長い間お待たせしてたいへん申し訳ありません。
137 私は彼女に，その件に関して何か新たな進展があったらいつでも知らせてくれるように頼んだ。
138 交通の騒音がうるさすぎて，私の声を届かせられなかった。
139 子どもたちは外にいる。私には彼らが庭で遊んでいるのが見える。

KEY POINT ▷ 037　目的格補語として用いられる分詞

136. 目的格補語として用いられる分詞 — 現在分詞

▶ **分詞は，目的格補語**としても用いられる。**目的語との間に能動関係が成立すれば現在分詞を，受動関係が成立すれば過去分詞**を用いる。

○ keep には，**keep O ＋ C[doing / done]** の形があるが，you と wait「待つ」は能動関係なので，③ waiting を選ぶ。**keep A waiting**「A を待たせる」で押さえよう。

137. 目的格補語として用いられる分詞 — 過去分詞

○ keep には，**keep O ＋ C[doing / done]** の形がある。me と inform は，inform A of B「A に B を知らせる」(➔ 541) の観点から，受動関係が成り立つと考える。よって，過去分詞の③ informed を選ぶ。**keep A informed of B**「A に B を知らせ続ける」で押さえておこう。

138. 目的格補語の過去分詞 — make O ＋ C[過去分詞]

▶ **make oneself heard** は「自分の声を届かせる」の意味を表す。目的語の oneself は what one says「自分の言うこと」の意味で，oneself と hear は受動関係。「自分の言っていることが相手に聞かれるようにする」が本来の意味。慣用表現として押さえておこう。

Plus **make oneself understood**「自分の言うことを相手にわからせる」も重要。
It is difficult to **make myself understood** in English.（英語で私の言うことを相手にわからせるのは難しい）

139. 目的格補語の現在分詞 — see O ＋ C[現在分詞]

▶ see には，**see A doing[done]**「A が…している[されている]のを見る」の形がある。

○ them と play in the garden「庭で遊ぶ」は能動関係なので，③ playing を選ぶ。

Plus **see A done** は以下の例を参照。
I saw him **carried** to the hospital.（私は，彼が病院に運ばれるのを見た）

---

136 ③　137 ③　138 ②　139 ③

KEY POINT ▷038

140 □□□

(　　　　) exactly the same job, he understands my situation better.

① Doing　② Doing as　③ For doing　④ That we are doing

〈立命館大〉

141 □□□

(　　　　) what to say, Travis remained silent all through the meeting.

① Knowing not　② Knowing nothing

③ Not knowing　④ No knowing

〈高知大〉

142 □□□

Several former classmates gathered for lunch, (　　　　) their high school reunion the night before.

① having attended　② attending

③ having been attending　④ being attended

〈慶應義塾大〉

143 □□□

(　　　　) from a distance, the rock looked like a human face.

① Saw　② Seeing　③ Seen　④ To see

〈近畿大〉

140 まったく同じ仕事をしているので，彼は私の立場をよく理解してくれる。

141 何を言っていいのかわからなかったので，トラビスは会議中ずっと黙っていた。

142 何人かの元クラスメートがランチのために集まったが，彼らは前の晩に高校の同窓会に出席していた。

143 遠くから見ると，その岩は人間の顔のように見えた。

KEY POINT ▷ 038　分詞構文

140. 現在分詞から始まる分詞構文

▶ **分詞句が副詞句として機能し，述語動詞などを修飾するものは，分詞構文**と呼ばれる。「**時**（…**するとき**）」「**理由**（…**なので**）」「**付帯状況**（…**しながら／そして…する**）」「**条件**（**もし…なら**）」「**譲歩**（…**だけれども**）」を表すとされるが，条件・譲歩の用例は慣用的なものを除けば少ない。また，時・理由・付帯状況などの区別ができない場合も多く，常に接続詞を用いて「書き換え」られるわけではない。分詞を否定する語は分詞の直前に置くことも押さえておこう。

Not having anything else to buy, she went out of the store.
（買うべきものがほかになかったので，彼女は店を出た）

○ 本問は，主語の he と do は能動関係なので，① Doing を選ぶ。Doing exactly the same job は Because he does exactly the same job とほぼ同意。

141. 分詞の否定語 not の位置

▶ 問題 140 で扱ったように，**分詞を否定する語は，分詞の直前に置く**。

○ 本問は，主語の Travis と know は能動関係であり，否定の内容なので，③ Not knowing を選ぶ。**Not knowing what to say**「何を言っていいのかわからなかった［わからない］ので」で覚えておこう。

142. 完了分詞構文

▶ **完了分詞**（**having done**）**を用いた分詞構文は，文の述語動詞の時点よりも前であることを表す**。分詞構文は文頭で用いられることが多いが，文中（通例，主語の後）や文尾でも用いられる。

○ 主語の several former classmates「何人かの元クラスメート」と attend「…に出席する」は能動関係であり，the night before「前夜」があることから，「ランチに集まった」よりも前の時点で「高校の同窓会に出席した」ことになる。したがって，完了分詞構文の形である① having attended を選ぶ。

143. 過去分詞から始まる分詞構文

○ 主語の the rock と see は受動関係なので，being seen from a distance となるが，**分詞構文では通例，being[having been] は省略できる**ので，過去分詞の③ Seen を選ぶ。**Seen from a distance**「遠くから見ると」で覚えておこう。

---

140 ①　141 ③　142 ①　143 ③

144 □□□ (　　　) fine, I went out for a walk with my dog.
① Because being ② Being ③ It being ④ It is 〈近畿大〉

145 □□□ (　　　) being no public bus service, I had to run to catch the train as soon as possible.
① They ② There ③ It ④ It is 〈青山学院大〉

KEY POINT ▷ 039

146 □□□ All things (　　　), she is the best candidate for the position.
① considering ② considered ③ to consider ④ consider
〈日本大〉

● TARGET 21 慣用的な分詞構文

- frankly speaking「率直に言えば」
  Frankly speaking, I don't believe in fate.（率直に言って，私は運命を信じていない）
- generally speaking「一般的に言えば」
  Generally speaking, Westerners tend to be individualistic.
  （一般的に言って，西洋人は個人主義的だ）
- strictly speaking「厳密に言えば」
  Strictly speaking, it's not mine.（厳密に言えば，それは私のものではありません）
- roughly speaking「おおざっぱに言えば」
  Roughly speaking, Japanese people are quiet and shy.
  （おおざっぱに言えば，日本人は物静かで恥ずかしがり屋だ）
- talking[speaking] of A「A と言えば」

144 天気がよかったので，私は犬と散歩に出かけた。
145 公共のバス便がなかったので，私はできるだけ早く電車に乗るために走らなければならなかった。
146 あらゆることを考慮に入れると，彼女はその役職の最善の候補者だ。

144. 独立分詞構文

▶ **分詞の意味上の主語が文の主語と異なる場合，分詞の意味上の主語を分詞の前に置く。** この形は，一般に**独立分詞構文**と呼ばれる。ただし，it 以外の I[we / you] などの人称代名詞は通例，独立分詞構文では用いられないことに注意。

○ 本問では，「天候」の it が分詞の意味上の主語として用いられている。**It being fine** は，Because it was fine とほぼ同意。

✕ fine が「(人が) 元気な」の意味で使われるのは，あいさつの How are you? の返答の場合が原則なので，② Being は不可。
"How are you?" "I'm fine, thank you."
「元気ですか」「元気です。ありがとう」

145. there is A の分詞構文

▶ there is A「A がある」の分詞構文は，**there being A** になる。

○ 本問は，Because there was no public bus service「公共のバス便がなかったので」を分詞構文で表現したものと考えればよい。

KEY POINT ▷ 039　慣用的な分詞構文

146. 慣用的な分詞構文 — all things considered

○ **all things considered**「あらゆることを考慮に入れると」は慣用的な分詞構文として押さえる。

Talking of France, I went to Paris last summer.
(フランスと言えば，昨年の夏，パリに行った)

- judging from A「A から判断すると」
  Judging from today's traffic conditions, you should not take a taxi.
  (今日の交通状況から判断すると，タクシーで行くべきではない)
- seeing (that) S ＋ V ...「…なので」
  Seeing that I was confused, Ken waited until I answered.
  (私が困惑していたので，ケンは私が答えるまで待っていた)
- depending on A「A に応じて／A 次第で」
  Depending on the country, math is taught in different ways.
  (国によって，数学は異なる方法で教えられる)

144 ③　145 ②　146 ②

KEY POINT ▷ 040

147 □□□ She said goodbye to her uncle with tears (　　　) down her cheeks. She knew that she would never see him again.
① run　② running　③ ran　④ to run 〈玉川大〉

148 □□□ The basketball player made the free throw for the victory with only 2.2 seconds (　　　) on the clock.
① leave　② leaving　③ left　④ to leave 〈立命館大〉

- weather permitting「天気がよければ」
  A fireworks show will take place tonight, weather permitting.
  （天候がよければ，今晩，花火大会が行われる）
- such being the case「そのような事情なので」
  Such being the case, we need your help.
  （そういう事情なので，私たちはあなたの手助けが必要なのです）
- considering A「A を考慮に入れると」
  Considering your physical condition, you should get some rest.
  （あなたの体調を考慮すると，休んだ方がよい）
- considering (that) S ＋ V ...「…（ということ）を考慮に入れると」
  Considering (that) you have no experience, you did quite well.
  （未経験であることを考慮すれば，よくやりました）
- given A「A を考慮に入れると／A だと仮定すると」
  Given the popularity of paper books, they will not disappear in the near future.
  （紙の本の人気を考慮に入れると，近い将来，無くなるということはないでしょう）
- given (that) S ＋ V ...「…を考慮に入れると／…だと仮定すると」
  Her Japanese skills are great given (that) she has studied it for only a month.

147 彼女は頬を涙で濡らしながら，おじに別れを告げた。彼女はもう二度と彼に会えないことを知っていた。
148 そのバスケットボール選手は，残り時間わずか 2.2 秒でフリースローを投じて勝利を決めた。

KEY POINT ▷ 040　付帯状況表現 with A doing / done

147. 付帯状況を表す with A doing

▶「付帯状況」を表す **with** には，**with A doing**「A が…している状態で」と **with A done**「A が…されている状態で」の形がある。A と分詞が能動関係であれば現在分詞が，受動関係なら過去分詞が用いられる。

○ tears「涙」と run down her cheeks「彼女の頬に流れる」は能動関係なので，現在分詞の② running を選ぶ。**with tears running down one's cheeks**「涙で頬を濡らしながら」で覚える。なお，ここでの run は「流れる」(= flow) の意味。

148. 付帯状況を表す with A done

○ only 2.2 seconds「わずか 2.2 秒」と leave「…を残す」は受動関係なので，過去分詞の③ left を選ぶ。**with only 2.2 seconds left on the clock** は，「時計では 2.2 秒しか残っていない状態で」の意味を表す。

(1 カ月しか勉強していないことを考慮に入れると，彼女の日本語力は素晴らしい)

● granting[granted] (that) S ＋ V ...「仮に…だとしても」
Granting[Granted] (that) his excuse is understandable, I cannot forgive him.
(彼の言い訳が理解できるとしても，彼を許すことはできない)

● provided[providing] (that) S ＋ V ...「もし…なら」
John will come to the party provided[providing] (that) you will give him a ride.
(あなたが車で送り迎えするなら，ジョンはパーティーに来るでしょう)

● suppose (that) S ＋ V ...「もし…なら」
Suppose (that) Karen can't come, who will host the meeting instead of her?
(カレンが来られないとしたら，誰が彼女の代わりにその会議を主催するのですか)

● supposing (that) S ＋ V ...「もし…なら」
Supposing (that) all the earth's forests were destroyed, the temperature would become higher.
(地球上の森林がすべて破壊されたとしたら，気温がもっと上がるでしょう)

● all things considered「あらゆることを考慮に入れると」→ 146
All things considered, the car is too expensive.
(あらゆることを考慮すると，その車は高すぎる)

---

147 ②　148 ③

第6章 分詞 応用問題にTry!

KEY POINT ▷ 035-040

149 □□□ 騒音に負けずに私の声を届かせようとしたが，だめだった。
I tried in (to / heard / above / make / vain / myself) the noise.
〈埼玉医科大〉

150 □□□ ①Naming after the principal and most powerful of the Roman gods, Jupiter is ②twice as massive as all the ③rest of the planets in our system ④combined.
〈学習院大〉

151 □□□ Since there was no bus service, I had to walk three miles to the station.
= There (　　　　) no bus service, I had to walk three miles to the station.
〈名城大〉

152 □□□ Rebecca said nothing and just (arms / her / me / at / with / stared) folded over her chest.
〈獨協大〉

153 □□□ 何をしていいのかわからなかったので，彼らはそこに立っていた。

154 □□□ Approximately two-thirds of Americans believe that robots will perform most of the work currently done by human beings during the next 50 years.
〈岩手大〉

153 stand there「そこに立つ」
154 approximately「おおよそ」，perform「…を行う」，most of the A「Aの大半」，currently「現在」，human being「人間」

150 ローマ神話の神々の中で主要かつ最も強力な神にちなんで名づけられたのだが，木星は私たちのいる太陽系の残りの星をすべて合わせた２倍の大きさである。
151 バスの便がなかったので，私は駅まで３マイル歩かなければならなかった。
152 レベッカは何も言わず，ただ胸の前で腕を組んで私を見つめるだけだった。

KEY POINT ▷ 035-040

149. 目的格補語の過去分詞 — make O ＋ C[過去分詞]

○ 問題 138 で扱った **make oneself heard**「自分の声を届かせる」が本問のポイント。S tried in vain to do ...「…しようとしたが，だめだった」を想定し，I tried in vain to make myself heard とまとめ，最後に，above the noise「騒音より大きい声で」を置けばよい。

150. 過去分詞から始まる分詞構文 → 143

○ 主語の Jupiter と name「…を名づける」は受動関係なので，① Naming を過去分詞の Named に修正する。「名づけられた」のは主節の動詞 is よりも前なので，Having been named も正解になりそうだが，having been done の形は通例，「…されたので」と理由を表す場合に用いられる。

151. there is A の分詞構文 — there being A

○ **there is A の分詞構文は，there being A** になるので（→ 145），**There being no bus service**「バスの便がなかったので」とまとめる。

152. 付帯状況を表す with A done → 147, 148

○ まず，**stare at A**「A をじっとみつめる」から stared at me とし，次に，**with A done**「A が…されている状態で」を想定し，**fold one's arms**「腕を組む」から with her arms (folded ...) とまとめる。

153. 分詞の否定語 not の位置 → 141

○「何をしていいのかわからなかったので」は分詞構文の否定形で **Not knowing what to do** で表すことができる。問題 141 で扱った **Not knowing what to say**「何を言っていいのかわからなかったので」の what to say を what to do にすればよい。「**疑問詞＋ to 不定詞**」は問題 85 参照。

154. 名詞修飾の分詞 — 過去分詞 → 133

○ done は most of the work を修飾する過去分詞。human beings が done の動作主。most of the work currently done by human beings は「人間によって現在なされている仕事のほとんど」の意味となる。

---

149 vain to make myself heard above　**150** ① Naming → Named　**151** being

152 stared at me with her arms

153 Not knowing what to do, they stood there.

154 アメリカ人のおおよそ 3 分の 2 は , 今後 50 年間に，人間が現在行っている仕事の大半をロボットが行うだろうと考えている。

第7章 比較

原級・比較級・最上級を用いた慣用表現を完璧にすることが大切。作文で比較表現を自在に操りたい。

KEY POINT ▷041

155 □□□ My girlfriend and I were born on the same day of the same year. She is (　　　　) I am.
① as old as　② older than　③ the oldest　④ younger than
〈秋田県立大〉

156 □□□ Osaka is not (　　　　) as Tokyo.
① big　② the biggest　③ as big　④ bigger　〈芝浦工業大〉

KEY POINT ▷042

157 □□□ The manufacturer decided to hire (　　　　) temporary laborers as last year.
① as many twice　② as twice as
③ double as many　④ twice as many　〈名古屋市立大〉

158 □□□ This report has taken me (　　　　) as long to write as I had imagined.
① third time　② three time　③ three times　④ times three
〈立命館大〉

159 □□□ Our new computer is about (　　　　) a conventional one.
① half size　② half the size of
③ half of the size　④ the half size　〈南山大〉

155 僕のガールフレンドと僕は同じ年の同じ日に生まれた。彼女は僕と同じ年齢だ。
156 大阪は東京ほど大きくはない。
157 その製造会社は，昨年の２倍の臨時工を雇うことにした。
158 この報告書を書くのに，私が想像した３倍の時間がかかった。
159 私たちの新しいコンピューターは，従来のものの約半分の大きさだ。

KEY POINT ▷ 041　原級比較の基本

155. 原級比較 — as ＋ 原級 ＋ as ...

▶「**as ＋ 原級 ＋ as ...**」は「…と同じくらい～」の意味を表す。

○ 第 1 文の内容から「彼女と私は同じ年齢である」ことに気づくこと。

156. 原級比較 — not so[as] ＋ 原級 ＋ as ...

▶「as ＋ 原級 ＋ as ...」の否定形「**not so[as] ＋ 原級 ＋ as ...**」は「…ほど～ではない」の意味を表す。比較表現の「**less ＋ 原級 ＋ than ...**」「…ほど～ではない」(→ 166) と同意表現であることも押さえておこう。

In those days sugar was **not so[as]** valuable **as** salt. = In those days sugar was **less** valuable **than** salt.（当時，砂糖は塩ほど価値がなかった）

KEY POINT ▷ 042　倍数表現

157. 倍数表現 — twice as ＋ 原級 ＋ as A

▶ 倍数表現は，一般に「**... times as ＋ 原級 ＋ as A**」「A の…倍～」で表すが，2 倍の場合は，「**twice as ＋ 原級 ＋ as A**」で表す。「A の半分の～」は，「**half as ＋ 原級 ＋ as A**」,「A の 3 分の 1 の～」は「**one third as ＋ 原級 ＋ as A**」,「A の 3 分の 2 の～」は「**two thirds as ＋ 原級 ＋ as A**」（分母の third に s がつく),「A の 1.5 倍～」は「**one and a half times as ＋ 原級 ＋ as A**」になることも覚えておこう。

158. 倍数表現 — three times as ＋ 原級 ＋ as A

▶「A の 3 倍～」は「**three times as ＋ 原級 ＋ as A**」で表す。→ 157

159. half the size of A

▶ 問題 157 で扱った「**... times[half / twice] as ＋ 原級 ＋ as A**」は「**... times[half / twice] the ＋ 名詞 ＋ of A**」と表現できる。なお，この形で用いる名詞は，一般的に高さ（**height**)，大きさ（**size**)，長さ (**length**)，重さ（**weight**)，数（**number**)，量[額]（**amount**）などに限られることに注意。

○ **A is half as large as B**.「A は B の半分の大きさだ」は, **A is half the size of B**. で表せるので，② half the size of を選ぶ。

---

155 ①　156 ③　157 ④　158 ③　159 ②

KEY POINT ▷043

160 □□□ A man's worth is to be estimated not so much by his social position (　　　) by his character.

① as　② as well　③ rather　④ than　〈鹿児島大〉

TARGET 22 原級を用いたその他の慣用表現

- as ＋ 原級 ＋ as possible ＝ as ＋ 原級 ＋ as S can「できるだけ…」→161
- not so much A as B「A というよりむしろ B」→160
- as ＋ 原級 ＋ as any（＋単数名詞）「どれにも[どの～にも]劣らず…」

  This bag is as good as any I have used.

  （このバッグは私が使ってきたどのバッグにも劣らずよい）

*最上級に近い意味になることに注意。

- as many A（A は複数名詞）「同数の A」

  She found five mistakes in as many lines.

  （彼女は５行で５か所の間違いを見つけた）

- as many as A「A も（多くの数の）」→163
- as much as A「A も（多くの量の）」

  Some baseball players earn as much as three million dollars a year.

  （1 年に 300 万ドルも稼ぐ野球選手もいる）

* as many as A と同意の表現だが，as much as A は A が「量」的に多いことを表すため，A には金額・重さなどを表す名詞がくることに注意。

- like so many A（A は複数名詞）「さながら A のように」

  The boys were swimming in the pond like so many frogs.

  （少年たちはまるでカエルのように池で泳いでいた）

- as little as A（A は数詞を含む名詞）「わずか A，A しか…ない」

  The pizza will be delivered in as little as 10 minutes.

  （そのピザはわずか 10 分で届けられるだろう）

  ※ A が「量」的に少ないことを示す。

- as few as A（A は数詞 + 複数名詞）「わずか A，A しか…ない」

  There were as few as three or four students in his lecture.

  （彼の講義には，３人か４人の学生しかいなかった）

160 人の価値は，その人の社会的地位よりも，人格によって判断されるべきだ。

KEY POINT ▷ 043

原級を用いた慣用表現

160. 原級を用いた慣用表現 — not so much A as B

▶ **not so much A as B** は「A というよりむしろ B」の意味を表す。A と B は文法的に共通なものがくる。

○ 本問は，A が by his social position「社会的地位によって」，B が by his character「人格によって」となっている。

Plus is to be estimated は「be + to 不定詞」の形で「義務・命令」を表し，「判断されるべきである」の意味。→ TARGET 17

Plus 同意表現の **B rather than A**，**more B than A**，**less A than B** も頻出表現。→ 176

※ A が「数」的に少ないことを示す。

- as early as A（A は数詞を含む場合が多い）「早くも A に← A と同じくらい早くに」
  The city was built as early as the eighth century.
  （その都市は早くも８世紀に建設された）
  ※ **as early as A** は **「as + 副詞 + as A」** の強調表現の代表例。as recently as A「つい A に← A と同じくらい最近に」，**as often as A**「A も← A と同じくらい頻繁に」も重要。**as recently as two days ago**「つい２日前に」，as often as five times a week「1週間に５回も」で覚える。
- as ＋ 原級 ＋ as ever lived「かつてないほど／並はずれて」
  He was as great a scientist as ever lived.
  （彼は並はずれて偉大な科学者だった）
- as good as ＋ 形容詞「…も同然である」
  The man who stops learning is as good as dead.
  （学ぶことをやめる人間は死んだも同然だ）
- as good as one's word「約束を守って」
  I said I would be as good as my word.（私は約束を守ると言った）
- not so much as do「…すらしない」
  He couldn't so much as write his own name.
  （彼は自分の名前すら書けなかった）
- without so much as doing「…すらしないで」
  He left without so much as saying "Thank you."
  （彼は「ありがとう」すら言わないで出て行った）
- go so far as to do「…しさえする」
  She went so far as to say that he was a coward.
  （彼女は，彼は臆病者だとさえ言った）

160 ①

161 □□□

A：How often do you visit your grandparents?
B：I try to see them (　　　　) possible.

① as much as　② even if　③ more than　④ the most

〈学習院大〉

162 □□□

Read this book (　　　　).

① as carefully as you can　② as carefully as you possible
③ so carefully as possible　④ so carefully as you can

〈金城学院大〉

163 □□□

It has been estimated that (　　　　) one hundred thousand people took part in the demonstration.

① much　② as more as　③ as many as　④ more　〈青山学院大〉

KEY POINT ▷044

164 □□□

Dull knives are actually more dangerous to use (　　　　).

① as ones that are sharp　② as sharp ones
③ than are sharp ones　④ than sharp ones　〈東京理科大〉

165 □□□

His account of the affair is (　　　　) we first thought.

① reliable to than　② more reliable from than
③ reliable than　④ more reliable than　〈東海大〉

166 □□□

The subway is safe during the day but (　　　　) at night.

① less safe　② less safer
③ lesser safe　④ more safer　〈関西外大〉

161 A：あなたは自分のおじいさん，おばあさんをどのくらいの頻度で訪ねますか。
B：できるだけたくさん会うようにしています。
162 できるだけ注意深くこの本を読んでください。
163 そのデモには10万人もの人たちが参加したと推定されている。
164 刃先の鈍ったナイフを使うことは，実は，鋭いものを使うより危険だ。
165 その出来事についての彼の説明は，我々が最初に思ったよりも信頼できる。
166 地下鉄は，日中は安全だが，夜は安全性が低くなる。

161. 原級を用いた慣用表現 — as ＋ 原級 ＋ as possible

▶「**as ＋ 原級 ＋ as possible**」は「できるだけ…」の意味を表す。→ TARGET 22

○ 同意表現の「**as ＋ 原級 ＋ as S can**」も重要。本問は，I try to see them as much as I can. と書き換えることができる。

162. 原級を用いた慣用表現

○ 問題 161 で扱った「**as ＋ 原級 ＋ as S can**」「できるだけ…」が本問のポイント。

✕ ③ so carefully as possible としないこと。as carefully as possible なら可。

163. 原級を用いた慣用表現 — as many as A

▶ **as many as A**（A は「数詞 ＋ 複数名詞」）「A も（多くの）」は，A が「数」的に多いことを表す。→ TARGET 22

Plus **It has been estimated that S ＋ V ...** は「…だと推定されている」の意味を表す。**take part in A**「A に参加する」（**= participate in A**）も重要表現。

KEY POINT ▷ 044　比較表現の基本

164. 比較表現の基本 — 比較級 ＋ than ...

▶「**比較級 ＋ than ...**」は「…よりも～」の意味を表す。

○ 比較級の more dangerous が使われていることに着目すること。

165. 比較級 ＋ than S think

▶「**比較級 ＋ than S think[expect / guess]**」は「S が思っているよりも…」の意味を表す。英作文でもよく用いる表現。

○ His account of the affair is reliable.「その出来事に対する彼の説明は信頼できる」の比較表現を考える。

166. less ＋ 原級 ＋ than ...

▶「**less ＋ 原級 ＋ than ...**」は「…ほど～でない」の意味を表す。「**not so[as] ＋ 原級 ＋ as ...**」と同意。→ 156

○ 本問は，less safe at night (than during the day)「（日中ほど）夜は安全ではない」と考える。

---

161 ①　162 ①　163 ③　164 ④　165 ④　166 ①

KEY POINT ▷ 045

167 □□□
The procedures for starting a new study in our institute are (　　　) more complicated than in your organization.
① any　② much　③ too　④ very　〈立命館大〉

KEY POINT ▷ 046

168 □□□
The more John heard about it, (　　　) he liked it.
① more　② much　③ the less　④ the much　〈立命館大〉

169 □□□
Mary is (　　　) of the two girls I introduced to you yesterday.
① taller　② the taller　③ tallest　④ tall　〈関西学院大〉

170 □□□
She began to study (　　　) harder because she got a good grade.
① all the　② none the　③ all more　④ none other　〈駒澤大〉

TARGET 23　比較級，最上級の強調表現

●比較級を強調する表現

- much → 167
- even
- lots
- far
- by far
- a great[good] deal
- still
- a lot

●最上級を強調する表現

- by far → 187
- far
- much
- very

*ただし，very は「the very ＋ 最上級 ＋ 単数名詞」の語順になることに注意。

She is by far the best swimmer in her class.
= She is the very best swimmer in her class.
(彼女はクラスでずば抜けて泳ぎがうまい)

167 私たちの研究所で新たな研究を始めるための手順は，あなたの組織の場合よりもはるかに複雑だ。
168 ジョンは，それについて聞けば聞くほど，ますますそれが気に入らなかった。
169 メアリーは，私が昨日あなたに紹介した２人の女の子のうちの背が高い方です。
170 彼女はよい点を取ったので，ますます一生懸命に勉強し始めた。

KEY POINT ▷ 045　比較級の強調表現

167. much の用法 ― 比較級の強調表現 → TARGET 23

▶ **much には比較級強調表現**としての用法があり，**比較級の前に置いて「はるかに…」**の意味を表す。

Plus **even[still]** にも比較級強調用法があり，「**even[still] ＋ 比較級 ＋ than ...**」で「…よりもさらに一層～」の意味を表す。**Tom is even taller than Ken.**「トムはケンよりもさらに一層背が高い」は **Tom is much taller than Ken.**「トムはケンよりもはるかに背が高い」と意味が少し異なって，Ken is tall, but Tom is taller. の意味で「ケンも背は高いが，トムの方がもっと背が高い」の意味になる。

KEY POINT ▷ 046　比較級を用いた定型表現

168. the ＋ 比較級 ..., the ＋ 比較級 ～

▶「**the ＋ 比較級 ..., the ＋ 比較級 ～**」は，「…すればするほど，ますます～」の意味を表す。

○ 本問の the less は，副詞の little「ほとんど…しない」の「the ＋ 比較級」の形。

✕ ① more は the more なら可。ただし，文意は逆で「ますます気に入った」の意味になる。

169. the ＋ 比較級 ＋ of the two

▶「**the ＋ 比較級 ＋ of the two (＋ 複数名詞)**」の形で「2 人[2 つ]の中でより…」の意味を表す。

Plus **introduce A to B**「A を B に紹介する」は重要。

170. all the ＋ 比較級 ＋ because S ＋ V ...

▶「**(all) the ＋ 比較級 ＋ because S ＋ V ... [for ＋ 名詞]**」は「…なので，ますます～」の意味を表す。なお，副詞の all は省略されることもある。省略された形での読解問題もあるので注意しよう。

Plus「(all) the ＋ 比較級」は，一般に because 節，「for ＋ 名詞」が比較級の後に続くと言われるが，if 節や when 節，because of A などの群前置詞句，分詞構文などさまざまな形と対応して用いられることがあるので注意。
If you start now, you will be back **all the sooner**.
（今出発すれば，あなたはそれだけ早く帰れるでしょう）

167 ②　168 ③　169 ②　170 ①

KEY POINT ▷ 047

171 □□□ She spent a month in the hospital, but she is (　　　) the better for it.
① even ② by far ③ none ④ still 〈兵庫医療大〉

172 □□□ Bill lives in a big house, but his room is (　　　) bigger than mine.
① less ② many ③ more ④ no 〈近畿大〉

173 □□□ A bat is (　　　) a bird than a rat is.
① no more ② no less ③ not more ④ not less 〈桜美林大〉

● TARGET 24 no ＋ 比較級 ＋ than A から生まれた no more than A など

動画

なかなか覚えにくい表現のようだが，問題 172 で扱った「not ＋ 比較級 ＋ than A」と「no ＋ 比較級 ＋ than A」の違いを認識していれば容易。

- not more than A「多くとも A ← A 以上ではない」＝ at most A
  I spent too much on shopping and now I have not more than ¥1000.
  (ショッピングにお金を使いすぎて，今はせいぜい 1000 円しかない)
- not less than A「少なくとも A ← A 以下ではない」＝ at least A
  I go jogging in the park for not less than two hours every day.
  (私は毎日公園で 2 時間はジョギングする)
- no more than A「わずか A／A しかない」→ 174（← ① A と同じだが，② more の反対（少ない）という視点から）＝ only A
- no less than A「A も（たくさん）」→ 175（← ① A と同じだが, ② less の反対（多い）という視点から）＝ as many as A（数の場合），as much as A（量の場合）
- no fewer than A「A も（たくさん）」＝ as many as A（数に関して）
  No fewer than 1000 people attended the singer's concert.
  (その歌手のコンサートには 1000 人もの人が参加した)

171 彼女はその病院で 1 カ月間過ごしたが，だからといって少しもよくなっていない。
172 ビルは大きな家に住んでいるが，彼の部屋は私のものと同様，広くはない。
173 コウモリが鳥でないのは，ネズミが鳥でないのと同様だ。

KEY POINT ▷ 047　否定語を含む比較級の定型表現

171. none the ＋ 比較級 ＋ for ＋ 名詞

▶ 問題 170 で扱った「**(all) the ＋ 比較級**」「(…なので) ますます～」の否定形である「**none the ＋ 比較級**」は,「(…だからといって) 少しも～ない」の意味を表す。

172. no ＋ 比較級 ＋ than A

▶「**no ＋ 比較級 ＋ than A**」「**A 同様…ではない**」を理解するには「not ＋ 比較級 ＋ than A」との違いを考える。「not ＋ 比較級 ＋ than A」は,「A より…ということはない」の意味で, A と同等かそれ以下という比較の差を表す普通の比較級なのに対して, 強い否定の意味を持つ no を用いた「no ＋ 比較級 ＋ than A」は,「no ＋ 比較級」で「まったく差がない」といった絶対性を表すので, than 以下は比較の差を示す対象としてではなくて「no ＋ 比較級」の内容, つまり差がない相手を表す。したがって,「A と同様…ではない」の意味を持つ。例えば, He is **no richer** than I am. は「彼は私同様, 金持ちではない」の意味になる。結論として「**no ＋ 比較級 ＋ than A」の no は (1)「比較の差をゼロにし」, (2)「no の後の語を意味的に否定する」**という働きがあると考えればよい。

○ 本問は his room is not big「彼の部屋は大きくない」という文を「no ＋ 比較級 ＋ than A」で書いたもの。(1)「比較の差をゼロにする」の観点から,「部屋の大きさ」において, his room = mine (= my room) が成り立つことに注意。

173. A is no more B than C is D

▶ **A is no more B than C is D.** (動詞は be 動詞と限らないが, 便宜的に is で表記しておく) は,「C が D でないのと同様に A は B でない／A が B でないのは C が D でないのと同様である」の意味になる。

Plus **A is no more B than C is D.** は, 問題 172 で扱った「**no ＋ 比較級 ＋ than A**」「A 同様…ではない」の考え方を公式的に拡大し, B, D に形容詞･副詞以外に名詞や動詞なども用いるようになったものである。no の (1)「比較の差をゼロにする」という働きから A is B = C is D が成り立ち, (2)「no の後の語を意味的に否定する」という働きから, 肯定表現の more を意味的に否定して否定的視点から述べることになる。よって「C が D でないように A は B でない／A が B でないのは C が D でないのと同様だ」の意味となる。なお,「C is D」の箇所に A is no more B との共通語句がある場合, 本問のように省略することが多い。

Plus B, D に名詞・動詞がくる例は以下を参照。

He is no more **a fool** than you (are). (あなたが愚かではないのと同様に, 彼も愚かではない)

I can no more **swim** than a stone can (swim). (石が泳げないのと同様に, 私はまったく泳ぐことができません)

Plus 同意表現の **A is not B any more than C is D.** も重要。反意表現の **A is no less B than C is D.**「A が B なのは C が D なのと同じだ」も頻出。

Making good friends is **no less** important **than** making money.
(よい友人を作るのは, お金を稼ぐのと同様に大切である)

---

171 ③　172 ④　173 ①

174 □□□ My students were few in number, (　　　) four or five altogether.

① as many as　② as little as
③ no less than　④ no more than

〈千葉商科大〉

175 □□□ Chimpanzees and human beings were separated from their common ancestors (　　　) six million years ago.

① no less than　② no other than
③ so old that　④ so that

〈関西学院大〉

KEY POINT ▷ 048

176 □□□ It now seems a fact (　　　) just a possibility.

① as much　② but never　③ only　④ rather than

〈学習院大〉

KEY POINT ▷ 049

177 □□□ He knew (　　　) than to ask such a stupid question.

① more　② sooner　③ great　④ better

〈名城大〉

174 私の生徒は数が少なく，全部で 4，5 人しかいなかった。
175 チンパンジーと人間は，600 万年も前に彼らの共通の祖先から分かれた。
176 それは今や単なる可能性ではなく，むしろ事実に思える。
177 彼はそのようなばかげた質問をするほど愚かではなかった。

174. no more than A

▶ **no more than A** は「わずか A／A しかない」の意味を表す。**only A** とほぼ同意。

175. no less than A

▶ **no less than A** は「A も（たくさん）」の意味を表す。**as many[much] as A** とほぼ同意。

Plus **separate A from B**「A を B から分ける」は重要。

KEY POINT ▷ 048　B rather than A

176. B rather than A

○ 本問は，問題 160 で扱った **B rather than A**「A というよりむしろ B」（**= not so much A as B / more B than A / less A than B**）がポイント。

KEY POINT ▷ 049　比較級を用いた慣用表現

177. 比較級を用いた慣用表現 — know better than to do

▶ **know better than to do** は，「…するほど愚かではない」の意味を表す。慣用表現として押さえる。

TARGET 25　比較級を用いたその他の慣用表現

- more than A「A より多い」
  More than a thousand people attended the international conference.
  （千人を超える人が，その国際会議に出席した）
- less than A「A 足らずの ← A より少ない」
  Jim recovered from the cold in less than a day.
  （ジムは 1 日足らずで風邪から回復した）
- 比較級 ＋ and ＋ 比較級「ますます…」
  More and more Japanese are visiting Hawaii.
  （ハワイを訪れる日本人がますます多くなっている）
- no[little] better than A「A にすぎない／A も同然」
  He is no better than a beggar.
  （彼は物ごいにすぎない［同然だ］）
- more or less「多かれ少なかれ／いくぶん」
  He is more or less familiar with the subject.
  （彼はそのことに多少なりとも通じている）

---

174 ④　175 ①　176 ④　177 ④

178 □□□
I can't even sing easy children's songs well, (　　　) jazz.
① even harder　② in fact　③ much less　④ still more
〈関西学院大〉

179 □□□
It is (　　　) to fly to the moon.
① not dream any longer　② no longer a dream
③ no a longer dream　④ not longer dream　〈法政大〉

KEY POINT ▷050

180 □□□
This car is superior in design (　　　) other cars.
① than　② to　③ as　④ for　〈東海大〉

181 □□□
He (　　　) bread for breakfast.
① prefers rice than　② prefers rice more than
③ prefers rice for　④ prefers rice to　〈名城大〉

TARGET 26　ラテン比較級

- be inferior to A「A より劣っている」
  You should not think you are inferior to others.
  (あなたは他人よりも劣っていると考えるべきではない)
- be superior to A「A より優れている」→ 180
- be senior to A「A より先輩だ／A より年上だ」
  My sister is two years senior to me.（私の姉は私よりも２歳年上だ）
- be junior to A「A より後輩だ／A より年下だ」
  I am two years junior to my sister.（私は姉よりも２歳年下だ）
- be preferable to A「A より好ましい」
  Some people think rural life is preferable to urban life.
  (田舎暮らしの方が都会暮らしよりも好ましいと思う人もいる)

178 私は簡単な童謡さえうまく歌うことができないし，ましてやジャズなど歌えない。
179 月まで行くことは，もはや夢ではない。
180 この車は，ほかの車よりもデザインが優れている。
181 彼は朝食にはパンより米の方が好みだ。

178. 比較級を用いた慣用表現 — 否定文，much less

▶ **否定文・否定的内容の文に続けて「, much less ...」**を置くことによって，「ましてや…ない／…は言うまでもなく」の意味を表す。

Plus 同意表現の「**, still less ...**」「**, let alone ...**」も一緒に覚えておこう。

I am no pianist. I can't play a simple tune, **much less[still less / let alone]** Mozart's sonatas.
（私はまったくピアノが弾けません。簡単な曲も弾けませんし，ましてやモーツァルトのソナタなんてなおさら弾けません）

179. 比較級を用いた慣用表現 — no longer

▶ **no longer** は「もはや…ない」という強い否定の意味を表す。**not ... any longer** も同意。

✕ ① not dream any longer にしないこと。not a dream any longer なら可。

KEY POINT ▷ 050　ラテン比較級

180. ラテン比較級 — be superior to A

▶ **be superior to A** はラテン比較級と呼ばれる表現で「A より優れている」の意味を表す。superior のようにラテン語に由来する形容詞は比較対照を示すのに than ではなく to を用いることに注意。

○ 本問は, be superior と to A の間に in design「デザインにおいて」が入っていることに気づくこと。

181. prefer A to B

▶ 動詞 prefer もラテン語が起源。**prefer A to B**「B よりも A を好む」の A と B には, 名詞または動名詞がくる。

Plus prefer の形容詞 **preferable**「（より）好ましい」も（×）be more preferable than A ではなく，（○）**be preferable to A**「A より好ましい」になることに注意。→ TARGET 26

TARGET 27　senior，junior の名詞用法

senior「先輩／年長者」，junior「後輩／年少者」という名詞として用いる表現がある。

He is senior to me. = He is my senior.　= I am his junior.
（彼は私の先輩だ／彼は私より年上だ）　（私は彼の後輩だ／私は彼より年下だ）

178 ③　179 ②　180 ②　181 ④

KEY POINT ▷051

182 □□□
(　　　) the islands that make up Japan, Honshu is the largest.
① With ② Of ③ In ④ From 〈岩手歯科大〉

183 □□□
The last question was (　　　) one for the students to answer. Only Jennifer marked the correct answer.
① easier ② less easy ③ the easiest ④ the least easy 〈日本大〉

184 □□□
It is one of (　　　) structured arguments.
① the most properly ② the more proper
③ much properly ④ very proper 〈法政大〉

185 □□□
The film I saw last night was the most exciting one I've (　　　) seen.
① always ② before ③ ever ④ not 〈関西学院大〉

186 □□□
Is it true that Osaka is the third (　　　) city in Japan?
① as large as ② large ③ larger than ④ largest 〈明星大〉

KEY POINT ▷052

187 □□□
That is (　　　) the worst movie I have ever seen.
① much up ② more ③ by far ④ over again 〈東海大〉

182 日本を構成する島々のうち，本州が最大のものだ。
183 最後の質問は，生徒が最も答えにくいものだった。ジェニファーだけが正解を選んだ。
184 それは，最も厳密に組み立てられている論拠の１つだ。
185 昨夜見た映画は，私が今まで見た中で最も刺激的なものだった。
186 大阪が日本で３番目に大きい都市だというのは本当ですか。
187 それは私が今まで見た中で断然最低の映画だ。

KEY POINT ▷ 051 最上級表現

182. the + 最上級 + of A（複数名詞）

▶「**the + 最上級 + of A**（**複数名詞**）」は「A の中で一番…」の意味を表す。「A の中で」を表すときに，**A が構成要素を表す複数名詞の場合は of A を用い，A が範囲を表す単数名詞の場合は in A** を用いることに注意。

Who is the fastest runner **in** this class?（このクラスで一番速く走る人は誰ですか）

○ 本問は，of A(複数名詞)が前に出た形。

183. least の用法 — the least + 形容詞

▶ 副詞の least は，「最も少なく／最も…でなく」の意味だが，「**the least + 形容詞**」の形では，「最も…でない」の意味を形成する。

○ 本問の④ the least easy one「最も容易でない問題」は，the most difficult one「最も難しい問題」とほぼ同じ意味を表す。

184. one of the + 最上級 + 複数名詞

▶「**one of the + 最上級 + 複数名詞**」は「最も…な〜の中の1つ[1人]」の意味を形成する。この形の場合，必ず複数名詞になることに注意。

○ 本問は，① the most properly を選び，補語となる one of the most properly structured arguments「最も厳密に組み立てられている論拠[主張]の1つ」という名詞句を作る。

185. the + 最上級 + 名詞 + S have ever done

▶「**the + 最上級 + 名詞 +** (**that**) **S have ever done**」は「S が今まで〜した中で一番…」の意味を表す。**ever** は「今まで／これまで」(**= so far / up to the present**）の意味を表す副詞。

186. the + 序数詞 + 最上級

▶「**the + 序数詞 + 最上級**」は「…番目に〜」の意味を表す。

KEY POINT ▷ 052 最上級の強調表現

187. 最上級の強調表現 — by far

▶ **by far**「断然／はるかに」は最上級の強調表現。→ TARGET 23

✕ ① much up は much であれば可。much は，by far や far と同様に，最上級を強調する。

---

182 ② 183 ④ 184 ① 185 ③ 186 ④ 187 ③

KEY POINT ▷053

188 □□□ Professor Jones is stricter than (　　　) teacher in our department.
① any other　② other　③ each other　④ one another 〈南山大〉

189 □□□ (　　　) is so precious as time.
① Anything　② Everything　③ Nothing　④ Something
〈日本大〉

● TARGET 28 最上級と同じ意味を表す原級・比較級表現

● Mt. Fuji is the highest of all the mountains in Japan.（最上級）
（富士山は日本で一番高い山だ）
= No other mountain in Japan is so[as] high as Mt. Fuji.（原級）
= No other mountain in Japan is higher than Mt. Fuji.（比較級）
= Mt. Fuji is higher than any other mountain in Japan.（比較級）→ 188

*最上級表現の場合は「(the) ＋ 最上級 ＋ of ＋ 複数名詞」の形で「～の中で最も…」の意味になることが多い。この場合「of ＋ 複数名詞」が文頭にくる場合もあるので注意。(→ Of all the mountains in Japan, Mt. Fuji is the highest.) → 182

● Time is the most precious thing of all.（最上級）
（時はすべての中で一番貴重である）
= Nothing is so[as] precious as time.（原級）→ 189
= There is nothing so[as] precious as time.（原級）
= Nothing is more precious than time.（比較級）→ 193
= There is nothing more precious than time.（比較級）
= Time is more precious than anything else.（比較級）

188 ジョーンズ教授は，私たちの学部のほかのどの教師よりも厳格だ。
189 時間ほど貴重なものはない。

KEY POINT ▷ 053　比較級・原級を用いた最上級の同等表現

188. A is ＋ 比較級 ＋ than any other ＋ 単数名詞

▶「**A is ＋ 比較級 ＋ than any other ＋ 単数名詞**」（動詞は be 動詞に限らないが，便宜的に is で記しておく）は「A はほかのいかなる～よりも…である」の意味を形成する表現。比較級表現で最上級的な意味を表す。なお，比較対象が一般的な「**物**」**なら than anything** (**else**)，一般的な「**人**」**なら than anyone** (**else**) を用いることにも注意しよう。→ TARGET 28

Plus「**A is ＋ 比較級 ＋ than any other ＋ 単数名詞**」と同様に，最上級的な意味を表す比較級表現の「**No** (**other**) **＋ 名詞 ＋ is ＋ 比較級 ＋ than A**」「A ほど…な～はない」や原級表現の「**No** (**other**) **＋ 名詞 ＋ is so[as] ＋ 原級 ＋ as A**」「A ほど…な～はない」も押さえておこう。

＊「no other ＋ 名詞」の代わりに nothing を用いた最上級的意味を持つ原級表現である「**Nothing is so[as] ＋ 原級 ＋ as A**」＝「**There is nothing so[as] ＋ 原級 ＋ as A**」「A ほど…なものはない」，そして比較級表現の「**Nothing is ＋ 比較級 ＋ than A**」＝「**There is nothing ＋ 比較級 ＋ than A**」がある。これらも頻出表現なので，ここで押さえておきたい。

189. Nothing is so[as] ＋ 原級 ＋ as A

▶ 問題 188 で扱った「**Nothing is so[as] ＋ 原級 ＋ as A**」「A ほど…なものは何もない」が，本問のポイント。

---

188 ①　189 ③

KEY POINT ▷ 041-053

190 □□□ One of the most influential ①building was Red House ②at Bexleyheath (1859), ③designed for Morris by his architect ④and friend Philip Webb (1831-1915). 〈上智大〉

191 □□□ この庭には私たちの庭のおよそ2倍の樹木があります。
There (ours, about, as, garden, trees, as, are, many, in, twice, this, in). 〈兵庫県立大〉

192 □□□ ①Judging from what she ②has achieved ③so far, she is ④cleverer than wise. 〈福島大〉

193 □□□ それほど本当の民主主義からほど遠いものはない。
Nothing (be / could / democracy / further from / than / that / true). 〈東京理科大〉

194 □□□ この橋は，あの橋の1.5倍の長さがある。

195 □□□ Our teens and twenties can be seen as a time when we want to learn as much about ourselves and the world as possible. 〈大阪市立大〉

ヒント

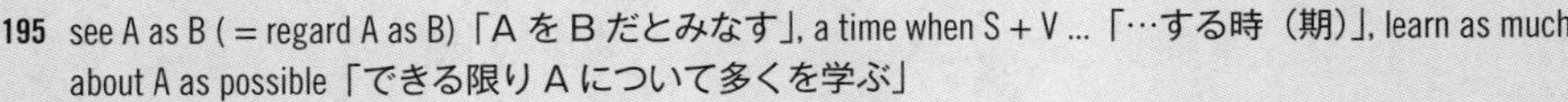
195 see A as B (= regard A as B)「AをBだとみなす」, a time when S + V ...「…する時（期）」, learn as much about A as possible「できる限りAについて多くを学ぶ」

190 最も影響力のある建物の1つは，ベクスリーヒースにあるレッドハウス（1859）で，それはモリスのために建築家で彼の友人であるフィリップ・ウェッブ（1831-1915）が設計した。
192 彼女がこれまでに成し遂げたことから判断すると，彼女は賢明というよりもむしろ利口だ。

KEY POINT ▷ 041-053

190. one of the ＋ 最上級 ＋ 複数名詞

○ 問題 184 で扱った「**one of the ＋ 最上級 ＋ 複数名詞**」「最も…な～の中の 1 つ[1 人]」が本問のポイント。① building を複数形の buildings に修正する。

191. 倍数表現 ― twice as ＋ 原級 ＋ as A

○ 問題 157 で扱った「**twice as ＋ 原級 ＋ as A**」「A の 2 倍～」が本問のポイント。There are many trees in this garden. という倍数表現がないもとの文を考えて，There are about twice as many trees in this garden as in ours. とまとめればよい。

192. 原級を用いた慣用表現 ― more B than A

○ 問題 160 で扱った **not so much A as B** の同意表現である「**more B than A**」「A というよりむしろ B」が本問のポイント。A と B は，文法的に共通のもの（ここでは「人」の性質）がくることに注意。A に形容詞の原級の wise が使われていることから，B も形容詞の原級がくるので，she is cleverer than wise を she is more clever than wise「彼女は賢明というよりもむしろ利口だ」とすればよい。

193. Nothing is ＋ 比較級 ＋ than A → 188

○ **Nothing is ＋ 比較級 ＋ than A**「A ほど…なものはない」が本問のポイント。**be far from A**「A にはほど遠い」の比較表現は **be further from A** なので，(Nothing) could be further from true democracy than that. とまとめる。

194. 倍数表現 ― one and a half times as ＋ 原級 ＋ as A → 157

○「あの橋の 1.5 倍の長さ」は倍数表現「**one and a half times as ＋ 原級 ＋ as A**」「A の 1.5 倍…」の形を用いて one and a half times as long as that one と表す。

195. 原級を用いた慣用表現 ― as ＋ 原級 ＋ as possible → 161

○ learn as much about A as possible は，**learn much about A**「A について多くを学ぶ」に慣用表現「**as ＋ 原級 ＋ as possible**」「できるだけ…」が入った表現。

---

190 ① building → buildings

191 are about twice as many trees in this garden as in ours

192 ④ cleverer → more clever

193 could be further from true democracy than that

194 This bridge is one and a half times as long as that one.

195 私たちの 10 代と 20 代は，自分自身と世界についてできる限り多くのことを学びたくなる時期とみなすことができる。

第 8 章 関係詞

関係代名詞・関係副詞・複合関係詞を用いた節構造の理解は読解力向上の鍵となる。論理的な理解が大切。

KEY POINT ▷054

196 □□□ The class is for students (　　　) wish to apply for the student exchange program.
① whomever　② whoever　③ whom　④ who 〈青山学院大〉

197 □□□ Kyoto is a historic city (　　　) received the 2015 World's Best Cities Award from a well-known travel magazine.
① where　② which　③ who　④ whose 〈立命館大〉

KEY POINT ▷055

198 □□□ She is a girl (　　　) it is difficult to know well.
① as　② whose　③ what　④ whom 〈千葉工業大〉

TARGET 29 関係代名詞 動画

先行詞＼格	主格	所有格	目的格
人	who[that]	whose	who(m)[that]
人以外	which[that]	whose	which[that]

*目的格の関係代名詞は省略されることがある。→ 200
*who と which は主格と目的格を兼ねることに注意。

196 そのクラスは，交換留学プログラムに応募したい生徒のためのものです。
197 京都は，有名な旅行雑誌から 2015 年度の「世界一の都市賞」を受賞した歴史のある都市だ。
198 彼女は，よく理解することが難しい女の子です。

KEY POINT ▷ 054　主格関係代名詞

196. 主格関係代名詞 who ― 先行詞が「人」

▶ **先行詞が「人」の場合**，関係代名詞は節内の役割によって，**who[that]（主格）か who(m)[that]（目的格）が用いられる**。また，現代の英語では whom の代わりに who が用いられることが多いことに注意。

○ 本問は，以下の 2 文が文構造の前提。

The class is for **students**. + They wish to apply for the student exchange program.

→ The class is for **students** <who[that] wish to apply for the student exchange program>.

Plus **apply for A**「A を申請する[に申し込む]」は重要表現。

197. 主格関係代名詞 which[that] ― 先行詞が「人以外」

▶ 先行詞が「**人以外**」**の場合，関係代名詞は which[that]（主格，目的格共通）**を用いる。

○ Kyoto is **a historic city**. + It received the 2015 World's Best Cities Award from a well-known travel magazine.

→ Kyoto is **a historic city** <which[that] received the 2015 World's Best Cities Award from a well-known travel magazine>.

Plus **receive A from B** は「A を B から受ける」の意味。

KEY POINT ▷ 055　目的格関係代名詞

198. 目的格関係代名詞 whom[that] ― 先行詞が「人」

▶ **先行詞が「人」の場合，目的格の関係代名詞は who(m)[that]** が用いられる。→ TARGET 29

○ She is **a girl**. + It is difficult to know her well.

→ She is **a girl** <(who(m)[that]) it is difficult to know well>.

196 ④　197 ②　198 ④

199 □□□ The famous amusement park is a place ( ) we have wanted to visit for a long time.
① which ② why ③ in which ④ where 〈駒澤大〉

200 □□□ This must be the novel Mr. Matsuyama ( ) his lecture.
① had referred in ② had referred to
③ referred to in ④ was referred to 〈甲南大〉

KEY POINT ▷ 056

201 □□□ Are you the boy ( ) bicycle was stolen?
① who ② whose ③ your ④ his 〈西南学院大〉

202 □□□ Take a look at the house ( ) roof is blue.
① that ② which ③ whose ④ in which 〈日本大〉

199 その有名な遊園地は，私たちが長い間訪れてみたかったところです。
200 これが，マツヤマ先生が講義の中で言及した小説に違いない。
201 あなたが自転車を盗まれた少年ですか。
202 屋根が青いあの家を見てください。

199. 目的格関係代名詞 which ― 先行詞が「人以外」

▶ **先行詞が「人以外」の場合，目的格の関係代名詞は，which[that] が用いられる。**

○ The famous amusement park is **a place**. + We have wanted to visit it for a long time.

→ The famous amusement park is **a place** <which[that] we have wanted to visit for a long time>.

Plus 本問の **visit** は，「…を訪れる／…へ行く」の意味を表す他動詞。

✕ ④ where は不可。関係副詞 where は「前置詞 ＋ which」を言い換えたもの。「場所」が先行詞であれば，関係詞はいつも where という考え方は間違い。→ 205

200. 目的格関係代名詞の省略

▶ **目的格関係代名詞は，先行詞が「人」であっても「人以外」であっても省略できる。** → 198, 199

○ 本問は，目的格の関係代名詞 which[that] が省略された形。

This must be **the novel**. + Mr. Matsuyama referred to it in his lecture.

→ This must be **the novel** <(which[that]) Mr. Matsuyama referred to in his lecture>.

KEY POINT ▷ 056　所有格関係代名詞

201. 所有格関係代名詞 whose ― 先行詞が「人」

▶ **所有格関係代名詞は，先行詞が「人」でも「人以外」でも whose** を用いる。なお，関係代名詞の whose は，単独ではなく，必ず「**whose ＋ 名詞**」の形で用いることに注意。

○ Are you **the boy**? + His bicycle was stolen.

→ Are you **the boy** <whose bicycle was stolen>?

202. 所有格関係代名詞 whose ― 先行詞が「人」以外

▶ 問題 201 と考え方は同じ。先行詞が the house であり，節内で主語となっている名詞 roof の前に置くのは，所有格関係代名詞 ③ whose。whose roof がワンセットになって節内で主語になっていることに気づくこと。

○ Take a look at **the house**. + Its roof is blue.

→ Take a look at **the house** <whose roof is blue>.

---

199 ①　**200** ③　**201** ②　**202** ③

KEY POINT ▷057

203 □□□ Red, blue and yellow are the three primary colors (　　　) all other colors can be created.
① by whose　② from which　③ for what　④ with whom
〈東海大〉

204 □□□ This is a subject (　　　) I have paid some attention.
① to which　② in which　③ what　④ for which　〈法政大〉

KEY POINT ▷058

205 □□□ They arrived at the hotel (　　　) they had reserved their room.
① how　② when　③ where　④ which　〈武蔵大〉

203 赤，青，黄色は，ほかのすべての色を作れる三原色です。
204 これは私がいくらか注意を払ってきた研究対象です。
205 彼らは，部屋を予約していたホテルに到着した。

KEY POINT ▷ 057　前置詞＋関係代名詞

203. 前置詞 ＋ 関係代名詞（1）

○「**前置詞 ＋ 関係代名詞**」**がワンセットで関係詞節の冒頭に置かれた形**。S can create A from B. の受動態である A can be created from B.「A は B から生み出されることができる」を想定できるかがポイント。

Red, blue and yellow are **the three primary colors**. ＋ All other colors can be created from them.

→ Red, blue and yellow are **the three primary colors** <from which all other colors can be created>.

204. 前置詞 ＋ 関係代名詞（2）

○ 本問は，**pay (some) attention to A**「A に（ある程度）注意を払う」を知っていることが前提。This is **a subject**. ＋ I have paid some attention to it.

→ This is **a subject** <to which I have paid some attention>.

KEY POINT ▷ 058　関係副詞

205. 関係副詞 where

▶ **関係副詞は，「前置詞 ＋ 関係代名詞」を 1 語で言い換えたもの**。「場所」が先行詞の場合は **where**，「理由」の場合は **why**，「時」の場合は **when** を用いる。**関係副詞** ＝「**前置詞 ＋ which**」と押さえておこう。

○ They arrived at **the hotel**. ＋ They had reserved their room at the hotel.

→ They arrived at **the hotel** <at which[= where] they had reserved their room>.

Plus **reserve a room at the hotel**「ホテルの部屋を予約する」で押さえよう。

203 ②　204 ①　205 ③

206 □□□
A：How do you treat your colleagues in cases ( ) they don't work well?
B：We must raise their motivation to work.
① where ② which ③ for which ④ whenever 〈玉川大〉

207 □□□
Summer is the season ( ) students want to travel most.
① with whom ② which ③ where ④ when 〈福岡大〉

208 □□□
Mother Teresa dedicated her life to helping sick people. That is the reason ( ) I respect her.
① which ② by which ③ in which ④ why 〈桜美林大〉

TARGET 30 That is why ... と That is because ...

(1) That is why ...「そういうわけで…」
The train was delayed. That's why I was late for school.
(電車が遅れていたんです。そういうわけで学校に遅刻しました)

(2) That is because ...「それは…だからです」
I was late for school. That's because the train was delayed.
(私は学校に遅刻しました。それは，電車が遅れていたからです)

*原因と結果を述べる順序がまったく逆になる点に注意。

206 A：同僚の働きぶりがよくない場合，あなたはどのように対応しますか。
B：彼らの働く意欲を高めなければなりません。
207 夏は，学生が最も旅行したいと思う季節だ。
208 マザー・テレサは，病気の人たちを助けることに人生を捧げました。それが，私が彼女を尊敬する理由です。

206. 関係副詞 where ―「場所」以外の先行詞

▶ **case**「場合」, **occasion**「場合」, **situation**「状況」, **circumstance**「状況」, **point**「(要) 点」は直接「場所」を示す名詞（先行詞）ではないが,「前置詞 + which」の代わりに関係副詞 where を用いることができる。

○ How do you treat your colleagues in **cases**? + They don't work well in the cases.

→ How do you treat your colleagues in **cases** <in which[where] they don't work well>?

Plus **There are some cases where S + V ... .**「…する場合がいくつかある」は頻出表現。

207. 関係副詞 when

▶ 関係副詞は,「前置詞 + 関係代名詞」を 1 語で言い換えたもの。**「場所」が先行詞の場合は where,「理由」の場合は why,「時」の場合は when** を用いる。**関係副詞** = **「前置詞 + which」**と押さえておこう。

○ Summer is the season. Students want to travel most in the season.

→ Summer is the season <in which[when] students want to travel most>.

208. 関係副詞 why

○ 本問は, for which を関係副詞 why で表現した形。

That is **the reason**. + I respect her for the reason.

→ That is **the reason** <for which[why] I respect her>.

Plus **dedicate A to doing**「A（時間･努力など）を…することに捧げる（= **devote A to doing**)」は重要。

Plus 本問の先行詞 the reason は省略できる。the reason と why, the place と where, the time と when など, 先行詞と関係副詞が典型的な関係である場合, 先行詞が省略され, 関係副詞で始まる節が名詞節の働きをする場合がある。

- That is (the reason) **why** I respect her.（それが, 私が彼女を尊敬する理由です）
- This is (the place) **where** I live.（ここが私の住んでいるところです）
- Night is (the time) **when** most people go to bed.（夜はほとんどの人が寝る時間です）

＊上記の文で why I respect her「私が彼女を尊敬している理由」, where I live「私が住んでいる場所」, when most people go to bed「ほとんどの人が寝る時間」はそれぞれ文の補語として名詞節の働きをしている。

Plus なお, 関係副詞節 why と when に関しては, その先行詞が the reason や the time といった典型的な語であれば, 先行詞を残して why / when の方が省略されることもある。つまり, **That is why S + V ... .**「そういうわけで…／それが…する理由だ」は **That is the reason S + V ... .** と言い換えられる。

---

206 ①　207 ④　208 ④

209 □□□ This is (　　　) he was rescued from the burning house.
① what ② which ③ whether ④ how 〈会津大〉

KEY POINT ▷059

210 □□□ The elderly woman, (　　　) had known Tom well, said that he was very kind to her.
① what ② whom ③ which ④ who 〈獨協大〉

209 このようにして，彼は燃えている家から救助された。
210 その年配の女性は，トムのことをよく知っていたのだが，彼が自分にはとても親切だと言った。

209. 関係副詞 how

▶ 関係副詞 how は，先行詞として the way を想定して用いるものだが，現代英語では，the way how S + V ... の形は使われず，先行詞の the way を省略した **how S + V ...**，how を省略した **the way S + V ...**，「前置詞 + 関係代名詞」の **the way in which S + V ...**，how と同じ働きをする関係副詞 that を用いた **the way that S + V ...**「…するやり方／…する様子」といった形で用いる。本問は以下のように書き換えられる。

This is **how** he was rescued from the burning house.

= This is **the way** he was rescued from the burning house.

= This is **the way in which** he was rescued from the burning house.

= This is **the way that** he was rescued from the burning house.

○ **This is how[the way] S + V ... .** は，「このようにして…する（← これが…するやり方だ）」と訳出するのが自然。

Plus **rescue A from B**「A を B から救出する」は重要。

KEY POINT ▷ 059　関係詞の非制限用法

210. 関係代名詞の非制限用法

▶ **関係代名詞の前にコンマを置いて，先行詞を付加的に説明する用法**がある。この形は**非制限用法**と呼ばれる。これに対し，コンマを用いない形は制限用法と呼ばれる。

▶ 非制限用法で用いられる関係代名詞は，who / whose / which / whom /「前置詞 + which」/「前置詞 + whom」などである。**that は用いられない**ことに注意。また，**目的格関係代名詞であっても省略できない**ことも押さえておきたい。

▶ **先行詞が固有名詞（Einstein など）や世の中に 1 つしかないもの（the sun など）**の場合，原則として**関係代名詞は非制限用法**にする。自明のものは「制限」する必要はないからである。

○ 本問は，The elderly woman「年配の女性」という「人」が先行詞で，節内では had known Tom well の主語の働きをしていることから，主格関係代名詞④ who が入る。

209 ④　210 ④

211 □□□ Chris had heard nothing from his brother, (　　　) made him uneasy.

① that　② what　③ where　④ which　〈早稲田大〉

212 □□□ He bought a cottage in the countryside, (　　　) he spent the last days of his life.

① which　② when　③ where　④ why　〈明治大〉

KEY POINT ▷ 060

213 □□□ (　　　) Stephen said in the conference made the chairperson angry.

① Against　② That　③ What　④ For　〈上智大〉

211 兄から何も連絡がなかったので，クリスは不安になった。
212 彼は田舎に小さな家を買い，そこで彼の人生の最後の日々を過ごした。
213 その会議でスティーブンが言ったことは，議長を怒らせた。

211. which の非制限用法 — 前文全体が先行詞

○ **関係代名詞 which は非制限用法の場合に限って，前文全体またはその一部の意味内容を先行詞とする**ことがある。本問の場合，which は前文の Chris had heard nothing from his brother の内容を先行詞とし，節内では主格として用いられている。which が前文の内容を受けるのは，指示代名詞 that[this] の機能があるからと考える。

[, which] には接続詞の機能が含まれるので，本問は and で結ばれた 2 文が言い換えられたと考える。

Chris had heard nothing from his brother, and that made him uneasy.

→ **Chris had heard nothing from his brother**, <which made him uneasy>.

212. 関係副詞の非制限用法

▶ **関係副詞の非制限用法は when と where だけ**にあり，**why と how には非制限用法はない**。

○ 本問は，以下のように考える。

He bought **a cottage in the countryside**, and there[at the cottage] he spent the last days of his life.

→ He bought **a cottage in the countryside**, <where[at which] he spent the last days of his life>.

Plus 非制限用法の when については，以下の例文を参照。

She stayed there till Sunday, **when**[and then] she started for New York.
（彼女は，日曜までそこに滞在し，その日ニューヨークへ出発した）

KEY POINT ▷ 060　関係代名詞 what

213. 関係代名詞 what

▶ **関係代名詞 what は名詞節**を形成する。したがって，what に先行詞はない。**what 自体は，節内で主語・目的語・補語・前置詞の目的語といった名詞の働きをし，what 節全体は文の主語・目的語・補語・前置詞の目的語となる。**

○ S made A angry.「S は A を怒らせた」の文構造を見抜く。<(　　) Stephen said in the conference> が S[主語]である。主語となる名詞節を導き，節内で said の目的語となるのは③ What。

211 ④　212 ③　213 ③

214 □□□ He is totally different from ( ) he used to be.
① what ② when ③ where ④ how 〈北里大〉

215 □□□ A person should not be judged by ( ) he or she seems to be.
① that ② what ③ whether ④ which 〈近畿大〉

216 □□□ Mary came late, and what is ( ), she forgot to bring the document.
① least ② less ③ more ④ most 〈中央大〉

KEY POINT ▷061

217 □□□ She likes boys ( ) she thinks have respect for their parents.
① whom ② who ③ whoever ④ whose 〈中央大〉

214 彼は，昔とはまったく違う人物だ。
215 人は，見かけの姿によって判断されるべきではない。
216 メアリーは遅刻したうえに，資料を持ってくるのを忘れた。
217 彼女は，親を尊敬していると思える男の子が好きだ。

214. what を用いた慣用表現 — what S used to be

▶ 関係代名詞 what は，**what S is**「今の S（の姿）」，**what S was[used to be]**「昔の S（の姿）」の形で慣用的に用いられる。

○ 本問は，A is totally different from B.「A は B とまったく違う」の B に，what S used to be「昔の S（の姿）」が入る。

Plus **what S has**「S の財産（← S が持っているもの）」との対比で，**what S is**「S の人格」の意味で用いられることがある。また，**what S should[ought to] be** で「S のあるべき姿」，**what S will be**「未来の S（の姿）」，**what S seem to be**「見かけの S（の姿）」といった使い方もある。

215. what を用いた慣用表現 — what S seem to be

○ 本問は，問題 214 で扱った **what S seem to be**「見かけの S（の姿）」がポイント。

Plus what を用いた慣用表現のほかの例として，**what is called C**「いわゆる C（と呼ばれているもの）」（= **what we[they / you] call C**）もここで押さえておこう。

He is **what is called** a bookworm.（彼はいわゆる本の虫だ）

216. what を用いた慣用表現 — what is more

▶「what is ＋ 比較級」の形で副詞表現を作るパターンがある。**what is more** は「その上」の意味を表す。

Plus 本問の **what is more**「その上」のほか，**what is better**「さらによいことに」，**what is more important**「さらに重要なことに」，**what is worse**「さらに悪いことに」などが代表例。

KEY POINT ▷ 061　連鎖関係代名詞節

217. 連鎖関係代名詞節（1）

○ 本問は以下の 2 文が文構造の前提。

She likes **boys**. ＋ She thinks (that) they have respect for their parents.

→ She likes **boys** <(who) she thinks have respect for their parents>.

第 2 文で主格の they が用いられているので，関係代名詞は who になる。その who が she thinks を跳び越えて，節の冒頭に置かれたのが本問の英文。その場合は必ず接続詞の that は省略されることに注意。このように**関係代名詞の直後に「S ＋ V」などが入り込んだように見える形を，連鎖関係代名詞節**と呼ぶ。

Plus この構造では，主格の who であっても省略されることがあるので，英文読解では注意したい。

Plus 関係代名詞節の what 節内に，**S think[believe / say]** などが入った連鎖関係代名詞節も重要。

Do what **you believe** is right.（正しいと信じることをしなさい）

✕ thinks の目的語と勘違いして① whom を選ばないこと。

---

214 ①　**215** ②　**216** ③　**217** ②

218 □□□ I can't believe you lost the wallet (　　　　) you said was so expensive.
① or　② that　③ what　④ and 〈駒澤大〉

KEY POINT ▷062

219 □□□ (　　　　) is often the case with him, John was late for the meeting.
① As　② When　③ What　④ Since 〈中央大〉

KEY POINT ▷063

220 □□□ You can invite (　　　　) wants to come to the party.
① those who　② who　③ whoever　④ whomever 〈甲南女子大〉

TARGET 31 関係代名詞 as を用いた慣用表現

- as is usual with A「A にはいつものことだが」
  As is usual with my sister, she arrived a few minutes late.
  (妹にはいつものことだが，数分遅れで到着した)
- as is often the case with A「A にはよくあることだが」→ 219
- as is evident from A「A から明らかなように」
  As is evident from the research, the temple was created about 1,000 years ago.
  (研究から明らかなことだが，その寺院は約 1000 年前に作られた)
- as so often happens「よくあることだが」
  As so often happens, the new invention is causing unexpected problems.
  (よくあることだが，その新しい発明は予期せぬ問題を引き起こしている)
- as might have been expected「予期されていたことだが」
  As might have been expected, the used car soon broke down.
  (予期されていたことだが，その中古車はすぐに故障した)

218 あなたが，とても高価だと言っていた財布をなくしたなんて信じられない。
219 彼にはよくあることだが，ジョンはその会議に遅刻した。
220 あなたは，そのパーティーに来たい人は誰でも招待して構いません。

218. 連鎖関係代名詞節（2）

○ 本問は以下の 2 文が文構造の前提。

I can't believe you lost **the wallet**. + You said (that) it was so expensive.

→ I can't believe you lost **the wallet** (that[which]) you said was so expensive.

本問は，was so expensive の主語の働きをする主格関係代名詞② that を選ぶ。which も可。主格関係代名詞 that[which] は，この構造では省略されることもある（→ 217）ことに注意。

KEY POINT ▷ 062　関係代名詞 as

219. 関係代名詞 as — as is often the case with A

▶ **関係代名詞 as は，非制限用法で用いられた場合，主節やその一部の内容を先行詞とする**機能があり，as から始まる関係代名詞節は，文頭，文末，文中で用いられる。**as is often the case with A**「A にはよくあることだが（← そういうことは A にはしばしば当てはまることだが）」は，関係代名詞 as を用いた慣用表現として押さえる。

○ 本問の as は，主節の John was late for the meeting の内容を先行詞としていることに気づくことがポイント。

KEY POINT ▷ 063　複合関係詞

220. 複合関係代名詞 whoever

▶ **複合関係代名詞 whoever** は，節内で主語の働きをし，節全体では**名詞節**「…する人は誰でも」を形成する場合と，**譲歩の副詞節**「誰が…しようとも」を形成する場合がある。

○ invite「…を招待する」の目的語となる名詞節を導き，関係代名詞節内で主格となる関係代名詞は③ whoever。名詞節の whoever wants to come to the party は「そのパーティーに来たい人は誰でも」の意味を表す。

✕ ① those who は，those = the people なので，those who want to come to the party なら可。④ whomever は wants の主語にならないので不可。

Plus 名詞節を形成する **whoever** は，**anyone who** に言い換えられ，副詞節を形成する **whoever** は，**no matter who** に言い換えられる。

・You can invite <**whoever** wants to come to the party>. [名詞節]
　= You can invite **anyone** <**who** wants to come to the party>.

・<**Whoever** is elected>, our entire group will support that person. [副詞節]
　= <**No matter who** is elected>, our entire group will support that person.
　(誰が選ばれようとも，私たちのグループ全体でその人を支えます)

218 ②　219 ①　220 ③

221 □□□

(　　　　) you go, I will follow you.

① Wherever　② Whichever　③ Whatever　④ Whoever

〈杏林大〉

222 □□□

(　　　　) hard she tried, she still could not pronounce the word properly.

① Whatever　② Even though　③ As　④ However　〈北里大〉

221 あなたがどこへ行こうと，私はあなたについて行きます。
222 彼女がどんなに努力しても，その単語をうまく口に出すことができなかった。

221. 複合関係副詞 wherever

▶ **複合関係副詞 wherever** は常に副詞節を導き，「(1) …するところはどこでも，(2) どこに[で]…しようとも」の意味を表す。譲歩的意味を表す (2) の場合は，**no matter where** に言い換えられる。

○ 空所には，名詞ではなく副詞的なものが入るので，① Wherever を選ぶ。本問の **Wherever you go,**「あなたがどこに行こうとも」は (2) の用法で，**No matter where you go,** に書き換えられることも押さえておく。

Plus (1) の用例は以下を参照。

Go **wherever** you like.（行きたいところはどこでも行きなさい）

Plus 複合関係副詞 **whenever** は常に副詞節を導き，「①…するときはいつでも，②いつ…しようとも」の意味を表す。

① Come **whenever** you like.（来たいときにはいつでも来なさい）

② Beginners are welcome, **whenever** they (may) come.

= Beginners are welcome, **no matter when** they (may) come.（初心者はいつ来ても歓迎します）

222. 複合関係副詞 however

▶ **複合関係副詞 however は，通例，直後に形容詞・副詞を伴い「however ＋ 形容詞［副詞］＋ S ＋ V ...」**の形で用い，「どんなに…でも」という意味の譲歩の副詞節を形成する。however は常に **no matter how** に置き換えられる。

○ 本問は，hard「懸命に」が副詞なので，副詞の前に置くことができる④ However を選ぶ。**However hard she tried,**「どんなに一生懸命にやっても」は **No matter how hard she tried,** に書き換えられることも押さえておこう。

Plus however が直後に形容詞・副詞を伴わないときは「どんなやり方で…しようとも」の意味になるが，その用例は比較的少ない。

However you go, you must get to the airport by five.
（どんな方法で行くにせよ，あなたは 5 時までに空港に着かなければならない）

---

221 ①　222 ④

KEY POINT ▷ 054-063

223 □□□ 犯人だと思っていた男性は実は弁護士だった。
The man (to / out / the criminal / I thought / turned / who / a / lawyer / be / was). 〈高知大〉

224 □□□ 成績がよい学生は奨学金がもらえるかもしれません。
A student (　　　) grades (　　　) (　　　) may receive a scholarship. 〈名古屋工業大〉

225 □□□ Many authors ①<u>find it</u> hard ②<u>to write</u> about new environments ③<u>where</u> they ④<u>did not know</u> in childhood. 〈立教大〉

226 □□□ Federer and Nadal attracted ①<u>whatever</u> organizers ②<u>said</u> was a world-record crowd ③<u>for</u> a tennis ④<u>match</u> yesterday. 〈立教大〉

227 □□□ 私は自分の親友だと信じていた男にだまされた。

228 □□□ Biologists do not think that individuals ever act for the good of the species, but there are many situations in which what appear to be selfish individual behaviors actually benefit a group. 〈神戸大〉

ヒント

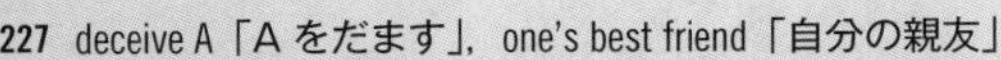

227 deceive A「Aをだます」, one's best friend「自分の親友」
228 biologist「生物学者」, individual「(生物の) 個体」, ever「(否定を含意する節・句で) 絶対に, どんなことがあっても」, act「行動する」, for the good of A「Aの利益のために」, species「(生物の) 種」, situation「状況」, what appear to be A「Aのように見えるもの」, selfish「利己的な」, benefit「…に利益をもたらす」

225 多くの作家は, 自分たちが幼いときに知らなかった目新しい状況について書くことを難しいと感じている。
226 フェデラーとナダルは昨日のテニスの試合で, 開催者によると世界新記録となる数の観客を集めた。

KEY POINT ▷ 054-063

223. 連鎖関係代名詞節

○ 問題 217 で扱った連鎖関係代名詞節を用いて，主語を The man who I thought was the criminal「犯人だと（私が）思っていた男性」とまとめる。次に，turn out to be C「C だと判明する」の形で，述部を turned out to be a lawyer とまとめればよい。

224. 所有格関係代名詞 whose ― 先行詞が「人」

○ 問題 201 で扱った whose が本問のポイント。関係代名詞 whose は，必ず「**whose ＋名詞**」の形で用いるので，his[her] grades are good[high]「彼[彼女]の成績はよい」と考えて，本問の主語を A student <whose grades are good[high]>「成績がよい学生」とする。

225. 目的格関係代名詞 which ― 先行詞が「人以外」→ 199

○ 関係副詞 where は，動詞 know の目的語にならないので，③ where を which(= new environments) にすればよい。which は，節内で they didn't know の目的語。

226. 連鎖関係代名詞節 ― what S said was C → 217

○ what から始まる関係代名詞節の what was a world-record crowd「世界記録となる（数の）観衆」に organizers said「主催者が言った」が what の後に入った形であることを見抜く。

227. 連鎖関係代名詞節 → 217

○「自分の親友だと信じていた男」は the man (who[that]) I believed was my best friend と表すことができる。また，この who[that] は主格ではあるが省略してもよい。

228. 前置詞＋関係代名詞 → 203, 204

○ there are many situations <in which A actually benefit B>「A が B に実際に利益をもたらす状況がたくさんある」の構造であることと，節内の主語の A が関係代名詞 what を用いた what appear to be A「A のように見えること」になっていることを見抜く。

---

223 who I thought was the criminal turned out to be a lawyer

224 whose, are good[high]

225 ③ where → which[that]

226 ① whatever → what

227 I was deceived[cheated] by the man (who[that]) I believed was my best friend.

228 生物学者は，生物の個体が種全体の利益のために行動することはまずないと考えているが，利己的な個人の行動と見えることが実際に集団に利益をもたらすような状況が数多くある。

第 9 章 仮定法

仮定法過去と仮定法過去完了の併用形，接続詞 if が省略された倒置形，if 節のない仮定法は読解で重要。

KEY POINT ▷ 064

229 □□□ If I (　　　　) you, I wouldn't go out with such a person.
① am　② are　③ were　④ will be　〈日本大〉

230 □□□ If I were the king of this country, I (　　　　) every Monday a national holiday.
① am declaring　② will declare
③ have declared　④ would declare　〈東海大〉

KEY POINT ▷ 065

231 □□□ When I arrived, the exam had already started. I wouldn't have been late if there (　　　　) a traffic jam.
① had been　② hadn't been　③ was　④ wasn't　〈玉川大〉

TARGET 32 仮定法過去の基本形 動画

If ＋ S ＋ 動詞の過去形 …, S′ ＋ would / could / might / should ＋ 動詞の原形 ～.
if 節　主節

「もし S が…するなら，S′ は～するだろう（に）」→ 229, 230

* if 節内の be 動詞は原則として were を用いる（今では単数扱いの主語の場合は was が使われることもある）。

* if 節内の動詞表現が「助動詞の過去形＋動詞の原形」となり，助動詞の意味が含まれる場合がある。

If I could fly like a bird, I would go there.
（私が鳥のように飛ぶことができるのなら，そこに行くでしょう）

* 主節の助動詞に should を用いるのは主にイギリス英語で，原則として 1 人称主語（I, we）の場合のみ。

---

229 私があなただったら，そのような人と一緒に出かけたりしないだろうに。
230 私がこの国の王だったら，毎週月曜日を祝日だと宣言するだろう。
231 私が到着したとき，試験はすでに始まっていた。交通渋滞がなかったら，私は遅刻しなかったのに。

KEY POINT ▷ 064　仮定法の基本と仮定法過去

229. 仮定法過去 ― if 節の形

▶ **話者が，ある事柄を事実として述べる動詞の形を直説法，話者が，事柄を心の中で想像して述べる動詞の形を仮定法**と呼ぶ。**仮定法過去は，現在の事実と反対の仮定や実現性の低い仮定を行い，それに基づく推量**を表す。**if 節，主節どちらか一方だけを仮定法の形にすることは原則できない**ことに注意。→ TARGET 32

○ 主節が仮定法過去の形になっていることに気づき，be 動詞の過去形③ were を選ぶ。

Plus **if 節内で時制をずらす（現在時制 → 過去形）と，話者の考える可能性が消され「現在」の想像上のことになると考えよう。**if I were you は，**「私があなたになる」可能性はゼロなので，**if I am you を if I were you **と過去形にすることで，「(仮の話だが) 私があなたならば」の意味になる。この時制の移行は tense shift と呼ばれている。**

230. 仮定法過去 ― 主節の形

○ if 節が仮定法過去の形になっていることに気づき，「would ＋ 動詞の原形」の④ would declare を選ぶ。

Plus **declare A B** は「A を B だと宣言[断言]する」。

KEY POINT ▷ 065　仮定法過去完了

231. 仮定法過去完了 ― if 節の形

▶ 現在の事実に反することは仮定法過去で表すが，**過去の事実に反することは仮定法過去完了で表す**。if 節内で時制をずらす（過去時制 → 過去完了）と，話者の考える可能性が消され「過去」の想像上のことになると考える。→ TARGET 33

○ 主節の動詞が wouldn't have been late になっていることに着目し，仮定法過去完了だと見抜く。文意から，if 節内の動詞は過去完了の② hadn't been になる。

● TARGET 33　仮定法過去完了の基本形　動画

If ＋ S ＋ 動詞の過去完了形(had done) …, S′ ＋ would / could / might / should ＋ have done ～.
（if 節）　（主節）

「もし S が…したなら，S′ は～しただろう（に）」→ 231, 232

＊if 節内の動詞表現が「助動詞の過去形 ＋ have done」となり，助動詞の意味が含まれる場合がある。

＊主節の助動詞に should を用いるのは主にイギリス英語で，原則として 1 人称主語（I, we）の場合のみ。

229 ③　230 ④　231 ②

232 □□□

A：You were in Tokyo last week! Why didn't you call me?
B：I (　　　　) if I'd known you were there.

① had called　② may call
③ would call　④ would have called　〈学習院大〉

KEY POINT ▷066

233 □□□

If she had not stayed up so late, she (　　　　) so sleepy now.

① will be　② would have been
③ would not be　④ will not have been　〈獨協大〉

KEY POINT ▷067

234 □□□

If I (　　　　) to win a lot of money, the first thing I would do is buy a new car.

① can　② could　③ has　④ were　〈京都産業大〉

232 A：あなたは先週東京にいたんですか！ なぜ私に電話をしなかったの？
B：あなたがそこにいたと知っていたら，電話をしたのに。
233 そんなに遅くまで起きていなかったら，彼女は今ごろそんなに眠くなっていないでしょう。
234 もし私が大金を獲得したら，私が最初にすることは，新しい車を買うことです。

232. 仮定法過去完了 ― 主節の形

○ if 節内の動詞が had done の形になっていることに着目し，文意から仮定法過去完了だと見抜く。主節の動詞は would have done の形である④ would have called を選ぶ。

KEY POINT ▷ 066　仮定法過去完了と仮定法過去の併用形

233. 仮定法過去完了と仮定法過去の併用形

▶ 仮定法表現では，**主節・if 節において仮定法過去と仮定法過去完了が併用されることがある。**

○ 本問は，if 節に仮定法過去完了を用いて過去の事実の反対の仮定を行い，主節に仮定法過去を用いて現在の事実と反対の推量を行ったもの。主節に「現在」を表す now が使われていることに着目すること。したがって，仮定法過去の主節の形である③ would not be を選ぶ。

KEY POINT ▷ 067　if S were to do ... / if S should do ...

234. if S were to do ...「S が（これから）…すれば」

▶ **If S were to do ..., S′ + would / could / might / should + 動詞の原形～.** の形は，一般に未来の事柄に対する仮定を表す。仮定法過去の 1 つの表現形式だが，were to do は「be + to 不定詞」の過去形であり，未来の意味を含んでいる。この表現は，比較的実現の可能性の低い仮定を表すとされているが，現実には，かなり実現性の高い場合にも用いる。if 節内の時制の移行（現在時制 → 過去形）はあくまでも，話者の考える可能性が消えるだけであり，客観的な実現の可能性が消えるわけではない。

If **it were to rain** tomorrow, how disappointed **would my son be**?
（明日，雨が降れば，息子はどんなにがっかりするだろうか）

232 ④　233 ③　234 ④

235 □□□ I don't think he will stop by my office. But if he (　　　) while I'm out, give him more information about that.

① came ② will come ③ should come ④ had come

〈聖マリアンナ医科大〉

KEY POINT ▷068

236 □□□ A：The weather is absolutely beautiful today, isn't it?
B：Yes, I (　　　) it was like this more often.

① hope ② desire ③ want ④ wish 〈学習院大〉

TARGET 34 if S should do ..., と if S were to do ...,

- if S should do ..., で if 節を表す表現は，if S were to do ..., とほぼ同意だが，前者は，主節に助動詞の過去形だけでなく，助動詞の現在時制が用いられる場合も多い。また，主節が命令文になることもある。→ 235
  If anything should happen, please let me know immediately.
  （もし何かあれば，すぐに私に知らせてください）
- if S should do ..., は「まずありえないだろう」という話者の判断を表す表現なので，未来[現在]の実現性の低いことを仮定する場合には用いるが，実現性のないことを仮定する場合には用いない。例えば，「息子が生きているなら 20 歳になっているだろう」は If my son were alive, he would be twenty years old. と表現できるが，（×）If my son should be alive, ... とすることはできない。

235 彼が私のオフィスに立ち寄るとは思いません。でも，万が一私の外出中に彼が来たら，そのことについてもっと詳しい情報を渡してください。

236 A：今日の天気はとてもすばらしいですね。
B：ええ，もっとこんな日が多いといいのに。

235. if S should do ...

▶ **if S should do ...**「万一 S が…すれば」の形も，問題 234 で扱った if S were to do ... と同様に，一般に，未来の事柄に対する仮定を表す。ただし，**この表現は，主節に「would など助動詞の過去形 ＋ 動詞の原形」のほかに，「will などの助動詞の現在形 ＋ 動詞の原形」，さらには命令文がくる**場合がある。→ TARGET 34

○ 本問は，主節が命令文となっている形。

KEY POINT ▷ 068　S wish ＋ S′ ＋ 仮定法

236. S wish ＋ S′ ＋ 動詞の過去形（仮定法過去）

▶ **wish** は「**実現不可能なことや困難なことを望む**」が本来の意味。目的語が that 節の場合，節内の動詞は仮定法の if 節内の動詞の形となる（that はよく省略される）。**S wish (that) S′ ＋ 動詞の過去形 ...** は現在の事実とは反対の事柄の願望を表し，**S wish (that) S′ ＋ 動詞の過去完了形 ...** は過去の事実とは反対の事柄の願望を表す。

○ be 動詞の過去形 was に着目し，仮定法だと見抜く。仮定法で用いられる動詞の④ wish を選ぶ。

✕ ① **hope** は「**(根拠がなくても) 実現可能だと望む**」が本来の意味なので，目的語が that 節の場合，節内の動詞の形は仮定法ではなく直説法になる。② desire は，hope 同様に that 節内の動詞の形が仮定法になることはない。③ want は that 節を目的語にとらない。

TARGET 35　S wish ＋ 仮定法　動画

(1) S wish ＋ S′ ＋動詞の過去形（仮定法過去）.... → 236
「S は S′ が…すればよいのにと思う（現在の事実と反対の事柄の願望）」

(2) S wish ＋ S′ ＋動詞の過去完了形（仮定法過去完了）.... → 237
「S は S′ が…すればよかったのにと思う（過去の事実と反対の事柄の願望）」

(3) S wish ＋ S′ would[could] do ...
「S は S′ が（これから）…してくれれば[できれば]と思う」
（現在への不満と通例，期待感の薄い願望）
I wish it would stop raining.（(雨は降りやみそうではないが，) やんでくれればと思う）

---

235 ③　236 ④

237 □□□ I wish I (　　　　) that guy from Tokyo for his e-mail address last night.

① asked　② had asked
③ was asking　④ would ask　〈南山大〉

KEY POINT ▷ 069

238 □□□ 動画 A : May I smoke here?
B : I'd rather (　　　　).

① you didn't　② you won't　③ you not to　④ for you not to
〈慶應義塾大〉

239 □□□ If only I (　　　　) allowed to have a dog. The problem is my father hates dogs!

① were　② must be　③ will be　④ should be　〈日本大〉

237 昨夜，東京から来たあの男にＥメールアドレスを尋ねておけばよかった。
238 A：ここでタバコを吸ってもいいですか。
B：できればご遠慮いただきたいです。
239 私が犬を飼うことを許してくれたらいいのに。問題は父が犬を大嫌いなことなんです！

237. S wish ＋ S′ ＋ 動詞の過去完了形（仮定法過去完了）

○ 過去の事実の反対を想定しているので，**S wish (that) S′ ＋ 動詞の過去完了形 ...** の形になる（→ 236, TARGET 35）。last night「昨夜」に着目すること。

Plus **ask A for B** は「A に B をくれと頼む」。

KEY POINT ▷ 069　S would rather (that) S′ ＋ 仮定法／If only ＋ 仮定法

238. S would rather (that) S′ ＋ 仮定法

▶ **S would rather (that) S′ ＋ 動詞の過去形 ...** は，問題 236 で扱った **S wish (that) S′ ＋ 動詞の過去形 ...** と同意。慣用表現として押さえる。

○ 動詞の過去形の形である① you didn't を選ぶ。you didn't は you didn't (smoke here) と考えればよい。I'd rather you didn't smoke here. は相手に対する丁寧な依頼を表し，「できればタバコをここで吸うのを遠慮していただければと思います」のニュアンス。

Plus **S would rather (that) S′ ＋ 動詞の過去完了形 ...**「S は S′ が…すればよかったと思う」もここで押さえておこう。

I would rather **you hadn't told her the truth**. = I wish **you hadn't told her the truth**.
（あなたが彼女に本当のことを言わなければよかったのにと思います）

239. If only ＋ 仮定法

▶ **If only ＋ S ＋ 動詞の過去形 ...(!)**「…であればいいのだが(！)」は，問題 236 で扱った **S wish (that) S′ ＋ 動詞の過去形 ....** と同意で，さらに強い言い方。

○ 本問は上記の形から，動詞の過去形① were を選ぶ。

Plus **allow A to do**「A が…するのを許す」（**= permit A to do**）は重要で，本問では受動態になっている。
If only S ＋ 動詞の過去完了形 ... (!)（**= I wish S ＋ 動詞の過去完了形 ...**）もここで押さえておこう。
If only **I had studied English harder** when I was a student!
= I wish **I had studied English harder** when I was a student.
（学生の頃，もっと英語を勉強しておけばよかったと思う）

Plus **If only S ＋ 助動詞の過去形 ＋ 動詞の原形 ...!** も重要。
If only I **could speak English** as fluently as you!
= I wish I **could speak English** as fluently as you.
（あなたくらい英語をすらすら話すことができればと思う）

237 ②　**238** ①　**239** ①

KEY POINT ▷070

240 □□□ It is high time something (　　　) done to relieve the suffering of the refugees.
① had been　② has been　③ was　④ will be　〈津田塾大〉

241 □□□ Ann looked as if she (　　　) anything though she knew all about it.
① hadn't heard　② could hear
③ had been heard　④ hasn't heard　〈法政大〉

242 □□□ That problem sounds (　　　) it would be difficult to me.
① as long as　② as if　③ even as　④ even though　〈立命館大〉

KEY POINT ▷071

243 □□□ (　　　) his bad temper, he would be a nice person.
① Were he not for　② If he were not
③ If it were not for　④ If it were not　〈いわき明星大〉

240 難民たちの苦難を和らげるために，当然何かがなされるべき時です。
241 アンはそのことについてはすべて知っていたのに，まるで何も聞いていなかったかのように見えた。
242 その問題は，私には難しいことのように思える。
243 もし短気な性格がなければ，彼はいい人なのに。

KEY POINT ▷ 070　It is (high) time ＋ S ＋ 仮定法過去／ as if ＋ 仮定法

240. It is (high) time ＋ S ＋ 過去形 ...

▶ **It is time ＋ S ＋ 動詞の過去形（仮定法過去）...** は，「S は…してもよい時期[時間]だ」の意味を表す。慣用的な表現として押さえておこう。**It is high time ...** であれば，「当然…してもよい時期[時間]だ」，**It is about time ...** であれば「そろそろ…してもよい時期[時間]だ」のニュアンスになる。

○ 本問は上記の形から，動詞の過去形③ was を選ぶ。

Plus to relieve the suffering of the refugees は，「目的を表す不定詞句（→ 86）」で，「難民の苦しみを和らげるために」の意味を表す。

241. as if ＋ 仮定法

▶ **as if S ＋ 動詞の過去形（仮定法過去）...** は「まるで S が…するかのように」，**as if S ＋ 動詞の過去完了形（仮定法過去完了）...** は「まるで S が…したかのように」の意味を表す。

○ Ann looked の時点よりも前に「何も聞いていなかった（かのように）」という仮定の状況があったのだから，as if 節では動詞の過去完了形（仮定法過去完了）を用いる。したがって，① hadn't heard を選ぶ。

242. as if S would ＋ 動詞の原形

▶ TARGET 32 で述べたように，仮定法の if 節内の動詞表現は「**助動詞の過去形 ＋ 動詞の原形**」となることがある。それと同様に，as if 節にも，**as if S ＋ 助動詞の過去形 ＋ 動詞の原形 ...** の形があることに注意。

○ 本問は，sound as if S would be C「S が C であるかのように思える」の形になっていることを見抜く。

Plus as if 節の同意表現の as though 節もここで押さえておこう。
He talks **as though** he knew everything.= He talks **as if** he knew everything.
（彼は何でも知っているかのように話す）

KEY POINT ▷ 071　仮定法を用いた慣用表現

243. if it were not for A と if it had not been for A

▶ **if it were not for A**「（現在）A がなければ」は慣用化した仮定法過去の表現。主節は，原則として仮定法過去（助動詞の過去形 ＋ 動詞の原形 ...）の形をとる。

Plus **if it had not been for A**「（過去に）A がなかったならば」もここで押さえておこう。主節は，原則として仮定法過去完了（助動詞の過去形 ＋ have done ...）の形をとる。
I would have been completely at a loss **if it had not been for your help**.
（君の助けがなかったなら，私は完全に絶望していただろう）

---

240 ③　241 ①　242 ②　243 ③

KEY POINT ▷072

244 □□□ (　　　) water, nothing on Earth would live.
① But ② Without ③ Having ④ Except 〈東洋大〉

245 □□□ You worked hard; (　　　) you would not have succeeded.
① however ② otherwise ③ instead ④ besides 〈杏林大〉

KEY POINT ▷073

246 □□□ (　　　) you were coming, I would have cleaned my room.
① Did I know ② Had I known
③ If I know ④ When I knew 〈立命館大〉

● TARGET 36 if 節の代用

(1) without A / but[except] for A「A がなければ／A がなかったら」→ 244
Without your advice, I would have failed.
(君の助言がなかったら，私は失敗していただろう)

(2) with A「A があれば／A があったら」
With a little more time, I could have helped you.
(もう少し時間があったら，君を手伝うことができたのだが)

(3) otherwise「そうしなかったら／さもなければ」→ 245, 250
I wrote to my parents; otherwise they would have worried about me.
(私は両親に手紙を書いた。さもなければ両親は私のことを心配しただろう)

(4) ... ago「…前なら」
Ten years ago, I would have followed your advice.
(10 年前だったら，あなたの忠告に従っていたでしょう)

(5) 不定詞に仮定の意味
To hear him talk, you would take him for an American.
(彼が話すのを聞くと，彼をアメリカ人だと思うでしょう)

(6) 主語に仮定の意味 → 249, 253
A wise person would not say such a thing in front of others.
(賢い人なら，人前でそんなことは言わないでしょう)

244 水がなければ，地球上では何も生きられないでしょう。
245 あなたは一生懸命働きました。そうでなければ成功しなかったでしょう。
246 あなたが来ることを知っていたら，私は自分の部屋を掃除したでしょうに。

KEY POINT ▷ 072　　if 節の代用

244. if 節の代用 ― 仮定法で用いる without A

▶ **without A** は，仮定法において，「A がなければ／ A がなかったら」の意味で用いる慣用表現。**but[except] for** も同意。

○ 主節が仮定法過去の形になっていることに気づき，上記の without A で表すために② Without を選ぶ。

✕ ① But，④ Except は But for，Except for ならば可。without A = but[except] for A ととらえる。

Plus 仮定法で用いる **with A**「A があれば／ A があったら」も without A と一緒にここで押さえておこう。
With a little more care, he would not have made such a mistake.
（もう少し注意したならば，彼はそんな誤りはしなかっただろうに）

245. if 節の代用 ― otherwise

▶ 仮定法の文脈での副詞 **otherwise**［接続詞 **or**］「そうしなかったら／さもなければ」は，前述の内容を受けて，その反対の内容を仮定する表現。

○ you would not have succeeded「あなたは成功しなかっただろう」が仮定法過去完了の主節の形だと気づき，② otherwise を選ぶ。本問の otherwise は if you had not worked hard の内容を表す。

KEY POINT ▷ 073　　接続詞 if の省略／ if 節のない仮定法

246. 接続詞 if の省略 ― 倒置形（疑問文の語順）

▶ 接続詞 if が省略されると，仮定法の if 節が倒置形（疑問文の語順）になる。

○ If I had known you were coming, ... は，if が省略されると倒置形（疑問文の語順）になるので，Had I known you were coming, ... となる。

---

244 ②　245 ②　246 ②

247 □□□ (　　　) been for the bad weather, the picnic would have gone well.

① Had it have　② Had it not
③ Should it have　④ Were it not 〈関西学院大〉

248 □□□ (　　　) you have any further questions, do not hesitate to ask me.

① Should　② Since　③ While　④ Would 〈立教大〉

249 □□□ The man at the window must be a spy, since he works slowly and keeps looking around. A real cleaner (　　　) the windows twice.

① had never washed　② was not washing
③ would not wash　④ did not wash 〈慶應義塾大〉

247 悪天候でなかったら，ピクニックはうまくいったでしょうに。
248 万が一さらに質問があるのなら，ご遠慮なくお尋ねください。
249 窓際の男はスパイに違いない。なぜなら，彼はゆっくりと作業をし，周りを常に見回しているからだ。本物の清掃係なら，窓を２回も洗ったりしないだろう。

247. 接続詞 if の省略 — Had it not been for A

▶ 問題 243 で扱った **if it had not been for A**「(過去に) A がなかったならば」は, **had it not been for A** で表せる。→ 246

○ 主節の the picnic would have gone well「ピクニックはうまくいっていただろう」が仮定法過去完了であることを見抜き, Had it not been for A の形を作る② Had it not を選ぶ。

248. 接続詞 if の省略 — Should S do ...

▶ 問題 235 で扱った **if S should do ...**「万一 S が…すれば」は, **should S do ...** で表せる。→ 246

○ If you should have any further questions「万一さらに質問があるのなら」の If を省略した文の倒置 (疑問文の語順) を考える。If you should have ... は, Should you have ... になる。

249. if 節のない仮定法 — 主語に仮定の意味

▶ 仮定法表現では, **if 節の代わりに主語に仮定の意味が含まれている**場合がある。
→ TARGET 36

○ 主語の A real cleaner に「本物の清掃係なら」と条件が含まれていることに気づき, 仮定法過去の主節の形となっている③ would not wash を選ぶ。本問は If he were a real cleaner, he would not wash the windows twice.「もし彼が本物の清掃係なら, 窓を 2 回も洗ったりしないだろう」と書き換えることができる。

---

247 ②　248 ①　249 ③

第9章 仮定法 応用問題にTry!

KEY POINT ▷ 064-073

250 □□□ You ①<u>must be</u> ②<u>too busy</u>. Otherwise, you ③<u>will</u> not have forgotten about such an important ④<u>appointment</u>.

〈福島大〉

251 □□□ I (you / it / I / were / talk about / if / would never). 〈高崎経済大〉

252 □□□ There was a question ①<u>on</u> the first aid test ②<u>that</u> I couldn't answer, "What would you do ③<u>when</u> you were bitten by a snake?" Do you ④<u>know the answer</u>? 〈慶應義塾大〉

253 □□□ イギリス人なら，その単語をそんなふうには発音しないだろう。

254 □□□ If the EU were to recycle food waste as pig feed at similar rates to the East Asian states, this would spare 1.8 million hectares of global farmland. 〈同志社大〉

253 pronounce「…を発音する」

254 (the) EU = (the) European Union「欧州連合」, recycle「…を再生利用する」, food waste「食品廃棄物」, feed「飼料，エサ」, at similar rates to A「Aと似たような割合で」, spare「…をなしですます，…を節約する」, hectare「ヘクタール」, global farmland「全世界の農地」

250 あなたは忙しすぎるに違いない。さもなければ，あなたはそんなに大事な約束のことを忘れなかっただろうに。

251 私があなたなら，私はそのことについて決して語らないだろうに。

252 応急処置のテストで私が答えられなかった質問がありました。「ヘビに噛まれたら，あなたはどうしますか」というものです。あなたは，その答えを知っていますか。

KEY POINT ▷ 064-073

250. if 節の代用 — otherwise

○ 問題 245 と TARGET 36 で扱った if 節の代用表現の **otherwise**「さもなければ」が本問のポイント。otherwise の後の文は，仮定法の主節の形になるので，you would not have forgotten about such an important appointment「あなたはそんなに大事な約束のことを忘れなかっただろうに」と表現する。したがって，③ will を would に修正する。

251. 仮定法過去 — if 節の形

○ 与えられている語句から，if 節を if I were you「私があなたなら」とまとめる（➔ 229）。次に，残りの語句で仮定法過去の主節を I would never talk about it「私はそのことについて決して語らないだろう」とすればよい。➔ TARGET 32

252. 仮定法過去の条件節

○ 仮定法における条件節は if 節であって，when 節ではない。したがって，③ when を if に修正する（➔ 229, 230, TARGET 32）。What would you do if you were bitten by a snake? は仮定法過去で，「ヘビに噛まれたら，あなたはどうしますか」の意味を表す。

253. if 節のない仮定法 — 主語に仮定の意味 ➔ 249

○ An English person を主語にして，「イギリス人なら」と仮定の意味を持たせる。述部は仮定法過去の形にして，would not pronounce the word like that と表現すればよい。
➔ TARGET 36

254. 仮定法過去 — if S were to do ...「S が（これから）…すれば」➔ 234

○ if 節中の **If S were to do ...**「S が（これから）…すれば」の形は未来の事柄に対する仮定を表している。

---

250 ③ will → would

251 would never talk about it if I were you

252 ③ when → if

253 An English person would not pronounce the word like that.

254 もし EU が東アジア諸国と似たような割合で食品廃棄物をブタのエサとして再生利用すれば，それによって全世界で 180 万ヘクタールの農地が節約できるだろう。

第10章 疑問文と語順

疑問詞の基本用法は作文の基礎であり大切。語順は倒置が生じるケースを完璧に習得したい。読解で頻出。

KEY POINT ▷ 074

255 □□□
How (　　　) will the next train for Nara leave?
① far ② long ③ often ④ soon 〈近畿大〉

KEY POINT ▷ 075

256 □□□
Check the newspaper and you will know what time (　　　).
① does the movie start ② the movie start
③ the movie will start ④ will the movie be on 〈青山学院大〉

257 □□□
(　　　) the biggest challenge in high school education today?
① Do you think that ② Do you think what it is
③ What do you think is ④ What do you think it is 〈立命館大〉

TARGET 37 「How ＋ 形容詞・副詞」で問う内容

- how far →「距離」
- how long →「時間の長さ・物の長さ」→ 274
- how large →「大きさ・広さ」
- how often →「頻度・回数」
- how much →「金額・量」
- how soon →「時間の経過」→ 255

*「how ＋ 形容詞・副詞」で形容詞・副詞の程度を問う表現は多いが，上記は特に重要なもの。

255 次の奈良行きの電車は，あとどれくらいで出発しますか。
256 新聞をチェックすれば，その映画が何時に始まるかわかるでしょう。
257 今日の高校教育において何が最大の課題だと思いますか。

KEY POINT ▷ 074　疑問詞の基本

255. 疑問詞の基本的用法 — How soon ...?

▶ **How soon ...?**「あとどれくらいで…なのか」は「時間の経過」を問う疑問文。

Plus **how と what の区別も重要。what は疑問代名詞で文中の主語，補語，目的語として働くが how は疑問副詞で文の要素にはならない。** how は文中で単独で用いて，**「どのようにして（…なのか），どんな状態［具合］で（…なのか）」という「方法」「状態」を尋ねる場合と，「how + 形容詞・副詞」の形で「どのくらい（…なのか）」という「程度」を尋ねる場合がある。**

What did he say?（彼は何と言ったの？）
※ what は say の目的語。

I wonder **what** makes me happy.（何が私を幸せな気持ちにしてくれるのだろうか）
※ what は間接疑問の節内（→ 256）で主語として働いている。
How did you come here?（どうやってここに来たの？）
How old are you?（何歳ですか）

KEY POINT ▷ 075　間接疑問

256. 間接疑問 — 節内は平叙文の語順

▶ 疑問詞や whether[if] で始まる名詞節を間接疑問と呼ぶが，**間接疑問の節内では平叙文と同じ語順**となる。

○ What time will the movie start? という疑問文を間接疑問にすると，what time the movie will start になる。したがって，③ the movie will start が正解。

Plus **命令文 ..., and ～「…しなさい，そうすれば～／…すれば～」は重要表現。→ 384**

257. 疑問詞 ＋ do you think ＋ V ...?

▶ **do you think[believe / suppose / consider / say] などを用いた，yes / no の答えを要求していない疑問文では，その目的語となる間接疑問の疑問詞が必ず do you ... の前**にくる。

○ 本問は，間接疑問の what is the biggest challenge in high school education today「今日の高校教育において何が最大の課題であるか（ということ）」の疑問詞の what が do you think の前にくる形。したがって，③ What do you think is が正解。

255 ④　256 ③　257 ③

KEY POINT ▷ 076

258 □□□ (　　　) you didn't tell me it was your birthday? You should have told me!

① How about　② How come　③ What for　④ What need

〈関西学院大〉

259 □□□ It's time for another meeting. What about (　　　) about this matter again tomorrow?

① talk　② discuss　③ talking　④ discussing　〈愛知県立大〉

260 □□□ It is getting colder here these days. (　　　) is the weather like up there?

① How　② What　③ When　④ However　〈北里大〉

TARGET 38　その他の知っておきたい疑問文

- What ... for?「何のために…なのか」
  What did you come here today for?
  (今日は何のために，こちらに来たのですか)
- What do you think about[of] A?「Aをどう思いますか」
  What do you think about this book?
  (この本について，どう思いますか)
- What becomes of A?「Aはどうなるのか」
  No one knows what has become of her family since then.
  (それから彼女の家族がどうなったのか誰も知らない)
- Why don't you do ...?「…したらどうですか」= Why not do ...?
  Why don't you give your parents a call once in a while?
  = Why not give your parents a call once in a while?
  (たまには，ご両親に電話をしたらどうですか)

258 その日があなたの誕生日だってなぜ言ってくれなかったのですか。あなたは私に教えてくれるべきだったのに！
259 次の会議の時間になりました。この件については，明日もう一度話しませんか。
260 ここ最近，この辺では寒くなってきています。そちらの天気はどうですか。

KEY POINT ▷ 076　知っておきたい疑問文

258. 知っておきたい疑問文 (1) — How come ...?「どうして…なのか」

▶ **how come** は口語的表現で，**why と同じ意味**を持つが，後ろが平叙文の語順となることに注意。この表現は How (does it) come (that) S ＋ V ...? の省略形であるため。that 節内は必ず平叙文の語順となることも重要。

Plus **should have done** は「…すべきだったのに（実際はしなかった）」の意味を表す。→ 65

259. 知っておきたい疑問文 (2) — What[How] about doing ...?

▶ **What[How] about doing ...?**「…しませんか」(**= What do you say to doing?**) は，動名詞を用いて，話者をも含めた行為の提案を表す。→ 117, TARGET 18

Plus **talk about A** は「A について話す」(**= discuss A**) の意味。**discuss** は他動詞なので，(×) discuss about A にはならないことに注意。

260. 知っておきたい疑問文 (3) — What is S like?

▶ **What is S like?** は，前置詞 like の目的語が疑問代名詞 what になったもので，「S はどのようなもの[人]なのか」という意味を表す。

○ 本問は，What is S like? を作る② What が正解。なお，up there は状況によって意味が変わるが，本問では，南部にいる人から見た北部，あるいは標高の低い地域にいる人から見た標高の高い地域を指している。

Plus この表現の主語に形式主語の it を用い，to 不定詞と対応させた **What is it like to do ...?**「…するというのはどういうこと[どんな感じ]か」の形も頻出なので押さえておこう。
What is it like to live in the countryside?
（田舎で暮らすというのはどんな感じだろうか）

Plus **What is it like to do ...?** のほかにも，**What is it like to be C?**，**What is it like doing ...?** もあるので，ここで押さえておこう。
What is it like **to be a mother**?（母親であるというのはどんな感じですか）
What is it like **growing up** in such an old and traditional city as Kyoto?（京都のような古くて伝統のある都市で育つというのはどんな感じですか）

---

258 ②　259 ③　260 ②

KEY POINT ▷ 077

261 □□□ "Why is Sharon in such a bad mood?" "(　　　)? She never tells me anything."

① And you know what　② How should I know
③ I beg your pardon　④ You know what 〈創価大〉

262 □□□ What is the (　　　) you anything? You never listen.

① useful to tell　② using of telling
③ use of telling　④ use to tell 〈岩手歯科大〉

261 「シャロンはなぜあんなに機嫌が悪いのですか」「私が知っているはずがないです。彼女は私に決して何も言わないんだから」
262 あなたに何を言っても無駄です。あなたは決して人の話を聞かないから。

KEY POINT ▷ 077

修辞疑問

261. 修辞疑問（1）— How should I know?

▶ **疑問文の形をとりながら，反語的に相手を納得させようとする表現形式を修辞疑問という。How should I know?** は「どうして私が知っているのか → 私が知っているはずがない」という反語的な意味を表す。

以下に修辞疑問の例を挙げておく。

① His opinion is completely different from mine. **How could I possibly agree with him?**
（彼の意見は私の意見とまったく異なります。私はどうしても彼に賛成できません）

② "Why didn't he come yesterday?" **"Who knows?"**
（「なぜ彼は昨日来なかったのですか」「まったくわかりません」）

③ **Who does not love a green field filled with beautiful flowers?**
（美しい花々でいっぱいの青々とした野原を愛さない人などいません）

262. 修辞疑問（2）— What is the use of doing ...?

▶ **What is the use of doing ...?**「…して何の役に立つのか → …しても無駄だ」も修辞疑問の典型例。**It is no use[good] doing ... .** や **It is useless to do ... .** や **There is no use[point / sense] (in) doing ... .** に書き換えられることも重要。→ 118, TARGET 19

What is the use of crying about that?
（そんなことで泣いて何の役に立ちますか→そんなことで泣いても無駄ですよ）
= **It is no use[good] crying** about that.
= **It is useless to cry** about that.
= **There is no use[point / sense] (in) crying** about that.

261 ②　262 ③

KEY POINT ▷078

263 □□□ Jacob never plays tennis, (　　　　) he?
① can　② can't　③ does　④ doesn't 〈立命館大〉

KEY POINT ▷079

264 □□□ Well, well, I'm quite impressed! (　　　　) have I met so many well-balanced little children.
① Do　② Never　③ Whether　④ You 〈明治大〉

● TARGET 39 さまざまな付加疑問 

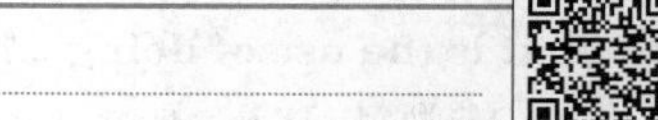

● 肯定文の付加疑問（一般動詞）
All the students understood the lecture, didn't they?
（学生たちはみんな講義を理解しましたよね）

● 肯定文の付加疑問（助動詞）
He can speak English, can't he?
（彼は英語を話せますよね）

● 否定文の付加疑問（一般動詞）→ 263
Some people don't have any place to sleep, do they?
（寝る場所がない人もいるのですよね）

● 否定文の付加疑問（完了形の動詞）
You have never been there, have you?
（一度もそこに行ったことはないですよね）

● 肯定の命令文の付加疑問は，「..., will[won't] you?」
Please say hello to your family, will[won't] you?
（ご家族の皆さんによろしくお伝えくださいね）

● Let's ... の付加疑問は，「..., shall we?」
Let's play tennis, shall we?
（テニスをしましょうよ）

263 ジェイコブはまったくテニスをしないよね。
264 おや，おや，私はとても感心しました！ 私は今まで，こんなに大勢の健全な幼い子どもたちに一度も出会ったことがありません。

KEY POINT ▷ 078　付加疑問

263. 付加疑問

▶ 付加疑問は確認のために相手に念を押したり，同意を求めたりする表現で，「…ですよね」「…じゃないですよね」といった意味を表す。**肯定文の付加疑問は，「..., 否定の短縮形 ＋ 人称代名詞 ?」**で表し，**否定文の付加疑問は，「..., 肯定形 ＋ 人称代名詞 ?」**で表す。

○ 本問は，一般動詞の否定形 never plays が使われているので，「肯定形 ＋ 人称代名詞 ?」の形を作る③ does が正解。

KEY POINT ▷ 079　強制倒置

264. 否定語による強制倒置（1）— never が文頭

▶ **never**[**little**]「決して…ない」，**rarely**[**seldom**]「めったに…ない」，**hardly**[**scarcely**]「ほとんど…ない」**などの否定を表す副詞が文頭にくると，その後が強制的に倒置**（疑問文の語順）になる。

○ 空所の後が，I have met の倒置（疑問文の語順）である have I met になっていることに着目すること。I have **never** met so many well-balanced little children. → **Never** have I met so many well-balanced little children. と考える。

TARGET 40　強制的に倒置が生じる場合

(1) never[little] など否定語が文頭にきた場合 → 264
Never have I read such an interesting story.
（こんなにおもしろい話は読んだことがない）

(2) 否定の副詞表現が文頭にきた場合 → 265
At no time must you leave the baby alone.
（どんな時でも赤ちゃんを独りにしておいてはいけない）

(3) only のついた副詞（句／節）が文頭にきた場合 → 266
Only then did I know how glad she was.
（その時になって初めて彼女がどんなに喜んでいるかがわかった）

(4) not only ... but also ～が文と文を結んで，not only が文頭にきた場合
Not only did he ignore what they had said, but he also lied to them.
（彼は彼らの言ったことを無視しただけでなく，彼らにうそもついた）

(5) 否定語のついた目的語「not a (single) ＋ 単数名詞」が文頭にきた場合
Not a merit did I find in his plan.
（彼の計画には何一つ利点を見いだせなかった）

263 ③　264 ②

265 □□□ I've had George over to my house a dozen times, but ( ) invited me to his house.

① never he has ② not he ever has
③ not once has he ④ not once he has 〈慶應義塾大〉

266 □□□ Only when you look back ( ) realize how much change has happened in the last decade.

① do you ② did you ③ you don't ④ you did 〈杏林大〉

267 □□□ Mary thought that the teacher was unfair, and ( ).

① as well as I did ② nor did I
③ whether did I ④ so did I 〈明治大〉

268 □□□ "Hey. My bike's been moved." "( ). Now you can't park it in front of the station anymore."

① So have you ② So it has ③ That it has ④ So has it
〈立命館大〉

265 私はジョージを何回も家に連れて行ったことがあるけれど，彼が私を自分の家に招いてくれたことは一度もない。

266 振り返ったときに初めて，あなたはこの 10 年間にどれだけの変化が起こったか気づくことになる。

267 メアリーはその先生が不公平だと思ったし，私もそう思った。

268 「ちょっと。僕の自転車が移動されているよ」「そうです。今ではもう駅の前に自転車を駐輪することはできません」

265. 否定語による強制倒置（2）— not once が文頭

▶ 否定の副詞表現 **not[never] once**「一度も…ない」**が文頭にくると，その後が強制的に倒置**（疑問文の語順）になる。

○ 本問は，上記の形である③ not once has he が正解。

✕ ① never he has は never has he なら可。→ 264

Plus **never before**「これまで一度も…ない」，**at no time**「どの時も…ない」などが文頭にくる場合も倒置（疑問文の語順）になることを，ここで押さえておこう。→ TARGET 40

Never before have I seen something like that.（これまでそんなものは一度も見たことがない）

266. 強制倒置（1）— only のついた when 節が文頭

▶ **only のついた副詞(句／節)が文頭にくると，その後が強制的に倒置**（疑問文の語順）になる。→ TARGET 40

○ only が副詞節の when you look back「あなたが（過去を）振り返るとき」とともに文頭にきていることを見抜くこと。you realize how ... の倒置（疑問文の語順）は，do you realize how ... となる。したがって，① do you が正解。

267. 強制倒置（2）— so が文頭

▶ 前述の肯定内容を受けて，「**so ＋ 助動詞[be 動詞／完了形の have] ＋ S**」の語順で「S もまたそうである」の意味になる。

○ 本問は，Mary thought that the teacher was unfair「メアリーはその先生が不公平だと思った」の一般動詞の過去形 thought を受けているので，④ so did I「私もそう思った」を選ぶ。

Plus よく似た形に「**so ＋ S ＋ 助動詞[be 動詞／完了形の have]**」の形があるが，こちらは前述の内容を受けて「実際その通りだ」の意味になる。以下の例参照。

You said he was honest, and **so he is**.

（彼は正直だと君は言ったが，実際その通りだね）

268. So S have — So have S との区別

○ 本問は，問題 267 で扱った「**so ＋ S ＋ 助動詞[be 動詞／完了形の have]**」「実際その通りだ」がポイント。前文の My bike's been moved.（= My bike has been moved.）「僕の自転車が（別の場所に）移動されている」が現在完了なので，「実際その通りだ［実際，移動されている］」は② So it has になる。

---

265 ③　**266** ①　**267** ④　**268** ②

269 □□□ We don't want to go there, and ( ) they.
① either do ② so do ③ neither do ④ neither don't
〈関西学院大〉

270 □□□ You have no interest in his lecture, and ( ).
① nor am I ② nor do I ③ so am I ④ so do I 〈立命館大〉

KEY POINT ▷080

271 □□□ He leads ( ) life to have much time for relaxation.
① a so busy ② so busy a ③ a too busy ④ too busy a
〈関西学院大〉

269 私たちはそこには行きたくないし，それは彼らも同じです。
270 あなたは彼の講義には興味がないし，私も興味がありません。
271 彼はあまりにも忙しい生活を送っているので，リラックスするための時間をあまり持つことができない。

269. 強制倒置（3）— neither が文頭

▶ 前述の否定内容を受けて，「**neither ＋ 助動詞［be 動詞／完了形の have］＋ S**」の語順で「S もまた…しない」の意味を表す。「**nor ＋ 助動詞［be 動詞／完了形の have］＋ S**」も同意。

○ 本問は，前文の現在時制の一般動詞を受けるので，「彼らも行きたくない」は，neither do they となる。したがって，③ neither do が正解。

Plus neither は副詞なので，原則として本問のように and が必要だが，省略されることがある。

Plus nor は接続詞であるため，本問中のような and は原則として不要となる。ただし，イギリス用法では，nor の前に and を置くこともある。nor の後に文がくる場合は，倒置（疑問文の語順）になることもここで押さえたい。

I have not asked for help, **nor do** I desire it.（私は助けを求めたことはないし，それを望んでもいない）

270. 強制倒置（4）— nor が文頭

○ 問題 269 で扱った「**nor ＋ 助動詞［be 動詞／完了形の have］＋ S**」「S もまた…しない」が本問のポイント。前文の現在時制の一般動詞を受けるので，「私も興味がない」は，② nor do I になる。

KEY POINT ▷ 080　「too ＋ 形容詞 ＋ a[an] ＋ 名詞」の語順

271.「too ＋ 形容詞 ＋ a[an] ＋ 名詞」の語順

▶ too[so / as / how] が「a[an] ＋ 形容詞 ＋ 名詞」を後に伴う場合は，「**too[so / as / how] ＋ 形容詞 ＋ a[an] ＋ 名詞**」の語順になる。副詞の too[so / as / how]（how は疑問副詞）は，形容詞を修飾するので，形容詞を前に出すと考えればよい。

○ 本問は，**too ... to do 〜**「とても…なので〜できない／〜するには…すぎる」（→ 95）を知っていることが前提。too が a busy life「忙しい生活」を伴う場合は，too busy a life となる。したがって，④ too busy a を選ぶ。

---

269 ③　270 ②　271 ④

KEY POINT ▷ 074-080

272 □□□ After the meeting this morning, I think we (is talking / what / all know / boss / our) about. 〈名古屋工業大〉

273 Apes and humans are ①so similar it is ②impossible not to wonder ③how exactly separates us from our ④closest relatives on Earth. 〈学習院大〉

274 □□□ A：How (　　　) does it take to get to London from here?
B：It's only a half-hour ride if you take an express. 〈福島大〉

275 □□□ なぜ靴下をはいていないのですか。
How (　　　) you are not wearing socks? 〈西南学院大〉

276 □□□ どうして私が自分の母親について彼女に話をしたと思いますか。

277 □□□ Scientists disagree over what percentage of human populations are "right-handed" or "left-handed" because there is no standard way of determining "handedness." 〈大阪府立大〉

276 tell A about B「B について A に話す」
277 disagree over A「A に関して意見が分かれている」, what percentage of S are A or B「S の何パーセントが A なのか B なのか（ということ）」, right-handed「右利きの」, standard「基準となる」, determine「…を決定する」, handedness「利き手（の傾向）」

272 今朝の会議の後なので，私たちはみな，私たちの上司が何について話しているのかをわかっていると思います。
273 類人猿と人間は非常によく似ているので，私たちと地球上で私たちに最も近い親類を明確に区別するものは何だろうと思わずにはいられない。
274 A：ここからロンドンに行くにはどれくらい時間がかかりますか。
B：急行に乗れば，わずか 30 分の乗車です。

KEY POINT ▷ 074-080

272. 間接疑問 — 節内は平叙文の語順 → 256

○ What is our boss talking about?「私たちの上司は何について話しているのか」の疑問文を間接疑問にすると，what our boss is talking about になる。それを we all know の目的語として続ければよい。

273. 疑問代名詞 what と疑問副詞 how の区別 → 255

○ **wonder** は wh 節を目的語にとり，**wonder + wh 節**で「…かと思う」の意味を表す（→ 509）。本問では，how 以下が wonder の目的語だが，疑問副詞の how は動詞 separate の主語にはなれないので，how を疑問代名詞の what にする。**what separates A from B**「何が A を B から区別するのか」の形になることを見抜く。

274. 疑問詞の基本用法 — How long ...?

○ TARGET 37 で扱った **How long ...?**「どのくらいの時間で…なのか」が本問のポイント。**How long does it take to do ...?**「…するのには，どのくらい時間がかかるのか」は，It takes (A) ＋ 時間 ＋ to do「(A が) …するのに（時間が）～かかる」(→ 523) の「時間」が，How long になって文頭にきた形。定式化された表現として押さえておこう。

275. 知っておきたい疑問文 — How come S ＋ V ...?

○ 問題 258 で扱った **How come S ＋ V ...?**「どうして…なのか」が本問のポイント。

276. 疑問詞 ＋ do you think S ＋ V ...? → 257

○ 本問は，間接疑問の疑問詞が文頭にくる形を使って表現する。つまり，疑問詞の why を文頭にして，**Why do you think S ＋ V ...?** の形で表現すればよい。

277. 間接疑問 → 256

○ 主節は前置詞 over の目的語が what で始まる間接疑問であり，what percentage of human populations「人間の何パーセント」が主語，“right-handed” or “left-handed”「『右利き』なのか『左利き』なのか」が補語となっている。従節を導く because の後の there is no standard way of determining ... は，「…を決定する基準となる方法はない」の意味を表す。

---

272 all know what our boss is talking

273 ③ how → what

274 long

275 come

276 Why do you think I told her about my mother?

277 科学者たちは，「利き手」を判断する標準的な方法がないため，人間の何パーセントが「右利き」なのか「左利き」なのかに関して意見が分かれている。

第11章 否定・省略・強調

よく用いられる否定表現，慣用的な省略表現，強調構文の深い理解は，読解力を確実に向上させてくれる。

KEY POINT ▷ 081

278 □□□ The students could not buy (　　　) pencils because they were sold out.

① any　② some　③ every　④ few　〈青森公立大〉

279 □□□ (　　　) participants are expected to finish the race. It's over 35 km long.

① Neither　② Almost　③ Not all the　④ Most of　〈富山大〉

TARGET 41 代名詞（形容詞）を用いる部分否定，全体否定の表現

	部分否定	全体否定
2人（2つ）	not ... both	neither ... not ... either
	どちらも…というわけではない	どちらも…でない
3人（3つ）以上	not ... all → 279 not ... every	none ... no ＋ 名詞 not ... any → 278
	すべてが…というわけではない	どれも…でない

278 売り切れのため，生徒たちはまったく鉛筆を買うことができなかった。
279 すべての参加者が競技を終えるとは思われていない。距離は 35 キロ以上あるからだ。

KEY POINT ▷ 081　部分否定と全体否定

278. 全体否定 — not ... any

▶ **not ... any**（**＋ 名詞**）は，全体否定を表し，「どれも［どの～も］…ない」の意味を表す。

✕ ③ every は不可。原則として，every の後は単数名詞。④ few ＋ 複数名詞は「ほとんど…ない」という否定の意味を含んでいるので not は不要。The students could buy few pencils ... ならば文法的には可だが，because 以下の文意に合わない。

279. 部分否定 — not ... all

▶ 部分否定 **not ... all**「すべてが…というわけではない」（→ TARGET 41）の 1 つの形である「**Not all (of) the 名詞 ＋ V ...**」は，「～のすべてが…というわけではない」の意味を表す。

✕ ① Neither は不可。Neither participant is expected ... という形で用いる。

Plus **主語に all や every を用いて部分否定を作る場合は，not を必ず文頭に置くこと。**動詞を否定形にすると，全体否定の意味になることもある。例えば，All the participants are not expected to finish the race. ならば，「参加者全員が競技を終えることが期待されていない」の意味にもなり，あいまいな構造となる。not の位置は英作文上も重要。「**Not every ＋ 単数名詞 ＋ V ...**」の用例は以下を参照。
Not every student studying law can be a lawyer.
（法律を学んでいる学生がみな法律家になれるわけではない）

TARGET 42　部分否定の重要表現

- not necessarily「必ずしも…というわけではない」
  A good player does not necessarily become a good coach.
  （優れた選手が必ずしも優れた監督になるというわけではない）
- not always「いつも［必ずしも］…というわけではない」
  Drivers do not always watch out for pedestrians.
  （運転手がいつも歩行者に注意しているというわけではない）
- not exactly「必ずしも…というわけではない」
  This smartphone is the latest model, so it's not exactly cheap.
  （このスマートフォンは最新機種なので，必ずしも安くない）
- not altogether[completely / entirely]「まったく［完全に］…というわけではない」
  The purpose of his visit is not altogether clear.
  （彼の訪問の目的は完全に明らかというわけではない）

---

278 ①　279 ③

KEY POINT ▷ 082

280 □□□

A：It was my fault.
B：(　　　　). I'm the one to blame.
① Not at all　② Of course
③ As it should be　④ Not if I can help it 〈上智大〉

KEY POINT ▷ 083

281 □□□

A：Did you talk over your summer plans with Sam?
B：(　　　　) whom I would want to talk to about that.
A：Sorry. I forgot you two are no longer on speaking terms.
① He is the person　② He is the best person
③ He is the last person　④ He is the far better person 〈杏林大〉

282 □□□

He is (　　　　) but shy.
① none　② anything　③ not　④ something 〈宮崎大〉

● TARGET 43　強意の否定表現

(1) not (...) at all = not (...) in the least[slightest] / not (...) a bit「決して[少しも／まったく]…ない」→ 280
I'm not tired at all[in the least / in the slightest].
(私は決して疲れていません)

(2) just[simply] not「まったく…ない」
I just[simply] can't understand why he did so.
(彼がなぜそうしたのか，私はまったくわかりません)
* not (...) just[simply] は「単なる［単に］…でない」の意味。
He is not just a friend of mine.
(彼は単なる友人ではない)

---

280 A：それは私の責任でした。
B：ぜんぜん違います。責められるべきなのは私です。
281 A：夏の予定についてサムと話したかい。
B：彼は，それについて最も話をしたくない人です。
A：ごめん。君たち２人がもう口も利かない間柄だってことを忘れていたよ。
282 彼はまったく内気などではない。

KEY POINT ▷ 082　強意の否定表現

280. 強意の否定表現 — not at all

▶ **not (...) at all** は「決して(…)ない」という強い否定の意味を表す。→ TARGET 43

○ ① Not at all は，(It was) not (your fault) at all.「それはあなたの責任ではまったくない」と考えればよい。

Plus **A's fault** は「A の責任」，**A to blame** は「責められるべき A」の意味。

Plus **not (...) at all** と同意表現の「**前置詞 ＋ no ＋ 名詞**」もここで押さえておこう。→ TARGET 44

Playing sports is **by no means** a waste of time.
= Playing sports is **not** a waste of time **at all**.（スポーツをすることは決して時間の浪費ではない）

KEY POINT ▷ 083　否定語を用いない否定表現

281. 否定語を用いない否定表現 — the last A ＋ 関係代名詞節

▶「**the last A ＋ 関係代名詞節**」で「最も…しそうにない A ／決して…しない A」という強い否定の意味を表す。

Plus **the last A to do** の形もあるので注意。

He would be **the last person to tell a lie.**
（彼は決してうそをつくような人ではない）

Plus **no longer**「もはや…ない」, **be on speaking terms (with A)**「(A と) 話をする間柄だ」は重要表現。

282. 否定語を用いない否定表現 — anything but A

▶ **anything but A** は「決して A ではない」の意味。通例 A には名詞または形容詞がくる。

Plus 類似表現の **nothing but A**「A だけ／ A にすぎない」(**= only A**) もここで押さえておこう。

We could see **nothing but** fog.（霧以外は何も見えなかった）

Plus but を用いた表現，**all but A**「ほとんど A」(**= almost A**) も確認しておこう。この表現は「A 以外はすべて」(**= all except A**) の意味もある。

It is **all but** impossible.（それはほとんど不可能だ）
= It is **almost** impossible.
All but one were present.（1 人を除いて全員出席した）
= **All except** one were present.

TARGET 44　強い否定「決して…ない」を表す副詞句

- by no means (= not ... by any means)
- in no way (= not ... in any way)
- in no sense (= not ... in any sense)
- on no account (= not ... on any account)
- under no circumstances (= not ... under any circumstances)

*上記表現が文頭にくると強制倒置が生じることに注意。→ TARGET 40

280 ①　281 ③　282 ②

283 □□□ Although they all took what he said seriously, it was (　　　) but a joke.
① all　② anything　③ nothing　④ the last　〈立教大〉

284 □□□ All (　　　) Peter were able to get to class on time.
① but　② not　③ that　④ without　〈慶應義塾大〉

285 □□□ The publishing firm expected his new novel to be a great hit, but it was (　　　) from being a success.
① away　② opposite　③ far　④ distant　〈東洋大〉

286 □□□ This new drug is (　　　) from side effects.
① free　② far　③ independent　④ nothing but　〈杏林大〉

287 □□□ We found that many things still (　　　) to be improved.
① contain　② gain　③ obtain　④ remain　〈甲南大〉

● TARGET 45　far from A と free from A の区別

- far from A「決して A ではない」→ **285, 300** = anything but A
  His answer was far from satisfactory to us.
  = His answer was anything but satisfactory to us.
  (彼の答えは私たちには決して満足のいくものではなかった)
- free from A「A がない」→ **286** = without A
  Your composition is free from mistakes.
  = Your composition is without mistakes.
  (君の作文には間違いがありません)

283 彼らはみな，彼が言ったことを真に受けたが，それは冗談でしかなかった。
284 ピーター以外の全員が時間通りに授業に出ることができた。
285 その出版社は，彼の新しい小説が大ヒットすると期待していたが，それは成功からはほど遠かった。
286 この新しい薬には副作用がない。
287 私たちは，多くのことがまだ改善されていないことがわかった。

283. nothing but A の用法

○ 本問は，問題 282 で扱った **nothing but A**「A にすぎない」（**= only A**）がポイント。

Plus **take A seriously**「A を真に受ける／ A をまじめに考える」は重要。

284. all but A の用法

○ 本問は，問題 282 で扱った **all but A**「A 以外はすべて」（**= all except A**）がポイント。

✕ ④ without は不可。all without A は「A を持っていない全員」の意味。

285. 否定語を用いない否定表現 — far from A

▶ **far from A** は「決して A ではない」（**= anything but A**）の意味。通例 A には，動名詞・名詞・形容詞がくる。

Plus **free from A**「A がない」（**= without A**）との区別は重要。→ TARGET 45

286. 否定語を用いない否定表現 — free from A

○ 本問は，問題 285, TARGET 45 で扱った **free from A**「A がない」（**= without A**）がポイント。

✕ ② far from にしないこと。far from は never「決して…ない」と置き換えられるが，（×）This new drug is never side effects. とは言えない。

287. 否定語を用いない否定表現 — remain to be done

▶ **remain to be done** は「まだ…されていない／これから…されなければならない」という否定的な意味を表す表現。同様に，否定語を用いない動詞表現で否定的な意味を表すものとして，**be[have] yet to do**「まだ…していない」も押さえておこう。→ TARGET 46

He **is**[**has**] **yet to know** what happened to her.
（彼は彼女の身に何があったのかまだ知らない）

Plus **remain to be done** の同意表現として，**be**[**have**] **yet to be done** もここで押さえておこう。

TARGET 46　remain to be done など

We have not solved the problem yet.（私たちはまだその問題を解決していない）
　= The problem remains to be solved. → 287
　= The problem is[has] yet to be solved.
　= We have[are] yet to solve the problem. → 288

283 ③　284 ①　285 ③　286 ①　287 ④

288 □□□ I have ( ) meet a person as dedicated to her job as Maria.

① already ② known ③ never ④ yet to 〈立教大〉

KEY POINT ▷ 084

289 □□□ I cannot listen to this song ( ) my junior high school days.

① to recall about ② by recalling on
③ without recall ④ without recalling 〈松山大〉

KEY POINT ▷ 085

290 □□□ ( ), even dangerous white bears can become skillful performers at zoos.

① When to train ② To train them
③ When trained ④ As trained 〈富山大〉

KEY POINT ▷ 086

291 □□□ There are few mistakes, ( ), which one can make with these plants. They require only basic maintenance and care.

① if any ② if ever ③ if not ④ if possible 〈玉川大〉

288 マリアほど仕事に打ち込んでいる人に会ったことがない。
289 私はこの歌を聞くと，必ず中学時代のことを思い出す。
290 訓練を受けると，危険なシロクマでさえ動物園で巧みな芸ができるようになる。
291 これらの植物では，たとえあるにしても，失敗することはほとんどありません。どれも基本的な手入れと世話しか必要としません。

288. 否定語を用いない否定表現 — have yet to do

○ 本問は，問題 287, TARGET 46 で扱った **have[be] yet to do**「まだ…していない」がポイント。

Plus **A dedicated to B** は「B（仕事など）に打ち込んでいる A」の意味。過去分詞句 dedicated to B が A を後置修飾する形。→ 132, 133

KEY POINT ▷ 084　二重否定

289. 二重否定 — never do ... without doing ～

▶ **never[cannot] do ... without doing ～**は「…すると必ず～する／～しないで…しない」という**二重否定の意味**を表す。

Plus **recall A**「A を思い出す」は remember A と同意。

KEY POINT ▷ 085　「S ＋ be 動詞」の省略

290. 副詞節での「S ＋ be 動詞」の省略

▶ **副詞節中では「S ＋ be 動詞」がワンセットで省略されることがある。**特に副詞節内の主語が文の主語と一致している場合に多い。

○ 本問は，When they are trained の they (= dangerous white bears) are が省略された形。なお，動詞の train は「…を訓練する」の意味。

KEY POINT ▷ 086　省略表現

291. 省略表現 (1) — few, if any「たとえあるにしても，ほとんど…ない」

▶ **if any** は「(1) もしあれば，(2) たとえあるにしても」の 2 つの意味で用いられる。

○ 本問の if any は「(2) たとえあるにしても」の意味。通例，**この意味で用いられる用法は，few や little など名詞を否定する語とともに用いる。**この形の if は「条件」（もし…なら）ではなく，「譲歩」（たとえ…だとしても）の用法。if any は，if (there are) any (mistakes) と考えればよい。

Plus **little, if any**「たとえあるにしても，ほとんど…ない」と **if any**「(1) もしあれば」の用例は以下の通り。

There is **little, if any,** difference between the two.
（その 2 つの間には，たとえあるにせよ，ほとんど違いはない）
Correct errors, **if any**.
（誤りがあれば，訂正しなさい）

288 ④　289 ④　290 ③　291 ①

292 □□□ My mother seldom, (　　　　), drinks coffee.
① at ease　② in time　③ for ever　④ if ever　〈日本大〉

293 □□□ Very little, if (　　　　), is known about the origins of this language.
① anything　② necessary　③ possible　④ something　〈立教大〉

294 □□□ You should stay here at least a week, (　　　　) a month.
① if not　② as well as　③ as long as　④ even if　〈名古屋学院大〉

295 □□□ (　　　　) if we all get together and buy one big present?
① Suppose　② How　③ As　④ What　〈法政大〉

292 母がコーヒーを飲むことは，たとえあるにしても，めったにない。
293 この言語の起源について知られていることは，たとえあるにせよ，ほとんどない。
294 あなたは，1カ月ではないにしても，少なくとも1週間はここに滞在するべきです。
295 みんなで一緒に大きなプレゼントを1つ買ったらどうでしょう。

292. 省略表現（2）— seldom[rarely], if ever「たとえあるにしても，めったに…ない」

▶ **if ever** は通例 **seldom / rarely**（→ 644, TARGET 104）など動詞を否定する語とともに用いて，「たとえあるにしても」の意味を形成する。この形の if も，**few, if any**（→ 291）と同様，「譲歩」（たとえ…だとしても）の用法。

○ 本問の if ever は，if (she) ever (drinks coffee) と考えればよい。

Plus **if any** と **if ever** は，どちらも日本語にすると「たとえあるにしても」という意味になり紛らわしいので，**few** や **little** の後では **if any**，**seldom** や **rarely** の後では **if ever** と正確に押さえておくこと。

293. 省略表現（3）— little, if anything「たとえあるにしても，ほとんど…ない」

▶ **if anything** は「(1) どちらかといえば，(2) たとえあるにしても」の 2 つの意味で用いられる。

○ 本問の **if anything** は「(2) たとえあるにしても」の意味。little, if anything は問題 291 で扱った little, if any と同様の意味を持つ。この形の if も「譲歩」(たとえ…だとしても) の用法。if anything は, if anything (is known about the origins of this language) と考える。

Plus もう 1 つの **if anything**「(1) どちらかといえば」は「条件」の if で，if (there is) anything (different) と考える。

Her condition is, **if anything**, better than in the morning.
（彼女の健康状態は，どちらかといえば，今朝よりも良好です）

294. 省略表現（4）— B, if not A

▶ **B(,) if not A = if not A(,) B** は「A でないにしても B」の意味を表す。A には通例，形容詞・副詞・名詞がきて，A と B は文法的に対等なものとなる。

○ 本問の場合は，A と B が「期間を表す副詞句」で A が (for) a month「1 カ月間」，B が (for) a week「1 週間」となったもの。if not a month は，if (you should) not (stay here) a month と考える。

295. 省略表現（5）— What if ...?

▶ **What if ...?** は「(1) …したらどうなるだろう／…したらどうだろう，(2) …したってかまうものか」の意味を持つ表現。(1) の意味の場合は What (will[would] happen) if ... ? の省略，(2) の場合は What (does it matter) if ...?「…だとしてもそれがどのくらい重要なのか」の省略と考えればよい。what は「どれほど」の意味を表す副詞。

○ 本問は (1) の用法。

Plus (2) の用例は以下を参照。

My parents won't object, and anyway, **what if** they do?
（両親は反対しないだろうが，ともかく反対したってかまうものか）

---

292 ④　293 ①　294 ①　295 ④

KEY POINT ▷ 087

296 □□□ Mom always says it is kindness (　　) plays a very important part in human relationships.
① what　② that　③ who　④ whose 〈明治大〉

297 □□□ It was not (　　) I had children of my own that I understood how my parents felt.
① if　② until　③ so　④ thus 〈獨協大〉

298 □□□ (　　) that told you such a story?
① Who could　② Who should be
③ Who was it　④ Who would it 〈立命館大〉

● TARGET 47 注意すべき強調構文

(1) It is not until ... that ～「…して初めて～する」→ 297
It was not until Tom came to Japan that he learned Japanese.
(トムは日本に来て初めて，日本語を学んだ)

(2) 疑問詞 ＋ is it that (S) ＋ V ～?（疑問詞を強調した強調構文）→ 298
What was it that he was doing then?
(彼がその時やっていたのは，いったい何だったのだろうか)
*間接疑問にすると，以下のように「疑問詞＋ it is that (S) ＋ V ～」の語順になる。
I want to know what it was that he was doing then.
(彼がその時やっていたのはいったい何だったのか，私は知りたい)

296 母は，人間関係でとても重要な役割を果たすのは思いやりだといつも言っている。
297 私は自分が子どもを持って初めて，両親の気持ちを理解した。
298 あなたにそんな話をしたのは誰ですか。

KEY POINT ▷ 087　強調構文

296. 強調構文 ― It is A that ～

▶ **It is ... that[which / who] ～「～は…だ」**の形で，強調したい語句を It is と that [which / who] ではさんだものを**強調構文**という。

▶ 強調構文で強調できるのは名詞表現と副詞表現。形容詞表現と動詞表現は不可。

▶ 名詞表現で「人」を強調する場合は **who** や **whom**，「人以外」を強調する場合は **which** を用いることもある。**副詞表現を強調する場合は that しか用いない**ことに注意。

It is her mother **who[that]** is anxious to send her to a good school.
(彼女をよい学校に入れたいと思っているのは，彼女の母親です)

It is from advertising **that**[(×) which] a newspaper earns most of its profits.
(新聞が収益の大半を稼ぐのは広告からだ)

▶ 時制が過去の場合，通例 It was になる。

○ 本問は，kindness plays a very important part in human relationships「思いやりは人間関係においてとても重要な役割を果たす」を前提とする強調構文であり，主語である名詞の kindness を強調するために that の前に置いた形。

297. 注意すべき強調構文 ― It is not until ... that ～

○ **It is not until ... that ～**「…して初めて～する」(➔ TARGET 47) が本問のポイント。

298. 疑問詞の強調構文

○ **疑問詞 ＋ is it that (S) ＋ V ～?** (疑問詞を強調した強調構文) (➔ TARGET 47) が本問のポイント。Who told you such a story?「誰があなたにそのような話をしたのか」を前提とする強調構文であり，主語であり疑問代名詞の who が文頭に出た形。時制が過去形なので，③ Who was it が正解。

---

296 ②　297 ②　298 ③

KEY POINT ▷ 081-087

299 □□□ 夜になって初めて，テッドは事態の重大さに気がついた。
It was (that / was / serious / until / recognized / Ted / how / the / situation / evening / not). 〈高知大〉

300 □□□ その仕事は，決して満足のいくものではなかった。
The work was (　　　　) from satisfactory. 〈西南大〉

301 □□□ (and / bringing / equipment / fishing / he / his / lake / never / other / rod / the / visits / without).
(彼はその湖に行くときは，必ず釣り竿とほかの道具を持って行く。) 〈兵庫県立大〉

302 □□□ その失敗に対して責任があるのは君だ。
(are / that / failure / for / you / blame / to / is / it / the). 〈高知大〉

303 □□□ 彼は，たとえあるにしても，めったに人前で話しません。

304 □□□ Not every student in Japan must study abroad, but steps should be taken to give a gentle push to make it easier for those who want to. 〈高知大〉

303 speak in public「人前で話す」
304 take steps to do ...「…する手段[策]を講じる」, give a gentle push「軽く後押しする」, to make it easier = in order to make it (= studying abroad) easier「海外留学をより容易にするために」, those who want to = the people[students] who want to (study abroad)「留学したいと思っている人[学生]」

KEY POINT ▷ 081-087

299. 注意すべき強調構文 — It is not until ... that 〜 → 297

▶ TARGET 47 で扱った **It is not until ... that 〜**「…して初めて〜する」が本問のポイント。that 以下は，Ted recognized how serious the situation was「テッドは事態がどれほど重大なのかわかった」とまとめればよい。

300. 否定語を用いない否定表現 — far from A

▶ 問題 285 で扱った **far from A**「決して A ではない」が本問のポイント。

301. 二重否定 — never do ... without doing 〜

○ 問題 289 で扱った **never do ... without doing 〜**「…すると必ず〜する／〜しないで…しない」が本問のポイント。without 以下は，bringing A and B「A と B を持ってくること」の形で bringing his fishing rod and other equipment とまとめればよい。

302. 強調構文 — It is A that 〜 → 296

○ **be to blame for A** で「A に対して責任がある」（→ 686）から，you are to blame for the failure の文を想定し，主語の you を強調する強調構文 **It is A that 〜**の形でまとめればよい。

303. 省略表現（2）— seldom[rarely], if ever → 292

○ **seldom[rarely], if ever**「たとえあるにしても，めったに…ない」が本問のポイント。

304. 部分否定 — Not every ＋名詞＋ V ... → 279

○ 問題文は部分否定の表現。**Not every ＋名詞＋ V ...** で「〜のすべてが…というわけではない」の意味を表す。but の後の steps should be taken to do ... は，should take steps to do ... の受動態の形で「…する方策が講じられるべきだ」の意味を表す。to make it (=studying abroad) easier for ...「…にとって海外留学をより容易にするために」は，「目的」を表す不定詞句。those who want to は，the students who want to (study abroad) と考える。those は，問題 310, 311 参照。代不定詞の to は，問題 96 参照。

---

299 not until evening that Ted recognized how serious the situation was

300 far

301 He never visits the lake without bringing his fishing rod and other equipment

302 It is you that are to blame for the failure

303 He seldom[rarely], if ever, speaks in public.

304 日本のすべての学生が海外留学をしなければならないというわけではないが，そうしたいと思っている学生にとって海外留学をより容易にするために，軽く後押しする方策を講じなくてはならない。

第12章 代名詞

代名詞は紛らわしい用法も多く，マスターするのが容易ではない。１題１題納得しながら進めていこう。

KEY POINT ▷088

305 □□□
A：Do you have a dictionary?
B：Yes, I think I have (　　　) in my bag.
① it　② one　③ that　④ this　〈法政大〉

306 □□□
As I had my bicycle stolen, I bought a new (　　　).
① another　② other　③ it　④ one　〈愛知大〉

307 □□□
This book is not so exciting as (　　　) I read last year.
① a one　② it　③ the one　④ which　〈共立女子大〉

308 □□□
I found these keys. Are they (　　　) that you lost yesterday?
① one　② ones　③ the one　④ the ones　〈日本大〉

305 A：辞書を持っていますか。
B：はい。バッグの中に１冊あると思います。
306 私は自転車を盗まれたので，新しいものを買った。
307 この本は，私が昨年読んだ本ほどおもしろくはない。
308 私はこれらの鍵を見つけました。これらはあなたが昨日なくしたものですか。

KEY POINT ▷ 088　　one の用法

305. one の用法 ― it との違い

▶ **one は可算名詞の反復を避ける代名詞**で「**a[an] ＋ 可算名詞の単数形**」を表し，不特定のものを指す。**one は不可算名詞を受けることはできない**点に注意。

○ 本問の正答② one は，不特定の 1 冊の辞書である a dictionary を指す。

✕ ① it にしないこと。**it は「the ＋ 単数名詞（可算名詞および不可算名詞）」**を表し，特定のものを指す。以下は it の用例。

I will lend the money if Jane needs **it**.

（もしジェーンがそのお金を必要としているなら，それを貸しましょう）

Plus **one に形容詞がつくと，「a[an] ＋ 形容詞 ＋ one」**の形になる。

She is wearing a red dress, but **a blue one** would suit her better.

（彼女は赤いドレスを着ているが，青いものの方がもっと似合うだろう）

306. one の用法 ― a[an] ＋ 形容詞 ＋ one

▶ 問題 305 で述べたように，**one に形容詞がつくと「a[an] ＋ 形容詞 ＋ one」**の形になる。

○ 本問の a new one は a new bicycle を受ける。

Plus **have A done**「A を…される」（→ 492）は重要。**have A stolen**「A を盗まれる」で押さえておこう。

307. one の用法 ― the one

▶ **one は名詞と同様に，関係詞節や修飾語句がついて限定されると定冠詞がつく。**

○ 本問は，I read last year の関係代名詞節で限定しているので，③ the one（= the book）となる。the one の後に関係代名詞 which[that] が省略されている。

✕ ② it は修飾語句を伴えない（単独で用いる）ので不可。

Plus **one の指す名詞が限定されている場合，形容詞がつくと，「the ＋ 形容詞 ＋ 名詞」**の形になる。

"Which one of these children is yours?"　"**The tall one.**"

（「これらの子どもたちの中で，どの子があなたのお子さんですか」「その背の高い子です」）

308. one の用法 ― the ones

▶ **ones は one の複数形で，前に出た名詞の複数形を表す不定代名詞**。また，ones は，one と同様に定冠詞がついた「the ones」や「the ＋ 形容詞 ＋ ones」の形もとりうる。

○ 本問は，that you lost yesterday の関係代名詞節で限定しているので，④ the ones（= the keys）が正解。

Plus **ones には，問題 305 の one のように単独で用いる用法はなく，常に形容詞や関係詞節などによって修飾され，冠詞がつくことに注意。**

---

305 ②　306 ④　307 ③　308 ④

KEY POINT ▷ 089

309 □□□ The taste of rabbit meat is very similar to (　　　) of chicken or turkey.
① what　② which　③ that　④ those　〈南山大〉

KEY POINT ▷ 090

310 □□□ The legs of a horse are longer than (　　　) of a sheep.
① it　② that　③ those　④ these　〈福島大〉

311 □□□ Jimmy's lecture made a great impression on all (　　　) present.
① that　② who　③ those　④ whoever　〈高知大〉

KEY POINT ▷ 091

312 □□□ Sexual harassment is a serious issue and should be treated as (　　　).
① if　② much　③ such　④ yet　〈近畿大〉

309 ウサギの肉の味はとり肉かシチメンチョウの肉の味にとても似ている。
310 ウマの脚はヒツジの脚よりも長い。
311 ジミーの講演は，その場にいたすべての人たちに大きな感銘を与えた。
312 セクシャルハラスメントは深刻な問題であり，そのようなものとして扱われるべきだ。

KEY POINT ▷ 089　　thatの用法

309. that の用法 — the ＋ 単数名詞

▶ **that には名詞の反復を避ける代名詞としての用法があり，「the ＋ 単数名詞（不可算名詞および可算名詞の単数形）」**を表す。

○ the taste of chicken or turkey「とり肉かシチメンチョウの肉の味」を代名詞の that を用いて，that(= the taste) of chicken or turkey と表せるかが本問のポイント。

Plus **be similar to A**「A と似ている」(→ 967）は重要。

KEY POINT ▷ 090　　thoseの用法

310. those の用法 — the ＋ 複数名詞

▶ **those は名詞の反復を避ける代名詞** that の複数形で，「**the ＋ 複数名詞**」を表す。

○ 空所に 2 語入れるとすれば the legs が入る。しかし，the legs が反復することになるので，それを避けるために「the ＋ 複数名詞」を表す③ those(= the legs)を用いる。

311. those の用法 — those present

▶ **those present** は「出席者」の意味を表す。この **those** は「人々」(**= the people**) を表す代名詞で，形容詞 present「出席している」に後置修飾されている。those (who are) present が本表現の前提となる形と考えればわかりやすい。

Plus **make a great impression on A**「A に大きな感銘を与える」は重要。

Plus この those を用いた **those concerned[involved]**「関係者／当事者」，**those chosen**「選ばれた者」もここで押さえておこう。

KEY POINT ▷ 091　　suchの用法

312. such の用法 — as such

▶ **as such** は「そういうものとして」の意味を表す。such は「そのような人［もの／こと］」を表す。その用法に加え，as such は，通例，名詞の直後に置いて「それ自体としては」の意味で用いられることも，ここで押さえておこう。

Wealth, **as such**, does not matter much.
(富というものは，それ自体としては，あまり重要ではない)

○ **S should be treated as such.**「S はそういうものとして扱われるべきだ」は決まった形の表現として覚えておこう。

Plus **such の代わりに one** も可だが，入試ではほとんど such が問われる。

Plus **sexual harassment** は「性的嫌がらせ，セクハラ」の意味。

---

309 ③　310 ③　311 ③　312 ③

KEY POINT ▷ 092

313 □□□
彼らのコンサートに約 50,000 人が来ると見込まれています。
(　　　) is anticipated that about 50,000 people will come to their concert.
① It　② That　③ There　④ What　〈成城大〉

KEY POINT ▷ 093

314 □□□
I consider (　　　) rude to ignore a formal letter of invitation.
① that　② those　③ too　④ it　〈福島大〉

315 □□□
Widely known folklore (　　　) ghosts are most likely to appear between 2 and 3 a.m.
① has said it　② has been told that
③ has it that　④ has heard that　〈日本大〉

● TARGET 48 「形式目的語 it ＋ that 節」の形をとる慣用表現

- depend on[upon] it that 節「…するのをあてにする」
  You can depend on it that he will finish the job.
  （あなたは彼がその仕事を終わらせてくれることをあてにできる）
- take it that 節「…だと思う／…だと解読する」
  Many people take it that great musicians have excellent hearing.
  （多くの人は偉大な音楽家は優れた聴力を持つと思っている）
- have it that 節「…だと言う」（＝ say that 節） → 315
- see (to it) that 節「…するように気をつける」
  See to it that the window is closed when you go out.
  （外出するときは窓を閉めておいてください）

314 正式な招待状を無視するのは失礼だと思う。
315 広く知られている民間伝承によれば，幽霊は午前２時から３時の間に現れることが多いとされている。

KEY POINT ▷ 092　形式主語の it

313. 形式主語の it — It is anticipated that 節

▶ that 節が主語になる場合は，形式主語 it を置いて，that 節は後置することによって文のバランスをとる。

KEY POINT ▷ 093　形式目的語の it

314. 形式目的語の it — consider it rude to do

▶ **consider it rude to do**「…するのは失礼だと思う」は，形式目的語 it を用いた表現。

○ 本問の形式目的語の it は，補語である rude の後の不定詞句 to ignore a formal letter of invitation「正式な招待状を無視すること」を受ける。

315. 形式目的語の it — have it that 節

▶ **have it that 節**「…だと言う」(**= say that 節**) は，形式目的語を用いた慣用表現として押さえておく。主語は，「人間」もくるが，**folklore**「民間伝承」，**rumor[gossip]**「うわさ」などの無生物主語の場合も多い。**Folklore[Rumor / Gossip] has it that 節**「民間伝承[うわさ]によれば…だ」で押さえておこう。

Rumor has it that they are getting married soon.
（うわさでは，彼らはまもなく結婚するそうだ）

Gossip has it that he's going to get divorced.
（うわさによると，彼は離婚するつもりだそうだ）

---

313 ①　314 ④　315 ③

KEY POINT ▷094

316 □□□ If you forgot your pencil, you can use one of (　　　).
① my　② mine　③ mines　④ our 〈東邦大〉

317 □□□ Please take (　　　) with you and tell me what you think of them tomorrow.
① these letters of his　② these his letters
③ his letters of these　④ his these letters 〈東海大〉

KEY POINT ▷095

318 □□□ I asked two people the way to the national library but (　　　) of them knew.
① none　② both　③ either　④ neither 〈法政大〉

TARGET 49 「人称代名詞」

		主格	所有格	目的格	所有代名詞
1人称	単数	I	my	me	mine（私のもの）→316
	複数	we	our	us	ours（私たちのもの）
2人称	単数	you	your	you	yours（あなたのもの）
	複数	you	your	you	yours（あなたたちのもの）
3人称	単数	he	his	him	his（彼のもの）→317
		she	her	her	hers（彼女のもの）
		it	its	it	—
	複数	they	their	them	theirs（彼らのもの）

＊itの所有代名詞はない。

316 鉛筆を忘れたなら，私のを使っていいですよ。
317 彼のこれらの手紙を持ち帰って，あなたがそれらについてどう思うか明日教えてください。
318 私は２人に国立図書館への道を尋ねたが，どちらも知らなかった。

KEY POINT ▷ 094　所有代名詞の用法

316. 所有代名詞の用法 — mine

▶ **mine は所有代名詞**で「私のもの」の意味。

○ 本問の mine は my pencils という「所有格＋複数名詞」を表す。

317. 所有代名詞の用法 — these letters of his

▶ **his などの所有格は a, this, these, no, some, any などと一緒に並べて名詞を修飾することはできない**。このような場合，所有格の代わりに所有代名詞を用いて「**不定冠詞および冠詞相当語（a, this, these, no, some, any など）＋ 名詞 ＋ of ＋ 所有代名詞**」の語順にして表現する。

○ 上記のことから,「彼のこれらの手紙」は① these letters of his となる。なお, of は「…の中の」という意味を持つ前置詞。his は his letters という「所有格＋複数名詞」を表す。

✕ したがって,「彼のこれらの手紙」は, ② these his letters や④ his these letters とは表現できない。

KEY POINT ▷ 095　neither / either / none

318. neither の用法 — none との区別

▶ **neither は「どちらも…ない」の意味を表す代名詞**。neither は both に対応する否定語で, **対象は 2 つ[2 人]**であることに注意。**対象が 3 つ[3 人]以上の場合は none を用いる**。

○ two people に着目し,「逆接」の but があるので,「(2 人とも) 知らなかった」の意味内容になるはず。したがって, ④ neither が入る。

✕ ① none にしないこと。none は, 対象が 3 人以上の場合に用いる。

316 ②　317 ①　318 ④

319 □□□ Kenji has two brothers, but he is not on speaking terms with them. In other words, he doesn't talk to (　　　　) of them.
① which　② both　③ either　④ neither　〈名古屋工業大〉

320 □□□ There are tall buildings on (　　　　) side of the street.
① both　② opposite　③ either　④ all　〈愛知県立大〉

321 □□□ Mr. Johnson did not choose any of the three ties because he found (　　　　) attractive.
① both of them　② either of them
③ neither of them　④ none of them　〈西南学院大〉

322 □□□ (　　　　) of the students were able to answer the question.
① Anyone　② Everyone　③ Nobody　④ None　〈関西学院大〉

319 ケンジには２人の男のきょうだいがいるが，彼らと口を利く間柄ではない。言い換えれば，彼はどちらとも話をしない。
320 通りのどちら側にも高い建物がある。
321 ジョンソンさんは，３本のネクタイのどれも魅力的に感じなかったので，どれも選ばなかった。
322 どの生徒もその質問に答えることができなかった。

319. either の用法 ― not ... either

▶ **not ... either** は「どちらも…ない」の意味を表す。**not ... either = neither** と押さえておこう。

✕ ② both は不可。**not ... both** は，「どちらも…というわけではない」の意味を表す部分否定。→ TARGET 41

Plus he **doesn't** talk to **either** of them「彼は彼らのどちらとも話をしない」は，neither を用いれば he talks to **neither** of them となる。

Plus **be on speaking terms with A**「A と話をする間柄だ」(→ 281)，**in other words**「言い換えれば」は重要。

320. either の用法 ― either ＋ 単数名詞

▶ 形容詞用法の either は，「**either ＋ 単数名詞**」で「(1) どちらかの…，(2) どちらの…も」という 2 つの意味を表す。ただし，「(2) どちらの…も」の意味になる場合は，**either が side，end，hand などを修飾する場合に限られる。**

○ 本問は，③ either を選び，on either side of the street「通りのどちら側にも」の表現を作る。

✕ ① both は不可。both の後は複数名詞がくるので，on both sides of the street なら可。② opposite は，the opposite direction「反対方向」のように，定冠詞 the を伴い the opposite A で「反対の A」を表すのが原則。したがって，文意は異なるが，on the opposite side of the street なら可となる。

Plus **代名詞の either が肯定文で用いられると**「(1) どちらか一方，(2) どちらも」という 2 つの意味を表すことも，ここで押さえておこう。以下は (1) の用例。
Either of us has to ask him to give some advice about it.
(私たちのうちどちらかが，それについて彼に何かアドバイスをくれるように頼まなければならない)

321. none の用法 ― neither との区別

○ 問題 318 で扱った neither と none との区別が本問のポイント。対象が 3 つ（the three ties）なので，文意から④ none of them を選ぶ。

322. none の用法 ― nobody との区別

▶ none は **none of A** の形で「A の中の誰ひとり[ひとつ]…ない」の意味を表す。A には必ず定冠詞や所有格で限定された名詞や，us や them などの目的格がくることに注意。

✕ ③ Nobody は不可。（×）nobody of A の形だけでなく，（×）anybody of A，（×）① anyone of A，（×）everybody of A，（×）② everyone of A の形もないことに注意。正誤問題で頻出。

---

319 ③　320 ③　321 ④　322 ④

KEY POINT ▷096

323 □□□ I keep nine hamsters in my room, and (　　　) of them has a name.

① all　② each　③ either　④ every　〈近畿大〉

324 □□□ My sister and I are afraid of heights, so (　　　) of us hate to fly in airplanes.

① either　② each　③ both　④ neither　〈芝浦工業大〉

325 □□□ (　　　) student who is interested in this exchange program should contact Professor Johnson.

① Many　② Some　③ Any　④ All　〈札幌大〉

KEY POINT ▷097

326 □□□ The store had (　　　) kind of strange animal you could imagine.

① all　② many　③ several　④ every　〈日本大〉

323 私は部屋に９匹のハムスターを飼っていて，それぞれが名前を持っている。
324 姉と私は高いところが怖いので，どちらも飛行機に乗るのが嫌いです。
325 この交換留学プログラムに興味のある学生はだれでも，ジョンソン教授に連絡するべきだ。
326 その店は，想像できる限りのあらゆる種類の奇妙な動物を置いていた。

KEY POINT ▷ 096　each / both / any

323. each の用法 — each of A

▶ 代名詞用法の each は **each of A** の形で「A のめいめい／A のおのおの」の意味を表す。**A には必ず定冠詞や所有格などで限定された名詞や，us，them などの目的格がくる**。なお，**each of A が主語の場合は，単数扱い**であることに注意。

✕ ① all は不可。all of A が主語の場合は，複数扱い。all of them have a name なら可。④ every も不可。every は形容詞の用法しかないので，(×) every of A の形はない。原則として，「every ＋ 単数名詞」の形で使う。

Plus **each of A だけでなく，neither of A，none of A，both of A，some of A，a few of A，any of A，many of A，most of A などの A には必ず定冠詞や所有格などで限定された名詞や，us，them などの目的格がくることもここで押さえておこう。**

324. both の用法 — both of A

○ 動詞の hate (to fly in airplanes)「(飛行機で空を飛ぶの) を嫌がる」に 3 単現の s がついていないことに着目する。both of A が主語の場合は，複数扱いであり，対象が 2 人 (my sister and I) なので，③ both を選ぶ。

✕ ① either of A，② each of A が主語の場合は単数扱いなので，動詞は hates になるはず。

325. any の用法 — any A

▶ **肯定文の中で用いられる「any A (単数名詞)」**には強調の意味が含まれ，「**どんな A も**」の意味になる。「any A」が主語の場合は，単数扱い。

✕ ① Many，④ All は不可。many の後は，複数名詞がくる。all も可算名詞が続く場合は複数形になる。

KEY POINT ▷ 097　every の用法

326. every の用法 — every ＋ 単数名詞

▶ 問題 323 で触れたが，形容詞の every は，「**every ＋ 単数名詞**」の形で「すべての…」の意味を表す。「**every ＋ 単数名詞」が主語で用いられる場合**は，**everyone, everybody，everything** などと同様に **3 人称単数扱い**。

✕ ② many，③ several は不可。many や several の後は複数名詞がくる。all も可算名詞が続く場合は複数形になる。

323 ②　324 ③　325 ③　326 ④

327 □□□ You should take this medicine (　　　).
① each six hour　② each six hours
③ every six hour　④ every six hours 〈県立広島大〉

328 □□□ She makes it a rule to go to see her friend in the hospital (　　　).
① by the day　② every in the morning
③ every other day　④ twice of a day 〈杏林大〉

KEY POINT ▷ 098

329 □□□ According to today's newspaper, two men escaped from the prison; one was arrested, but (　　　) still hasn't been found.
① another　② other　③ the other　④ the others 〈成城大〉

330 □□□ Ms. Perkins is not paid well, so she is considering working for (　　　) company.
① others　② other　③ the another　④ another 〈杏林大〉

TARGET 50 相関的に用いる不定代名詞 動画

(1) one —— the other → 329

(2) some —— the others → 331
(one —— the other の複数形のパターン)

(3) one —— another → 330, 333

(4) some —— others[some] → 332, 362
(one —— another の複数形のパターン)

*「残りすべて」は the others（1 つなら the other）と考えればよい。

327 あなたは６時間ごとにこの薬を服用した方がよい。
328 彼女は，１日おきに入院している友人の見舞いに行くことにしている。
329 今日の新聞によると，２人の男性が脱獄した。１人は逮捕されたが，もう１人はまだ見つかっていない。
330 パーキンスさんはあまり給料がよくないので，ほかの会社で働くことを考えている。

327. every の用法 — every ＋ 基数 ＋ 複数名詞

▶「**every ＋ 基数 ＋ 複数名詞**」は,「…ごとに」の意味を形成する。**基数の後の名詞は必ず複数形**にすることに注意。

○ 本問の **every six hours** は「6 時間ごとに」の意味。

Plus この表現の every は,「すべての…」の意味ではなく,「毎…／…ごとに」の意味を表す。「6 時間」は six hours と複数名詞で表現するので,「6 時間ごとに」も, **every six hours** と複数名詞で表現すると考えればよい。

Plus 同意表現の「**every ＋ 序数 ＋ 単数名詞**」もここで押さえておく。序数を用いる場合は必ず単数形であることに注意。「6 時間ごとに」であれば, **every sixth hour** となる。「6 番目の時間」は the sixth hour と単数名詞で表現するので,「6 時間ごとに ← 6 番目の時間ごとに」も, **every sixth hour** と単数名詞で表現すると考えればよい。

328. every の用法 — every other day

▶ every は **every other[second] A** で「1 つおきの A」の意味を表す。**every other[second] day** は「1 日おきに」の意味。

Plus **make it a rule to do** は「…するのが常である」の意味。

Plus **on[in] every other[second] line**「1 行おきに」もここで押さえておこう。

KEY POINT ▷ 098　不定代名詞の用法（相関的表現など）

329. one と相関的に用いる the other

▶ **対象が 2 つ[2 人]の場合に, 一方を one, もう一方を the other で表す**。other は代名詞で「ほかのもの[こと／人]」の意味を表す。→ TARGET 50

○ 本問は,「残りのもう 1 人の男」を表すので, 定冠詞の the で other「ほかのもの［男]」を限定する必要がある。したがって, ③ the other を選ぶ。

✕ ① another は不可。another は「an ＋ other」と考えればよい。other「ほかのもの[男]」に不定冠詞の an がついているわけだから, 本問のように, 限定された「もう一方」を表すことはできない。② other も不可。other は冠詞なしで単独では用いられない。

Plus **according to A** は「A によれば」, **escape from A** は「A から逃れる」の意味。

330. another の用法

○ 文意から,「今の会社以外の別の不特定の 1 つの（会社)」なので, ④ another (company) を選ぶ。→ TARGET 50

✕ ② other は不可。「other ＋ 単数名詞」の形はない。文法的には「an other ＋ 単数名詞」か「the other ＋ 単数名詞」になる。

---

327 ④　328 ③　329 ③　330 ④

331 □□□ English is one of the six official languages of the United Nations, (　　　) being French, Russian, Spanish, Chinese, and Arabic.

① another　② others　③ the other　④ the others　〈東京薬科大〉

332 □□□ 動画 Some were for the proposal, (　　　) were against it, and the rest didn't express their opinions.

① other　② others　③ the other　④ the others　〈山梨大〉

333 □□□ It is one thing to want to climb Mt. Everest, but it is (　　　) thing to do it.

① another　② other　③ the other　④ some other　〈南山大〉

334 □□□ The physician will examine all of you (　　　).

① one after others　② the one after the other
③ one after another　④ one after the another　〈桜美林大〉

335 □□□ If you want to get this bag, you'll have to pay (　　　) fifty dollars.

① another　② other　③ others　④ the other　〈県立広島大〉

331 英語は国連の６つの公用語の１つで，そのほかのものはフランス語，ロシア語，スペイン語，中国語，そしてアラビア語です。
332 その提案に賛成の人もいれば，反対の人もおり，それ以外の人は意見を表明しなかった。
333 エベレストに登りたいと思うことと，実際にそうすることは別のことである。
334 お医者さんが，みなさん全員を順々に診察する予定です。
335 このバッグを手に入れたければ，さらに 50 ドル払わなければなりません。

331. the others の用法

○ 文意から,「英語以外の残り全部の言語」なので, ④ the others を選ぶ。→ TARGET 50

Plus , the others being French, Russian, ... は独立分詞構文。→ 144

332. some と相関的に用いる others

▶ **some ..., (and) others ～**は「…なものもいれ[あれ]ば～なものもいる[ある]」の意味を形成する。→ TARGET 50

Plus **for A**「A に賛成で」⇔ **against A**「A に反対で」は重要。→ 453

Plus **the rest** は「残り」の意味で，単数扱いとして用いることも，複数扱いとして用いることもできる。

333. one と相関的に用いる another

▶ **A is one thing; B is another (thing).** は「A と B は違うことである」という意味を形成する（→ TARGET 50）。A is different from B. との言い換えで問われることも多い。

○ 本問は，上記の構文の変形。**It is one thing to do ..., but it is another thing to do ～.** で「…することと～することは違うことである」の意味を表す。

334. one after another の用法

▶ **one (...) after another** は「次から次へと（やってくる…）」の意味を表す。慣用表現として押さえておこう。

335. another ＋ 複数名詞 — another fifty dollars

▶ 形容詞用法の another は「an ＋ other」の観点から，原則として後にくるのは，可算名詞の単数形だが，本問の **another fifty dollars**「さらに 50 ドル」のように可算名詞の複数名詞を伴うことがある。これは「金額」を表す fifty dollars を，形は複数形だが 1 つのまとまった金額としてとらえているためである。一般に「**金額**」「**距離**」「**時間**」「**重量**」**は，形は複数であっても単数扱い**であることに注意。以下の用例参照。

Fifty dollars **is** too much for me to pay.
（50 ドルは私が支払うには金額が大きすぎる）

Plus **in another two weeks**「もう 2 週間後に」なども同じ用法。

331 ④　332 ②　333 ①　334 ③　335 ①

KEY POINT ▷ 099

336 □□□ 動画
(　　　) Japanese are afraid of earthquakes.
① Most　② Most of　③ Almost　④ Almost of　〈南山大〉

337 □□□
(　　　) all people in Japan have a mobile phone.
① Most　② Most of　③ Almost　④ Almost of　〈南山大〉

338 □□□
(　　　) students are living away from their home.
① The most of　② Almost　③ Most of　④ Most of the
〈愛知県立大〉

339 □□□
(　　　) students in the classroom looked older than me.
① Almost all the　② Almost every　③ Most of　④ Most the
〈学習院大〉

TARGET 51　most, almost all を含む表現 動画

(1) most ＋ 名詞 (→ 336, 360) = almost all ＋ 名詞 (→ 337)「(限定されない) 大半の…」
(2) most of the[one's] ＋ 名詞 (→ 338) = almost all (of) the[one's] ＋ 名詞 (→ 339)「(限定された特定の) …の大半」

336 ほとんどの日本人は地震を怖いと思っている。
337 日本のほとんど全員が携帯電話を持っている。
338 ほとんどの学生が自宅を離れて暮らしている。
339 その教室のほとんどの学生は，私より年上に見えた。

KEY POINT ▷ 099　most / almost

336. most の用法 — most A

▶ **most A** は「大半の A ／たいていの A」の意味を表す。

✕ ② Most of は，後に必ず定冠詞や所有格などで限定された名詞や目的格の代名詞がくるので不可（→ 323）。また，③ Almost にしないこと。almost は副詞なので，通常，名詞を修飾できない。Almost all なら可。

Plus 本問の most は，Japanese「日本人」（= Japanese people）という複数扱いの名詞を従えているが，most の後には **most success**「たいていの成功」のように不可算名詞がくることもあるので注意。

Plus 形容詞の **most**「たいていの」は **almost all**「ほとんどすべての」と同意だから **most A = almost all A** とすることができる。つまり，**Most Japanese** は **Almost all Japanese** と表現できることも重要。
→ TARGET 51

337. almost all の用法 — almost all A

○ 問題 336 で扱った almost all A「ほとんどすべての A」＝ most A「大半の A ／たいていの A」が，本問のポイント。**Almost all people in Japan**「日本にいるほとんどすべての人」は，**Most people in Japan**「日本にいる大半の人」とも表現できる。

338. most の用法 — most of A

▶ **most of A** は「A の大半／ほとんど」の意味を表す。**A には必ず定冠詞や所有格などで限定された名詞や，目的格の代名詞がくることに注意**（→ 323）。この of は省略不可。

Plus 代名詞の **most**「大半／大部分」は **almost all**「ほとんどすべて」と同意だから，**most of A = almost all of A** とすることができる。**almost all** 後の **of** は省略できる。つまり，**Most of the students** は，**Almost all (of) the students** と表現できることも重要。→ TARGET 51

339. almost all (of) A の用法

▶ 問題 337 で扱った **almost all (of) A**「A の大半／ほとんど」が本問のポイント。**most of A と同様，A には定冠詞や，所有格などで限定された名詞，目的格の代名詞**がくる。**この of は省略可**。**Almost all (of) the students in the classroom**「教室にいる学生のほとんどすべて」は，**Most of the students in the classroom**「教室にいる学生の大半」とも表現できる。

✕ ④ Most the にしないこと。「most of the ＋ 名詞」の of は省略できないことに注意。

---

336 ①　337 ③　338 ④　339 ①

KEY POINT ▷100

340 □□□

A : Can you join me for lunch after this lecture?
B : (　　　　) Where are we eating?
A : In the student cafeteria on the 17th floor. I love the view from there. Find me there at 12:20.

① I can't.　② I doubt it.　③ I guess so.　④ I'm lost.　〈明治大〉

341 □□□

A : Is Betty coming to my birthday party tonight?
B : (　　　　). She is busy with her homework.

① I don't suppose it　② I suppose it
③ I suppose not　④ I suppose so　〈杏林大〉

KEY POINT ▷101

342 □□□

Don't blame me! I have nothing to do (　　　　) that problem.

① away　② of　③ off　④ with　〈明治大〉

● TARGET 52 so と not ー that 節の代用表現 動画

(1) think, believe, expect, guess, suppose は次の 2 通りの表現が可能。→ 340, 341
I don't suppose so. = I suppose not.「そうでないと思う」

(2) hope と be afraid には，直接 not を続ける形しかない。
I hope not.「そうでないことを望む」（×）I don't hope so.
I'm afraid not.「残念ながらそうでないと思う」（×）I'm not afraid so.

340 A：この講義の後で，私と一緒にランチに行けるかしら。
B：行けると思います。どこで食べるつもり？
A：17 階の学生食堂よ。私はそこからの眺めが大好きなの。12 時 20 分にそこにいるわ。

341 A：ベティは今夜の僕の誕生日パーティーに来るだろうか。
B：そうは思わないよ。彼女は宿題で忙しいんだ。

342 私を責めないでください！ 私はその問題とは無関係なんです。

KEY POINT ▷ 100　so / not — that 節の代用

340. so の用法 — that 節の代用

▶ **so は，特定の動詞 hope，think，believe，expect，guess，suppose や be afraid などの後に置き，that 節の代用をする**ことがある。

○ 本問の so は，A の質問の内容を受けて I can join you for lunch after this lecture「この講義の後で私はランチのために，あなたに合流することができる」を表す。つまり，**I guess so.** は I guess that I can join you for lunch after this lecture. と考える。

341. not の用法 — 否定の that 節の代用

▶ **not は，特定の動詞 hope，think，believe，expect，guess，suppose や be afraid などの後に置き，否定を含む that 節の代用をする**ことがある。→ TARGET 52

○ 本問の **I suppose not.** は，I suppose that Betty is not coming to your birthday party tonight.「ベティは今夜のあなたの誕生日パーティーには来ないと私は思う」と考える。

KEY POINT ▷ 101　nothing の用法など

342. nothing の用法 — have nothing to do with A

▶ **have nothing to do with A** は「A と何の関係もない」の意味を表す。慣用表現として押さえる。

Plus **have something to do with A**「A と何らかの関係がある」，**have much to do with A**「A と大いに関係がある」，**have little to do with A**「A とほとんど関係がない」もここで押さえておこう。
→ TARGET 53

● TARGET 53　something / nothing を用いた定型表現

(1) have nothing to do with A「A と何の関係もない」→ 342

(2) have something to do with A「A と何らかの関係がある」
Using smartphones at night has something to do with losing sleep.
（夜間のスマートフォンの使用は寝不足と関係がある）

(3) There is something ＋ 形容詞 ＋ about A.「A にはどことなく…なところがある」
I can't explain it well, but I feel there is something wrong about this video.
（うまく説明できないが，この動画にはどこか違和感を感じる）

(4) There is something wrong[the matter] with A.「A はどこか調子が悪い」→ 345

(5) There is nothing like A.「A ほどよいものはない」
＝ There is nothing better than A.
There is nothing like taking a walk in the early morning.（早朝の散歩ほどよいものはない）

---

340 ③　341 ③　342 ④

343 □□□ Cigarette smoking has (　　　　) to do with lung cancer.
① lot　② enough　③ many　④ much 〈名古屋工業大〉

344 □□□ There is a lot of old furniture in my room. You can take whatever you like <u>for nothing</u>.
① absolutely　② by no means　③ free of charge　④ rarely 〈東京理科大〉

KEY POINT ▷102

345 □□□ There may be something (　　　　) with this computer.
① the matter　② mattered　③ to matter　④ has mattered 〈北里大〉

346 □□□ Kenji cares so little about food that (　　　　) will do, so long as it fills his stomach.
① none　② something　③ nothing　④ anything 〈南山大〉

● TARGET 54 再帰代名詞

人称＼数	単数	複数
1人称	myself	ourselves
2人称	yourself	yourselves
3人称	himself / herself / itself	themselves

343 喫煙は肺がんと大いに関係がある。
344 私の部屋には古い家具がたくさんあります。あなたはどれでも気に入ったものを無料で持っていっていいですよ。
345 このコンピューターはどこか故障している可能性があります。
346 ケンジは食べ物にほとんど関心がないので，おなかが満たされさえすれば何でも構わない。

343. much の用法 — have much to do with A

○ 問題 342 で扱った **have much to do with A**「A と大いに関係がある」が本問のポイント。

344. nothing の用法 — for nothing

▶ **for nothing** は「無料で」の意味を表す。

Plus 同意表現の **free of charge**, **without charge**, **for free** も一緒に押さえておこう。

KEY POINT ▷ 102　something / anything

345. something の用法 — There is something the matter with A.

▶ **There is something the matter[wrong] with A.** は「A はどこか調子が悪い」の意味を表す。something を用いた定型表現として押さえる。→ TARGET 53

346. anything の用法 — Anything will do.

▶ **肯定文中の any A**（**単数名詞**）「どんな A も」は問題 325 で扱ったが，**肯定文中の anything** も強調の意味を含み，「何でも／どれでも」の意味を表す。

Plus **Anything will do.** は「何でもいいですよ／どれでも結構ですよ」の意味を表す。自動詞 do の用法は，問題 529 参照。

Plus 対象が 2 つ[2 人]のときに用いる **Either will do.**「どちらでもいいですよ」も，ここで押さえておこう。

---

343 ④　344 ③　345 ①　346 ④

KEY POINT ▷ 103

347 □□□
Anne had a great vacation. She enjoyed (　　　　) very much.
① her　② hers　③ herself　④ she　〈札幌学院大〉

348 □□□ 動画
While playing soccer yesterday, Jeff hurt (　　　　) and had to be rushed to the hospital.
① himself　② by himself　③ on himself　④ to himself　〈北里大〉

349 □□□
A : I'd like another piece of cake, if I may.
B : Sure, (　　　　) yourself to it.
① bet　② help　③ mention　④ miss　〈東京理科大〉

350 □□□
The technician found the DVD (　　　　) to be the problem and not the machine that was playing it.
① itself　② its　③ it　④ it's own　〈東京薬科大〉

347 アンはすばらしい休暇を過ごした。彼女はとても楽しんだ。
348 昨日サッカーをしていたとき，ジェフはけがをして病院に急いで運ばれなければならなかった。
349 A：もしよろしければ，ケーキをもう１ついただきたいです。
B：もちろんです。どうぞお取りください。
350 その技術者は，問題があるのはDVD自体で，それを再生している機器ではないことがわかった。

KEY POINT ▷ 103　再帰代名詞

347. 再帰代名詞の用法（1）— 他動詞の目的語

▶ **人称代名詞の -self（複数形の場合は selves）**がついたものを再帰代名詞と呼び，「…自身」という意味を表す。**再帰代名詞は他動詞の目的語として用いられる場合，「他動詞 ＋ 再帰代名詞」で自動詞的な意味を形成**することがある。

○ 本問の enjoy も他動詞であり，oneself を目的語にとり，**enjoy oneself** の形で「楽しむ←自分自身を楽しませる」という自動詞的な意味を形成する。本問は，主語が she なので，③ herself になる。

348. 再帰代名詞の用法（1）— 他動詞の目的語

○ 他動詞の hurt「…にけがをさせる」が，再帰代名詞を目的語にとる **hurt oneself** は「けがをする←自分自身にけがをさせる」という自動詞的意味を形成する。

Plus 「けがをする」は，受動態の **be hurt** でも表せることをここで押さえる。なお，hurt の活用形は hurt - hurt - hurt。（×）be hurted にしないこと。

Plus **injure oneself**，**be injured** も「けがをする」の意味。ここで一緒に覚えておこう。

349. 再帰代名詞の用法（1）— 他動詞の目的語

○ **help oneself to A** は「A を自由に取って食べる［飲む］」の意味を表す。慣用表現として押さえる。

Plus この表現の **help** は「…を助ける」ではなく，**help B to A** の形で「**A**（料理など）を **B**（人）に取ってやる」の意味。したがって，**help oneself to A** は，「A を自分自身に取ってやる」がもともとの意味。**help oneself** で「（自ら）取って食べる」という自動詞的な意味になる。

350. 再帰代名詞の用法（2）— 強調用法

▶ **再帰代名詞には，主語・目的語・補語の後に同格として置かれ，意味を強める用法がある。**

○ 本問は，目的語の the DVD が，その再帰代名詞である itself で意味を強められている形。

---

347 ③　348 ①　349 ②　350 ①

351 □□□

A : Who did you go to the movie with?
B : No one. I went (　　　　).

① by myself　② with him　③ with anyone　④ by nobody

〈駒澤大〉

352 □□□ 動画

On Saturday mornings it was unusual for anybody to be up before ten, so Helen had the living room (　　　　) herself.

① by　② in　③ to　④ with

〈上智大〉

353 □□□

John was (　　　　) with joy when his wife gave birth to their first child.

① beside him　② beside himself
③ besides him　④ besides himself

〈成城大〉

TARGET 55 「前置詞 + 再帰代名詞」の慣用表現

- by oneself (= alone)「一人で」→ 351
- to oneself「自分だけに」→ 352
- for oneself「独力で／自分のために」
  I cooked dinner for myself.（自分のために夕食を作った）
- in itself / in themselves「それ自体／本質的に」
  Making a lot of money in itself is not important.
  （大金を稼ぐこと自体が重要なわけではない）
- in spite of oneself「思わず」
  Hearing the story, she laughed in spite of herself.
  （その話を聞くと，彼女はつい笑ってしまった）
- between ourselves「ここだけの話だが」
  Don't tell this news to anybody. This is just between ourselves.
  （そのニュースを誰にも話してはいけません。ここだけの話にしてください）
- beside oneself (with A)「（A で）我を忘れて」→ 353

351 A：誰と一緒に映画に行ったのですか。
B：誰とも。一人で行ったんです。
352 土曜日の午前中，10 時より前に誰かが起きることは普通なかったので，ヘレンはリビングを独占した。
353 ジョンは，妻が自分たちの最初の子どもを出産したとき，喜びのあまり我を忘れた。

351. 再帰代名詞の用法（3）— 前置詞 + 再帰代名詞

▶ **再帰代名詞は前置詞を伴って慣用的な表現を形成する。**→ TARGET 55

○ **by oneself** は「一人で」（**= alone**）の意味を表す。

352. 再帰代名詞の用法（3）— 前置詞 + 再帰代名詞

▶ **to oneself** は「自分だけに」の意味を表す。→ TARGET 55

○ **have A (all) to oneself** は「A を独り占めする」の意味を表す。

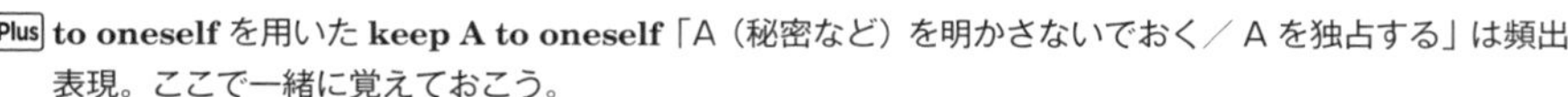

Plus **to oneself** を用いた **keep A to oneself**「A（秘密など）を明かさないでおく／A を独占する」は頻出表現。ここで一緒に覚えておこう。

Please **keep** this information **to yourself**.

（どうかこの情報は秘密にしておいてください）

353. 再帰代名詞の用法（3）— 前置詞 + 再帰代名詞

○ **be beside oneself with A** は,「A で我を忘れる」の意味を表す。**A には joy**「喜び」, **worry**「心配」, **grief**「悲しみ」, **fear**「恐怖」**などの「感情」を表す名詞**がくることに注意。→ TARGET 55

351 ①　352 ③　353 ②

KEY POINT ▷ 088-103

354 □□□ (with / covered / of / were / the books / all / almost) dust. 〈高崎経済大〉

355 □□□ この事業は金と食べ物と着る物を必要としている人々を支援すると期待されている。
This project is (those / in / expected / need / to / help / are / who) of money, food, and clothing. 〈崇城大〉

356 □□□ To prevent ①damage from ②heavy snow, the houses in the northern area have ③steeper roofs than ④that in the southern area. 〈名古屋市立大〉

357 □□□ 高知の人口は東京の人口よりはるかに少ない。
(than / Kochi / is / of / population / smaller / of / the / that / much) Tokyo. 〈高知大〉

358 □□□ I ①overslept this morning and when I woke up, I had no ②idea where everybody ③were. 〈西南学院大〉

354 それらの本のほとんどすべては，ほこりで覆われていた。
356 大雪による被害を防ぐために，北部地域の家は南部地域の家よりも角度が急な屋根をしている。
358 今朝，私は寝過ごしてしまい，起きたときには，みんながどこにいるのかまったくわからなかった。

KEY POINT ▷ 088-103

354. almost all (of) A の用法

○ 問題 339, TARGET 51 で扱った **almost all (of) A** の形で主語を作れるかが本問のポイント。主語の Almost all of the books「それらの本のほとんどすべて」の後に, be covered with A「A で覆われている」の表現を用いて, 述部を were covered with dust「ほこりで覆われていた」とまとめればよい。

355. those の用法 — those who ...

○ **be expected to do**「…することが期待されている」の表現から, This project is expected to help A「この事業は A を支援することが期待されている」を想定し, help の目的語の A に, 問題 311 で扱った **those**「人々」(**= the people**) を先行詞とする関係代名詞節を作れるかがポイント。**be in need of A**「A を必要とする」(**= need A**) の表現から, those who are in need of money, food, and clothing「金と食べ物と着る物を必要としている人々」とまとめることができる。

356. those の用法 — the + 複数名詞

○ 問題 310 で扱った **those(= the ＋ 複数名詞)** が本問のポイント。④ that in が間違い。代名詞を用いずに文を書けば, the houses in the northern area have steeper roofs than the houses in the southern area「北部地域の家は, 南部地域の家よりも角度が急な屋根を持つ」となる。the houses in the southern area は,「the ＋ 複数名詞」の繰り返しを避ける代名詞の those を用いて, those in the southern area と表現できる。したがって, ④ that in を those in と修正する。

Plus **prevent A from B**「B から A を防ぐ」は重要。

357. that の用法 — the ＋ 単数名詞

○ 問題 309 で扱った **that(= the ＋ 単数名詞)** が本問のポイント。A is much smaller than B.「A は B よりもはるかに少ない」の比較表現を考えて, A に the population of Kochi「高知の人口」, B に「the ＋ 単数名詞」の繰り返しを避ける代名詞を用いた that (= the population) of Tokyo「東京の人口」を置けばよい。

358. 代名詞 everybody の用法 → 326

○ 代名詞 **everybody が主語の場合は, 3 人称単数扱い**。③ were を was にする。

Plus **have no idea + wh 節**「…かまったくわからない」は重要。→ 688, 708

---

354 Almost all of the books were covered with
355 expected to help those who are in need　**356** ④ that in → those in
357 The population of Kochi is much smaller than that of
358 ③ were → was

359 □□□ I'm not sure, but (has / that / will / the company / rumor / it) release some new products soon. 〈中央大〉

360 □□□ ①Almost students interviewed in this study answered that they ②became interested in learning the Japanese language ③because watching TV shows ④such as *Pokemon* and *One Piece* was fun. 〈南山大〉

361 □□□ We ①all want to protect ②us and our ③families from what is ④still a new and unknown disease. 〈立教大〉

362 □□□ ①Some people sleep eight hours ②a day, while ③other only need five or six hours ④of rest. 〈群馬大〉

363 □□□ 彼の失敗は，どうも性格と何か関係がありそうだ。

364 □□□ Whereas some people say that Cantonese is a dialect of Chinese, others insist that it is a language in its own right. 〈大分大〉

363 failure「失敗」, character「性格」
364 whereas「…だが一方」, Cantonese「広東語」, dialect「方言」, insist that ...「…だと主張する」, in one's own right「それ自体，本来の資質で」

359 確かな話ではないが，うわさによるとその会社は間もなく新製品を発売するそうだ。
360 この調査でインタビューを受けたほとんどすべての生徒は，『ポケモン』や『ワンピース』などのテレビ番組を見て楽しかったので日本語を学ぶことに興味を持つようになったと回答した。
361 私たちはみな，まだ新しく未知の疾病から自分自身や自分の家族を守りたいと思っている。
362 1日8時間眠る人たちがいる一方で，わずか5，6時間の睡眠しか必要としない人たちもいる。

359. 形式目的語の it — Rumor has it that 節 → 315

○ Rumor has it that 節「うわさによれば…だ」が本問のポイント。

360. most の用法 — most A → 336

○ **most A** は「大半の A ／たいていの A」(**= almost all A**) を表す。**almost は副詞なので，通常，名詞を修飾できない。** ① Almost を Most[Almost all] に修正する。students を限定するのであれば，**most of the students** や **almost all (of) the students** も可。→ 338, 339

361. 再帰代名詞の用法 — 他動詞の目的語 → 347〜349

○ 本問の場合，主語が We all「私たちみんな」(= All of us) なので，want to protect の目的語は ② us ではなくて再帰代名詞の ourselves になる。what is still a new and unknown disease「まだ新しくて未知である病気」の what は名詞節を形成する関係代名詞。→ 213

362. some と相関的に用いる others → 332

○ **some ..., while others 〜**「…なものもいれば，一方で〜なものもいる」が本問のポイント。③ other を others に修正する。

Plus 接続詞 **while** は「〜，一方…」という「対比」を表す。→ 419

363. have something to do with A → 342, TARGET 53

○「彼の性格と何か関係がありそうだ」は，**have something to do with A**「A と何らかの関係がある」を使って表現できる。

364. some と相関的に用いる others → 332

○ 問題文では、相関表現 **some ..., (and) others 〜**「…なものもいれ[あれ]ば〜なものもいる[ある]」が用いられている。Whereas some people say that S + V ..., others insist that S + V 〜.「…と言う人がいる一方，〜と主張する人もいる」の構造を見抜けるかがポイント。

---

359 rumor has it that the company will

360 ① Almost → Most[Almost all / Almost all (of) the]

361 ② us → ourselves

362 ③ other → others

363 His failure seems to have something to do with his character. [It seems (that) his failure has something to do with his character.]

364 広東語は中国語の方言であると言う人がいる一方，それ自体が 1 つの言語だと主張する人もいます。

第13章 主語と動詞の一致

主語が単数扱いか複数扱いかを問う問題が中心。英文の正確な主語の範囲の確定は，構造把握の上で大切。

KEY POINT ▷104

365 □□□ Not only Elizabeth, but also her friends (　　　) interested in buying a new spring coat in Paris next month.
① are　② be　③ is　④ was 〈玉川大〉

366 □□□ Neither Brian nor I (　　　) fond of professional baseball.
① is　② am　③ has　④ feels 〈関西学院大〉

TARGET 56 相関的表現が主語の場合 動画

(1) 複数扱いするもの（A and B が主語の場合，一般に複数扱い）

- both A and B「A も B も」
  Both Jim and Karen belong to the tennis club.
  （ジムもカレンもテニス部に所属している）

(2) 原則として B に一致させるもの

- not A but B「A ではなく B」➔ 425
  Not you but I am to blame.（あなたではなく私が責められるべきです）
- not only A but (also) B「A だけではなく B もまた」➔ 365
- either A or B「A か B かどちらか」
  Either Kana or you need to attend the meeting.
  （カナかあなたのどちらかがその会議に参加する必要がある）
- neither A nor B「A も B も…ない」➔ 366

(3) 原則として A に一致させるもの

- A as well as B「B だけでなく A も」= not only B but (also) A
  You as well as Sam have caused the problem.
  （サムだけでなくあなたもその問題を引き起こした）

365 エリザベスだけでなく彼女の友人たちも，来月パリで新しいスプリングコートを買うことに興味があります。
366 ブライアンも私もプロ野球が好きではない。

KEY POINT ▷ 104　相関的表現が主語の場合

365. not only A but also B が主語 — 動詞は B と一致

▶ **not only A but (also) B**「A だけでなく B もまた」**が主語の場合，動詞は B に一致させる。** → TARGET 56

○ 本問の場合，B が複数形の her friends なので，be 動詞は① are になる。

Plus **be interested in doing** は「…することに興味がある」の意味。

366. neither A nor B が主語 — 動詞は B と一致

▶ **neither A nor B**「A も B も…ない」**が主語の場合，動詞は B に合わせる。**
→ TARGET 56

○ 本問の場合，B が I なので，be 動詞は② am になる。

Plus **be fond of A** は「A が好きだ」の意味。

---

365 ①　366 ②

KEY POINT ▷105

367 □□□
About three fourths of the earth's surface (　　　) of water.
① is consisting　② are consisting
③ consists　④ consist　〈東京工科大〉

KEY POINT ▷106

368 □□□
(　　　) of the students has waited all day to attend the lecture.
① All　② Few　③ One　④ Some　〈青山学院大〉

KEY POINT ▷107

369 □□□
The number of children being born (　　　) decreasing.
① are　② has become　③ has come to　④ is　〈北里大〉

370 □□□
A number of people (　　　) not yet been fully convinced that oil is disappearing as quickly as some suggest.
① has　② have　③ is　④ are　〈南山大〉

● TARGET 57　A に動詞を一致させるもの

- most of A「A の大半」→ 338
- all of A「A のすべて」
- half of A「A の半分」
- the rest of A「A の残り」
- some of A「A のいくらか」
- 分数 ＋ of A → 367, 378

367 地表のおよそ 4 分の 3 が水で構成されている。
368 学生の 1 人が，その講義に出席するために一日中待っていた。
369 生まれてくる子どもの数は減少している。
370 多くの人たちは，石油が一部で言われているほど急速に枯渇しつつあるとは確信が持てないでいる。

KEY POINT ▷ 105　分数 ＋ of A が主語の場合

367. 分数 ＋ of A が主語 ― 動詞は A と一致

▶「**分数 ＋ of A**」**が主語の場合，動詞は A と一致させる。**→ TARGET 57

○ 本問の場合，A が単数扱いの the earth's surface「地球の表面」なので，動詞は③ consists になる。

✕ **consist of A**「A で構成されている／A から成り立っている」の **consist は，状態動詞で進行形にしない動詞**（→ TARGET 3）。したがって，① is consisting は不可。

KEY POINT ▷ 106　one of the ＋ 複数名詞が主語の場合

368. one of the ＋ 複数名詞が主語

▶ **one of the ＋ 複数名詞**「…の 1 人[1 つ]」**が主語の場合は，単数扱い。**

○ 動詞 has waited に着目し，主語が単数扱いの③ One (of the students) を選ぶ。

✕ ① All (of the students)，② Few (of the students)，④ Some (of the students) はすべて複数なので，動詞は have waited になる。→ TARGET 57

KEY POINT ▷ 107　the number of A などが主語の場合

369. the number of A が主語

▶ **the number of A**（**複数名詞**）「A の数」**が主語の場合は，単数扱い。**

○ 主語の The number of children being born「生まれてくる子どもの数」は単数扱いなので，be 動詞は④ is になる。

370. a number of A が主語

▶ **a number of A**（**複数名詞**）「多くの A」（→ 597）**が主語の場合は，複数扱い。**

○ 主語の A number of people「多くの人々」は複数扱いなので，② have が入る。

Plus **be convinced that S ＋ V ...**「…ということを確信している」は，**convince A that S ＋ V ...**「A に…ということを確信させる」の受動態の形。

---

367 ③　368 ③　369 ④　370 ②

KEY POINT ▷108

371 □□□ Knowing several (　　　　) helpful if you want to work for an international company in the future.

① language are　② language is
③ languages are　④ languages is　〈日本大〉

372 □□□ The police (　　　　) caught the criminal now.

① have　② is　③ has　④ was　〈日本大〉

373 □□□ Developing good communication with your clients usually (　　　　) about a successful business relationship in the end.

① bring　② brings　③ bringing　④ bring up　〈甲南大〉

374 □□□ Few insects live in regions where (　　　　) extremely frigid temperatures.

① are　② there are　③ are there　④ there　〈青山学院大〉

371 いくつかの言語を知っていることは，あなたが将来，国際的な会社で働きたいと思っているのであれば役立ってくれる。
372 警察がたった今，犯罪者を捕まえた。
373 顧客との円滑な意思疎通を図ることで，最終的に良好なビジネス上の関係がもたらされることが多い。
374 極寒の気温となる地域では，昆虫はほとんど生息していない。

KEY POINT ▷ 108　さまざまな表現における主語と動詞の一致

371. 動名詞句が主語

▶ **動名詞句が主語の場合は，単数扱い。**

○ まず，several「いくつかの」の後は複数名詞なので，several languages を確定する。その上で，主語が **Knowing several languages**「いくつかの言語を知っていること」という動名詞句になることを見抜く。上記のように，動名詞句が主語の場合は，単数扱いなので，be 動詞は is になる。したがって，④ languages is を選ぶ。

372. 集合名詞 police

▶ **(the) police** は警官の集合体としての「警察／警官隊」を**表し，形は単数であっても常に複数扱い**になる。不定冠詞の a は用いない。本問のように the をつければ，「(特定の集合体としての) 警察／警官隊」のニュアンスになる。

Plus **catch the criminal** は「(その) 犯人を捕まえる」の意味。

Plus **now**「今」は，現在完了形と一緒に用いる場合，「今 (…したところだ)」の意味を表すことがある。

Plus その他の「主語と動詞の一致」で頻出のものは，以下の用例参照。

(1) Make sure that **the sick** are properly looked after.
(病人が適切な世話を受けられるようにしなさい)
＊「**the** ＋ 形容詞」が主語の場合は複数扱い。**the sick**「病人」は **sick people** と同意。

(2) There is **a lot of snow** in this area.（この地域はたくさん雪が降る）
＊ **There** ＋ **be** 動詞 ＋ **A.**「**A** がいる [ある]」の構文では，**A** が文の主語。

(3) **Five months** is too short a time to carry out the plan.
(5 カ月は，その計画を実行するには短すぎる期間だ)
＊時間・金額・距離・重量を表す語が主語の場合，形は複数であっても単数扱い。

373. 動名詞句が主語

▶ **動名詞句が主語の場合は，単数扱い。**

○ 英文の意味から，主語が communication や clients ではなく動名詞句 Developing ... であることを見抜く。動名詞句が主語の場合は単数扱い（→ 371）となるため，② brings を選ぶ。

374. There ＋ be 動詞 ＋ A

▶ **「There ＋ be 動詞 ＋ A」の構文では，be 動詞は A に一致させる。**

○ where 以下が「There + be 動詞 + A」の構文であり，主語の A が複数名詞の extremely frigid temperatures なので，② there are を選ぶ。→ 372

Plus **there are ... temperatures** は，「…の気温となる」の意味を表す。定式化された表現として押さえよう。例えば，**there are hot[cold] temperatures** は「暑い[寒い]気温となる」の意味となる。

---

371 ④　372 ①　373 ②　374 ②

KEY POINT ▷ 104-108

375 □□□ There ①has always ②been quite a few people who don't believe getting ③exposed to the sun is bad. 〈西南学院大〉

376 □□□ The number of ①participants ②who attended the afternoon lecture ③were ④more than we had expected. 〈名古屋市立大〉

377 □□□ ①Understanding the distribution ②and population size of organisms ③help scientists ④evaluate the health of the environment. 〈上智大〉

378 □□□ [ ] 内の動詞を必要があれば語形を変えて書きなさい。
The water inside you isn't just floating around: Two-thirds of it ( ) confined within individual cells. [be] 〈明治薬科大〉

379 □□□ 海外に旅行に行く人の数が急激に増えています。

380 □□□ Being able to get the most out of your team, as a participant or a team leader, improves the team's spirit as well as its productivity and creativity. 〈岩手大〉

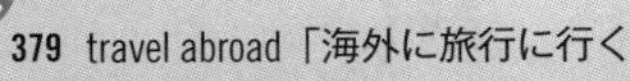

ヒント

379 travel abroad「海外に旅行に行く」

380 get the most out of A「A の能力を最大限に引き出す，A を最大限に生かす」，as a participant or a team leader「参加者として，あるいはチームリーダーとして」，improve「…を高める」，team's spirit「チームの士気」，B as well as A「A 同様 B も」，productivity「生産性」，creativity「創造性」

375 太陽にさらされることには害があると信じない人々が，常にたくさんいる。

376 午後の講義に出席した参加者の数は，予想以上だった。

377 生物の分布と個体数を理解することは，科学者が環境の健全さを評価するのに役立つ。

378 あなたの体内にある水分は，単にあちこちに流れて行くわけではない。その３分の２は個々の細胞の中に閉じ込められている。

KEY POINT ▷ 104-108

375. There + be 動詞 + A

○ 問題 372, 374 で扱った，**There + be 動詞 + A.「A がいる[ある]」の構文では，A が主語なので，be 動詞は A に一致させる**。本問の主語 quite a few people「たくさんの人々」（→ 596）は複数なので，① has を have に修正する。

Plus **expose A to B**「A を B にさらす」は重要。**getting exposed to the sun** は「太陽にさらされること」の意味。

376. the number of A が主語 — 単数扱い

○ 問題 369 で扱った **the number of A(複数名詞)「A の数」が主語の場合は，単数扱いになる**。したがって，③ were を was に修正する。

Plus **more than S (had) expected** は，「S が予想した以上」の意味を表す。

377. 動名詞句が主語

○ Understanding the distribution and population size of organisms「生物の分布と個体数を理解すること」という動名詞句が主語であることを見抜く。**動名詞句が主語の場合は，単数扱い**なので（→ 371），③ help を helps に修正する。

Plus **help A do**「A が…するのに役立つ」は重要。→ 496, TARGET 74, 75

378. 分数 + of A が主語 — 動詞は A と一致 → 367

○ 本問の場合，主語の Two-thirds of it(= the water inside you)「あなたの体内の水の 3 分の 2」は 3 人称単数扱いなので，be 動詞は is になる。

379. the number of A が主語 → 369

○ 主語の「海外に旅行に行く人の数」は問題 369 で扱った the number of A（複数名詞）「A の数」を用いて，The number of people traveling abroad と表現できる。「急激に増えている」は，is increasing rapidly と進行形で表現すればよい。

380. 動名詞句が主語 → 371

○ 動名詞句の Being able to get the most out of your team「自分のチームを最大限に生かすことができること」が主語だと見抜く。文全体の構造は，S improves B as well as A.「S は A と同様に B を改善する」となっている。

---

375 ① has → have　**376** ③ were → was　**377** ③ help → helps　**378** is

379 The number of people traveling abroad[who travel abroad] is increasing rapidly.

380 メンバーあるいはチームリーダーとして，自分のチームを最大限に生かすことができると，チームの生産性や創造性と同様にチームの士気も高めることになる。

第14章 接続詞

等位接続詞，名詞節・副詞節を導く接続詞は種類も用法も多い。作文で実践的に使うので，完璧にしたい。

KEY POINT ▷109

381 □□□ Members of at least seven families of fishes can generate electricity, including the electric eel, the knifefish, (　　　).
① and so can the electric catfish
② and the electric catfish can
③ and the electric catfish
④ as well as the electric catfish can 〈青山学院大〉

382 □□□ Excuse me, (　　　) do you have the time?
① and　② but　③ so　④ thus 〈名古屋学院大〉

383 □□□ The new technology is expected to enhance people's well-being and happiness, (　　　) it also has the potential of being used for unethical purposes.
① because　② or　③ so　④ yet 〈立教大〉

384 □□□ (　　　) a subway or bus in New York, and you'll find yourself reading interesting advertisements along the way.
① By taking　② Taking　③ To take　④ Take 〈日本大〉

381 電気ウナギ，ナギナタナマズ，電気ナマズを含め，少なくとも７種族の魚が電気を発することができる。
382 すみませんが，今，何時ですか。
383 その新しい技術は，人々の安寧と幸福を高めることを期待されているが，非倫理的な目的のために用いられる可能性もある。
384 ニューヨークで地下鉄やバスに乗ると，道中でふと，おもしろい広告を読むことになる。

KEY POINT ▷ 109　　等位接続詞

381. 等位接続詞 and の用法 ― A, B, and C

▶ **等位接続詞の and, or, but は文法的に対等な要素を結びつける。A and[or / but] B** の場合，原則として，A が動名詞表現であれば，B も動名詞表現，A が動詞表現であればB も動詞表現にしなければならない。等位接続詞が何と何を結んでいるのか読み取ることは，読解上きわめて重要。

○ 本問は including の後に A, B, and C「A と B と C」と 3 つの名詞が続いていることを見抜く。A が the electric eel, B が the knifefish という名詞になっていることに着目し，等位接続詞 and に名詞が続いている③ and the electric catfish を選ぶ。

382. 等位接続詞 but の用法 ― A but B

○ 文意から，「逆接」を表す接続詞② but を選ぶ。本問は，**A but B** で，A と B が文になっている形。

Plus **Do you have the time?** は，**What time is it?** と同意で，「何時ですか」の意味を表す。

383. 等位接続詞 yet

○ 文意から判断して，「逆接」を表す接続詞④ yet「しかしながら，それでも」を選ぶ。

Plus **yet** には副詞用法もあるが，問題 382 の but のように，**2 つの文を「逆接」でつなぐ接続詞用法もある**ことに注意。

Plus **be expected to do** は「…することが期待されている」，**enhance people's well-being** は「人々の幸福を高める」，**the potential of being used for unethical purposes** は「非倫理的な目的で用いられる可能性」の意味。

384. and の用法 ― 命令文 ..., and 〜

▶ **命令文 ..., and 〜**は「…しなさい，そうすれば〜／…すれば〜」の意味を表す。

Plus **along[on] the way** は「途中で」の意味。

Plus「**命令文 ..., or 〜**」が「…しなさい，さもなければ〜／…しなければ〜」の意味を表すこともここで押さえておこう。

He said to me, "**Hurry up, or** you will be late."
(「急がないと，手遅れになる」と彼は私に言った)

Plus「**命令文 ..., and 〜**」の変形として，**名詞語句[副詞句], and 〜**「…すれば〜」の形もあることに注意。

One more step, and she would have fallen off the building.
(もう 1 歩進んでいれば，彼女はその建物から落ちていただろう)

---

381 ③　382 ②　383 ④　384 ④

KEY POINT ▷110

385 □□□ Both historically and (　　　), Kyoto is the heartland of Japan.
① also its geographically　② geographically
③ in its geography　④ the geography 〈慶應義塾大〉

386 □□□ What is important is (　　　), but what has not been said in the meeting.
① no matter what has been said
② what has never been said
③ whatever has been said
④ not what has been said 〈明治大〉

387 □□□ For dessert, there is either cake (　　　) ice cream.
① and　② else　③ instead　④ or 〈京都産業大〉

388 □□□ There are times when Jack feels lonely, as he has neither a brother (　　　) sister.
① and a　② neither a　③ nor a　④ without a 〈慶應義塾大〉

● TARGET 58 等位接続詞を用いた相関表現

- both A and B「A も B も」→ 385
- not A but B「A ではなく B」→ 386, 425 = B, (and) not A
- not only A but (also) B「A だけでなく B もまた」(= B as well as A)
- either A or B「A か B のどちらか」→ 387
- neither A nor B「A も B も…ない」→ 388
  = not ... either A or B
  = not ... A or B

*原則として A，B には文法的に対等な表現がくる。

385 歴史的にも地理的にも，京都は日本の中心地だ。
386 重要なのは，会議で話されてきたことではなく，話されてこなかったことだ。
387 デザートにはケーキかアイスクリームがあります。
388 兄弟も姉妹もいないので，ジャックは孤独を感じる時がある。

KEY POINT ▷ 110　等位接続詞を用いた相関表現

385. 等位接続詞を用いた相関表現（1）— both A and B

▶ 等位接続詞 and, or, nor, but は相関的な表現を形成する。**both A and B** は「A も B も」の意味を形成する。**原則として，A と B は文法的に対等な表現**がくる。→ TARGET 58

○ 本問は，A と B が副詞の形。Both historically and geographically は「歴史的にも地理的にも」の意味を表す。

386. 等位接続詞を用いた相関表現（2）— not A but B

○ **not A but B**「A ではなく B」（→ TARGET 58）が本問のポイント。A が what has been said (in the meeting)「（会議で）話されてきたこと」，B が what has not been said in the meeting「会議で話されてこなかったこと」という what で始まる関係代名詞節になっていることを見抜く。

387. 等位接続詞を用いた相関表現（3）— either A or B

○ **either A or B**「A か B のどちらか」（→ TARGET 58）が本問のポイント。なお，either cake or ice cream は there 構文の主語であるが，either A or B が主語の場合，動詞は B に合わせる。本問では，B に当たる ice cream は単数なので，be 動詞は is となっていることに注意。相関表現が主語のときの動詞の一致は，正誤問題で頻出。→ TARGET 56

Either Agnes **or** Bill is coming to the concert.
（アグネスかビルのどちらかがコンサートに来る予定です）

388. 等位接続詞を用いた相関表現（4）— neither A nor B

○ **neither A nor B**「A も B も…ない」（→ TARGET 58）が本問のポイント。

---

385 ②　386 ④　387 ④　388 ③

KEY POINT ▷111

389 □□□ I could not believe the fact (　　　　) California used to belong to Mexico.
① why　② how　③ that　④ which 〈甲南大〉

390 □□□ The waiter asked me (　　　　) I would like some coffee.
① if　② that　③ what　④ which 〈東京理科大〉

● TARGET 59　名詞節を形成する接続詞 that と関係代名詞 what　動画

接続詞 that と関係代名詞 what はいずれも名詞節を形成するが，次の違いがある。

- 接続詞 that：that 以下は完結した文。
- 関係代名詞 what：what 以下は名詞表現が欠落した文（what 自体が，節内で名詞の働きをするため）。

(1) My uncle knows (　　　　) I want this bicycle.
（私のおじは私がこの自転車を欲しがっていることを知っている）

(2) My uncle knows (　　　　) I want.
（私のおじは私が欲しいものを知っている）

* (1) は空所の後が完結した文であるため，接続詞 that が入る。(2) は空所の後が want の目的語が欠落した文であるため，what が入る。what は，節内で want の目的語として名詞の働きをしている。

389 私は，カリフォルニアがかつてメキシコに属していたという事実を信じることができなかった。
390 そのウェイターは，私にコーヒーを飲みたいかどうか尋ねた。

KEY POINT ▷ 111　名詞節を導く接続詞

389. 同格の名詞節を導く接続詞 that — A ＋ that 節

▶ **接続詞 that が導く名詞節は，名詞の後に置かれて，その具体的内容を表す場合がある。これを同格の名詞節という**（→ TARGET 59）。「**A ＋ that 節**」で「…という A」と訳出するのが原則。

Plus **used to do**「以前は…だった」は重要。→ 57

Plus すべての名詞が，同格の that 節をとるわけではない。したがって，とれる名詞をある程度覚えておくことは，英作文上きわめて重要。→ TARGET 60

390. 名詞節を導く if[whether] — ask A if[whether] ...

▶ **接続詞 if と whether** には「…かどうか」の意味を表す名詞節を導く用法がある。**ask A if[whether] ...** で「…かどうか A に尋ねる」の意味。if に関しては問題 18, 19, TARGET 4 を参照。

✕ ② that は不可。ask A that 節の形はないことに注意。

Plus whether 節が主語・目的語・補語・前置詞の目的語になるのに対し，if 節は動詞の目的語と形式主語 it を立てた場合の真主語としてしか用いられない。以下の例を参照。

［形式主語の場合］

It is questionable **if**[**whether**] the story is true.（その話が本当かどうか疑わしい）

［前置詞の目的語の場合］

That depends on **whether**[× if] your parents agree with your plan.

（それはあなたのご両親があなたの計画に賛成なさるかどうかによって決まるのです）

TARGET 60　同格の that 節をとる名詞　動画

●後ろに that 節をとる動詞の名詞形（「動詞 ＋ that 節」⇒「名詞 ＋ that 節」）

- demand「要求」
- suggestion「示唆，提案」
- conclusion「結論」
- report「報告」
- assertion「主張」
- order「命令」
- supposition「仮定」
- claim「主張」
- belief「考え」
- recognition「認識」
- proposal「提案」
- thought「考え」
- proposition「提案」
- hope「希望」
- request「提案」
- dream「夢」

●その他の名詞

- idea「考え」→ 424
- possibility「可能性」
- news「知らせ」
- opinion「意見」
- theory「理論」
- rumor「うわさ」
- impression「印象」
- evidence「証拠」
- chance「見込み」
- fact「事実」→ 389

389 ③　390 ①

391 □□□ Human beings differ from other animals in ( ) they can make use of fire.

① so ② that ③ what ④ which 〈関西学院大〉

KEY POINT ▷ 112

392 □□□ I can see that you are about halfway through that novel. Could I borrow your book ( ) you are finished with it?

① as soon ② since ③ when ④ while 〈慶應義塾大〉

393 □□□ ( ) the annual clearance was launched, sales of our products have more than doubled.

① For ② Since ③ Unless ④ Until 〈東京理科大〉

394 □□□ ( ) the Revolutionary War ended in 1783, Boston merchants began to build huge fortunes through foreign trade.

① After ② During ③ If ④ Over 〈西南学院大〉

KEY POINT ▷ 113

395 □□□ ( ) my son enters elementary school, he should be able to say the English alphabet.

① Before long ② By the time ③ While ④ Until 〈立教大〉

396 □□□ I wanted to relax on my bed, but my mother began cleaning my room. So, I stayed in the living room ( ) she finished.

① until ② by ③ when ④ though 〈秋田県立大〉

391 人間は火を使えるという点で，ほかの動物とは異なる。
392 あなたは，その小説のほぼ半分を読み終えたようですね。読み終えたら，その本を貸していただけますか。
393 年 1 回の在庫一掃セールが始まってから，当社の製品の売上高は倍以上になっている。
394 アメリカ独立戦争が 1783 年に終わると，ボストンの商人たちは外国貿易を通じて巨大な富を築き始めた。
395 私の息子は小学校に入るまでに，英語のアルファベットを言うことができるはずだ。
396 私は自分のベッドでのんびりしたかったが，母が私の部屋を掃除し始めた。それで，私は母が掃除し終わるまで居間にいた。

391. 名詞節を導く that ― in that S ＋ V ...

▶ 原則として that 節は前置詞の目的語にはならないが，例外的に **in that S ＋ V ...**「…する点で／…するので（**= because**）」と，**except ＋ (that) ＋ S ＋ V ...**「…することを除いて」の形がある。

○ 本問は，in that S ＋ V ... を問う問題。**A differs[is different] from B in that S ＋ V ...**「…する点で A は B と異なる」は英作文で覚えておきたい表現。

Plus 以下は except ＋ (that) S ＋ V ... の用例。
I know nothing about him **except** (**that**) he is a doctor.
（彼が医者だということを除けば，彼について私は何も知らない）

KEY POINT ▷ 112　時の副詞節を導く接続詞（1）

392. 時の副詞節を導く when

○ 文意から判断して，③ when「…するとき」を選ぶ。

Plus **be halfway through A** は「A を半分終えている」, **be finished with A** は「A を終えている」の意味。

393. 時の副詞節を導く since

○ 文意から判断して，② Since「…して以来」を選ぶ。since の用法は問題 20 を参照。

Plus **the annual clearance** は「年 1 回の在庫一掃セール」の意味。

394. 時の副詞節を導く after

○ 文意から判断して，① After「…した後で［に］」を選ぶ。

Plus **the Revolutionary War** は「アメリカ独立戦争」の意味。

KEY POINT ▷ 113　時の副詞節を導く接続詞（2）

395. 時の副詞節を導く by the time ― until との区別

▶ 接続詞 **by the time** は「…するまでには」の意味で，主節動詞の行為が完了する「**期限**」を表すのに対し，**until[till]** は「…するまで（ずっと）」の意味で，主節動詞が表す「**継続**」した状態・動作の終了の時点を表すと覚えておけばよい。日本語の訳出の違いだけでも十分に判断できるはず。

○ 文意から「息子が小学校に入学するまでには」の意味になるので，② By the time を選ぶ。

396. 時の副詞節を導く until

○ 問題 395 で扱った **until[till] ...**「…するまで（ずっと）」が本問のポイント。

---

391 ②　392 ③　393 ②　394 ①　395 ②　396 ①

397 □□□ We won't be getting married (　　　) we've saved enough money.
① as　② if　③ while　④ until 〈上智大〉

398 □□□ It won't be long (　　　).
① that spring will come　② when spring comes
③ before spring comes　④ until spring will come 〈高知大〉

KEY POINT ▷ 114

399 □□□ I'll proceed to the convention center registration desk (　　　) I've finished checking into the hotel.
① while　② as soon as　③ until　④ immediately before
〈北里大〉

● TARGET 61 接続詞 the moment など

as soon as S + V ...「…するとすぐに」(→ 399) と同様の意味・用法を持つ接続詞に，以下のものがある。

● the moment S + V ... → 400

● the minute S + V ...
I recognized my teacher the minute I saw her on the street.
(通りで見かけるとすぐに先生だと気づいた)

● directly S + V ... (英)
Directly the woman entered the room, she screamed.
(その女性は部屋に入るとすぐに叫び声をあげた)

● the instant S + V ...
The instant the soccer player scored a goal, the fans shouted.
(そのサッカー選手がゴールを決めた途端にファンは大声をあげた)

● immediately S + V ... (英)
Immediately I told the driver where to go, he started the car.
(行き先を伝えるとすぐに，運転手は車を発進させた)

397 私たちは十分なお金を貯めるまで，結婚することはありません。
398 もうすぐ春が来るでしょう。
399 ホテルへのチェックインを終え次第，私はコンベンションセンターの登録受付所に向かう。

397. until の用法 — not ... until S ＋ V ～

○ **until[till]**「…するまで（ずっと）」（→ 395, 396）を用いた **not ... until S ＋ V ～**「～するまで…しない／～して初めて…する」が本問のポイント。

Plus until[till] は「…して，ついに～」と前から訳出する方が自然な場合があるので注意。特に until の前にコンマがある場合や，until の次に at last / eventually / finally「ついに」などの表現がある場合は，このニュアンスになる。

They walked on and on, **until finally** they found a little stream.
（彼らはどんどん歩いていったが，ついに小さな川の流れを見つけた）

398. before の用法 — It won't be long before S ＋ V ...

▶「時間」を表す it を主語に立てた **It won't be long before S ＋ V ...** は，「…するのは遠くないだろう／まもなく…するだろう」の意味を表す。この形は，**It is ＋ 時間 ＋ before S ＋ V ...**「…するまでに～の時間がかかる」の構文から派生したもの。以下の用例を参照。

It was a month before he got well.（彼が回復するまでに 1 カ月かかった）

KEY POINT ▷ 114　as soon as とその同意表現

399. 時の副詞節を導く as soon as

○ 文意から判断して，② as soon as「…するとすぐに」を選ぶ。

Plus **proceed to A** は「A に進む」の意味。

---

397 ④　398 ③　399 ②

400 □□□ (　　　) I saw the cute puppy at the shop, I decided to buy it as my pet.
① The moment ② By the moment
③ To the moment ④ For the moment 〈名古屋工業大〉

401 □□□ She had been on the phone to a friend when she noticed a strange smell start to spread through the house. (　　　) had she escaped through the front door than flames started rising through the roof.
① Not until ② Hardly ever
③ No sooner ④ Unless otherwise 〈慶應義塾大〉

KEY POINT ▷ 115

402 □□□ (　　　) I hear that song, it makes me want to dance.
① Every time ② In time ③ Time by time ④ On time
〈北里大〉

● TARGET 62 ... hardly ... when ～など 動画

「…するとすぐに～」の意味を表す相関表現は，以下のように整理して押さえておくとよい。

(1) … { hardly / scarcely } … { when / before } ～
(2) … no sooner … than ～

＊主節動詞（...）に過去完了，従節動詞（～）に過去形を用いて，過去の内容を表すことが多い。

＊hardly，scarcely，no sooner は否定語だから，文頭にくると主語と動詞は倒置（疑問文の語順）になる。→ 401

＊なお，(1) で hardly，scarcely ではなく not を用いて，had not done ... before[when] ～の形になると，「…しないうちに～する」の意味となる。
I had not gone far before it began to rain.
（遠くまで行かないうちに雨が降りだした）

400 その店でかわいい子犬を見るとすぐに，私はそれを自分のペットとして購入することにした。
401 彼女が電話で友人と話をしていると，変なにおいが家の中に広がってくるのに気づいた。彼女が正面玄関から逃げ出すやいなや，炎が屋根から立ち上り始めた。
402 私は，その歌を聞くたびに踊りたくなる。

400. as soon as と同意表現 — the moment S + V ...

▶ **the moment** は接続詞として「…するとすぐに」の意味で用いられる。接続詞 **as soon as** と同意。

Plus moment は「瞬間」(= instant, minute) の意味だが，(at) the moment (when) S + V ...「…する瞬間に → …するとすぐに」の at と when がとれた形だと考えればわかりやすい。

401. No sooner had S done ... than S′ + 過去形 〜

▶ **S had no sooner done ... than S′ + 過去形 〜.** は「…するとすぐに〜」の意味を表す。

否定の副詞表現 no sooner が文頭にくると倒置（疑問文の語順）になり，**No sooner had S done ... than S′ + 過去形 〜.** の形になることに注意。→ 265, TARGET 62

Plus 知覚動詞 **notice** は，**notice A do** の形で「A が…するのに気づく」の意味を表す。

KEY POINT ▷ 115　every time / suppose / once / unless

402. 接続詞としての every time S + V ...

▶ **every time[each time]** は接続詞として，**every time[each time] S + V ...** の形で「…するときはいつも／…するたびに」の意味を表す。→ TARGET 63

Plus **make A do**「A に…させる」は重要。→ 494

TARGET 63　time を用いた接続詞

- the first time「初めて…するときに」
  The first time I met her, I liked her at once.
  （彼女に初めて会ったとき，すぐに好きになった）
- (the) next time「次に…するときに」
  *節内が「未来」のことであれば，the をつけない。
  Next time I come, I'll bring along my children.
  （今度来るときには子どもたちを連れてきます）
- the last time「最後に…するときに」
  The last time I met him, he looked tired.
  （最後に彼に会ったとき，彼は疲れて見えた）
- any time / anytime「…するときはいつも」
  Come and see me, any time you want to.
  （私に会いたいときはいつでも会いにきてください）
- every time[each time]「…するときはいつも／…するたびに」→ 402
  Every time we go on a picnic, it rains.
  （私たちがピクニックに行くたびに雨が降る）

400 ①　401 ③　402 ①

403 □□□ (　　　) you won the lottery, what would you do with the money?

① Suppose ② Think ③ Hope ④ Let 〈杏林大〉

404 □□□ This game is easy, (　　　) you learn the basic rules.

① with ② even if ③ once ④ unless 〈東京電気大〉

405 □□□ (　　　) we fix the problem now, we will never be able to succeed.

① If ② Unless ③ Because ④ Despite 〈杏林大〉

KEY POINT ▷116

406 □□□ We enjoyed our stay on the beach, (　　　) the weather was cloudy and windy.

① despite ② in spite of ③ although ④ regardless of

〈東洋大〉

● TARGET 64 動詞から派生した条件節を導く表現

以下はいずれも if S + V ...「もし…ならば」の意味を表す表現。

- provided (that) S + V ...

  Students can leave school early provided that they have received permission.

  (許可を得ていれば生徒は学校を早退することができる)

- supposing (that) S + V ...

  Supposing that the new railway line is built, the population will increase in this town.

  (新しい鉄道が開通したらこの町の人口は増えるだろう)

- providing (that) S + V ...

  Providing that it does not rain tomorrow, I will go hiking.

  (明日雨が降らなければハイキングに行きます)

- suppose (that) S + V ... → 403

*(×) supposed (that) S + V ... の形はない。誤答選択肢に使われることがあるので注意すること。

403 宝くじに当選したとしたら，あなたはそのお金で何をしますか。
404 いったん基本的なルールを学べば，このゲームは簡単だ。
405 今，問題を解決しない限り，私たちは決して成功することができないだろう。
406 天気は曇りで風が強かったけれど，私たちはビーチでのひとときを楽しんだ。

403. if 節の代用表現 — suppose S ＋ V ...

▶ **suppose (that) S ＋ V ...** は if S ＋ V ... と同意で，「もし…ならば」の意味を表す。
→ TARGET 64

404. 接続詞として用いる once

▶ once には接続詞用法があり，**once S ＋ V ...** で「ひとたび…すると／いったん…すると」の意味を表す。

405. unless S ＋ V ... = except when S ＋ V ...

▶ **unless ...** は「…でない限り／…の場合は除くが」の意味を表す。X unless Y「Y でない限り X」（X，Y は文内容）は，X に関する「唯一の例外」を表す。

Plus **unless S ＋ V ...** の同意表現，**except when S ＋ V ...** もここで押さえておこう。

KEY POINT ▷ 116　「譲歩」を表す接続詞

406.「譲歩」を表す接続詞（1）— although

○ 文意から判断して，「譲歩」を表す **although**「…だけれども」が入る。although は though の同意表現。

✕ ① **despite A**「A にもかかわらず」は前置詞，② **in spite of A**「A にもかかわらず」，④ **regardless of A**「A（のいかん）にかかわらず」は群前置詞。接続詞は③ although だけ。

403 ①　404 ③　405 ②　406 ③

407 □□□ They went to the party (　　　) they had a test the next day.
① despite　② even　③ even though　④ in spite of 〈立命館大〉

408 □□□ (　　　) we understand his anger, we cannot accept his behavior.
① Even if　② Only if　③ What if　④ As if 〈東海大〉

409 □□□ Different (　　　) Warren and Graham were, they shared something in common.
① if　② how　③ as　④ unless 〈慶應義塾大〉

● TARGET 65　接続詞 as の用法

(1) 原因・理由の as「…なので」→ 427
Let's go by car, as I have a car.（車があるから，車で行きましょう）

(2) 様態の as「…するように／…するとおりに」
He sang as she did. = He sang the way she did.（彼は彼女の歌うとおりに歌った）
***この as は the way でも表現できることも押さえておきたい。**

(3) 比例の as「…するにつれて／…するにしたがって」→ 420
As one grows older, one becomes wiser.（人は年をとるにつれて，賢くなる）

(4) 時の as「…するとき／…しながら／…したとたんに」
He went out just as I came in.（ちょうど私が入ってきたとき，彼は出て行った）
*when や while よりも同時性が強い。

(5) 譲歩の as「…だけれども」→ 409
Tired as he was, he went on working.（疲れていたけれども，彼は働き続けた）
***譲歩を表すのは,「形容詞／副詞／無冠詞名詞 ＋ as ＋ S ＋ V ...」の形の場合に限られる。**

(6) 限定の as「…のような」
Language as we know it is a human invention.
（私たちの知っているような言語は人間が創り出したものです）
***直前の名詞の意味を限定する。**it は language を受ける。

407 翌日にテストがあるにもかかわらず，彼らはそのパーティーに出かけた。
408 たとえ私たちが彼の怒りを理解したとしても，彼の振る舞いを容認することはできない。
409 ウォーレンとグレアムは異なるものの，彼らには共通点があった。

407.「譲歩」を表す接続詞（2）― even though

▶ **though / although** は「…だけれども」という意味を表す接続詞だが，**even though**（× even although とは言わないことに注意）になると，意味が強まり「たとえ…でも／…にもかかわらず」という意味になる。

Plus **even though** は **even if** とほぼ同意だが，**even if** が「事実はどうであれ」といったニュアンスが強いのに対し，**even though** は「事実」を前提に使う傾向がある。

I won't be surprised **even if** it is true.（たとえそれが本当でも驚かないよ）

408.「譲歩」を表す接続詞（3）― even if

○ even if「たとえ…だとしても／…だとしても」（→ 407）が本問のポイント。

409.「譲歩」を表す接続詞（4）― as

▶ **形容詞／副詞／無冠詞名詞 ＋ as ＋ S ＋ V ...** の形で「…だけれども」という譲歩の意味を表す。→ TARGET 65

Plus **as の代わりに though を用いることもあるので注意**（although は不可）。

Plus なお，「無冠詞名詞 ＋ as ＋ S ＋ V ...」の例は入試ではまだ出題されているが，今ではほとんど使われていない。

Plus **as を用いた上記の形で，「…なので」という理由の意味で用いられることがある点も押さえておこう。**以下の例を参照。

Clever as Tom was, he solved the problem quickly.
（トムは賢かったので，その問題を素早く解いた）

---

407 ③　408 ①　409 ③

KEY POINT ▷117

410 □□□ In Japan, the advertisements carry so many foreign words ( ) people who are concerned for the future of the Japanese language often let out cries of alarm.

① as far as ② because ③ if ④ that 〈東京薬科大〉

411 □□□ It was ( ) that I took a day off from work.

① a so lovely day ② a such lovely day
③ so a lovely day ④ such a lovely day 〈青山学院大〉

KEY POINT ▷118

412 □□□ Tatsuya went home early today ( ) he could prepare dinner for his wife.

① so that ② as for ③ as such ④ in order to 〈南山大〉

413 □□□ We are sending our representative ( ) you may discuss the matter with her.

① in order that ② to order in
③ in order to ④ order as in 〈法政大〉

410 日本では，広告にとても多くの外国語が含まれているので，日本語の将来を心配する人たちは，しばしば警戒の声を発している。
411 とてもよい天気だったので，私は1日仕事を休んだ。
412 タツヤは妻のために夕食の準備ができるように，今日は早めに帰った。
413 私たちは，あなたがたが彼女とその件について話し合えるように代理人を送ります。

KEY POINT ▷ 117　接続詞を使って「結果」「程度」を表す表現

410.「結果」「程度」を表す so ... that S + V ～

▶ **so ... that S + V ～**は「とても…なので～（結果）／～するほど…（程度）」の意味を表す。

Plus **let out A** は「A（叫び声など）を出す」の意味。

411.「結果」「程度」を表す such ... that S + V ～

▶ **such ... that S + V ～**も文意は「とても…なので～（結果）／～するほど…（程度）」で，so ... that S + V ～と同じ。ただし，such 以下は **such + a[an] +（形容詞）+ 名詞**や，名詞が複数形や不可算名詞の場合は，**such +（形容詞）+ 名詞**の形になる。

Plus 本問のように，**such + a[an] +（形容詞）+ 名詞 + that S + V ...** の場合は，**so + 形容詞 + a[an] + 名詞 + that S + V ...** と言い換えることができる（→ 271）。したがって，③ so a lovely day は so lovely a day であれば可。

KEY POINT ▷ 118　接続詞を使って「目的」を表す表現

412.「目的」を表す so that S can ...

▶ **so that S can[will / may]** ... で，「…できるように［するために］」という「目的」を表す副詞節を導く用法がある。

Plus 助動詞を否定形にすれば，「…しないために」の意味になるが，その場合 can / could は避けられることが多い。

Plus that を省略して，**so S can ...** の形で口語的に用いられることがある。この場合は助動詞に can を用いるのが一般的。

Please get closer **so I can** get you all in the photograph.
（全員が写真に入るように，みなさんもっと詰めてください）

Plus **so that** の前に通例コンマを置いて，「それで／その結果」という「結果」を表す用法もあるので注意。

Plus I opened up the wet umbrella and set it outside in the sun, **so that** it dried quickly.
（濡れた傘を広げて日なたに置くと，それはすぐに乾いた）

413. 目的を表す in order that S may ...

▶ **in order that S may[can / will]** ... は，問題 412 で扱った **so that S can[will / may] ...** と同意で，「…するために」という「目的」を表す。**in order that S may[can / will] ... の that は省略できないことに注意。**

410 ④　411 ④　412 ①　413 ①

KEY POINT ▷119

414 □□□ You should insure your car (　　　　) stolen.
① in case it will be ② if it will be ③ if it is ④ in case it is
〈法政大〉

415 □□□ (　　　　) that you are a college student, you ought to know better.
① After ② In order ③ Now ④ So 〈玉川大〉

KEY POINT ▷120

416 □□□ 動画 As (　　　　) as I am concerned, this is not a big problem.
① far ② soon ③ possible ④ well 〈東海大〉

417 □□□ I will keep this promise as (　　　　) as I live.
① late ② soon ③ far ④ long 〈青山学院大〉

414 あなたは，車が盗まれた場合に備えて保険をかけるべきだ。
415 あなたはもう大学生なのだから，もっと分別があってしかるべきだ。
416 私に関する限り，これは大きな問題ではない。
417 私が生きている限り，この約束は守ります。

KEY POINT ▷ 119　in case / now that

414. in case S ＋ 現在形

▶ **in case S ＋ 現在形[should ＋ 原形]**は「S が…する場合に備えて」の意味を表す。主節が過去時制であれば，「in case S ＋ 過去形」の形で用いる。また，**in case 節内で should 以外の助動詞は用いない**ことに注意。

✕ ① in case it will be は不可。in case it should be なら可。

Plus **in case S ＋ V ...** で「もし…なら」という if と同じ意味を表す用法（アメリカ用法）があることも押さえておこう。

What shall we do **in case** it rains?　（もし雨が降ったら，どうしましょうか）

Plus 同意表現の **for fear (that) S may[might / will / would / should]** ＋ 原形もここで押さえておこう。

He worked hard **for fear (that)** he **should** fail again.
（また落第するといけないので，彼は一生懸命勉強した）

415.「明白な理由」を表す now that S ＋ V ...

▶ **now (that) S ＋ V ...**「今や…だから」は，「相手」もわかっている**明白な理由**を表す。that が省略されることもあるので注意。

KEY POINT ▷ 120　接続詞 as far as と as long as

416.「範囲・制限」を表す as far as — as long as との区別

▶ 接続詞 **as[so] far as** は「…する限り（では）」**という意味で範囲・制限を表すが，as[so] long as は時**「…する間(**= while**)」**や条件**「…しさえすれば(**= only if**)」**を表す**。日本語では区別がつかない場合が多いので，節の内容が，範囲・制限なのか時・条件なのかをはっきりとさせること。それでも判断がつきにくければ，while または if に置き換えられれば as[so] long as，置き換えられなければ as[so] far as と考えておけばよい。

○ 本問の **as far as S is concerned**「S に関する限り」は，よく用いられる表現なので慣用表現として押さえておくこと。

Plus **as far as** と **as long as** の区別は以下の文で確認しておこう。

As far as I know, Tom is a good man.
（私の知っている限り，トムはいい人です）

Any book will do **as long as** it is interesting.
（おもしろければ，どんな本でもいいです）

417.「時・条件」を表す as long as

○ 問題 416 で扱った **as[so] long as**「…する間(**= while**)」が本問のポイント。

Plus **as long as I live**「私が生きている限り」はよく用いられる表現。

---

414 ④　415 ③　416 ①　417 ④

KEY POINT ▷ 121

418 □□□ Our class was scolded by the teacher for chatting (   ) she was teaching.

① during ② then ③ the time ④ while 〈京都産業大〉

419 □□□ The smoking rate among women is increasing, (   ) that of men is decreasing.

① contrary ② opposite ③ unequal ④ whereas 〈日本大〉

420 □□□ The weather was getting better and better, (   ) the day went on.

① for ② as ③ that ④ unless 〈県立広島大〉

418 私たちのクラスは，先生が教えている最中におしゃべりをしたために叱られた。
419 女性の喫煙率は上昇しているが，男性の喫煙率は下降している。
420 日がたつにつれて，天気はどんどんよくなっていった。

KEY POINT ▷ 121　while / whereas / as

418.「期間」を表す while S + V ...

▶ 接続詞 while は，**while S + V ...** で「…している間に」の意味を表す。

✕ ① during「…の間に」は前置詞なので不可。

Plus **S scold A for B.**「S は B のことで A を叱る」は重要。本問はその受動態 **A is scolded by S for B.**「A は B のことで S に叱られる」の形になっている。

419.「対比」を表す whereas S + V ...

▶ 接続詞 **whereas** は，「〜，一方…」という「**対比**」を表す。

Plus 接続詞 **while** にも「対比」を表す用法があることを，ここで押さえておこう。
Tom is shy, **while** his wife is sociable.（トムは引っ込み思案であるが，一方で彼の妻は社交的だ）

420.「比例」を表す as S + V ...

▶ 接続詞 as には多様な用法があるが，**as S + V ...** で「…するにつれて」という「**比例**」の意味を表す用法がある。→ TARGET 65

Plus **as the day goes on**「日がたつにつれて」は，よく用いられる表現。

418 ④　419 ④　420 ②

第14章 接続詞 応用問題にTry!

KEY POINT ▷ 109-121

421 □□□ On arriving at the hotel, he called his son.
= (　　　) (　　　) (　　　) he arrived at the hotel, he called his son. 〈大阪教育大〉

422 □□□ Monkeys learn tricks (give great performances / they will / that / be able to / so easily) in a short time. 〈名古屋工業大〉

423 □□□ Mr. Parker is very busy today. Don't call him (　　　) it's urgent. 〈京都教育大〉

424 □□□ I sometimes get ①frustrated by the idea ②in which the president can do ③anything if he just ④decides he wants to do it. 〈学習院大〉

425 □□□ 私たちを驚かせたのは，彼の奇妙な行動ではなく失礼な発言だった。
What (his / his / us / remarks / behavior / surprised / was / unusual / rude / but / not). 〈高知大〉

426 □□□ まもなく私たちは宇宙旅行を楽しむことができるだろう。
〈it で書き始める〉

427 □□□ It's possible that staying busy increases people's ability to learn new things, as they may be exposed to different situations, people, and information on a daily basis. 〈お茶の水女子大〉

426 enjoy space travel「宇宙旅行を楽しむ」
427 It's possible that S + V ...「…ということがありうる」, staying busy「忙しくしていること」, A's ability to do ...「…する A の能力」, expose A to B「A を B にさらす」, on a daily basis「毎日のように」

421 ホテルに到着するとすぐに，彼は息子に電話をかけた。
422 サルは芸をいとも簡単に覚えるため，短時間ですごい芸をすることができるようになるだろう。
423 パーカー氏は，今日はとても忙しいのです。緊急でない限り，彼に電話しないでください。
424 私は，社長であれば，やりたいと思いついただけで何でもすることができるという考え方に腹立たしくなることがある。

KEY POINT ▷ 109-121

421. 時の副詞節を導く as soon as

○ 問題 122 で扱った **on doing** は,「…するとすぐに」の意味を表すので, 空所には As soon as が入る。→ 399

422.「結果」「程度」を表す so ... that S ＋ V 〜

○ 問題 410 で扱った **so ... that S ＋ V 〜**「とても…なので〜（結果）／〜するほど…（程度)」が本問のポイント。that 以下は, they will be able to give great performances「サルたちは, すごい芸をすることができるようになるだろう」とまとめればよい。

423. unless S ＋ V ... = except when S ＋ V ...

○ 問題 405 で扱った **unless S ＋ V ...**「…でない限り」が本問のポイント。

424. 名詞の後に置く同格の that 節 ― the idea that S + V ...→ 389, TARGET 60

○ **the idea that S ＋ V ...**「…という考え」が本問のポイント。② in which を名詞節を導く接続詞の that に修正する。

425. 等位接続詞を用いた相関表現 ― not A but → 386

○ **not A but B**「A ではなく B」が本問のポイント。主語に関係代名詞の what 節を作り, **What surprised us was not A but B.**「私たちを驚かせたのは A ではなく B だった」を想定してまとめる。

426. before の用法 ― It won't be long before S ＋ V ... → 398

○ 本問は, **It won't be long before S ＋ V ...**「…するのは遠くないだろう／まもなく…するだろう」という表現を使って表すことができる。

427.「理由」を表す接続詞 ― as → TARGET 65

○ 主節は, It's possible that S increases A.「S が A を高めることがありうる」の形になっており,「理由」を表す接続詞 as から始まる従節は, S may be exposed to A, B, and C.「S は A, B, C にさらされているかもしれない」の形となっている。

---

421 As soon as　**422** so easily that they will be able to give great performances
423 unless　**424** ② in which → that
425 surprised us was not his unusual behavior but his rude remarks
426 It won't be long before we can enjoy space travel.
427 忙しくしていることが, 人の新しいことを学ぶ能力を高めるということがありうる。人は毎日のように, さまざまな状況, 人間, 情報にさらされる可能性があるからだ。

第15章 前置詞

ひとつの前置詞に様々な用法がある。読解ではそれを見抜く必要があり，正しい使用は作文の基礎となる。

KEY POINT ▷122

428 □□□
We left London (　　　) the morning of June 7, 2007.
① at　② on　③ to　④ for 〈駒澤大〉

429 □□□
A：What time does the library close?
B：It closes at 9 p.m. Monday to Friday and 6 p.m. (　　　) Saturdays.
① at　② by　③ in　④ on 〈学習院大〉

430 □□□
To prepare for the New Year's sale, the employees will work (　　　) midnight.
① in　② till　③ by　④ on 〈法政大〉

TARGET 66 時を表す in / on / at

(1) in —「幅のある期間（年／季節／月）」に用いる。
- in 2020「2020 年に」 ● in July「7 月に」
- in (the) spring「春に」

You can enjoy cherry-blossom viewing in spring.（春には花見を楽しむことができる）

(2) on —「日（曜日／日付）」に用いる。
- on Tuesday「火曜日に」→ 429
- on September 10(th)「9 月 10 日に」→ 466

My father was born on September 10th, 1980.（私の父は 1980 年 9 月 10 日に生まれた）

(3) at —「時の 1 点（時刻）」に用いる。
- at seven o'clock「7 時に」

I usually get up at seven o'clock.（私はいつも 7 時に起きる）

*不特定で一般的な朝・午後・夜などを morning，afternoon，evening で表す場合は，in the morning / in the afternoon / in the evening など **in** を用いる。

*他方，特定の朝·午後·夜などや形容詞で修飾する場合には，例えば on the morning of June 25th / on a cold morning / on Sunday afternoon などのように **on** を用いる。→ 428

*night の場合は，不特定で一般的な「夜」なら at night を用いるが，cold などの形容詞で修飾する場合には on a cold night と表現する。

428 私たちは 2007 年 6 月 7 日の朝にロンドンを出発した。
429 A：図書館は何時に閉館しますか。
B：月曜日から金曜日は午後 9 時に，毎週土曜日は午後 6 時に閉まります。
430 新年の特売に備えて，従業員は真夜中まで働くことになるだろう。

KEY POINT ▷ 122　時を表す前置詞

428. 特定の朝の場合 — on

▶ 特定の朝・午後・夜の場合は，**on the morning of June 7**「6 月 7 日の朝に」のように on を用いる。→ TARGET 66

429. 曜日の場合 — on

▶ 曜日の場合は，**on Saturday**「土曜日に」のように on を用いる。→ TARGET 66

Plus **on Saturdays** のように複数形にすると，「(習慣的に) 土曜日に」のニュアンスが出る。

430.「継続」を表す till —「期限」を表す by との区別

▶ 接続詞 till[until] と by the time の違い（→ 395）は，前置詞 till[until] と by の間でも同じ。**till[until] A**「A まで（ずっと）」は「**継続**」，**by A**「A までに（は）」は「**期限**」を表す。

○ 本問は，「真夜中まで（ずっと働くだろう）」の意味になるので ② till (midnight) を選ぶ。

Plus by の用例は以下の文を参照。

If we take an express, we'll get home **by** seven o'clock.
（急行に乗れば，7 時までには家に着くでしょう）

Plus **prepare for A** は「A に備える／ A のために準備する」の意味。

428 ②　429 ④　430 ②

431 □□□ Please complete the assignment ( ) next Monday.
① by ② until ③ since ④ to 〈南山大〉

432 □□□ We hope to see a couple of shows ( ) our stay in New York City.
① for ② during ③ while ④ until 〈法政大〉

433 □□□ Please wait here ( ) five minutes.
① until ② for ③ by ④ during 〈法政大〉

434 □□□ I got sick last month and lost five kilos, but ( ) a week I was right back up to my regular weight.
① within ② by ③ until ④ from 〈南山大〉

435 □□□ I'm looking forward to seeing you ( ) three weeks.
① about ② from ③ in ④ until 〈立命館大〉

KEY POINT ▷ 123

436 □□□ If you don't know how to get to Mary's party, let's meet ( ) the corner of 4th Street and 5th Avenue.
① with ② in ③ to ④ at 〈南山大〉

● TARGET 67 場所を表す in / on / at 動画

(1) in — ①「空間」(space)をイメージする比較的広い場所の中であること，②何かで囲まれた「内部」を示す。→ 436
① in Japan「日本で」，② in the park「その公園で」

(2) on — ①「面」(surface)に接触していること，②「近接」を示す。→ 438
① on the wall「壁に」，② a village on the lake「湖のほとりの村」

(3) at — ①「点」(point)をイメージする比較的狭い場所であること，②「地点」を示す。→ 436
① at the corner「角で[に]」，② at the door「ドアのところで」

431 来週の月曜日までに課題を完成させてください。
432 私たちはニューヨーク市での滞在中に，2，3の演劇を見たいと思っている。
433 ここで5分間待っていてください。
434 私は先月病気になって体重が5キロ減ったが，1週間以内にいつも通りの体重に戻った。
435 3週間後にお会いできるのを楽しみにしています。
436 メアリーのパーティーへの行き方がわからない場合は，4番通りと5番街の角で会いましょう。

431.「期限」を表す by

○ 問題 430 で扱った「**期限**」を表す **by A**「A までに(は)」が本問のポイント。by next Monday で「次の月曜日までに」の意味を表す。

432.「特定の期間」を表す during ― for との区別

▶ 前置詞 for が通例，数詞などのついた期間を表す語句を従えて，単に「期間の長さ」を表すのに対し，**during は定冠詞や所有格などのついた語句を従えて「特定の期間」**を表す。

✕ ③ while は接続詞なので不可。while we stay in New York であれば可。

Plus **for three minutes**「3 分間」，**for a week**「1 週間」，**during the week**「その週の間」，**during my stay in London**「ロンドンに私が滞在している間」，**during the vacation**「その休暇中」などでその違いを確認しておこう。

433.「期間の長さ」を表す for

○ 問題 432 で扱った「**期間の長さ**」を表す **for A** が本問のポイント。**for five minutes** で「5 分間」の意味。

434. within の用法

○ 文意から判断して，① within「…以内に」を選ぶ。**within a week** で「1 週間以内に」の意味。

435.「経過」を表す in

○ 文意から判断して，「経過」を表す③ in「今から…で／…経つと」を選ぶ。**in three weeks** は「(今から) 3 週間後」の意味。

KEY POINT ▷ 123　場所などを表す前置詞

436.「地点」を表す at ―「空間」を表す in との違い

○「地点」を表す④ at を選ぶ。**at the corner of A and B**「A と B の角で」で押さえる。A と B の線が交わるところは，in「空間」(space) ではなく at「点」(point) となるはず。→ TARGET 67

---

431 ①　432 ②　433 ②　434 ①　435 ③　436 ④

437 □□□
They went fishing (　　　) the river.
① over　② under　③ in　④ to　〈関西学院大〉

438 □□□
London is situated (　　　) the River Thames.
① in　② on　③ to　④ with　〈明治大〉

439 □□□
My home town is about 100 kilometers (　　　) the north of Tokyo.
① for　② off　③ on　④ to　〈立教大〉

440 □□□
The hotel is located (　　　) the National History Museum and the Hotel Classic in the historic district.
① from　② between　③ into　④ among　〈西南大〉

441 □□□
It was difficult to settle the dispute because disagreement was evident (　　　) the workers.
① among　② beyond　③ inside　④ within　〈学習院大〉

442 □□□
Is there a basement (　　　) the first floor?
① down　② bottom　③ lower　④ below　〈青森公立大〉

443 □□□
People (　　　) 20 are not allowed to drink alcohol.
① within　② above　③ under　④ for　〈杏林大〉

444 □□□
Let's talk (　　　) a cup of coffee, shall we?
① over　② on　③ in　④ at　〈東海大〉

437 彼らは川へ釣りに行った。
438 ロンドンはテムズ川のほとりに位置している。
439 私の故郷は，東京の北へ 100 キロメートルほど行ったところにある。
440 そのホテルは，歴史的地区にある国立歴史博物館とホテル・クラシックの間に位置している。
441 労働者の間で意見の相違が明らかだったので，その論争を解決することは難しかった。
442 1 階の下に地下室はありますか。
443 20 歳未満の人はアルコール飲料を飲むことを認められていない。
444 コーヒーを飲みながら話しませんか。

437. go fishing in A「A に釣りに行く」

▶「A に釣りに行く」は(×)go fishing to A とは言えず，**go fishing in A** で表す。「A に」は go ではなく fishing に支配される。**go swimming in the river**「川に泳ぎに行く」，**go shopping at a department store**「デパートに買い物に行く」，**go skiing in Hokkaido**「北海道にスキーに行く」などで覚えておこう。→ TARGET 67

438. 近接を表す on — on the ＋ 川(の名)

▶ **on** は「接触」を前提にして用いるが，そこから「…に面して(いる) ／…のほとりに[の]」という「近接」の意味で用いることがある。特に「**on the ＋ 川(の名)**」「…川のほとりに[の]」は頻出。→ TARGET 67

439.「方向」を表す to — to the north of A

▶「方向」を表す to を用いた **to the north of A** は，「A の北方へ［に向かって］」の意味を表す。**S is to the north of A.**「S は A の北方にある」で押さえておく。

Plus <u>**in**</u> **the north of A**「A の北部に」との区別は重要。**S is in the north of A.** は「S は A の北部にある」の意味を表す。Hokkaido is **in the north of** Japan.（北海道は日本の北部にある）

440. between の用法 — between A and B

▶ **2 者があって，「…の間に」の意味を表す場合は，between を用いる。**

○ 本問のように **between A and B**「A と B の間に[で]」の形で用いられることが多い。

✕ ④ among は 3 者以上の場合に用いる。→ 441

Plus between が 3 者以上の場合に使われる場合もある。
Divide these snacks **between** you three.（これらのお菓子をあなた方 3 人で分けてください）

441. among の用法 — among the workers「労働者の間で」

▶ **among は 3 者以上の場合に用いて，**「…の中に[で]／…の間に[で]」**の意味を表す**用法がある。目的語には同類・同種の集まりを表す複数名詞［集合名詞］がくることに注意。**among friends**「友だちの中に[で]」，**among poor people**「貧しい人々の中に[で]」，**among the crowd**「群衆の中に[で]」などで押さえておこう。

442. below の用法 — below the first floor「1 階の下に」

▶ **below** は「…の下方に」の意味を表す。反意表現の **above**「…の上方に」も重要。

Plus **under**「…の(真)下に」(⇔ **over**「…の(真)上に」) との違いもここで押さえておこう。

443. under の用法 — people under 20「20 歳未満の人々」

▶ **under A** には「A 未満の」(**= less than A**) の意味を表す用法がある。

444. over の用法 — over a cup of coffee「コーヒーを飲みながら」

▶ **over** には「…しながら」という「従事」を表す用法があり，適切な動詞を補って訳す。飲食物だけでなく **over a book**「本を読みながら」のようにも用いる点に注意。

---

437 ③　438 ②　439 ④　440 ②　441 ①　442 ④　443 ③　444 ①

445 □□□ My stolen bicycle was destroyed (　　　) recognition.
① above ② below ③ beyond ④ over 〈福島大〉

KEY POINT ▷ 124

446 □□□ I forgot my pen. Can you lend me something to write (　　　)?
① by ② down ③ on ④ with 〈武蔵大〉

447 □□□ Could you send this book (　　　) to London?
① with the airmail ② with airmail
③ by the airmail ④ by airmail 〈上智大〉

448 □□□ You'd better not talk about such a thing (　　　) the telephone.
① by ② in ③ of ④ on 〈京都女子大〉

449 □□□ 動画 They went to the museum (　　　) their car.
= They drove their car to the museum.
① with ② in ③ on ④ by 〈関西学院大〉

● TARGET 68 具体的な交通・通信手段を表す表現

①小型の乗り物 ——— in our car(→ 449), in the elevator
Someone went to the top floor in the elevator.（誰かがエレベーターで最上階へ行った）

②大型の乗り物 ——— on the train, on our ship
Some people are sleeping on the train.（電車の中で眠っている人が何人かいる）

③またがる乗り物 ——— on my bicycle, on his motorcycle
My father went to work on his motorcycle.（私の父はバイクで仕事に行った）

④通信手段 ——— on the (tele)phone(→ 448), on the radio, on the Internet
I found the article on the Internet.（私はインターネット上でその記事を見つけた）

445 盗まれた自転車は，見分けがつかないほど壊されていた。
446 私はペンを忘れてしまいました。何か書くものを貸してもらえますか。
447 この本を航空便でロンドンに送っていただけますか。
448 あなたは，そのようなことについては電話で話さない方がいいです。
449 彼らは自分たちの車で博物館に行った。＝ 彼らは自分たちの車を博物館まで運転した。

445. beyond の用法 — beyond recognition

▶ **beyond A** で「A の（能力の）限界を超えて」を表す用法がある。**beyond recognition**「見分けがつかない」は慣用表現として押さえる。

Plus beyond A の慣用表現，**beyond description**「言葉では表現できない」，**beyond belief**「信じられない」，**beyond one's reach**「…の手の届かない」もここで押さえておこう。

KEY POINT ▷ 124　道具や手段を表す前置詞

446.「道具」を表す with

▶ **with A** には，「道具・手段」を表す用法があり，「**A を用いて**」（= using A）の意味を表す。**with a knife**「ナイフで」，**with a check**「小切手で」，**with a spoon**「スプーンで」などで押さえておこう。

○ 本問の something to write with「書くためのもの」は write with something を前提にした表現。→ 84

447.「通信手段」を表す by — by airmail

▶ **by A** には「通信手段」を表す用法があり，「A（通信手段）を用いて」の意味を表す。**A は必ず無冠詞名詞**。**by telephone[email / airmail]**「電話[E メール／航空便]で」などで押さえておく。

Plus **by A** には「交通手段」を表す用法もある。**by train[airplane / ship / car / bus / bicycle / elevator]**「列車[飛行機／船／車／バス／自転車／エレベーター] で」などで押さえておこう。

Plus「交通・通信手段」を表す名詞に所有格や冠詞をつける場合は，TARGET 68 参照。

448. on the telephone — by telephone との区別

○ TARGET 68 の **on the telephone**「（その）電話で」が本問のポイント。by の場合は無冠詞で **by telephone**「電話で」と表現することに注意。→ 447

449. in their car — by car との区別

○ TARGET 68 で扱った具体的な交通手段を表す表現が本問のポイント。their car と所有格がついているので，② in を選ぶ。by の場合は無冠詞で **by car**「車で」と表現することに注意。→ 447

445 ③　446 ④　447 ④　448 ④　449 ②

KEY POINT ▷125

450 □□□ These skills are (　　　) unless you can apply them in your real life.
① of no use　② in advance　③ at a loss　④ on and off
〈成蹊大〉

451 □□□ The girl regarded the robot (　　　) curiosity.
① as　② into　③ toward　④ with
〈立命館大〉

KEY POINT ▷126

452 □□□ Unfortunately, Jane missed the train (　　　) two minutes.
① in　② for　③ by　④ off
〈名古屋工業大〉
動画

453 □□□ Are you (　　　) or against the plan?
① below　② beyond　③ for　④ forward
〈名古屋市立大〉
動画

454 □□□ Lawyers can charge their clients (　　　) the hour, or they can negotiate a set fee for the entire project.
① by　② for　③ during　④ on
〈上智大〉
動画

450 これらのスキルは，あなたの実際の生活に応用できない限り役に立たない。
451 その少女はロボットを興味ありげに見つめた。
452 運が悪いことに，ジェーンは２分の差で電車に乗り遅れた。
453 あなたはその計画に賛成ですか，反対ですか。
454 弁護士は，依頼人に１時間ごとに料金を請求することもあれば，プロジェクト全体の固定料金を交渉することもある。

KEY POINT ▷ 125　of ＋ 抽象名詞／with ＋ 抽象名詞

450. of の用法 ― of ＋ 抽象名詞

▶「**of ＋ 抽象名詞**」**が形容詞と同じ働きをする**ものがある。**of value = valuable**「価値がある」, **of importance = important**「重要な」, **of use = useful**「有用な」, **of help = helpful**「役立つ」が代表例。

○ 本問の場合,「of ＋ no ＋ 抽象名詞」の形。**of no use** は「無益な／役に立たない（**= useless**）」の意味。

451. with の用法 ― with ＋ 抽象名詞

▶「**with ＋ 名詞**」で「**様態**」**を表す副詞句を作ることができる**。**with curiosity** で「興味ありげに」（**= curiously**）の意味を表す。

○ 本問は, **regard A with curiosity**「興味ありげに A を見る」の形であることを見抜く。**with care**「注意深く」**= carefully, with courage**「勇敢に」**= courageously, with diligence**「熱心に」**= diligently** なども一緒に覚えておこう。

✕ ① as は不可。regard A as B「A を B だとみなす」の形があるが, この形は A = B の関係が成り立つことが前提。（×）the robot = curiosity は成り立たない。

KEY POINT ▷ 126　by / for

452.「差」を表す by ― by A「A の差で」

▶ 程度や数量の「**差**」**を表す前置詞としては by** を用いる。「…の差で／…だけ」の意味。**by two minutes** で「2 分の差で」の意味を表す。

Plus **win by nose**「わずかの差で勝つ」, **increase[decrease] by ten percent**「10%上がる[下がる]」, **escape by a hair's breadth**「間一髪で逃げる」などは幅広く使われる頻出の用法。

453.「賛成」を表す for ― be for the plan

▶ **for A** で「A に賛成で」（**= in favor of A**）の意味を表す用法がある。**be for the plan** は「その計画に賛成だ」の意味。

Plus 反意表現の **against A**「A に反対して」（**= in opposition to A**）も重要。**be against the plan**「その計画に反対だ」で押さえておこう。

454.「単位」を表す by ― by the A

▶ **by には「単位」を表す用法**があり, **by the A**（**A は単位を表す名詞**）で「A 単位で／ A ぎめで」の意味を作る。**by the hour** は「時間単位で／時間ぎめで」の意味。

Plus **by the hour[day / week / month / year]**「時間[日／週／月／年]単位で」や **by the pound**「ポンド単位で」で押さえておこう。

---

450 ①　451 ④　452 ③　453 ③　454 ①

455 □□□ A stranger seized (　　　　) wrist.
① by her　② her by the　③ her in the　④ on her 〈立命館大〉

KEY POINT ▷ 127

456 □□□ The girl is very mature (　　　　) her age.
① against　② for　③ to　④ with 〈西南大〉

457 □□□ Be it ever so humble, there's no place (　　　　) home.
① for　② as　③ like　④ unless 〈学習院大〉

458 □□□ May I have your advice (　　　　) how to contact them?
① at　② for　③ on　④ with 〈富山大〉

459 □□□ (　　　　) her calm appearance during the interview, she was actually really worried.
① Although　② But for　③ Despite　④ However 〈京都産業大〉

TARGET 69 動詞＋A＋前置詞＋the＋身体の一部 動画

- seize[catch / hold] A by the arm「A の腕をつかむ」→ 455
- shake A by the arm「A の腕をゆさぶる」
- touch A on the head「A の頭に触れる」
- hit A on the head「A の頭をたたく」
- slap A on[in] the face「A の顔を平手打ちする」
- kiss A on the cheek「A のほおにキスをする」
- tap A on the shoulder「A の肩を軽くたたく」
- look A in the eye(s)「A の目を見る」
- stare A in the face「A の顔をじっと見る」 など

*この用法の look, stare は他動詞で at が不要なことに注意。

455 見覚えのない人が，彼女の手首をつかんだ。
456 その少女は，年の割にはとてもしっかりしている。
457 どんなにつつましくても，わが家に勝る場所はない。
458 彼らへの連絡方法についてアドバイスをいただけますか。
459 インタビュー中の落ち着いた様子にもかかわらず，彼女は実際にはとても不安だった。

455. seize A by the B「A の B をつかむ」

▶ **seize A by the wrist** で「A の手首をつかむ」の意味。まず A をつかんだことを明らかにし，その後の前置詞句でその身体部位である手首を表現するという英語独特の用法。

Plus この種の表現では，(1) 動詞に応じて使用される前置詞が異なるという点，(2) その前置詞句の中では定冠詞の the が用いられるという点が重要（→ TARGET 69）。使用される前置詞は下記のとおり。
・**seize, hold, catch** などの「つかむ」を表す動詞は，原則「**by the ＋ 身体の部位**」。
・**hit**「…をたたく」，**tap**「…を軽くたたく」，**slap**「…を平手でたたく」，**touch**「…に触れる」などの「たたく，触れる」を表す動詞は，原則「**on the ＋ 身体の部位**」。
・**look**，**stare**「…をじっと見る」などの「見る」を表す動詞は，原則「**in the ＋ 身体の部位**」。

KEY POINT ▷ 127　for / like / on / despite / in / except

456.「観点・基準」を表す for

▶ **for には「…の割には」という「観点・基準」を表す用法がある。for her age** は「彼女の年の割には」の意味。

Plus **for January**「1 月の割には」，**for its price**「価格の割には」，**for a Japanese**「日本人の割には」なども一緒に覚えておこう。

457. 前置詞の like

▶ like には前置詞の用法があり，**like A** で「A のような[に]／A に似た／A らしい」などの意味を表す。**like home** は「家のような」の意味。

Plus **Be it ever so humble** は譲歩を表しており，**No matter how humble it may be** と同意。

Plus **like A** の反意語 **unlike A**「A と違って／A に似ていない／A らしくない」も重要。
She is **unlike** my sister in many ways.（彼女は私の妹と多くの点で違っている）

458.「関連」を表す on

▶ **on には「…に関して（の）」という「関連」を表す用法がある**。about と同じ用法だが，on の方が専門的な内容の場合に用いられる傾向がある。**advice on A** で「A に関する忠告」の意味を表す。

459.「譲歩」を表す despite

▶ **despite A** は「A にもかかわらず」の意味で，**in spite of A** と同意。同意表現の **with all A**，**for all A**，**notwithstanding A** も重要。

Plus **her calm appearance** は「彼女の落ち着いた様子」の意味。

---

455 ②　456 ②　457 ③　458 ③　459 ③

460 □□□ 動画

She looked most charming (　　　　) her red dress.

① on　② in　③ by　④ for　〈名城大〉

461 □□□

I like all the subjects (　　　　) geography.

① except　② exclude　③ however　④ other　〈立命館大〉

KEY POINT ▷ 128

462 □□□

It is not polite to talk (　　　　) your mouth full.

① in　② on　③ over　④ with　〈南山大〉

460 彼女は赤いドレスを着ているときが，一番魅力的に見えた。
461 私は地理以外のすべての科目が好きです。
462 口にものをほおばったまま話すのは行儀が悪い。

460.「着衣」を表す in

▶ in には「着衣」を表す用法があり，**in A** で「A を身につけて」（**= wearing A**）の意味を表す。**in her red dress** は「赤いドレスを身につけて」の意味。

Plus **in white[red]**「白い[赤い] 服を身につけて」，**in uniform**「制服を着て」，**in jeans**「ジーンズをはいて」なども一緒に押さえておこう。

Plus なお，**in spectacles**「めがねをかけて」のように衣服以外のものでも使える点にも注意。

461.「除外」を表す except

▶ **except A**「A を除いて」**は，形容詞句として(代)名詞を修飾する**。except A が修飾する語は「全体」を表す(代)名詞，具体的に言えば，every-，any-，no- のついた代名詞（everyone，anything，nothing など）や every，any，no，all などが修飾する名詞（all the members など）であることに注意。

○ 本問は，except geography が all the subjects を修飾している形。**all the subjects except geography** で「地理以外のすべての科目」の意味を表す。

Plus **except A** は形容詞句なので文頭で用いない。似た表現の **except for A**「A を除いて」は，副詞句なので，文頭で用いることができる。
Except for John, everyone came.「ジョン以外みんなやってきた」
= Everyone **except** John came.

KEY POINT ▷ 128　付帯状況の with

462.「付帯状況」を表す with

▶ **with** には「**with ＋ 名詞 ＋ 形容詞**」の形で「**付帯状況**」を表す用法がある。**with one's mouth full** で「口にものをほおばって」の意味を表す。

Plus「**with ＋ 名詞 ＋ 前置詞句 [副詞]**」の形もある。**with tears in one's eyes**「目に涙を浮かべて」，**with one's hat on**「帽子をかぶったまま」で押さえておこう。

Plus「**with ＋ 名詞 ＋ doing[done]**」の形もある。→ 147, 148

---

460 ②　461 ①　462 ④

第15章 前置詞 応用問題にTry!

KEY POINT ▷ 122-128

463 □□□ 彼女が達成したことはとても重要だった。
(W　　　) she attained was (o　　　) great importance. 〈群馬大〉

464 □□□ あなたは彼の提案に賛成ですか。それとも反対ですか。
Are you for or (　　　) his proposal? 〈高知大〉

465 □□□ If Tom ①should decide to participate ②in the project ③nevertheless these difficulties, please give him ④my best regards. 〈福島大〉

466 □□□ After 135 ①launches, the United States ②ended its space shuttle program ③with the safe landing of the shuttle Atlantis ④in July 21, 2011. 〈学習院大〉

467 □□□ 私の兄は日本人の割には，かなり背が高い。

468 □□□ Mutual exchange between different societies and cultures has increased to the extent that we tend to feel as if we were living in one global village. 〈福島大〉

ヒント

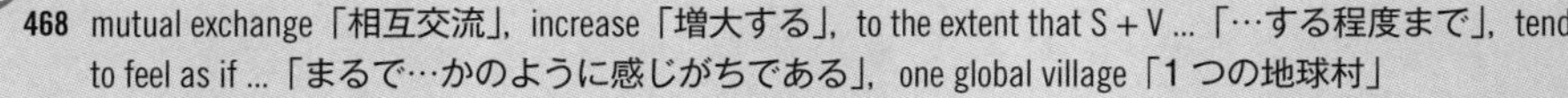

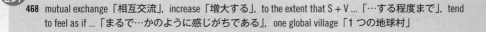

468 mutual exchange「相互交流」, increase「増大する」, to the extent that S + V ...「…する程度まで」, tend to feel as if ...「まるで…かのように感じがちである」, one global village「1 つの地球村」

465 このような困難があるにもかかわらずトムがプロジェクトに参加すると決めた場合は，彼によろしくと伝えてください。

466 135 回の打ち上げの後，米国は 2011 年 7 月 21 日にスペースシャトル・アトランティス号が無事に帰還した時点をもって，スペースシャトル計画を終了した。

KEY POINT ▷ 122-128

463. of の用法 — of ＋ 抽象名詞

○ 問題 450 で扱った **of ＋ 抽象名詞**が本問のポイント。**of great importance** で「**とても重要な**」（**= greatly important**）の意味を表す。主語は，関係代名詞の what を用いて，What she attained「彼女が達成したこと」と表現すればよい。→ 213

464.「反対」を表す against，「賛成」を表す for

○ 問題 453 で扱った **against A**「**A に反対して**」が本問のポイント。

465.「譲歩」を表す despite

○ 問題 459 で扱った **despite A**「**A にもかかわらず**」（**= in spite of A**）が本問のポイント。副詞の③ nevertheless「それにもかかわらず」を前置詞の despite に修正する。

Plus despite these difficulties は，「このような困難があるにもかかわらず」の意味を表す。

Plus **if S should do**「万が一 S が…すれば」（→ 235），**participate in A**「A に参加する」（**= take part in A**），**give A one's best regards**「A によろしく伝える」（→ 678）は重要。

466.「日付」を表す場合 — on → TARGET 66

○「7 月 21 日に」のように「日付」を表す場合は，on を用いて **on July 21** と表現する。したがって，④ in を on に修正する。

Plus **end A with B** は「A を B で終わらせる」の意味。

467.「観点・基準」を表す for → 456

○「**日本人の割にかなり背が高い**」は「観点・基準」を表す前置詞 for A「A の割に」を使って **be rather tall for a Japanese** と表すことができる。

468. between の用法 — between A and B → 440

○ 主語が mutual exchange between different A and B「異なる A と異なる B の間の相互交流」になっていることを見抜く。形容詞 different は文脈から A と B 両方を修飾。全体の構造は，S has increased to the extent that we tend to feel as if ....「S は，私たちが…のように感じがちなほどに増大した」。that 以下は extent の内容を説明する同格の働きをしている。**to the extent that S ＋ V** で「…する程度まで」。

---

463 What, of　**464** against

465 ③ nevertheless → despite[in spite of, with all, for all]　**466** ④ in → on

467 My brother is rather[quite, fairly, pretty] tall for a Japanese.

468 異なる社会と文化の間の相互交流は，私たちがまるで 1 つの地球村に住んでいるかのように感じてしまうほどに増大している。

PART 2
語法

Bright Stage

第16章 動詞の語法

基本動詞の正しい使い方の習得は，作文・読解力を向上する鍵となる。問題を何度も音読して暗記しよう。

KEY POINT ▷129

469 □□□
Would you mind (　　　) the window?
① to open　② opening　③ open　④ open to　〈上智大〉

470 □□□
He enjoys (　　　) the students about Japanese culture.
① teach　② teaching　③ to teach　④ to teaching　〈東海大〉

471 □□□
I (　　　) to learn to play the flute. It's just too difficult for me.
① gave up for me to try　② gave up my trying
③ had to give up to try　④ have given up trying　〈慶應義塾大〉

472 □□□
Have you finished (　　　) your essay?
① to write　② writing　③ to have written　④ to be writing　〈明治大〉

473 □□□
The teacher told Mary that she should (　　　) late to class.
① have stopped to come　② not coming
③ stop coming　④ stop to come　〈明治大〉

TARGET 70　目的語に動名詞をとり，不定詞はとらない動詞　動画

- mind「…するのを気にする」→469
- miss「…しそこなう」
- enjoy「…するのを楽しむ」→470
- escape「…するのを逃れる」
- give up「…するのをあきらめる」→471
- admit「…するのを認める」
- avoid「…するのを避ける」→475

469 窓を開けていただけますか。
470 彼は学生に日本の文化について教えることを楽しんでいる。
471 私はフルートの演奏を習得しようとするのをやめた。私にはあまりにも難しすぎる。
472 あなたは作文を書き終えましたか。
473 先生はメアリーに，授業に遅刻するのをやめるべきだと言った。

KEY POINT ▷ 129　目的語に動名詞をとり，不定詞はとらない動詞

469. mind doing ― 動名詞を目的語にとる

▶ **mind** は，不定詞ではなく**動名詞を目的語**にとる動詞（→ TARGET 70）。**mind doing**「…するのを気にする／…するのを嫌がる」で押さえる。

Plus **Would you mind doing ...?**「…していただけますか ← …するのを気にしますか」は,「依頼」を表す重要表現。

470. enjoy doing ― 動名詞を目的語にとる

▶ **enjoy** は，不定詞ではなく**動名詞を目的語**にとる動詞（→ TARGET 70）。**enjoy doing**「…するのを楽しむ」で押さえておこう。

471. give up doing ― 動名詞を目的語にとる

▶ **give up** は,不定詞ではなく**動名詞を目的語**にとる動詞(→ TARGET 70)。**give up doing**「…するのをあきらめる」で押さえておこう。

Plus **try to do** は「…しようとする」の意味。→ 485

472. finish doing ― 動名詞を目的語にとる

▶ **finish doing** は,「…するのを終える」の意味。**finish** は，不定詞ではなく**動名詞を目的語**にとる動詞。→ TARGET 70

473. stop doing ― 動名詞を目的語にとる

▶ **stop doing** は，「…するのをやめる」の意味。**stop** は，不定詞ではなく**動名詞を目的語**にとる動詞。→ TARGET 70, 72

Plus **stop to do**「…するために立ち止まる」の形もあるが，この表現の stop「立ち止まる」は自動詞で，to do「…するために」は「目的」を表す不定詞の副詞用法。

- finish「…するのを終える」→ 472
- practice「…する練習をする」
- put off「…するのを延期する」
- postpone「…するのを延期する」
- stop「…するのをやめる」→ 473
- consider「…するのを考慮する」→ 474
- deny「…するのを拒否する」　など

2 語法

469 ②　470 ②　471 ④　472 ②　473 ③

474 □□□ Have you considered (　　　) to school?
① to be walking　② to walk　③ walk　④ walking　〈南山大〉

475 □□□ It might be wise of you to avoid (　　　) abroad next year.
① studying　② studying in　③ to study　④ to study in
〈近畿大〉

KEY POINT ▷130

476 □□□ Our boss, Mr. Yamaguchi, hopes (　　　) at the age of 65.
① to retire　② retiring　③ retirement　④ retired
〈名古屋工業大〉

477 □□□ I don't know why, but the closing ceremony of the Olympic Games always touches me so deeply that it never (　　　) to make me teary-eyed.
① fails　② is enough　③ needs　④ stops　〈上智大〉

● TARGET 71 目的語に不定詞をとり，動名詞はとらない動詞 動画

- afford「…する余裕がある」→478
- attempt「…しようと試みる」
- decide「…することに決める」
- hope「…することを望む」→476
- intend「…するつもりである」
- offer「…することを申し出る」
- promise「…する約束をする」

474 あなたは，学校まで歩いて行くことを考えたことがありますか。
475 来年，留学するのを避けるのは，賢明なことかもしれません。
476 私たちの上司であるヤマグチさんは，65 歳で引退したいと思っている。
477 なぜだかわからないが，オリンピックの閉会式はいつも私を深く感動させるので，私は決まって目に涙が浮かんでくる。

474. consider doing ― 動名詞を目的語にとる

▶ **consider doing** は,「…するのを考慮する」の意味。**consider** は，不定詞ではなく**動名詞を目的語**にとる動詞。→ TARGET 70

475. avoid doing ― 動名詞を目的語にとる

▶ **avoid** は，不定詞ではなく**動名詞を目的語**にとる動詞（→ TARGET 70)。**avoid doing**「…するのを避ける」で押さえておこう。

Plus **It is ... of A to do**「A が～するのは…だ」は，問題 79 参照。

✕ ② studying in は不可。abroad「外国で[に]」は副詞。「外国で勉強する（＝留学する)」は，**study abroad** で表現する。in は不要。→ 663, TARGET 105

2 語法

KEY POINT ▷ 130　目的語に不定詞をとり，動名詞はとらない動詞

476. hope to do ― 不定詞を目的語にとる

▶ **hope** は, 動名詞ではなく**不定詞を目的語**にとる動詞（→ TARGET 71)。**hope to do**「…することを望む」で押さえておこう。

477. fail to do ― 不定詞を目的語にとる

▶ **fail** は，動名詞ではなく**不定詞を目的語**にとる動詞（→ TARGET 71)。**fail to do**「…するのを怠る／…しない」で押さえる。

○ 本問は，その否定表現 **never fail to do**「(常習的／普遍的に）必ず…する」の形。重要表現として押さえる。

Plus **make A teary-eyed** は,「A の目に涙を浮かべさせる」の意味。**touch**「…を感動させる」も重要。

- manage「どうにか…する」→ 480
- wish「…することを願う」
- fail「…することを怠る／…しない」→ 477
- hesitate「…するのをためらう」
- pretend「…するふりをする」→ 479
- refuse「…するのを断る」など

*基本的には未来志向の動詞が多い。

474 ④　475 ①　476 ①　477 ①

478 □□□ How much can you (   ) to spend on your vacation?
① invest ② account ③ afford ④ contribute 〈南山大〉

479 □□□ The girl pretended (   ) a student.
① being ② to be ③ of being ④ to be no 〈福岡大〉

480 □□□ Japan has mostly (   ) keep its traditional values in spite of modernization.
① managed to ② managed ③ management ④ managing 〈甲南大〉

KEY POINT ▷131

481 □□□ When you use this old car for the first time in the morning, remember (   ) it up for a few minutes before you drive it.
① to have warmed ② to warm ③ warm ④ warming 〈学習院大〉

482 □□□ I remember (   ) Michael five years ago when he had a concert in Osaka.
① see ② seeing ③ to see ④ to seeing 〈明治大〉

478 あなたは休暇にどれくらいお金を使えますか。
479 その女の子は，学生であるふりをした。
480 日本は，近代化しながらも，伝統的な価値観を維持することにほぼ成功している。
481 朝方この古い車を初めて使うときは，走り出す前に数分間，暖機運転することを忘れないでください。
482 マイケルが大阪でコンサートを開いた５年前に彼を見たことを覚えている。

478. afford to do — 不定詞を目的語にとる

▶ **afford** は，動名詞ではなく**不定詞を目的語**にとる動詞（→ TARGET 71）。**afford to do**「…する余裕がある」で押さえる。

Plus **afford** は，**can**，**could**，**be able to** とともに用い，通例，否定文・疑問文で用いる。

479. pretend to do — 不定詞を目的語にとる

▶ **pretend** は，動名詞ではなく**不定詞を目的語**にとる動詞（→ TARGET 71）。**pretend to do**「…するふりをする」で押さえる。

480. manage to do — 不定詞を目的語にとる

▶ **manage** は，動名詞ではなく**不定詞を目的語**にとる動詞（→ TARGET 71）。**manage to do**「どうにか…する」で押さえておこう。

Plus in spite of modernization は，「近代化（している）にもかかわらず」の意味。

KEY POINT ▷ 131　目的語に動名詞も不定詞もとり，意味が異なる動詞

481. remember to do — remember doing との区別

▶ **remember** は，不定詞も動名詞も目的語にとるが，それぞれ意味が異なる点を押さえる。**remember to do** は，「…することを覚えておく／忘れずに…する」の意味になり，**remember doing** は，「（過去に）…したことを覚えている」の意味になることに注意。→ TARGET 72

○ 本問は，文意から② to warm を選ぶ。

482. remember doing — remember to do との区別

▶ 問題 481 で扱った **remember doing**「（過去に）…したことを覚えている」が本問のポイント（→ TARGET 72）。過去を表す副詞句 five years ago「5 年前に」に着目すること。

478 ③　479 ②　480 ①　481 ②　482 ②

483 □□□
Don't forget (　　　) to Uncle Neil tomorrow.
① writing　② of writing　③ to write　④ having written
〈北里大〉

484 □□□
I'll never forget (　　　) the beautiful sea from the hill on my last trip.
① see　② to see　③ seeing　④ seen
〈東海大〉

485 □□□
He tried (　　　) the piano, but he couldn't.
① having played　② playing of
③ to have played　④ to play
〈立命館大〉

486 □□□
A : The picture is too bright, and there are lines all over the screen.
B : Try (　　　) the control knobs on the bottom.
① to be adjusted　② adjust　③ adjusting　④ to adjusting
〈法政大〉

483 明日，ニールおじさんに手紙を書くのを忘れないでください。
484 私は，この前の旅行中に丘の上から美しい海を見たことを決して忘れないでしょう。
485 彼はピアノを弾こうとしたが，できなかった。
486 A：画像は明るすぎて，画面全体に線が出ています。
B：下の方にある調節つまみで調整してみてください。

483. forget to do — forget doing との区別

▶ **forget to do** は，「…することを忘れる」，**forget doing** は，「…したことを忘れる」の意味。➔ TARGET 72

○ tomorrow から，未来のことだとわかるので，③ to write を選ぶ。

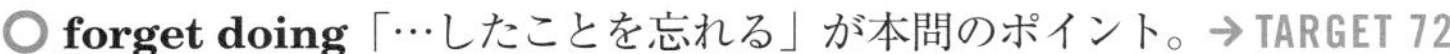

484. forget doing — forget to do との区別

○ **forget doing**「…したことを忘れる」が本問のポイント。➔ TARGET 72

485. try to do

▶ **try to do** は，「…しようとする」の意味を表す。➔ TARGET 72

486. try doing

○ **try doing**「試しに…してみる」が本問のポイント。➔ TARGET 72

TARGET 72　目的語が不定詞と動名詞で意味が異なる動詞　動画

- remember to do「…することを覚えておく／忘れずに…する」➔ 481
  remember doing「…したことを覚えている」➔ 482
- forget to do「…することを忘れる」➔ 483
  forget doing「…したことを忘れる」➔ 484
- regret to do「残念ながら…する」
  regret doing「…したことを後悔する[残念に思う]」➔ 487
- mean to do「…するつもりである」= intend to do
  mean doing「…することを意味する」➔ 488
- need to do「…する必要がある」
  need doing「…される必要がある」= need to be done ➔ 489
- go on to do「(異なることを) さらに続けて…する」
  go on doing「(同じことを) …し続ける」
- try to do「…しようとする」➔ 485, 583
  try doing「試しに…してみる」➔ 486
- stop to do「…するために立ち止まる」
  *この場合の stop は自動詞，to do は「目的」を表す不定詞の副詞用法。
  stop doing「…することをやめる」➔ 473

---

483 ③　484 ③　485 ④　486 ③

487 □□□ I regret (　　　) him my dictionary. I cannot do my work without that.

① lent　② to lend　③ lending　④ to have lent　〈関西学院大〉

488 □□□ I am determined to get a seat even if it means (　　　) in a queue all night.

① to stand　② to have stood　③ standing　④ having stood　〈桜美林大〉

489 □□□ My watch loses ten minutes a day, so it needs (　　　).

① being repaired　② repaired

③ to be repaired　④ to repair　〈近畿大〉

KEY POINT ▷ 132

490 □□□ The pharmacist was worried about the patient's health and got him (　　　) smoking.

① quit　② quitted　③ quitting　④ to quit　〈名古屋市立大〉

● TARGET 73　get[have] A done

(1)（使役）「A を…してもらう[させる]」→ 493

I'm going to get[have] this bicycle repaired.（私はこの自転車を修理してもらうつもりです）

(2)（受身・被害）「A を…される」→ 492

She got[had] her wallet stolen.（彼女は財布を盗まれた）

(3)（完了）「（自分が）A を…してしまう」

You have to get[have] your homework done by tomorrow.

（明日までに宿題を終わらせなさい）

487 私は彼に辞書を貸したことを後悔している。私は，それがないと仕事ができない。
488 一晩中列に並ぶことになっても，席を確保しようと心に決めている。
489 私の時計は 1 日に 10 分遅れるので，修理する必要がある。
490 薬剤師はその患者の健康が心配だったので，彼に喫煙をやめさせた。

487. regret doing — regret to do との区別

▶ **regret to do** は「残念ながら…する」, **regret doing** は「…したことを後悔する[残念に思う]」の意味。→ TARGET 72

○ 文意から, ③ lending を選ぶ。

Plus **lend A B** は,「A に B を貸す」の意味。

Plus **regret to do** の用例は, 以下を参照。

I **regret to inform** you that your application has been rejected.
（残念ながら, あなたの申請は却下されたことをお伝えします）

488. mean doing — mean to do との区別

▶ **mean to do** は「…するつもりである」(= intend to do), **mean doing** は「…することを意味する」の意味。→ TARGET 72

○ 文意から, ③ standing を選ぶ。

Plus **stand in a queue** は,「一列に並ぶ」の意味。queue は主にイギリス英語で用いられ, アメリカ英語では, 通例 line が用いられる。

Plus **mean to do** の用例は以下を参照。

He **means to buy** a house.（彼は家を買うつもりです）

489. need to be done = need doing

▶ **need to be done** は,「…される必要がある」の意味を表す。→ TARGET 72

○ it(= my watch) と repair「…を修理する」が受動関係であることを見抜くこと。

✕ ① being repaired は不可。**it needs repairing** なら可。**A need[want] doing.**「A は…される必要がある」の場合, **主語の A が必ず動名詞の意味上の目的語**になっている。→ 124

KEY POINT ▷ 132　get (+ to do, + done) と have (+ do, + done)

490. get A to do — to 不定詞が補語

▶ **get A to do** は,「A に…してもらう[させる]」の意味になり, **get の目的語である A と目的格補語の to do が能動関係**になっていることに注意。

Plus **be worried about A**「A のことで心配している」, **quit doing**「…をやめる」(**= stop doing**) は重要。

Plus A の後に to do がくるから, A には必ず「人」が入ると考えるのは誤り。A と to do の間に能動関係が成立していれば, A に「人」ではなくて「もの」がくる場合もある。

You can't get **a tree** to grow in bad soil.（土壌が悪いと木は育てられない）

---

487 ③　488 ③　489 ③　490 ④

491 □□□ 動画
The manager has decided to have his secretary (　　　) the necessary files to close the deal.
① bring　② to bring　③ brings　④ bringing　〈名古屋工業大〉

492 □□□
It was quite embarrassing when I got my umbrella (　　　) between the doors on the train.
① catch　② catching　③ caught　④ to have caught　〈立命館大〉

493 □□□
I went to the dentist yesterday (　　　) my teeth treated.
① have　② to have　③ to having　④ for having　〈富山大〉

KEY POINT ▷133

494 □□□
The trainer (　　　) the elephant enter the cage by hitting it with a stick.
① got　② let　③ made　④ forced　〈高知大〉

495 □□□
I think it is better to let him (　　　) as much as he likes. He'll stop talking when he is tired out.
① talking　② to talk　③ talked　④ talk　〈秋田県立大〉

491 部長は取引をまとめるために，自分の秘書に必要なファイルを持って来させることにした。
492 私は電車のドアに持っていた傘を挟まれて，とても恥ずかしかった。
493 私は昨日，歯の治療をしてもらうために歯医者に行った。
494 調教師は，ゾウを棒でたたいて檻の中に入らせた。
495 彼には好きなだけ話させた方がいいと思います。彼は疲れ果てたらしゃべるのをやめるでしょう。

491. have A do ― 原形不定詞が補語

▶ **have A do** は，「A に…してもらう[させる]」の意味を表し，**have の目的語である A と目的格補語の do が能動関係**になっていることに注意。get A to do（→ 490）とほぼ同意と考えておけばよいが，**get A to do**「（頼んで）A に…してもらう」に対して，**have A do** は，「（A の義務として）A に…してもらう」といったニュアンスの違いがある。また，get の場合は，目的格補語に to 不定詞，have の場合は，原形不定詞がくることに注意。

492. get A done ― 過去分詞が補語

▶ **get[have] A done** には，(1)「A を…してもらう[させる]（**使役**）」，(2)「A を…される（**受身・被害**）」，(3)「（主語が）A を…してしまう（**完了**）」の 3 つの意味がある。**A と done は受動関係**となる。→ TARGET 73

○ 本問の get A done は (2) の用法。**get A caught between B**（複数名詞）は，「A を B の間に挟まれる」の意味。

493. have A done ― 過去分詞が補語

○ 問題 492 で扱った (1)「A を…してもらう[させる]（**使役**）」が本問のポイント。② to have (my teeth treated) の to 不定詞は，「目的」（…するために）を表す副詞用法。

KEY POINT ▷ 133　「make A do」，「let A do」，「help A do」，「help do」

494. 使役動詞としての make ― make A do

▶ **make A do** は，「A に…させる」の意味を持つ。**A と原形不定詞の間には能動関係**が成立している。通例，「（強制的に）A に…させる」という意味合いになることを押さえておこう。→ TARGET 74

✕ ② let は意味が合わないので不可（→ 495）。④ forced は，forced the elephant to enter the cage の形なら可。→ 503

Plus make A do は，主語が無生物の場合にも用いられることに注意。ただし，その場合は，「強制的に」という意味合いはない。

495. 使役動詞としての let ― let A do

▶ **let A do** には，「A に…させてやる」の意味を表す用法がある。make と同様，目的格補語には原形不定詞がくる。ただし make と違って，「（強制的に）A に…させる」ではなく，「（本人の望み通りに）A に…させてやる」の意味になることに注意。→ TARGET 74

491 ①　492 ③　493 ②　494 ③　495 ④

496 □□□ She sometimes helps her mother (　　　　) dinner when she has no homework.

① cooked　② cooking　③ cook　④ to be cooked　〈秋田県立大〉

497 □□□ There is a group of young people with disabilities taking part in a program that aims to (　　　　) change negative perceptions of disability.

① be　② come　③ help　④ lead　〈杏林大〉

KEY POINT ▷134

498 □□□ The teacher wanted (　　　　) his project.

① John finishes　② John finishing

③ John to finish　④ that John finish　〈法政大〉

TARGET 74 「V＋A＋do」の形をとる動詞 動画

- make A do「A に…させる」→494
- have A do「A に…してもらう[させる]」→491
- let A do「A に…させてやる」→495
- help A (to) do「A が…するのを手伝う[するのに役立つ]」→496

* help は help A do，help A to do の両方の形がある。

- see A do「A が…するのを見る」

  I saw a deer walk across the street.（私はシカが道を横切るのを見た）
- look at A do「A が…するのを見る」

  Look at the dog run.（その犬が走るのを見て）

496 宿題がないとき，彼女はときどき母親が夕食を作るのを手伝う。
497 身体障がいに対する否定的な見方を変えるのに役立つことを目的とするプログラムに参加している，障がいを持った若者たちのグループがある。
498 先生はジョンに彼のプロジェクトを終えてもらいたいと思った。

496. help の用法 (1) — help A do

○ **help A do**「A が…するのを手伝う[するのに役立つ]」(→ TARGET 74, 75) が本問のポイント。

497. help の用法 (2) — help do

○ **help do**「…するのに役立つ[するのを手伝う]」(→ TARGET 74, 75) が本問のポイント。

Plus young people with disabilities は「障がいを持った若者たち」, negative perceptions of disability は「身体障がいに対する否定的な見方」の意味。**take part in A**「A に参加する」(**= participate in A**), **aim to do**「…することを目指す」は重要。

KEY POINT ▷ 134　「S + V + O + to do」

498. want の用法 — want A to do

▶ **want** は, **want A to do** の形で「A に…してほしい」の意味を表す。→ TARGET 76

- watch A do「A が…するのを見守る」
  She watched her cat eat the cat food.（彼女はネコがキャットフードを食べるのを見守った）
- hear A do「A が…するのが聞こえる」
  I heard someone cry for help.（私が誰かが助けを求めて叫ぶのが聞こえた）
- listen to A do「A が…するのを聞く」
  I listened to Ken play a popular song on the guitar.（私はケンがギターで人気の曲を弾くのを聞いた）
- feel A do「A が…するのを感じる」
  I felt someone touch my shoulder.（私は誰かが肩を触るのを感じた）

TARGET 75　動詞 help がとる形

- help A to do = help A do「A が…するのを手伝う／A が…するのに役立つ」→ 496
  He helped me (to) change the tires.（彼は私がタイヤの交換をするのを手伝ってくれた）
- help A with B「A（人）の B を手伝う」
  I will help you with your homework.（宿題を手伝ってあげましょう）
- help to do = help do「…するのに役立つ／…するのを手伝う」→ 497
  I helped (to) clear the table after dinner.（私は夕食後にテーブルを片づけるのを手伝った）

496 ③　497 ③　498 ③

499 □□□ The bus was late again! I had (　　　　) it to arrive at 6 o'clock.
① waited　② hoped　③ expected　④ kept 〈南山大〉

500 □□□ I want a guitar, but my parents won't (　　　　) me to have one.
① admit　② accept　③ forgive　④ allow 〈岩手医科大〉

● TARGET 76　入試でねらわれる「V＋A＋to do」のパターンをとる動詞

- allow A to do「A が…するのを許す」→ 500
- advise A to do「A に…するように忠告する」
  The doctor advised me to get more sleep.（医者は私にもっと睡眠を取るように助言した）
- ask A to do「A に…するように頼む」
  Mike asked me to tell him about a good restaurant.（マイクは私によいレストランを教えるように頼んだ）
- cause A to do「A が…する原因となる」
  The typhoon caused trains to stop running.（その台風は電車の運転を見合わせる原因となった）
- compel A to do「A に…することを強制する」
  My parents compelled me to cancel the trip.（私の両親は私が旅行のキャンセルをするように強制した）
- drive A to do「A を…するように追いやる／駆り立てる」
  Stress on the job drove him to drink.（仕事のストレスが彼を酒に走らせた）
- enable A to do「A が…するのを可能にする」→ 501
- encourage A to do「A が…するように励ます[けしかける]」→ 502
- expect A to do「A が…すると予期する[思っている]」→ 499
- force A to do「A に…することを強制する」→ 503
- invite A to do「A に…するよう勧める」
  Nancy invited me to download the app.（ナンシーは私にそのアプリをダウンロードするように勧めた）
- leave A to do「A に…することを任せる」
  I'll leave you to do this task.（この仕事はあなたに任せます）
- lead A to do「A に…するようにし向ける」
  The checkup led me to change my lifestyle.（その健康診断は私が生活スタイルを変えるようにし向けた［その健康診断のおかげで私は生活スタイルを変えた］）

499 バスがまた遅れたよ！　6時に着くと思っていたのに。
500 私はギターが欲しいのに，両親は私がそれを手に入れるのを認めてくれないだろう。

499. expect の用法 — expect A to do

○ **expect A to do**「A が…すると予期する[思っている]」(→ TARGET 76) が本問のポイント。

✕ ① waited は，**wait for A to do**「A が…するのを待つ」の形から，waited for であれば可。② hoped も不可。hope A to do の形はない。**hope for A to do**「A が…するのを望む」の形であれば可。

500. allow の用法 — allow A to do

○ **allow A to do**「A が…するのを許す」(**= permit A to do**) (→ TARGET 76) が本問のポイント。

✕ ① admit, ③ forgive は,「V + A + to do」の形をとらない動詞 (→ TARGET 77)。**admit A to B**「A が B に入るのを許す」(この to は前置詞)，**forgive A for B**「A の B を許す」の形で用いるのが基本。

Plus **allow[permit] A to do** は,「A が…するのを可能にする」(**= enable A to do**) の意味で用いられることがある。読解上でも重要。

- permit A to do「A が…するのを許す」
  The teacher permitted her students to use smartphones during class. (その先生は生徒たちが授業中にスマートフォンを使用するのを許可した)
- persuade A to do「A を説得して…させる」
  Jim's friends persuaded him to go to the beach. (ジムの友だちは彼を砂浜に行くように説得した)
- remind A to do「A に…することを気づかせる」
  Could you remind me to move these chairs later? (これらのイスを移動させるのを後で思い出させていただけますか)
- require A to do「A に…するように要求する」
  Many jobs today require people to know computer programming. (最近の仕事の多くは人々にプログラミングの知識を要求する)
- urge A to do「A が…することを強く迫る」
  The teacher urged the students to buy a good dictionary. (その先生は生徒たちによい辞書を買うように促した)
- warn A to do「A に…するよう警告する[注意する]」
  He warned me to stop swimming in the river. (彼は私にその川で泳ぐのをやめるように警告した)

499 ③　500 ④

501 □□□ My grandmother's financial support will (　　　) me to graduate from college.

① able　② enable　③ make　④ have 〈福岡大〉

502 □□□ I tried to support him in whatever he was doing and encourage (　　　) further.

① him going　② him to go

③ that he was going　④ wherever he went 〈愛知医科大〉

503 □□□ It is not a good idea to (　　　) a left-handed child to use his or her right hand.

① force　② make　③ decide　④ affect 〈南山大〉

KEY POINT ▷135

504 □□□ 動画 I suggested (　　　) a more detailed and structured analysis.

① he do　② him to do

③ to attempt　④ him that he should attempt 〈名古屋工業大〉

505 □□□ The teacher ordered that every student (　　　) a study plan for the summer vacation.

① had made　② has made　③ make　④ to make 〈近畿大〉

TARGET 77 「V + A + to do」の形をとらない注意すべき動詞

以下の動詞は英作文などで「V + A + to do」の形で使いがちな動詞。択一式の問題でも，誤答選択肢として頻出。

- admit「認める」
- demand「要求する」
- explain「説明する」
- excuse「許す」
- propose「提案する」
- hope「希望する」→476, 499
- forgive「許す」
- suggest「提案する」→504
- prohibit「禁ずる」
- inform「知らせる」
- insist「主張する」

501 私の祖母の経済的な援助のおかげで，私は大学を卒業することができるでしょう。
502 私は彼が何をしようとも彼を支持し，彼にさらに前に進むよう励まそうとした。
503 左利きの子どもに右手を使うよう強制することは，よい考えではない。
504 私は彼がもっと詳細で系統的な分析を行うよう提案した。
505 先生は，すべての生徒に夏休みの学習計画を作るように命じた。

501. enable の用法 — enable A to do

○ **enable A to do**「A が…するのを可能にする」(→ TARGET 76) が本問のポイント。

✕ ③ make，④ have は，補語に to 不定詞ではなく原形不定詞をとる動詞。→ 491, 494

Plus 同意表現の **make it possible for A to do**，**allow[permit] A to do**（→ 500）もここで押さえよう。

502. encourage の用法 — encourage A to do

○ **encourage A to do**「A が…するように励ます[けしかける]」(→ TARGET 76) が本問のポイント。

503. force の用法 — force A to do

○ **force A to do**「A に…することを強制する」(→ TARGET 76) が本問のポイント。

✕ ② make は不可。**make A do**「(強制的に) A に…させる」= **force A to do** で押さえておく。

KEY POINT ▷ 135　「S + V + that S′ (should) + 原形」

504. suggest の用法 — suggest that S + 原形

▶ **suggest (to A) that S (should) + 原形**は，「S が…したらどうかと (A に) 提案する」の意味を表す。

✕ ② him to do にしないこと。suggest A to do の形はない（→ TARGET 77)。

④ him that he should attempt は，to him that he should attempt か，him をとった that he should attempt ならば可。

Plus **suggest**「提案する」，**demand**「要求する」，**insist**「主張する」，**order**「命令する」，**require**「要求する」，**request**「懇願する」，**propose**「提案する」，**recommend**「奨励する」という要求・提案・命令などを表す動詞の目的語となる **that** 節内では，「**should + 原形**」または「**原形**」を用いる（→ 66, TARGET 12)。この that 節内では，述語動詞の時制に左右されない点に注意すること。

505. order の用法 — order that S + 原形

○ 問題 504 で扱った **order that S + 原形**「S が…することを命令する」が本問のポイント。→ 66, TARGET 12

501 ②　502 ②　503 ①　504 ①　505 ③

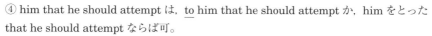

KEY POINT ▷136

506 □□□ His face (　　　　) smooth after shaving.
① felt　② was felt　③ felt to be　④ felt like 〈昭和大〉

507 □□□ How do you manage to stay so (　　　　)?
① suit　② shape　③ fit　④ match 〈昭和大〉

508 □□□ The soup that they served tasted (　　　　).
① soft　② deliciously　③ spice　④ like fish 〈松山大〉

509 □□□ A：Look, I can't get the computer started up. It was working perfectly last night.
B：Really? I wonder what (　　　　) wrong.
① went　② did　③ got　④ took 〈杏林大〉

TARGET 78 「S＋V＋C［形容詞］」の形をとる動詞

- feel「…のような感触を持つ／…と感じられる」→ 506
- look「…に見える」
- seem「…のように思われる［見える］」
- appear「…のように思われる［見える］」
- sound「…に聞こえる」
- go「…になる」→ 509
- turn「…になる」
- lie「…の状態にある」
- remain「…の（状態の）ままでいる」
- stay「…の（状態の）ままでいる」→ 507
- get「…の状態になる」
- become「…の状態になる」
- taste「…の味がする」→ 508
- smell「…のにおいがする」
- prove「…とわかる／…と判明する」
- turn out「…とわかる／…と判明する」
- come true「実現する」（慣用表現として押さえる）→ 510

506 彼の顔はひげをそった後にはすべすべに感じた。
507 あなたはどうやってそんなに健康的でいられるのですか。
508 彼らが出したスープは，魚のような味がした。
509 A：ねえ，コンピューターが起動できないんです。昨夜はまったく問題なく動いていたのに。
B：本当に？　どこが故障したんだろう。

KEY POINT ▷ 136　「S＋V＋C」

506. feel の用法 ― feel＋形容詞

▶ **feel** には，**feel＋形容詞**の形で，「…のような感触を持つ／…と感じられる」の意味を表す用法がある。→ TARGET 78

✕ feel like の後は，形容詞ではなく名詞がくるので，④ felt like は不可。

507. stay の用法 ― stay＋形容詞

○ **stay＋形容詞**「…の（状態の）ままでいる」が本問のポイント（→ TARGET 78）。形容詞の③ fit「体の調子がよい」を選ぶ。**stay fit**「健康を維持する／体調がよい」で押さえておこう。

Plus **manage to do**「どうにか…する」は重要。→ 480, TARGET 71

508. taste の用法 ― taste like＋名詞

▶ **taste** には，**taste＋形容詞**「…の味がする」の用法もあるが（→ TARGET 78），**taste like＋名詞**「…のような味がする」もあることに注意。

○ 本問は，taste like＋名詞の形である④ like fish を選ぶ。

✕ ② deliciously　③ spice は，それぞれ，delicious「とてもおいしい」，spicy「辛い」という形容詞なら可。

Plus **look like＋名詞**「…のように見える」，**sound like＋名詞**「…のように聞こえる」も一緒に覚えておこう。

509. go の用法 ― go＋形容詞

▶ **go** には，**go＋形容詞**の形で，「…になる」の意味を表す用法がある。この場合の go は，become の意味になるが，**go＋形容詞**は通例，**好ましくない状態になる**ことを表す。したがって，**go の後の形容詞**は，原則として本問のように**否定的な意味**を表す形容詞がくる。→ TARGET 78, 79

○ 形容詞の wrong「故障した」に着目し，① went を選ぶ。**go wrong**「故障する／うまくいかない」で押さえておこう。

Plus **wonder＋wh 節**「…かと思う」は重要。

TARGET 79 「go＋形容詞」の代表例

- go bad「（食べ物が）腐る」
- go bankrupt「破産する」
- go flat「パンクする」
- go astray「迷子になる」
- go blind「目が見えなくなる」
- go mad「正気でなくなる」
- go wrong「故障する／うまくいかない」→ 509
- go sour「すっぱくなる」
- go bald「はげる」
- go blank「うつろになる」

506 ①　507 ③　508 ④　509 ①

510 □□□ What the newspaper said about the weather for today has certainly come (　　　　).
① alive　② clean　③ closed　④ true　〈東京理科大〉

KEY POINT ▷ 137

511 □□□ The professor discussed (　　　　) with some senior students.
① on the economic problems　② in the economic problems
③ for the economic problems　④ the economic problems
〈高知大〉

512 □□□ The committee mentioned (　　　　) as an environmental problem.
① the acid-rain issue　② to the acid-rain issue
③ about the acid-rain issue　④ of the acid-rain issue
〈名古屋工業大〉

513 □□□ Have you heard the news that another typhoon (　　　　)?
① is approaching to Japan　② is approaching of Japan
③ is approaching for Japan　④ is approaching Japan　〈北里大〉

510 新聞に今日の天気について書かれていたことは，確かにそうなった。
511 教授は４年生の何人かと経済問題について議論した。
512 委員会は，酸性雨の問題を環境問題として言及した。
513 別の台風が日本に近づいているというニュースを聞きましたか。

510. come の用法 — come true

▶ **come** には **come + 形容詞**の形で「…になる」の意味を表す用法があるが，形容詞は **easy**，**awake**，**cheap**，**good**，**close**，**complete**，**true** などのような**肯定的な意味**の形容詞に限定されることに注意。

○ 文意から，④ true を選ぶ。**come true**「実現する」は，慣用的表現として押さえておこう。→ TARGET 78

KEY POINT ▷ 137　他動詞か自動詞か

511. 他動詞の discuss — discuss A

▶ **discuss** は他動詞であることに注意。**discuss A**「A について議論する」(**= talk about A**）で押さえておこう。

○ **discuss** は他動詞なので，直接目的語をとる。したがって，④ the economic problems「経済問題」が正解。→ TARGET 80

512. 他動詞の mention — mention A

○ **mention A**「A について言及する」(**= refer to A**）が本問のポイント（→ TARGET 80)。他動詞の mention は，直接目的語をとるので，① the acid-rain issue「酸性雨の問題」を選ぶ。

513. 他動詞の approach — approach A

○ **approach A**「A に近づく」(**= get near to A**）が本問のポイント。→ TARGET 80

Plus **the news that S + V ...** は，「…というニュース」の意味。**that** は名詞節を導く接続詞。→ 389, TARGET 60

---

510 ④　511 ④　512 ①　513 ④

514 □□□
Ted has two sons who (　　　　) him so much.
① are resembled by　② are resembling to
③ resemble　④ resemble to 〈日本大〉

515 □□□
A：You're really going to propose to her tonight?
B：Yes, I've made my mind up. I want to (　　　　)
① marry to her!　② marry with her!
③ get married to her!　④ marriage with her! 〈宮崎大〉

516 □□□
He apologized on his son's behalf (　　　　) me last night.
① about bother　② against bother
③ for bothering　④ of bothering 〈西南学院大〉

●TARGET 80 自動詞と間違えやすい他動詞

- approach A「A に近づく」→ 513
- reach A「A に着く」
  He finally reached the summit of the mountain.（彼はついにその山の頂上に到達した）
- enter A「A の中に入る」
  Please enter the meeting room at 10 o'clock.（10 時に会議室に入ってください）
- attend A「A に出席する」
  The train was delayed, and I could not attend the ceremony.（電車が遅れてセレモニーに出席することができなかった）
- discuss A「A について議論する」→ 511
- mention A「A について言及する」→ 512
- oppose A「A に反対する」
  Many local residents opposed the construction of the new road.（多くの地元住民は新しい道路の建設に反対した）

514 テッドには，彼にとてもよく似ている２人の息子がいる。
515 A：あなたは本当に今夜彼女にプロポーズするつもりなんですか。
B：はい，僕は決心しました。彼女と結婚したいです！
516 彼は，自分の息子に代わって，昨夜私に迷惑をかけたことで謝った。

514. 他動詞の resemble — resemble A

○ **resemble A**「A と似ている」(**= look like A**）が本問のポイント。→ TARGET 80

515. marry の用法 — get married to A

▶「A と結婚する」は，**marry A** で表現できるが（→ TARGET 80），**get married to A** とも表現できる。**marry A**「A と結婚する」**= get married to A** で押さえておこう。

Plus **be married to A** は「A と結婚している」という状態を表す。
I **have been married to** you for twenty years.
（僕は君と結婚して 20 年になるね）

Plus **make one's mind up**[**make up one's mind**] (**to do**) は，「(…することを）決心する」の意味。

516. 自動詞の apologize — apologize (to A) for B

▶ **apologize**「謝る」は自動詞で，**apologize** (**to A**) **for B**（名詞・動名詞）で「(A に）B のことで謝る」の意味になる。→ TARGET 81

○ 本問は，apologized と for bothering me last night「昨夜私に迷惑をかけたことで」の間に，前置詞句の **on A's behalf**（**= on behalf of A**）「A に代わって[代理として]」が入っていることを見抜く。

- answer A「A に答える」
  In this class, you have to answer the questions in English.（このクラスでは質問に英語で答えなければなりません）
- marry A「A と結婚する」→ 515
- inhabit A「A に住む」
  It is said that some wild dogs inhabit the caves.（数匹の野犬がその洞窟に生息していると言われている）
- resemble A「A と似ている」→ 514
- obey A「A に従う」
  When you go abroad, you must obey the laws of the country.（外国に行ったら，その国の法律に従わなければなりません）
- search A「A の中を捜す」
  The police searched the house for evidence.（警察は証拠を求めて家宅捜索を行った）
- survive A「A より長生きする／A を切り抜けて生き残る」　など
  My grandmother survived the war and lived to be 100 years old.(私の祖母はその戦争を生き延びて 100 歳まで生きた)

---

514 ③　515 ③　516 ③

2 語法

517 □□□ Many people have (　　　) about the bad food at that restaurant.
① angered　② expressed　③ criticized　④ complained
〈近畿大〉

518 □□□ Mr. and Mrs. Hudson are always (　　　) with each other about the issue.
① denying　② denouncing　③ arguing　④ yelling 〈東京歯科大〉

KEY POINT ▷138

519 □□□ There would be no harm in listening to her advice.
= It wouldn't (　　　) you any harm to listen to her advice.
① make　② provide　③ give　④ do 〈中央大〉

520 □□□ Could you (　　　) me a favor and take out the garbage?
① call　② carry　③ do　④ take 〈南山大〉

521 □□□ I paid ¥28,000 for this European furniture.
= This European furniture (　　　) me ¥28,000.
① caused　② cost　③ overtook　④ yielded 〈東京理科大〉

TARGET 81 他動詞と間違えやすい自動詞

- apologize (to A) for B「(A に) B のことで謝る」→ 516
- complain (to A) about[of] B「(A に) B について不満を言う」→ 517
- argue with A (about B)「(B について) A と口論する」→ 518
- graduate from A「A を卒業する」
- enter into A「A（議論など）を始める」
- search for A「A を捜す」 など

517 多くの人たちが，そのレストランのまずい料理について不満を言っている。
518 ハドソン夫妻は，いつもその問題について言い争いをしている。
519 彼女の忠告を聞いても何も害はないだろう。＝ 彼女の忠告を聞くことは，何も害になることはないだろう。
520 お願いですが，ゴミを出していただけますか。
521 このヨーロッパの家具に私は 28,000 円払った。＝ このヨーロッパの家具の代金は 28,000 円だった。

517. 自動詞の complain — complain (to A) about[of] B

○ **complain (to A) about[of] B**「(A に) B について不満を言う」が本問のポイント。
→ TARGET 81

✕ ③ criticize は criticize A for B で「B のことで A を非難[批判]する」の意味。

518. 自動詞の argue — argue with A about B

○ **argue with A about B**「B について A と口論する」が本問のポイント。→ TARGET 81

✕ ④ yell は，**yell at A** で「A を[に]どなる」の意味。

KEY POINT ▷ 138　二重目的語をとる動詞—「V＋A＋B」

519. 二重目的語をとる do (1) — do A harm

▶ **do** には二重目的語をとる用法があり，**do A B** で「A に B（害・益）をもたらす／A に B（行為・敬意）を示す」の意味になる。B には特定の目的語がきて慣用的な表現を形成する。harm を目的語にとる **do A harm = do harm to A** は,「A の害になる」の意味を表す。→ TARGET 82

○ 本問の **It wouldn't do you any harm to do ...** は，「…するのは，あなたの害にはまったくならないだろう」の意味。

✕ ③ give は不可。give は目的語に harm をとらない。

520. 二重目的語をとる do (2) — do A a favor

▶ **do A a favor** は，「A の頼みを聞き入れる」の意味を表す。do の目的語の **favor** は，「(目上の人などが示す）好意，親切な行為」の意味。→ TARGET 82

521. 二重目的語をとる cost (1) — cost A B

▶ **cost** には **cost A B** の形で「A に B（費用）がかかる」の意味を表す用法がある。
→ TARGET 83

TARGET 82　二重目的語をとる do

- do A good「A のためになる」= do good to A（good は名詞で「利益」）→ 585
  When feeling stressed out, watching a comedy movie can do us a lot of good.（強いストレスを感じているとき，コメディー映画を観ることは大きな有益となり得る）
- do A harm「A の害になる」= do harm to A（harm は名詞で「害」）→ 519
- do A damage「A に損害を与える」= do damage to A
  Years of smoking did his body damage.（長年にわたる喫煙が彼の体に害をもたらした）
- do A a favor「A の頼みを聞き入れる」→ 520

*上記の左側の表現は文脈から明らかな場合は A が省略されることもある。

517 ④　518 ③　519 ④　520 ③　521 ②

522 □□□ The accident almost (　　　) him his life.
① cost　② robbed　③ lost　④ deprived　〈中央大〉

523 □□□ It took the virus a few minutes (　　　) the data on the computer.
① to destroy　② destroying
③ for destruction of　④ destructive　〈名古屋工業大〉

524 □□□ Could you please ask the taxi driver how much he will (　　　) me for a taxi tour of Kyoto?
① price　② charge　③ cost　④ pay　〈南山大〉

TARGET 83　二重目的語をとる注意すべき動詞

- cost A B「A に B（費用）がかかる／A に B（犠牲など）を払わせる」→ 521, 522
- take A B「A が（…するのに）B を必要とする」→ 523
- save A B「A の B を節約する／A の B を省く」→ 525
- spare A B「A に B を割く／A の B を省く」→ 526
- allow A B「A に B を割り当てる」
  Could you allow us three days to deliver your order?（注文の商品を届けるのに３日間いただけますか）
- offer A B「A に B を提供する」
  He kindly offered me a ride home.（彼は親切にも私を家まで送ってくれた）
- cause A B「A に B をもたらす」
  The fire caused the town serious damage.（その火災は町に深刻な被害をもたらした）
- leave A B「A に B を残して死ぬ／A に B を残す」
  My parents left me a lot of money.（両親は私に多くの遺産を残した）
- deny A B「A に B を与えない」
  The president said he would deny terrorists a safe haven.（大統領はテロリストたちに安全な隠れ家は与えないと述べた）

522 その事故で，彼はほとんど命を失いかけた。
523 そのウイルスがコンピューター上のデータを破壊するのに数分かかった。
524 タクシーのドライバーに，京都でのタクシーツアーにどのくらいの料金がかかるのか，尋ねていただけますか。

522. 二重目的語をとる cost (2) — cost A B

▶ **cost A B** は，B に **life**，**health**，**time** といった名詞がくる場合，「A に B（犠牲・損失など）を払わせる」の意味になる。→ TARGET 83

✕ ② robbed，④ deprived には二重目的語をとる用法はなく，rob[deprive] A of B「A から B を奪う」の形が基本。→ 543, 544

523. 二重目的語をとる take — take A B

▶ **take** は二重目的語をとり，**take A B**（**to do**）の形で「A が（…するのに）B を必要とする」の意味を表す。→ TARGET 83

○ この **take A B** を用いた **It takes A + 時間 + to do**「A が…するのに（時間が）〜かかる」が本問のポイント。

Plus **cost A B**「A に B（費用）がかかる」を用いた **It costs A + お金 + to do**「A が…するのに（お金が）〜かかる」もここで押さえる。

It **cost** me a lot of money to have my house repaired.
（家を修理してもらうのに，ずいぶん費用がかかりました）

524. 二重目的語をとる charge — charge A B

○ **charge A B**「A に B（お金）を請求する」が本問のポイント（→ TARGET 83）。B（お金）が疑問詞の how much となって，節の冒頭に置かれている。

Plus **ask A + wh 節**「A に…かを尋ねる」は重要。

- charge A B「A に B（お金）を請求する」→ 524
- owe A B「A に B を借りている[負っている]」
  Do you remember you owe me five thousand yen?（あなたは私に 5000 円の借りがあるということを覚えていますか）
- lend A B「A に B を貸す」
  I won't lend you money anymore.（もうこれ以上，あなたにお金は貸しません）
- loan A B「（利子をとって）A に B を貸す」
  Why don't you ask your parents to loan you some money?（ご両親にいくらかお金を貸してくれと頼んでみてはどうですか）
- wish A B「A に B を祈る」
  I wish you a happy birthday.（楽しい誕生日をお迎えください）
- envy A B「A の B をうらやましく思う」　など
  They envied Barbara her beauty.（彼らはバーバラの美しさをうらやましく思った）

522 ①　523 ①　524 ②

525 □□□ The new software program will ( ) us a lot of time and labor.
① give ② get ③ save ④ make 〈桜美林大〉

526 □□□ A：Could you spare me a minute?
B：( ).
① Sorry, I'm busy right now
② Yes, I can lend you a spare key
③ Here's your change, sir
④ No. You were thirty minutes late 〈山梨大〉

KEY POINT ▷139

527 □□□ Some day you will realize that honesty ( ).
① buys ② pays ③ gives ④ sells 〈中央大〉

528 □□□ The video recording of a sleeping man ( ) for several hours.
① lasts ② manages ③ melts ④ obeys 〈立命館大〉

529 □□□ Any dictionary ( ) as long as it is an English dictionary.
① will do ② should go ③ may use ④ can run 〈明治大〉

525 その新しいソフトウェアプログラムは，私たちに多くの時間と労力を節約させてくれるでしょう。
526 A：ちょっと時間を割いていただけますか。
B：すみません，ちょうど今は忙しいんです。
527 いつの日か，あなたは誠実さが報われることに気づくでしょう。
528 眠っている人のビデオ録画は，数時間の長さです。
529 英語の辞書であれば，どの辞書でも大丈夫です。

525. 二重目的語をとる save ― save A B

○ **save A B**「A の B を節約する」が本問のポイント。→ TARGET 83

526. 二重目的語をとる spare ― spare A B

○ **spare A B**「A に B を割く」が本問のポイント（→ TARGET 83）。**Could you spare me a minute?**（ちょっと時間を割いていただけますか）の文意に合うのは，① Sorry, I'm busy right now「すみません，ちょうど今は忙しいんです」だけ。

KEY POINT ▷ 139　意外な意味を表す自動詞

527. 注意すべき自動詞 pay の意味

▶ **pay** が自動詞で用いられると，「利益になる／割に合う」の意味を表す。→ TARGET 84

528. 注意すべき自動詞 last の意味

○ **last + 期間を表す副詞(句)**「…の間続く」が本問のポイント。→ TARGET 84

529. 注意すべき自動詞 do の意味

▶ **do** が自動詞で用いられると，「十分である／間に合う」（→ TARGET 84）の意味を表す。

○ この用法の do は，本問のように **will do の形で用いることに**注意。

Plus **as long as S + V ...**「…しさえすれば」(**= only if S + V ...**) は重要。→ 416, 417

TARGET 84　意外な意味を表す自動詞 do / pay / sell / read / last / work

(1) do は自動詞で用いられると「十分である／間に合う」の意味になる。→ 529
This place will do for playing baseball.（この場所は野球をするのには十分だろう）

(2) pay は自動詞で用いられると「利益になる／割に合う」の意味になる。→ 527
Honesty sometimes does not pay.（正直は時として割に合わないことがある）

(3) sell は自動詞で用いられると「売れる」の意味になる。
This car should sell at a high price.（この車は高値で売れるはずだ）

(4) read は自動詞で用いられると「解釈される／読める」の意味になる。
This historical book reads like a novel.（この歴史書は小説のように読める）

(5) last は自動詞として，期間を表す副詞(句)を伴って「(もの・ことが) ある期間続く／(物・食べ物などが) ある期間長持ちする」の意味を表す。→ 528

(6) work は自動詞として，しばしば well などの様態を表す副詞を伴い，work (well) の形で「(計画などが) うまくいく／(薬などが) 効き目がある」の意味を表す。
Practically, the plan did not work well.（その計画は，事実上，うまくいかなかった）

---

525 ③　526 ①　527 ②　528 ①　529 ①

KEY POINT ▷140

530 □□□ Gasoline prices ( ) so rapidly these past few weeks that we should change our driving habits.
① have raised ② have risen
③ have been raising ④ have arisen 〈明治大〉

531 □□□ My cats have been ( ) in the sun all day.
① laying ② leaning ③ lie ④ lying 〈西南学院大〉

532 □□□ The president of the company announced yesterday that the salaries of all employees would be ( ) from next year.
① rise ② risen ③ raise ④ raised 〈福島大〉

● TARGET 85 自動詞と他動詞で紛らわしい動詞 動画

(自) lie「横になる／…のままである」《活用》lie-lay-lain-lying → 531
(他) lay「…を横たえる／…を置く／(卵など) を産む」《活用》lay-laid-laid-laying
I bought a carpet and laid it on the floor of my bedroom.（私はカーペットを買い，寝室の床に敷いた）
(自) lie「うそをつく」《活用》lie-lied-lied-lying
Most people lie at least once a day.（ほとんどの人は少なくとも 1 日に 1 回はうそをつく）

(自) sit「座る」《活用》sit-sat-sat-sitting
I like to sit on a bench in the schoolyard on a sunny day.（私は晴れた日に校庭のベンチに座るのが好きだ）
(他) seat「…を座らせる」《活用》seat-seated-seated-seating
Please seat yourself here.（ここに座ってください）

530 ここ数週間でガソリン価格が急上昇したため，私たちは運転の仕方を変えるべきです。
531 私の猫は一日中，日なたで寝そべっている。
532 昨日，その会社の社長は，すべての従業員の給料が来年から引き上げられると発表した。

KEY POINT ▷ 140　紛らわしい自動詞と他動詞

530. 自動詞の rise ― raise との区別

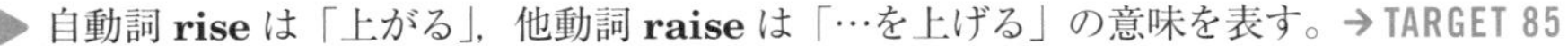

▶ 自動詞 **rise** は「上がる」，他動詞 **raise** は「…を上げる」の意味を表す。→ TARGET 85

○ 自動詞 **rise** の過去分詞は **risen** なので，② have risen を選ぶ。

531. 自動詞の lie ― lay との区別

▶ 自動詞の **lie** は「横になる」，他動詞の **lay** は「…を横たえる」の意味を表す。→ TARGET 85

○ 自動詞の **lie** の現在分詞は **lying** なので，④ lying を選ぶ。

✕ ① laying は，他動詞 lay の現在分詞なので不可。

532. 他動詞 raise の用法

▶ 他動詞の **raise** には，「(賃金・料金など) を上げる」の意味を表す用法がある。

○ that 節以下は受動態の文なので，他動詞 raise の過去分詞である④ raised を選ぶ。→ TARGET 85

Plus 他動詞 **raise** には，**raise A** で「A (お金) を集める」の意味を表す用法もあることに注意。**raise money**「お金を集める」で押さえておこう。

They are trying to **raise money** to build a new hospital.
(彼らは新しい病院を建てるために，お金を集めようとしている)

(自) rise「上がる／昇る」《活用》rise-rose-risen-rising → 530
(他) raise「…を上げる／…を育てる」《活用》raise-raised-raised-raising → 532

(自) arise「生じる」《活用》arise-arose-arisen-arising
Because of the price increases, concerns might arise among customers. (値上げのために，お客の間で懸念が起きるかもしれない)
(他) arouse「…を目覚めさせる／…を刺激する」
《活用》arouse-aroused-aroused-arousing
Meditation helps to arouse positive emotions. (瞑想はポジティブな感情を呼び起こすのに役立つ)

530 ②　531 ④　532 ④

KEY POINT ▷141

533 □□□ Michael (　　　) to me that Jane would go alone.
① said　② wanted　③ told　④ talked　〈福岡大〉

534 □□□ The newspaper (　　　) it was going to rain.
① said　② spoke　③ talked　④ told　〈関西学院大〉

535 □□□ When I was (　　　) that I had passed the test, I was overjoyed.
① asked　② said　③ spoke　④ told　〈慶應義塾大〉

TARGET 86　tell / say / speak / talk の用法

(1) tell「…に話す」― 基本的には他動詞

- tell A B = tell B to A「A に B を話す」
  Please tell me the cause of the problem.（私にその問題の原因を教えてください）
- tell A about B「B について A に話す」
  Nina told me about the newly-opened café.（ニーナはその新しく開店したカフェについて教えてくれた）
- tell A to do「A に…するように言う」
  Mr. Brown told us to submit the homework by the end of this week.（ブラウン先生は私たちに宿題を今週末までに提出するように言った）
- tell A that 節［wh 節］「A に…ということを言う」→ 535, 581

＊上記の形で使える点が大きな特徴。

(2) say「…を［と］言う」― 基本的には他動詞

- say (to A) that 節［wh 節］「(A に) …だと言う」→ 533
- S say that 節「S（新聞／手紙／天気予報など）には…と書いてある／S によれば…」→ 534

533 マイケルは，ジェーンが一人で行くだろうと私に言った。
534 新聞には雨が降りそうだと書いてあった。
535 私は，そのテストに合格したと言われたとき大喜びした。

KEY POINT ▷ 141　「言う」「話す」などを表す動詞

533. say の用法 — say (to A) that 節 (1)

▶ **say** には，**say (to A) that 節**で「(A に) …だと言う」の意味を表す用法がある。
→ TARGET 86

✕ ③ told は不可。told を用いると，Michael told me that Jane would go alone. となる。
④ talked は，後に that 節をとることができないので，不可。

534. say の用法 — say (to A) that 節 (2)

○ **S say that 節**「S（新聞など）には…だと書いてある／S によれば…」が本問のポイント。→ TARGET 86

535. tell の用法 — tell A + that 節

○ **tell A + that 節**「A に…と言う」の受動態，**be told + that 節**「…だと言われる」が本問のポイント。→ TARGET 86

✕ ① asked は不可。ask A that 節の形はない。

---

*S say that 節の形はよくねらわれる。
*目的語に「人」をとらないことに注意。
(3) speak「話す／演説をする」— 基本的には自動詞
● speak A「A（言語／言葉／意見など）を話す」
In the global society, it is necessary to be able to speak a few languages.（グローバル社会において，数か国語を話せる必要がある）
*上記の他動詞用法もある。
(4) talk「話す／しゃべる」— 基本的には自動詞
● talk to[with] A about B「B について A と話し合う」→ 536
● talk A into doing[B]「A を説得して…させる／A を説得して B をさせる」→ 537
● talk A out of doing[B]「A を説得して…するのをやめさせる／A を説得して B をやめさせる」
My parents talked me out of traveling alone.（私の両親は私を説得して一人旅をやめさせた）
*speak と言い換えができる場合も多い。
*下 2 つの他動詞用法はともに頻出。

---

533 ①　534 ①　535 ④

536 □□□
A：Do you have something on your mind?
B：Yes. I'd like to ( ) to you about a serious problem.
① go ② get ③ say ④ talk 〈立正大〉

537 □□□
There's no way you can talk me ( ) going.
① in ② to ③ off ④ into 〈日本大〉

538 □□□
The professor explained ( ) that Samuel should have a physical examination once a year.
① on him ② to him ③ him ④ at him 〈上智大〉

KEY POINT ▷142

539 □□□
This painting ( ) me of a dream I had recently.
① recalls ② reminds ③ recollects ④ remembers 〈南山大〉

TARGET 87 talk A into doing の同意・反意表現

- talk A into doing = persuade A to do「A を説得して…させる」→ 537

⇕

- talk A out of doing = persuade A not to do「A を説得して…するのをやめさせる」
  = dissuade A from doing
  = discourage A from doing → 550, TARGET 90

TARGET 88 「S＋V＋A＋of＋B」の形をとる動詞 (1) ― of =「関連」の of

- inform A of B「A に B のことを知らせる」→ 541
- remind A of B「A に B のことを思い出させる」→ 539
- convince A of B「A に B のことを確信させる」→ 542
- persuade A of B「A に B のことを納得させる」

I found it difficult to persuade him of my plan.（彼に私の計画を納得してもらうことは困難だとわかった）

536 A：あなたは何か気になっていることがあるのですか。
B：はい。ある深刻な問題についてあなたと話したいんです。
537 あなたは，私に出かけるように説得することはできません。
538 サミュエルは年に 1 回身体検査を受けるべきだと，教授は彼に説明した。
539 この絵は私が最近見た夢を思い起こさせる。

536. talk の用法 — talk to[with] A (about B)

○ **talk to[with] A (about B)**「(B について) A と話し合う」が本問のポイント。
→ TARGET 86

Plus **have A on one's mind**「A を気にしている[気にかけている]」は重要。

537. talk の用法 — talk A into doing

○ **talk A into doing**「A を説得して…させる」(**= persuade A to do**) が本問のポイント。→ TARGET 86, 87

538. explain の用法 — explain to B A

▶ **explain** は，**explain A to B** の形で「A のことを B に説明する」の意味を表す。目的語の A が that 節や wh 節などのように比較的長くなる場合，A を B の後に移動して **explain to B A** の形にすることがある。

○ 本問はこの explain to B A の形。したがって，② to him を選ぶ。

Plus 以下の文は wh 節の用例。
The pilot **explained to us why** the landing was delayed.
(パイロットは，なぜ着陸が遅れたかを私たちに説明した)

KEY POINT ▷ 142　remind の用法

539. remind の用法 — remind A of B

▶ **remind** は，**remind A of B** の形で「A に B のことを思い出させる[気づかせる]」の意味を表す (→ TARGET 88)。「人」が目的語になることに注意。

✕ ① recalls，③ recollects，④ remembers は，原則的に，「人」が主語で「(人が) …を思い出す」の意味を表す。

● warn A of B「A に B のことを警告する」
She warned me of the difficulties of climbing the mountain. (彼女は私にその山に登る困難さについて警告した)

● suspect A of B「A に B の嫌疑をかける」
The police officer suspected him of being a criminal. (警察官は彼のことを犯人だと思った)

536 ④　537 ④　538 ②　539 ②

540 □□□ How many times do I have to remind you (　　　) your toys?
① for putting away　② put away
③ putting away　④ to put away 〈近畿大〉

KEY POINT ▷ 143

541 □□□ The drug maker hesitated to (　　　) users of the possibility of fatal side effects.
① authorize　② announce　③ communicate　④ inform
〈日本大〉

542 □□□ I am now (　　　) of his honesty.
① convinced　② believed　③ persuade　④ confide 〈青山学院大〉

KEY POINT ▷ 144

543 □□□ It is quite unfair that, except for aristocrats, people were deprived (　　　) their freedom of speech.
① about　② for　③ in　④ of 〈中央大〉

● TARGET 89 「S＋V＋A＋of＋B」の形をとる動詞 (2) ― of＝「分離・はく奪」の of

- deprive A of B「A から B を奪う」→ 543
- rob A of B「A から B を奪う」→ 544
- strip A of B「A から B をはぎ取る」
  The strong sunlight stripped the wall of paint.（強烈な日差しで壁からペンキが剥がれた）
- clear A of B「A から B を取り除いて片づける」→ 545
- cure A of B「A から B を取り除いて治す」→ 546
- rid A of B「A から B を取り除く」
  I am trying to rid myself of the habit of staying up late.（私は夜更かしする習慣から抜け出そうとしている）

540 あなたのおもちゃを片づけるように何度，注意しなければいけないのですか。
541 その製薬会社は，命にかかわる副作用を起こす可能性について使用者に知らせることをためらった。
542 私は今，彼の誠実さを確信している。
543 貴族以外の人々が言論の自由を奪われていたことは，まったく不公平だ。

540. remind の用法 — remind A to do

▶ **remind** には，**remind A to do** の形で「A に…することを思い出させる［気づかせる］」の意味を表す用法がある。

Plus **put away A / put A away**「A を片づける／ A を（元のところへ）しまう」は重要。

Plus **remind** には，**remind A of B**，**remind A to do** のほかにも，**remind A that** 節「A に…ということを思い出させる」の形もある。すべて頻出表現なので一緒に覚えておこう。

Please **remind me that** I have an important appointment at three o'clock.
（3 時に重要な約束があることを私に気づかせてください）

KEY POINT ▷ 143　「S + V + A + of + B」(1)

541. inform の用法 — inform A of B

○ **inform A of B**「A に B のことを知らせる」が本問のポイント。→ TARGET 88

Plus **hesitate to do**「…するのをためらう」は重要（→ TARGET 71）。the possibility of fatal side effects は，「命にかかわる副作用を起こす可能性」の意味。

542. convince の用法 — convince A of B

○ **convince A of B**「A に B のことを確信させる」の受動態 **A is convinced of B**「A は B のことを確信している」が本問のポイント。→ TARGET 88

KEY POINT ▷ 144　「S + V + A + of + B」(2)

543. deprive の用法 — deprive A of B

▶ deprive は，**deprive A of B** の形で「A から B を奪う」の意味を表す。この of は「分離・はく奪」を表す。→ TARGET 89

○ **deprive A of B** の受動態，**A is deprived of B**「A は B を奪われる」を見抜く。

Plus except for aristocrats は，「貴族を除いて」の意味。

- relieve A of B「A から B を取り除いて楽にする」
  The Christmas holidays will relieve me of my daily stress.（クリスマス休暇は私から日常のストレスを取り除いて楽にしてくれるだろう）
- empty A of B「A から B を取り出して空にする」
  I emptied the refrigerator of old food.（私は冷蔵庫から古い食べ物を出して空にした）

540 ④　541 ④　542 ①　543 ④

544 □□□ Lucy was (　　　) of her expensive rings.
① robbed ② stolen ③ received ④ sold 〈北里大〉

545 □□□ She got angry and (　　　) the apartment of all the furniture and articles belonging to him.
① cleared ② moved ③ removed ④ took 〈中央大〉

546 □□□ Now doctors believe they have (　　　) John of the disease.
① cured ② treated ③ operated ④ recovered 〈昭和大〉

KEY POINT ▷ 145

547 □□□ We couldn't visit the city last year because of the earthquake.
= The earthquake (　　　) us from visiting the city last year.
① obtained ② prevented ③ relieved ④ required 〈中央大〉

548 □□□ Put the pizza at the bottom of the oven to keep the cheese (　　　) burning.
① by ② into ③ from ④ on 〈桜美林大〉

549 □□□ A new law (　　　) people from drinking in the park.
① permits ② prohibits ③ refuses ④ exhibits 〈甲南大〉

● TARGET 90 「S＋V＋A＋from doing」の形をとる動詞

- prevent[stop / hinder] A (from) doing「A が…するのを妨げる」→ 547
  * from がしばしば省略されるので注意。
- keep A from doing「A が…するのを妨げる」→ 548
  * こちらの from は省略されることがない。
- prohibit[forbid / ban] A from doing「A が…するのを禁じる」→ 549
- discourage[dissuade] A from doing「A が…するのを思いとどまらせる」→ 550

544 ルーシーは，彼女の高価な指輪を奪われた。
545 彼女は腹を立て，アパートから彼のものだったすべての家具と品物を外に出した。
546 今では，医者たちはジョンの病気を治したと確信している。
547 震災のせいで，私たちは昨年その町を訪れることができなかった。＝昨年，震災が，私たちがその町を訪れることを妨げた。
548 チーズが焦げないように，ピザはオーブンの一番下に入れてください。
549 新しい法律は，人が公園で飲酒することを禁止している。

544. rob の用法 — rob A of B

○ **rob A of B**「A から B を奪う」の受動態，**A is robbed of B**「A は B を奪われる」が本問のポイント。→ TARGET 89

545. clear の用法 — clear A of B

○ **clear A of B**「A から B を取り除いて片づける」が本問のポイント。→ TARGET 89

546. cure の用法 — cure A of B

○ **cure A of B**「A から B を取り除いて治す」が本問のポイント。→ TARGET 89

KEY POINT ▷ 145

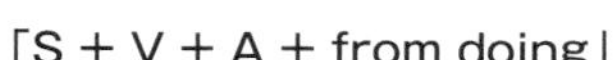

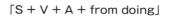

547. prevent の用法 — prevent A from doing

○ **prevent** は，**prevent A from doing** の形で「A が…するのを妨げる」の意味を表す。
→ TARGET 90

548. keep の用法 — keep A from doing

○ **keep A from doing**「A が…するのを妨げる」が本問のポイント。→ TARGET 90

549. prohibit の用法 — prohibit A from doing

○ **prohibit A from doing**「A が…するのを禁じる」が本問のポイント。→ TARGET 90

---

544 ①　**545** ①　**546** ①　**547** ②　**548** ③　**549** ②

550 □□□ My parents are trying to (　　　　) me from moving to London, but I'm planning to go anyway.

① discourage　② recall　③ observe　④ relieve　〈獨協大〉

KEY POINT ▷146

551 □□□ That website will provide you (　　　　) many beautiful pictures of Japan.

① about　② for　③ in　④ with　〈中央大〉

552 □□□ 動画 The guidebook (　　　　) us with a lot of useful information on travelling in Japan.

① consigned　② decomposed　③ engraved　④ furnished

〈立命館大〉

553 □□□ Although you may not agree with me, I would like to (　　　　) my thoughts and ideas with you.

① give　② share　③ meet　④ show　〈南山大〉

TARGET 91 「S + V + A + with + B」の形をとる動詞

- provide A with B「A に B を供給する」→ 551 = provide B for A
- supply A with B「A に B を供給する」= supply B to[for] A
  The volunteers supplied the village with clean drinking water.（ボランティアたちは，その村に清潔な飲料水を供給した）
- serve A with B「A に B を供給する」= serve B to A
  The waiter served me with coffee without any extra charge.（ウェイターは追加料金なしで私にコーヒーを出してくれた）
- present A with B「A に B を贈る[与える]」= present B to A
  Someone came here to present you with this old book.（誰かがこの古い本をあなたに渡すためにここに来ました）

550 私の両親は，私がロンドンに引っ越すのをあきらめさせようとしているけれど，私はそれに構わず行くつもりだ。
551 そのウェブサイトは，あなたにたくさんの日本の美しい写真を提供してくれるでしょう。
552 そのガイドブックは，日本を旅行する際に役に立つたくさんの情報を私たちに提供してくれた。
553 あなたは私とは意見が違うかもしれませんが，私は自分の思っていることやアイデアをあなたに話したいと思います。

550. discourage の用法 — discourage A from doing

○ **discourage A from doing**「A が…するのを思いとどまらせる」が本問のポイント。

→ TARGET 90

KEY POINT ▷ 146

「S + V + A + with + B」

551. provide の用法 — provide A with B

▶ provide は，**provide A with B** の形で「A に B を供給する」の意味を表す。

→ TARGET 91

Plus provide A with B の同意表現である **provide B for A**「A に B を供給する」も頻出。provide の目的語によって前置詞が異なる点に注意。

Cows **provide** us **with** milk.= Cows **provide** milk **for** us.
（雌牛はミルクを私たちに供給する）

552. furnish の用法 — furnish A with B

○ **furnish A with B**「A に B を提供[供給]する」が本問のポイント。

→ TARGET 91

553. share の用法 — share A with B

○ **share A with B**「A を B と分かち合う，A を B に話す」が本問のポイント。

→ TARGET 91

- furnish A with B「A に B を備える[備えつける]／A に B を提供[供給]する」→ 552
- equip A with B「A に B を備えつける」
  I will equip my home with floor heating.（私は家に床暖房を備えつけるつもりだ）
- share A with B「A を B と分かち合う，A を B に話す」→ 553
- compare A with B「A を B と比較する」= compare A to B → 582
  My parents often compare me with my twin brother.（私の両親はしばしば私と双子の兄［弟］を比較する）
- identify A with B「A を B と同一視する[関連づける]」
  Some people identify money with happiness.（お金を幸福と同一視する人もいる）

550 ①　551 ④　552 ④　553 ②

KEY POINT ▷147

554 □□□ The actress blamed (　　　) her poor acting in the movie.
① herself by　② by herself　③ herself for　④ for herself
〈名古屋工業大〉

555 □□□ My wife accused me (　　　) selfish.
① of being　② for being　③ at having been　④ on being
〈福岡大〉

556 □□□ The Metropolitan Police charged him (　　　) murder.
① for　② to　③ with　④ on　〈上智大〉

KEY POINT ▷148

557 □□□ I can hardly thank you enough (　　　) your help.
① by　② for　③ over　④ with　〈関東学院大〉

● TARGET 92 「S＋V＋A＋for＋B」の形をとる動詞

- blame A for B「B のことで A を非難する」→ 554
- criticize A for B「B のことで A を非難する」
  The coach criticized the player for not following his directions.（そのコーチは指示に従わなかったことでその選手を非難した）
- punish A for B「B のことで A を罰する」
  You should not punish him for the mistake.（その間違いのことで彼を罰するべきではない）
- scold A for B「B のことで A を叱る」
  Jimmy's mother scolded him for his impolite manners.（ジミーの母親は彼を無作法で叱った）
- excuse A for B「B について A を許す」
  The client excused her for forgetting the appointment.（その顧客は約束を忘れたことについて彼女を許した）
- forgive A for B「B について A を許す」
  The teacher did not forgive Jim for his terrible lie.（先生はジムのひどい嘘を許さなかった）

554 その女優は，その映画での自分のひどい演技のことで自分自身を責めた。
555 私の妻は私が利己的だと非難した。
556 ロンドン警視庁は彼を殺人の罪で起訴した。
557 私はあなたの手助けに感謝してもしきれません。

KEY POINT ▷ 147　「非難する」などを表す動詞

554. blame の用法 ― blame A for B

▶ blame は，**blame A for B** の形で「B のことで A を非難する」の意味を表す。
→ TARGET 92, 93

○ 本問は，**blame oneself for B**「B のことで自分を責める」の形となっていることを見抜く。

555. accuse の用法 ― accuse A of B

○ **accuse A of B**「B のことで A を非難する／告発する」が本問のポイント。→ TARGET 93

556. charge の用法 ― charge A with B

○ **charge A with B**「B のことで A を告発する／非難する」(**= accuse A of B**) が本問のポイント。→ TARGET 93

Plus the Metropolitan Police は「ロンドン警視庁」(= The London Police) の意味。

KEY POINT ▷ 148　「感謝する」を表す動詞

557. thank の用法 ― thank A for B

○ **thank A for B**「B のことで A(人)に感謝する」が本問のポイント。→ TARGET 92

Plus **can hardly do ...**「ほとんど…することができない」は重要。→ 643, TARGET 104

Plus **thank A for B** の同意表現として，形容詞を用いた **be thankful[grateful / obliged] to A for B** もここで押さえておこう。

- admire A for B「B のことで A を称賛する」
  Mary's friends admired her for her honesty.（メアリーの友だちは彼女の誠実さを称賛した）
- praise A for B「B のことで A をほめる」
  Fans praised the player for his fantastic play.（ファンはファインプレーのことでその選手を称賛した）
- reward A for B「B のことで A に賞を与える」
  The company rewarded Kate for her 30 years of service.（その会社は勤続 30 年でケイトを表彰した）
- thank A for B「B のことで A に感謝する」→ 557
- respect A for B「B のことで A を尊敬する」
  Many citizens respect the mayor for his leadership.（多くの市民は，リーダーシップのことで市長を尊敬している）

554 ③　555 ①　556 ③　557 ②

558 □□□ Without your help, I would not have succeeded. I really ( ) your kindness.
① please ② deny ③ thank ④ appreciate 〈大東文化大〉

KEY POINT ▷ 149

559 □□□ Susan：Ken, can you ( ) me to the airport?
① bring ② lift ③ show ④ take 〈鹿児島大〉

560 □□□ She came to the lake after she had walked for ten minutes.
= Ten minutes' walk ( ) her to the lake.
① hasten ② caught ③ introduced ④ brought 〈駒澤大〉

561 □□□ Let me introduce ( ) my sister.
① for you ② you ③ you by ④ you to 〈日本女子大〉

● TARGET 93 「B のことで A を非難する／A を告発する／A に責任を負わせる」を表す動詞

(1)「B のことで A を非難する」
- blame A for B → 554
- criticize A for B
- accuse A of B → 555
- charge A with B

(2)「B のことで A を告発する」
- charge A with B → 556
- accuse A of B

(3)「B のことで A に責任を負わせる」
- blame A for B
- blame B on A

● TARGET 94 「S ＋ V ＋ A ＋ to ＋ B」の形をとる動詞

- owe A to B「A については B のおかげである」
  I owe my success to you.（私の成功は，あなたのおかげです）
- take A to B「A を B に持っていく[連れていく]」→ 559
- bring A to B「A を B に持ってくる[連れてくる]」→ 560
- transfer A to B「A を B へ移す」
  The doctor decided to transfer the patient to an intensive care unit.（その医者は患者を集中治療室に移すことに決めた）
- introduce A to B「A を B に紹介する」→ 561

558 あなたの手助けがなかったら，私は成功しなかったでしょう。あなたのご親切にはとても感謝しています。
559 スーザン：ケン，空港に連れていってくれませんか。
560 彼女は 10 分間歩いた後で湖に着いた。＝ 10 分間の徒歩で彼女は湖に着いた。
561 妹にあなたを紹介させてください。

558. appreciate の用法 ― thank との区別

▶ **appreciate** には，**appreciate A** で「A をありがたく思う／A を感謝する」の意味を表す用法がある。**thank A が目的語に「人」**をとるのに対して，**appreciate A は，目的語に「こと・もの」をとる**点に注意。

✕ ③ thank で表現すれば，**I really thank you for your kindness.** となる。→ 557

KEY POINT ▷ 149　「S＋V＋A＋to B」

559. take の用法 ― take A to B

▶ **take** は，**take A to B** の形で「A を B に連れていく／A を B に持っていく」の意味を表す。→ TARGET 94

✕ ① bring にしないこと。**bring A to B** は問題 560 参照。

560. bring の用法 ― bring A to B

○ **bring A to B**「A を B に連れてくる／A を B に持ってくる」が本問のポイント。→ TARGET 94

561. introduce の用法 ― introduce A to B

○ **introduce A to B**「A を B に紹介する」が本問のポイント。→ TARGET 94

- leave A to B「A を B に任せる」
  He won't leave his jobs to others.（彼は仕事を人に任せようとしない）
- assign A to B「A（仕事など）を B に割り当てる」
  The teacher assigned different homework to each student.（その先生は各生徒に異なる宿題を出した）
- attribute A to B「A を B のせいにする／A を B の原因に帰する」
  He attributes his rapid growth in business to his effective use of social media.（彼はビジネスを急成長させたのは，ソーシャルメディアを効果的に活用したためだと考えている）
- contribute A to B「A を B に寄付する[与える]」
  The politician contributed a huge amount of money to the charity organization.（その政治家は大金をその慈善団体に寄付した）
- add A to B「A を B に加える」
  The cook added wine to the sauce.（そのコックはソースにワインを加えた）
- drive A to B「A を B の状態に追いやる」
  The economic recession drove many local shops to bankruptcy.（不況のために多くの地元の店が廃業に追いやられた）
- expose A to B「A を B（風雨・危険など）にさらす」
  Don't expose the plant to the direct sunlight.（その植物を直射日光にさらしてはいけません）

558 ④　559 ④　560 ④　561 ④

KEY POINT ▷150

562 □□□
"How do I like you in the Meiji uniform? You look great. It really (　　　　) you!"
① winks　② suits　③ looks　④ gets　〈明治大〉

563 □□□
A：I like those shoes very much. I wish they (　　　　) me.
B：It's a pity, but that's the only size we have.
① fit　② fix　③ match　④ suit　〈学習院大〉

KEY POINT ▷151

564 □□□
Kaori asked to (　　　　) my pencil during class.
① borrow　② care　③ lend　④ rent　〈立教大〉

565 □□□
I'm afraid the bank cannot (　A　) you any more money, Mr. Di Nero. You already (　B　) us over 3 million yen which you must repay by next month.
① A：lend　B：owe　② A：owe　B：lent
③ A：borrow　B：owe　④ A：owe　B：borrowed　〈南山大〉

● TARGET 95 「貸す」「借りる」を表す動詞

- borrow A (from B)「(B から) A を無料で借りる」→ 564
- rent A「A（家など）を有料で借りる[貸す]／一時的に A（車など）を有料で借りる」
  I rented a car and went hiking for a week.（私は車を借りて１週間ハイキングに行った）
- use A「A（トイレ・電話など）を一時的に借りる／A を利用する」
  May I use the bathroom?（トイレを借りてもいいですか）
- owe A B = owe B to A「A に B（お金）を借りている」→ 565, 566
- lend A B = lend B to A「A に B を貸す」→ 565
- loan A B = loan B to A「(利子をとって) A に B（お金）を貸す」
  I was asked to loan some money.（私はいくらかお金を貸すように頼まれた）

562「明治大学のユニフォームを着た君がどうかって？　君はかっこいいよ。本当によく似合っているね！」
563 A：私はその靴がとても気に入りました。サイズが合えばいいのに。
B：残念ながら，それが今あるたった１つのサイズなんです。

KEY POINT ▷ 150　「似合う」「合う」を表す動詞

562. suit の用法 — suit A（人）

▶ **suit** には，**目的語に「人」**をとって「(服装・色・髪型などが）A に似合う」の意味を表す用法がある。

Plus **suit** と同様に目的語に「人」をとる **fit A** と混同しないこと。**fit A**（人）は，「(寸法・サイズに関して）A に合う」の意味。→ 563

I had to send back the jacket because it did not **fit** me.
（そのジャケットは大きさが私に合わなかったので，私はそれを送り返さなければならなかった）

Plus **match A**（もの）「A と似合う／A と調和する」(**= go with A**）もここで押さえる。**match A** では，主語にも A にも「もの」がくることに注意。

Those shoes don't **match** your suit at all.
（その靴は君のスーツにぜんぜん合っていない）

563. fit の用法 — fit A（人）

○ 問題 562 で扱った **fit A**（**人**）「(寸法・サイズに関して）A に合う」が本問のポイント。「**S wish S′ + 動詞の過去形**」の形（→ 236）から，fit の過去形の① fit を選ぶ。

Plus fit の活用形は，fit - fit[fitted] - fitted。

KEY POINT ▷ 151　「貸す」「借りる」を表す動詞

564. borrow の用法 — borrow A

▶ borrow は，**borrow A** (**from B**) で「(B から）A を無料で借りる」の意味を表す。A には，本問の pencil のように「移動可能なもの」がくることに注意。

Plus 「A（トイレなど移動不可能なもの）を借りる／A（ホテルのプールなど）を利用する」場合は，borrow A ではなく，**use A** を用いる。ただし，「電話を借りる」は **use a telephone / borrow a telephone** ともに可。

Plus **ask to do** は「…したいと言う／…させてほしいと頼む」の意味。

565. lend と owe の用法 — lend A B / owe A B

○ 文意から，最初の空所は，**lend A B**「A に B を貸す」の形になる lend を選び，次の空所は，**owe A B**「A に B（お金）を借りている」の形になる owe を選ぶ。したがって，① A：lend　B：owe が正解。→ TARGET 95

564 カオリは，授業中に私の鉛筆を貸してと頼んだ。
565 残念ですが，当行はこれ以上あなたにお金をお貸しできません，ディネロさん。あなたはすでに当行に 300 万円以上借りていて，それを来月までに返済しなければなりません。

562 ②　563 ①　564 ①　565 ①

566 □□□ How much should I pay you?
= How much do I (　　　　) you?
① owe　② get　③ buy　④ spend　〈福岡工業大〉

KEY POINT ▷ 152

567 □□□ May I open the window? = Do you (　　　　) open the window?
① mind if I　② like to　③ mind of　④ like me if I　〈中央大〉

568 □□□ I don't want (　　　　) any misunderstanding between us.
① to be　② there to be　③ there is　④ there will be　〈高知大〉

569 □□□ I have (　　　　) to enjoy school life.
① become　② come　③ seen　④ been　〈名城大〉

570 □□□ (　　　　) follows from what George says that his friend is concealing something.
① It　② Each　③ There　④ He　〈東京都市大〉

571 □□□ It doesn't (　　　　) what day you come but please come in the morning.
① matter　② happen　③ important　④ require　〈中央大〉

566 あなたにいくら支払えばいいですか。= 私はあなたにいくらの借りがありますか。
567 窓を開けてもいいですか。= 私が窓を開けても構いませんか。
568 私たちの間には，どんな誤解もあってほしくありません。
569 私は学校生活を楽しむようになった。
570 ジョージが言っていることから判断すると，彼の友人は何かを隠しているに違いない。
571 あなたがどの日に来ても構いませんが，午前中に来てください。

566. owe A B の定式化された表現

○ 問題 565 で扱った **owe A B**「A に B（お金）を借りている」（→ TARGET 95）の定式化された表現である **How much do I owe you?**「あなたにいくらの借りがありますか」が本問のポイント。

KEY POINT ▷ 152　動詞を用いる定式化された表現

567. mind の定式化された表現

▶ 自動詞の mind「嫌だと思う」を用いた **Do you mind if I do ...?**「…してもいいですか」は定式化された表現として押さえておこう。

568. want の定式化された表現

▶ want には，**want there to be A** の形で「A があってほしい」の意味を表す用法がある。本来 there は副詞だが，この形では代名詞として機能し，want の目的語となっている。

Plus **want** のほかに **there to be A** をとる動詞（句）として，**would like**，**believe**，**expect** がある。**want[would like] there to be A**「A があってほしい」，**believe there to be A**「A があると信じる」，**expect there to be A**「A があると思う」で覚えておこう。
I **would like there to be** a swimming pool in the garden.
（庭にプールがあるといいですね）

569. come の用法 — come to do

▶ **come** には，**come to do** の形で「…するようになる」の意味を表す用法がある。do には原則として，**know / feel / see / like / enjoy / realize / understand** など，主に状態を表す動詞がくることに注意。

✕ ① become は不可。become to do の形はない。

Plus「（習得して）…するようになる」は come to do ではなく **learn to do** を用いる。
You must **learn to speak** English better.（英語をもっとうまく話せるようになりなさい）

570. follow の定式化された表現

○ **follow** には，**It follows + that 節**の形で「（したがって）…ということになる」の意味を表す用法がある。主語の it は，非人称の it。定式化された表現として押さえる。

Plus **from what George says** は，「ジョージが言っていることから（判断すると）」の意味。

571. matter の定式化された表現

▶ 動詞の **matter** は，「重要である」（= be important）の意味を表し，形式主語の it を立てると，**It doesn't matter (to A) + wh 節**の形で「（A にとって）…かは問題でない［どうでもいい］」の意味を形成する。

Plus 同意表現の **It makes no difference (to A) + wh 節**もここで覚えておこう。

---

566 ①　567 ①　568 ②　569 ②　570 ①　571 ①

KEY POINT ▷ 129-152

572 □□□ The government is (companies / helping / the new standards / considering / meet) for air pollution. 〈名古屋工業大〉

573 □□□ A：I think he will come.
B：What (　　　　) you think so? 〈福島大〉

574 □□□ Using mobile phones ①in a situation where other individuals ②are trapped and forcing to listen is not acceptable. Basically, you ③should not speak on your mobile phone at all ④while on a train. 〈中央大〉

575 □□□ I was wondering if you ①could borrow me ②that pen for a few minutes ③while ④I fill out this form. 〈慶應義塾大〉

572 政府は，企業が大気汚染の新たな基準を満たすのを支援することを検討している。
573 A：彼は来ると思います。
B：あなたはどうしてそう思うのですか。
574 ほかの人たちが閉じ込められて音を聞かざるを得ない状況で携帯電話を使用することは，受け入れられない。基本的に，電車の中では決して携帯電話で話してはいけない。
575 私がこのフォームに記入する間，そのペンを少しの間，私に貸していただけませんか。

KEY POINT ▷ 129-152

572. consider doing と help A do

○ 問題 474 で扱った **consider doing**「…するのを考慮する」と問題 496 で扱った **help A do**「A が…するのに役立つ[するのを手伝う]」が本問のポイント。consider doing の表現から，まず，The government is considering helping「政府が支援することを考えている」とまとめ，help A do の表現から，helping companies meet the new standards (for air pollution)「企業が大気汚染の新たな基準を満たすのを支援すること」とまとめればよい。

Plus **meet A**「A を満たす」(= **satisfy A**) は重要。

573. 使役動詞としての make — make A do

○ 問題 494 で扱った **make A do**「A に…させる」を用いた **What makes A do ...?** は，「どうして A は…するのか ← 何が A に…させるのか」の意味を表す。Why do you think so?「あなたはどうしてそう思うのですか」は，What makes you think so? と書き換えることができる。

Plus **What makes you think so?** は，**cause A to do**「A が…する原因となる」(→ TARGET 76) を用いて，**What causes you to think so?** と表現できることも押さえておこう。

574. force A to do — be forced to do

○ 問題 503 で扱った **force A to do**「A に…することを強制する」の受動態, **A is forced to do**「A は…せざるを得ない／…するのを強要される」が本問のポイント。② are trapped and forcing を are trapped and forced に修正する。Using mobile phones in a situation where other individuals are trapped and forced to listen「ほかの人たちが閉じ込められて音を聞かざるを得ない状況で携帯電話を使用すること」が主語。

Plus **not (...) at all**「決して…ない」は重要。→ 280

575. lend A B — borrow A (from B) との区別

○ 問題 565 で扱った **lend A B**「A に B を貸す」が本問のポイント。① could borrow が間違い。borrow は，borrow A (from B) で「(B から) A を無料で借りる」の意味を表すので，この英文では使えない。lend A B を用いて，I was wondering if you could lend me that pen for a few minutes「そのペンを少しの間，私に貸していただけませんか」と表現すればよい。したがって，① could borrow を could lend に修正する。

Plus **I was wondering if[whether] S could do ....** は，ていねいな「依頼」を表す表現で「…していただくことはできないでしょうか」の意味を表す。

Plus **fill out A**「A に必要事項を書き込む」は重要。

---

572 considering helping companies meet the new standards

573 makes

574 ② are trapped and forcing → are trapped and forced

575 ① could borrow → could lend

576 □□□ エアコンを修理してもらわなければならないだろう。(1語不要)
(have / fixed / will / to / I / the / have / is / air-conditioner).
〈高知大〉

577 □□□ He hasn't told ①about it to me, but I ②think we are going to ③leave around eight ④in the morning. 〈慶應義塾大〉

578 □□□ (a)(b) の空所に共通して入る1語を書きなさい。
(a) John would be the (　　　) person to tell a lie.
(b) How long will this fine weather (　　　)? 〈静岡大〉

579 □□□ その奨学金のおかげで，春香はアメリカに留学することができた。
(1語不要)
(to / in / the scholarship / thanks / Haruka / the U.S. / go to college / allowed). 〈中央大〉

580 □□□ ①Quite a few citizens requested that the mayor ②takes appropriate actions ③immediately to ④improve the living conditions of the town. 〈福島大〉

581 □□□ ①Many of the local people he met ②told to him, "Peter, you ③speak such lovely Japanese. Where did you ④learn it?"
〈慶應義塾大〉

577 彼はそのことについて私に話していないが，私たちは朝の8時頃に出発することになっていると思う。
578 (a) ジョンは決してうそをつくような人ではない。
(b) このよい天気はどのくらい続くだろうか。
580 かなりの数の市民が，町の生活環境を改善するために市長にすぐに適切な措置を講ずるように要求した。
581 彼が出会った地元の人々の多くは彼に言った。「ピーター，あなたはすばらしい日本語を話しますね。どこで習いましたか」

576. have A done ― 過去分詞が補語

○ 問題 493 で扱った **have A done**「A を…してもらう[させる](使役)」が本問のポイント。have the air-conditioner fixed「エアコンを修理してもらう」とまとめたら，それを I will have to の後に続ければよい。

577. tell の用法 ― tell A about B / tell B to A

○ TARGET 86 で扱った **tell A about B**「B について A に話す」，**tell B to A**「A に B を話す」が本問のポイント。① about it to me が間違い。He hasn't told me about it[it to me]「彼はそのことについて私に話していない」と表現する。したがって，me about it か it to me に修正する。

578. 注意すべき自動詞 last の意味

○ (a) は，問題 281 で扱った **the last A to do**「最も…しそうにない A ／決して…しない A」がポイント。(b) は，問題 528, TARGET 84 で扱った **last + 期間を表す副詞句**「…の間続く」がポイント。**How long will this fine weather last?**「このよい天気はどのくらい続くだろうか」は，期間を表す副詞句が how long になって文頭にきた疑問文。

579. allow の用法 ― allow A to do

○ 問題 500 で扱った **allow A to do**「A が…することを可能にする」(**= enable A to do**) が本問のポイント。S allowed A to do ...「S のおかげで A は…することができた」の表現から，The scholarship allowed Haruka to go to college in the U.S. とまとめる。

580. request の用法 ― request that S (should) + 原形

○ 問題 66, 504 で扱った **request that S (should) + 原形**「S が…することを懇願する」が本問のポイント。② takes が間違い。take または should take に修正する。

Plus **quite a few + 複数名詞**「かなりたくさんの…／相当の…」(→ 596)，**take an appropriate action**「適切な措置を講ずる」は重要。

581. tell の用法 ― tell A + that 節

○ 問題 535, TARGET 86 で扱った **tell A + that 節**「A に…だと言う」が本問のポイント。② told to が間違い。told または said to に修正する。本問は，目的語が that 節ではなく，直接の発言である "Peter, you speak such lovely Japanese. Where did you learn it?"「ピーター，あなたはすばらしい日本語を話しますね。どこで習いましたか」が目的語となっている。

---

576 I will have to have the air-conditioner fixed（is 不要）

577 ① about it to me → me about it[it to me]　**578** last

579 The scholarship allowed Haruka to go to college in the U.S.（thanks 不要）

580 ② takes →（should）take

581 ② told to → told[said to]

582 □□□ Social media allows people (than / to / with / access / compare themselves / they would have / a much larger number of people) to through face-to-face communication. 〈岩手医科大〉

583 □□□ The ①newly licensed driver tried ②stop the car, but he ③could not avoid ④hitting the pole. 〈群馬大〉

584 □□□ Before ①giving a speech in front of ②a large audience, Nancy ③had Takashi ④to correct her Japanese pronunciation. 〈群馬大〉

585 休暇をとることは体に良いでしょう。
(will / it / have / do / holiday / you / a / to / good). 〈高知大〉

586 □□□ 電車が遅れていたものの，私は何とか時間通りに学校に到着しました。

587 □□□ Smartphones rob us of time, but even their mere presence is damaging. 〈茨城大〉

ヒント

586 be delayed「遅れる」，arrive at A「A に到着する」，on time「時間通りに」
587 mere「単なる，ほんの」，presence「存在」，damaging「損害を与える，有害な」

582 ソーシャルメディアを使えば，対面してコミュニケーションを取って知り合う場合よりもはるかに多くの人たちと自分を比較することができる。
583 免許を取ったばかりのそのドライバーは車を停止させようとしたが，電柱に衝突するのを避けられなかった。
584 ナンシーは大勢の聴衆の前でスピーチをする前に，タカシに自分の日本語の発音を直してもらった。

582. compare の用法 — compare A with B → TARGET 91

○ **allow A to do**「A が…することを可能にする」(→ 500) と **compare A with B**「A を B と比較する」から，(allows people) to compare themselves with a much larger number of people「人々が自分自身をはるかに多くの人たちと比較することを可能にする」とまとめる。than 以下は，**have access to A**「A に面会できる」を用いて，than they would have access to「彼らが面会できるであろうよりも（はるかに多くの…)」とする。

583. try の用法 — try to do → 485

○ **try to do**「…しようとする」が本問のポイント。② stop the car を to stop the car に修正する。**avoid doing** は「…するのを避ける」の意味。→ 475

584. have A do — 原形不定詞が補語 → 491

○ **have A do** は「A に…してもらう［させる］」の意味を表す。したがって，④ to correct を correct にすればよい。

585. 二重目的語をとる do — do A good → TARGET 82

○ **do A good**「A のためになる← A に利益を与える」から，形式主語の it を用いた **It will do A good to do ...**「…するのは A のためになるだろう」の形でまとめる。

586. manage to do — 不定詞を目的語にとる → 480

○「何とか…する」は **manage to do** で表す。manage は，動名詞ではなく不定詞を目的語にとる動詞であることに注意する。delay は「…を遅らせる」の意味なので，「遅れる」は **be delayed** と受動態の形で表す。

587. rob の用法 — rob A of B → 544, TARGET 89

○ **rob A of B**「A から B を奪う」の用法が本問のポイント。

Plus damaging「有害な／人に損害を与える」は，他動詞 damage「…に損害を与える」の現在分詞から形容詞化した分詞形容詞。

---

582 to compare themselves with a much larger number of people than they would have access

583 ② stop the car → to stop the car

584 ④ to correct → correct

585 It will do you good to have a holiday

586 Although[Though] the train was delayed, I managed to arrive at[get to] school on time.

587 スマートフォンは私たちから時間を奪うが，単に存在しているだけでも害がある。

第17章 形容詞の語法

基本的な形容詞・数量形容詞・分詞形容詞・つづりと意味が紛らわしい形容詞は，作文で正確に使いたい。

KEY POINT ▷153

588 □□□ (　　　) knowledge of a foreign language will help you a great deal.
① Few　② Many　③ A little　④ A lot　〈獨協大〉

589 □□□ I know you have worked very hard on this project, but I'm afraid there is very (　　　) possibility that it will be approved at the executive meeting.
① big　② few　③ little　④ much　〈明治大〉

590 □□□ My daughter has (　　　) close friends at school.
① a little　② a little of　③ a few　④ a few of　〈南山大〉

591 □□□ The teacher is going to give Cathy a high grade as she made (　　　) mistakes in her essay.
動画
① a lot of　② a little　③ quite a few　④ very few　〈日本大〉

588 外国語の知識が少しでもあると，あなたに大いに役立ってくれる。
589 私はあなたがこのプロジェクトにとても熱心に取り組んできたことを知っているけれど，それが重役会議で承認される可能性はほとんどないと思う。
590 私の娘は学校に数人の親友がいる。
591 キャシーは作文でほとんど間違いがなかったので，先生は彼女に高い点を与えるつもりだ。

KEY POINT ▷ 153　数や量を表す形容詞

588. 不可算名詞につける a little の意味

▶ **a little** は，不可算名詞につけて「少しの…」の意味を表す。→ TARGET 96

○ knowledge「知識」が不可算名詞であることに気づくこと。

589. 不可算名詞につける little の意味

▶ **little** は，不可算名詞につけて「ほとんど…ない」という否定的な意味を形成する（→ TARGET 96）。**very little** は little の強意表現。

○ possibility「可能性」が不可算名詞であることに気づくこと。

Plus **There is little possibility that** 節「…という可能性はほとんどない」で押さえておこう。

590. 可算名詞の複数形につける a few の意味

▶ **a few** は，可算名詞の複数形につけて「少しの…」の意味を表す。→ TARGET 96

✕ ④ a few of は不可。a few of A の A が名詞の場合，必ず定冠詞や所有格で限定された名詞になる。→ 323

591. 可算名詞の複数形につける few の意味

▶ **few** は，可算名詞の複数形につけて「ほとんど…ない」という否定的な意味を形成する（→ TARGET 96）。**very few** は **few** の強意表現。

2 語法

TARGET 96　many / much / few / little の用法と意味

用法 ＼ 意味	(1) 可算名詞（数えられる名詞）につけて「数」を表す。(2) 名詞は複数形になる。	(1) 不可算名詞（数えられない名詞）につけて「量」「程度」を表す。(2) 名詞の形は変わらない。
たくさんの	many → 593	much → 592
ほとんど…ない（否定的）	few → 591	little → 589
少しの（肯定的）	a few → 590	a little → 588
かなりたくさんの	quite a few → 596 not a few	quite a little not a little

588 ③　589 ③　590 ③　591 ④

592 □□□
We are not paid (　　　) money.
① these much　② those many　③ this many　④ that much
〈関西学院大〉

593 □□□
He faded away like so (　　　) other Hollywood stars.
① few　② little　③ many　④ much
〈宮崎大〉

594 □□□
I met my friends last night. First we had Chinese food for dinner and then we sang (　　　). It was great fun.
① any song　② any songs　③ some song　④ some songs
〈慶應義塾大〉

595 □□□
We'll get (　　　) information from the tourist office.
① some　② any　③ an　④ every
〈青山学院大〉

596 □□□
Ken likes American movies very much, so he has (　　　) DVDs at home.
① quite a few　② a quite few　③ a few quite　④ quite few
〈立教大〉

597 □□□
(　　　) people decided to desert the town and to flee to the rural area.
① The number of　② Almost　③ A number of　④ Most of
〈東邦大〉

592 私たちは，それほど多くのお金をもらっていない。
593 彼は，ほかの多くのハリウッドスターと同じようにだんだん忘れられていった。
594 私は昨夜，友だちと会いました。私たちはまず，夕食に中華料理を食べてから，少し歌いました。とても楽しかったです。
595 私たちは観光案内所から情報を入手するつもりだ。
596 ケンはアメリカの映画が大好きなので，自宅にかなりたくさんのDVDを持っている。
597 多くの人たちが都会を捨てて，農村地域に避難することにした。

592. 不可算名詞につける much の意味

▶ **much** は，不可算名詞につけて「たくさんの…」の意味を表す。→ TARGET 96

○ 本問は，副詞の that「それほど」(= so) がついた④ that much を選ぶ。

Plus **pay A B**「A に B（お金）を支払う」の受動態 **A is paid B** は，「A は B をもらう ← A は B を支払われる」の意味を表す。

✕ ① these much は不可。these は可算名詞と共に用いる。

593. 可算名詞の複数形につける many の意味

▶ **many** は可算名詞の複数形につけて「たくさんの…」の意味を表す（→ TARGET 96）。副詞の so「とても」は強調表現。

Plus **fade away** は「忘れられていく／有名でなくなる」の意味。

594. 可算名詞の複数形につける some の意味

▶ **some** は，可算名詞の複数形につけて「いくつかの…」の意味を表す。

○ song「歌」は可算名詞なので，文意から，④ some songs「何曲かの歌」を選ぶ。

595. 不可算名詞につける some の意味

▶ **some** は，不可算名詞につけて「多少の…／いくらかの…」の意味を表す。ただし，漠然とした程度を表すので，日本語訳には対応する語が現れないことが多い。

596. quite a few の意味

▶ **quite a few** は，**quite a few + 複数名詞**の形で「かなりたくさんの…／相当の…」の意味を形成し，many に近い意味を表す。→ TARGET 96

Plus **a good[great] many + 複数名詞**も「かなりたくさんの…／相当の…」の意味になることも，ここで押さえておこう。
We suffered from **a great many** troubles.
（私たちは，かなりたくさんのもめ事に悩まされた）

597. a number of の意味

▶ **a number of** は，**a number of + 複数名詞**の形で「たくさんの…，複数の…」の意味を形成する。→ 370

✕ ① The number of は不可。**the number of A** は「A の数」の意味（→ 369）。④ Most of も不可。most of は，後に必ず定冠詞や所有格などで限定された名詞や代名詞の目的格がくる。→ 338

Plus desert は動詞で「…を捨てる[捨て去る]」，**flee to A** は，「A（安全なところ）に避難する」の意味。

---

592 ④　593 ③　594 ④　595 ①　596 ①　597 ③

KEY POINT ▷ 154

598 □□□ It is (　　　) that no one has objected to the plan.
① surprisedly ② surprisingly ③ surprised ④ surprising 〈山梨大〉

599 □□□ These shapes are (　　　) if you look at them from above.
① deciding ② decided ③ interesting ④ interested 〈明治大〉

600 □□□ By the time it ended, our team had battled hard and finally won. The game was indeed (　　　).
① excited ② excitedly ③ exciting ④ excitable 〈北里大〉

TARGET 97 感情表現の他動詞の現在分詞から派生した分詞形容詞

- amazing「驚嘆すべき ← 人を驚嘆させる」
- astonishing「驚くばかりの ← 人をびっくりさせる」
- surprising「驚くべき ← 人を驚かせる」→598
- exciting「刺激的な ← 人をわくわくさせる」→600
- thrilling「ぞくぞくするような ← 人をぞくぞくさせる」
- interesting「おもしろい ← 人に興味を引き起こさせる」→599
- pleasing「楽しい ← 人を喜ばせる」
- satisfying「満足のいく ← 人を満足させる」
- moving「感動的な ← 人を感動させる」→606
- touching「感動的な ← 人を感動させる」

598 誰もその計画に反対しなかったのは驚くべきことだ。
599 これらの形は上から見るとおもしろい。
600 最後まで我々のチームは激しく戦い，そしてとうとう勝った。その試合は本当に刺激的だった。

KEY POINT ▷ 154　　分詞形容詞

598. 現在分詞から派生した分詞形容詞 — surprising

▶ 現在分詞や過去分詞は，名詞を修飾するなど形容詞としての役割を果たすが，中には完全に形容詞化したものがある。それを**分詞形容詞**と呼ぶ。分詞形容詞には，目的語に「人」をとって，「人の感情に影響を与える」という意味を表す**他動詞**（例えば，surprise「(人を) 驚かせる」など）**の現在分詞**から形容詞化したものが多い。そのような分詞形容詞は，目的語を補った他動詞とほぼ同じ意味を表す。分詞形容詞の **surprising**「驚くべき」の本来の意味は，「(人を) 驚かせる (ような)」の意味だと考えればよい。

→ TARGET 97

Plus **object to A**「A に反対する」は重要。

599. 分詞形容詞 interesting の用法

○ **interesting**「おもしろい ← 人に興味を引き起こさせる」が本問のポイント。

→ TARGET 97

600. 分詞形容詞 exciting の用法

○ **exciting**「刺激的な ← 人をわくわくさせる」が本問のポイント。→ TARGET 97

✕ ①，④はそれぞれ excited「興奮した」，excitable「興奮しやすい」の意味で，人に対して用いる。

Plus **by the time S + V ...**「…するまでには」は重要。→ 395

- boring「退屈な ← 人を退屈させる」→ 604, 632
- disappointing「期待はずれな ← 人を失望させる」→ 602
- tiring「きつい ← 人を疲れさせる」→ 609
- annoying「うるさい，いやな ← 人をいらいらさせる」
- irritating「いらだたしい ← 人をいらいらさせる」
- confusing「紛らわしい ← 人を混乱させる」
- embarrassing「当惑させるような／まごつかせるような ← 人を当惑させる」→ 610
- frightening「恐ろしい ← 人を怖がらせる」
- shocking「衝撃的な ← 人をぎょっとさせる」

598 ④　599 ③　600 ③

601 □□□

I'm really (　　　) about being in Singapore.

① excite ② excited ③ excitement ④ exciting 〈立命館大〉

602 □□□

The book was not nearly as good as I had expected. In fact, it was quite (　　　).

① disappoint ② disappointed
③ disappointing ④ disappointment 〈慶應義塾大〉

603 □□□

Tom felt deeply (　　　) about the matter.

① disappoint ② disappointing
③ disappointed ④ to disappoint 〈名古屋工業大〉

TARGET 98 感情表現の他動詞の過去分詞から派生した分詞形容詞 動画

- amazed「驚嘆して ← 驚嘆させられて」
- astonished「びっくりして ← びっくりさせられて」
- surprised「驚いて ← 驚かされて」
- excited「興奮して／わくわくして ← 興奮させられて」→601
- thrilled「ぞくぞくして ← ぞくぞくさせられて」
- interested「興味があって ← 興味を引き起こされて」→628
- pleased「喜んで／気に入って ← 喜ばされて」→607
- satisfied「満足して ← 満足させられて」
- moved「感動して ← 感動させられて」
- touched「感動して ← 感動させられて」

601 シンガポールにやって来て，とてもわくわくしています。
602 その本は，私の期待とかけ離れておもしろくなかった。実際，それはかなり失望させるものだった。
603 トムは，その件についてとても失望した。

601. 過去分詞から派生した分詞形容詞 ― excited

▶ **分詞形容詞**には,「人」を目的語にとって「人の感情に影響を与える」という意味を表す**他動詞の過去分詞**から派生したものもある。そのような分詞形容詞は,「(人が) …させられて」という受動的な意味を持つ。例えば, excited「興奮して」のもともとの意味は「(人が) 興奮させられて」の意味だと考えればよい。このような分詞形容詞が主格補語で用いられる場合, 主語は原則として「人」になることに注意。→ TARGET 98

Plus **be excited about A**「A に興奮している」で押さえておこう。

602. 分詞形容詞 disappointing の用法

○ **disappointing**「期待はずれな ← 人を失望させる」が本問のポイント。→ TARGET 97

Plus **not nearly** は「決して…ない」(**= not at all**) の意味。

603. 分詞形容詞 disappointed の用法

○ **disappointed**「失望して ← 失望させられて」が本問のポイント。→ TARGET 98

Plus **feel disappointed about A** で「A について失望を感じる」の意味を表す。

- bored「退屈して ← 退屈させられて」→ 605
- disappointed「失望して ← 失望させられて」→ 603
- tired「疲れて ← 疲れさせられて」
- annoyed「いらいらして ← いらいらさせられて」
- irritated「いらいらして ← いらいらさせられて」
- confused「混乱して ← 混乱させられて」→ 608
- embarrassed「当惑して／きまりの悪い ← 当惑させられて」
- frightened「おびえて ← 怖がらせられて」
- shocked「ぎょっとして ← ぎょっとさせられて」

*これらの過去分詞から派生した分詞形容詞が,「S + V (be 動詞など) + C」の形の C (主格補語) で用いられるのは, 原則として S (主語) が「人」のときである。

601 ②　602 ③　603 ③

604 □□□
My job at the company was very (　　　　).
① bored　② boredom　③ getting bored　④ boring 〈青山学院大〉

605 □□□
Mr. Garret always took on more than one task at the office to keep himself from (　　　　).
① boring　② bored　③ to be bored　④ being bored 〈東海大〉

606 □□□
I was extremely touched by her sympathetic attitude.
= Her sympathetic attitude was extremely (　　　　) to me.
① surprising　② contacting　③ disappointing　④ moving
〈中央大〉

607 □□□
His parents were very (　　　　) at his success.
① pleasant　② pleased　③ pleasing　④ pleasurable 〈日本大〉

608 □□□
Many students seem more (　　　　) now about how to write a research paper.
① confusing　② confusion　③ confused　④ confuse 〈甲南大〉

609 □□□
He was on his way home after a (　　　　) day at work.
① tired　② tiring　③ tireless　④ tire 〈桃山学院大〉

610 □□□
Many teenagers think that it is (　　　　) to go to a movie with their parents.
① absorbing　② disapproving
③ embarrassing　④ employing 〈獨協大〉

604 会社での私の仕事はとても退屈だった。
605 ギャレットさんは，退屈しないようにと，いつも会社で複数の仕事を引き受けた。
606 私は彼女の思いやりのある態度にとても感動した。＝ 彼女の思いやりのある態度は，私にはとても感動的だった。
607 彼の両親は彼の成功をとても喜んでいた。
608 多くの学生が研究論文の書き方について以前よりも混乱しているようだ。
609 彼は仕事のきつい１日の後で帰宅途中だった。
610 多くのティーンエイジャーは，両親と映画を見に行くのが恥ずかしいことだと思っている。

604. 分詞形容詞 boring の用法

○ **boring**「退屈な ← 人を退屈させる」が本問のポイント。→ TARGET 97

605. 分詞形容詞 bored の用法

○ **bored**「退屈して ← 退屈させられて」が本問のポイント（→ TARGET 98）。前置詞 from の後だから，「退屈すること」を表す動名詞句④ being bored が正解。

Plus **keep A from doing**「A に…させないようにする」は重要（→ 548）。**keep oneself from being bored** は「自分が退屈しないようにする」の意味を表す。

606. 分詞形容詞 moving の用法

○ **moving**「感動的な ← 人を感動させる」が本問のポイント。→ TARGET 97

Plus **be touched by A** は「A に感動する」で，この touched も分詞形容詞（→ TARGET 98）。her sympathetic attitude は「彼女の思いやりのある態度」の意味。

607. 分詞形容詞 pleased の用法

○ **pleased**「喜んで／気に入って ← 喜ばされて」が本問のポイント。→ TARGET 98

Plus **be pleased at A** で「A を喜ぶ」の意味を表す。

608. 分詞形容詞 confused の用法

○ **confused**「混乱して ← 混乱させられて」が本問のポイント。→ TARGET 98

Plus **be confused about A**「A について混乱［困惑］している」で押さえておこう。

609. 分詞形容詞 tiring の用法

○ **tiring**「きつい ← 人を疲れさせる」が本問のポイント。→ TARGET 97

Plus **on one's way home** は「帰宅途中で」，**after a tiring day at work** は「仕事のきつい 1 日の後」の意味。

610. 分詞形容詞 embarrassing の用法

○ **embarrassing**「当惑させるような／まごつかせるような ← 人を当惑させる」が本問のポイント。→ TARGET 97

Plus **It is embarrassing to do ....** は，「…するのはきまりが悪い［恥ずかしい］」の意味を表す。

---

604 ④　605 ④　606 ④　607 ②　608 ③　609 ②　610 ③

KEY POINT ▷ 155

611 They look so much (　　　) that I can't tell them apart.
□□□ ① like ② likely ③ liking ④ alike 〈山梨大〉

● TARGET 99 似たつづりで意味が異なる形容詞

- alike「似ている／そっくりで」→ 611
  likely「ありそうな」
- childlike「子どもらしい」
  childish「子どもっぽい／幼稚な」
- economic「経済の」→ 619
  economical「経済的な／無駄のない」
- forgettable「忘れられやすい」
  forgetful「(人が) 忘れっぽい」
- historic「歴史上有名な」
  historical「歴史の」
- industrial「産業の／工業の」→ 618
  industrious「勤勉な」
- manly「男らしい」
  mannish「(女性が) 男っぽい」
- sensitive「敏感な／傷つきやすい」→ 613
  sensible「分別のある」
- sleepy「眠い」
  asleep「眠って」
- imaginable「想像できる」
  imaginary「想像上の」→ 617
  imaginative「想像力に富んだ」

611 彼らはとてもよく似ているので，私には見分けがつかない。

KEY POINT ▷ 155 似たつづりで意味が異なる形容詞 (1)

611. alike の意味 ― likely との区別

▶ 形容詞の **alike** は,「似ている, そっくりで」の意味を表す。alike と紛らわしい **likely** は,「ありそうな」の意味。なお, **alike は叙述用法(補語となる用法)**のみにしか使えないことも押さえておこう。→ TARGET 99

Plus **likely** については, **S is likely to do ... . = It is likely that S will do ... .**「S は…しそうである」の形で押さえておこう。

She **is likely to** live to one hundred. = **It is likely that** she will live to one hundred.
(彼女は 100 歳まで生きそうだ)

Plus **tell A apart**「A を区別する」は重要。

- respectable「立派な」
  respective「めいめいの」
  respectful「礼儀正しい／敬意を表して」→ 614
- alive「生きて(いる)」→ 612
  lively「活発な／生き生きとした」
- considerate「思いやりのある」
  considerable「かなりの」→ 633
- favorite「お気に入りの」
  favorable「好都合の／好意的な」→ 616
- healthy「健康な」
  healthful「健康によい」
- invaluable「非常に価値のある」
  valueless「価値のない」
- regrettable「(事が)残念で／遺憾で」
  regretful「(人が)後悔して／残念で」
- social「社会の／社交界の」
  sociable「社交的な」
- successful「成功した」→ 615
  successive「連続の」
- literate「読み書きのできる」
  literal「文字通りの」
  literary「文学の」

612 □□□ Mary was still (　　　) but unconscious when the ambulance arrived.
① dead ② lively ③ awake ④ alive 〈杏林大〉

613 □□□ You should be more (　　　) to her feelings.
① sensible ② sensitive ③ sensual ④ sensory 〈名古屋工業大〉

614 □□□ 動画 We always try to be (　　　) of each other's opinions, no matter how much we disagree.
① respective ② respectful ③ respecting ④ respectable 〈学習院大〉

615 □□□ Our charity project was (　　　) because John gave generous support to us.
① successful ② successive ③ succession ④ succeed 〈福岡大〉

KEY POINT ▷156

616 □□□ Because of (　　　) weather conditions, Shizuoka Prefecture has an advantage in the production of fruits and vegetables.
① favorite ② favor ③ favorable ④ favorably 〈早稲田大〉

617 □□□ King Arthur of England was an (　　　) person.
① image ② imaginable ③ imagination ④ imaginary 〈甲南大〉

618 □□□ The United States exports (　　　) products to Panama.
① industrious ② industrial
③ industrialized ④ industrializing 〈中央大〉

612 救急車が到着したとき，メアリーはまだ息はあったが意識がなかった。
613 あなたは彼女の気持ちにもっと敏感であるべきです。
614 私たちは，どんなに意見がくい違っていても，お互いの意見を常に尊重するようにしている。
615 ジョンが私たちに気前よく支援をしてくれたので，私たちの慈善事業は成功した。
616 良好な気象条件のおかげで，静岡県は果物や野菜の生産に有利だ。
617 イングランドのアーサー王は，想像上の人物だった。
618 米国は，工業製品をパナマに輸出している。

612. alive の意味 — lively との区別

○ **alive**「生きて（いる）」と **lively**「活発な／生き生きとした」の区別が本問のポイント。
→ TARGET 99

Plus **alive** は，叙述用法（補語となる用法）だけにしか使えないことに注意。→ 620

Plus ambulance は「救急車」。

613. sensitive の意味 — sensible との区別

○ **sensitive**「敏感な／傷つきやすい」と **sensible**「分別のある」(= wise) の区別が本問のポイント。→ TARGET 99

× ③，④はそれぞれ sensual「快楽趣味の，官能的な」，sensory「感覚に関する」の意味。

Plus **be sensitive to A**「A に敏感である」で押さえておこう。

614. respectful の意味 — respective，respectable との区別

○ **respectful**「敬意を表して／礼儀正しい」と **respective**「めいめいの」，**respectable**「立派な」の区別が本問のポイント。→ TARGET 99

Plus **be respectful of[to / toward] A**「A に敬意を表す／ A に礼儀正しい」で押さえておこう。

615. successful の意味 — successive との区別

○ **successful**「成功した」と **successive**「連続の」の区別が本問のポイント。
→ TARGET 99

KEY POINT ▷ 156　似たつづりで意味が異なる形容詞 (2)

616. favorable の意味 — favorite との区別

○ **favorable**「好都合の／好意的な」と **favorite**「お気に入りの」の区別が本問のポイント。→ TARGET 99

617. imaginary の意味 — imaginable との区別

○ **imaginary**「想像上の／架空の」と **imaginable**「想像できる」の区別が本問のポイント。→ TARGET 99

618. industrial の意味 — industrious との区別

○ **industrial**「産業の／工業の」と **industrious**「勤勉な」(= diligent / hardworking) の区別が本問のポイント。→ TARGET 99

× ③ industrialized は「工業化した」の意味。**an industrialized country**「先進工業国」で押さえておこう。

---

612 ④　613 ②　614 ②　615 ①　616 ③　617 ④　618 ②

619 □□□ Our organization plans to stimulate ( ) development in this area.

① economical ② economic ③ economics ④ economized

〈中央大〉

620 □□□ My professor has written many books and she is the greatest ( ) expert on Australian art.

① alive ② lived ③ to live ④ living 〈西南学院大〉

KEY POINT ▷ 157

621 □□□ I wonder if John is ( ) such a job.

① capable to do ② capable of doing

③ able to doing ④ possible to do 〈明治大〉

622 □□□ Mr. Brown was ( ) to solve the city's housing problem.

① able ② capable ③ enable ④ possible 〈城西大〉

● TARGET 100 叙述用法（補語となる用法）でしか用いない形容詞

- afraid「恐れて」
- alike「よく似て」→ 611
- alive「生きて」→ 612
- alone「ひとりで／孤独な」
- ashamed「恥じて」
- asleep「眠って」
- awake「目が覚めて」
- aware「気づいて」
- content「満足して」
- liable「責任があって」

など

619 私たちの組織は，この地域での経済発展を刺激することを計画している。
620 私の教授はこれまでに数多くの本を執筆し，オーストラリアの芸術についての現存する最高の専門家です。
621 ジョンに果たしてそのような仕事ができるのだろうかと思う。
622 ブラウン氏は，この市の住宅問題を解決することができた。

619. economic の意味 — economical との区別

○ **economic**「経済の」と **economical**「経済的な／無駄のない」の区別が本問のポイント。→ TARGET 99

Plus **stimulate economic development** は，「経済発展を活性化させる」の意味。

620. living の意味 — alive との区別

▶ **living**「生きている／生命のある」は，原則として**限定用法（名詞を修飾する用法）**で用いる形容詞。一方，**alive**（→ 612, TARGET 100）は，**叙述用法（補語となる用法）**で用いる形容詞。

Plus **living** と同意の形容詞の **live**「生きている」との区別も重要。live が修飾するのは「動物・植物」。**live animals**「生きている動物」と表現できるが，（×）live people とは言わない。「生きている人々」は，**living people** と表現する。

KEY POINT ▷ 157　「可能」「不可能」を表す形容詞

621. capable の用法 — be capable of doing

▶ **capable** は，**be capable of doing** の形で「…することができる」(= be able to do) の意味を表す。

✕ ④ possible to do は不可。possible は「人」を主語にとらないので，it is possible for John to do such a job となる。→ TARGET 101

Plus **wonder if S + V ...**「…かどうかと思う」は重要。

622. able の用法 — be able to do

○ **be able to do**「…することができる」が本問のポイント。→ TARGET 101

● TARGET 101　「可能」「不可能」を表す形容詞

able[unable]，capable[incapable]，possible[impossible] の用法は次の形で押さえておく。

- be able[unable] to do → 622
  He is (un)able to do the job.（彼はその仕事をすることができる[できない]）
- be capable[incapable] of doing → 621, 630
  He is (in)capable of doing the job.（彼はその仕事をすることができる[できない]）
- It is possible[impossible] for A to do → 621
  It is (im)possible for him to do the job.（彼がその仕事をすることは可能だ[不可能だ]）

619 ②　620 ④　621 ②　622 ①

KEY POINT ▷158

623 □□□
This coin (　　　) a hundred dollars.
① values　② is valuable　③ is worthy　④ is worth　〈福岡大〉

624 □□□
I would like to see you tomorrow. What time (　　　)?
① are you convenient　② is convenient for you
③ is convenience　④ convenient are you　〈南山大〉

625 □□□
There was (　　　) audience at the concert.
① many　② large　③ a large　④ a great many　〈流通経済大〉

TARGET 102　high[low] や large[small] を用いる名詞

(1) high[low] を用いる名詞
- salary「給料」　● price「価格」　● wage「賃金」　● pay「報酬」
- interest「利子」　● income「収入」　● cost「費用」など

(2) large[small] を用いる名詞
- population「人口」　● crowd「群衆」　● audience「聴衆／観衆」→ 625
- amount「量」　● number「数」　● sum「金額」　● salary「給料」
- income「収入」　など

623 このコインは百ドルの価値がある。
624 明日あなたにお会いしたいと思います。あなたは何時だと都合がいいですか。
625 コンサートには大勢の聴衆がいた。

KEY POINT ▷ 158　その他の注意すべき形容詞

623. worth の用法 — A is worth B

▶ **A is worth + 名詞**「A は…の価値がある」で押さえておこう。

○ 選択肢で，名詞句の a hundred dollars を目的語にとるのは④ is worth だけ。worth はかつて形容詞に分類されていたが，現在では前置詞と考えるのが一般的。

✕ ① values は不可。value は動詞で「…を評価する」の意味。また，③ is worthy は，**be worthy of A** で「A に値する」の意味。

624. convenient の用法 — be convenient for A

▶ 原則として，**convenient** は，**「人」を主語にとらない**形容詞。「人」を情報として入れる場合は，**be convenient for[to] A**「A（人）にとって都合がよい」で表現する。

Plus **would like to do**「…したい」(= **want to do**) は重要。→ 58

625. large の用法

▶ **large[small]** には，「(数・量・額が) 多い[少ない]」の意味を表す用法がある。
→ TARGET 102

○ **audience**「聴衆／観衆」が「多い[少ない]」は，**large[small]** を用いる。audience は単数扱いの集合名詞で，ここでは不特定の聴衆なので不定冠詞の a が必要。

Plus **high[low]** にも「(給料などが) 多い[少ない]」の意味を表す用法があることも，ここで押さえておこう。
→ TARGET 102

2 語法

---

623 ④　624 ②　625 ③

形容詞の語法　応用問題にTry!

KEY POINT ▷ 153-158

626 □□□ I've ①only lived in Tokyo ②a few weeks and I sometimes ③feel lonely because I have ④little friends here.
〈慶應義塾大〉

627 □□□ The twins are so ①much like that people find ②it very difficult to know ③one from ④the other.
〈明治学院大〉

628 □□□ I think ①movies are wonderful, so I am ②interesting in ③studying film direction and acting when I ④am admitted to college.
〈慶應義塾大〉

629 □□□ I am completely ①confusing! I ②would appreciate it ③if you ④could explain the plan again.
〈南山大〉

630 □□□ (are / of / some / expressing / capable / people) themselves freely in a foreign language.
〈獨協大〉

631 □□□ Please ①drop by our house ②to see the dogs ③whenever ④you are convenient.
〈大阪薬科大〉

626 私は東京に数週間しか住んでいないが，ここには友だちがほとんどいないので寂しさを感じることがある。
627 その双子はとてもよく似ているので，人は１人をもう１人と区別することが非常に難しいと感じている。
628 私は，映画というものはすばらしいと思うので，大学への入学が許可されたら映画の演出や演技を学ぶことに興味がある。
629 私はまったく混乱しています！ あなたにその計画をもう一度説明していただければありがたいのですが。
630 外国語で自由に自分の考えを伝えることのできる人がいる。
631 都合がよければいつでも犬たちに会いに我が家に立ち寄ってください。

KEY POINT ▷ 153-158

626. 可算名詞の複数形につける few の意味

○ 問題 591 で扱った **few + 複数名詞**「ほとんど…ない」が本問のポイント。little の後は不可算名詞がくるので（➔ 589）④ little friends を few friends に修正する。

➔ TARGET 96

Plus **feel lonely**「寂しく感じる」は重要。

627. alike の用法

○ 問題 611 で扱った **alike**「よく似て」が本問のポイント。① much like を much alike に修正すればよい。

Plus **like** は前置詞なので，(×) S is like. のように単独で補語として用いられることはない。**S is like A.**「S は A と似ている」の形なら可。

628. 分詞形容詞 interested の用法

○ TARGET 98 で扱った分詞形容詞の **interested**「興味があって ← 興味を引き起こされて」が本問のポイント。② interesting を interested に修正する。**be interested in A**「A に興味がある」（➔ 33）で押さえる。

Plus **film direction and acting** は「映画の演出や演技」，**be admitted to college** は「大学への入学が許可される」の意味。

629. 分詞形容詞 confused の用法

○ 問題 608 で扱った分詞形容詞の **confused**「混乱して ← 混乱させられて」が本問のポイント。① confusing を confused に修正すればよい。

Plus **I would appreciate it if you would[could] do ... .**「あなたに…していただければありがたいのですが」は頻出表現。if 節を受ける it を忘れないこと。

630. capable の用法 — be capable of doing ➔ 621

○ **be capable of doing**「…することができる」(**= be able to do**）が本問のポイント。

Plus **express oneself**「自分の考えを述べる」は重要。

631. convenient の用法

○ **convenient**「都合のよい，便利な」は原則として「人」を主語にすることはないので，④ you are は不可。主節の内容を受ける代名詞の **it** を用いて，it is convenient と表現すればよい。

---

626 ④ little friends → few friends　**627** ① much like → much alike

628 ② interesting → interested　**629** ① confusing → confused

630 Some people are capable of expressing

631 ④ you are → it is

632 □□□ In ①the 1950s, there was a ②concern that children were not reading books ③because they found books ④bored. 〈名古屋外大〉

633 □□□ 急激な売り上げの減少はかなりの生産削減を強いた。
(forced / drop / in / considerable / sudden / cuts / sales / a) in production. 〈関西学院大〉

634 □□□ 多くの日本人にとって大観衆の前で話すことは恥ずかしく思うものです。(it を用いる)

635 □□□ With economic growth in Asia and population increases in South America and Africa, the percentage of the world speaking English has dropped from around 9.8% in 1958 to 7.6% in 1992. 〈宮崎公立大〉

634 in front of a large[big] audience「大観衆の前で」
635 percentage「割合」, drop from A to B「A から B に減少する」, around「およそ, 約」

632 1950 年代には, 子どもが本はつまらないと気づいて本を読まなくなっているという懸念があった。

632. boring の用法 ― bored との区別 → 604, 605

○ **boring**「退屈な，つまらない←人を退屈させる」と **bored**「退屈して←退屈させられて」の区別が本問のポイント。they found books bored だと「子どもたちは本が退屈しているとわかった」になる。したがって，④ bored を boring にすれば文意が通る。

633. considerable の意味 → TARGET 99

○ **considerable** は「(数・量・大きさ・程度が) かなりの，相当な」の意味を表す。本問はまず，**S forced A**「S は A を強要した」と想定し，主語を A sudden drop in sales「売り上げにおける急激な減少」と作り，目的語を considerable cuts (in production)「生産におけるかなりの削減」とまとめればよい。

Plus **considerable** は，a considerable amount[number/income/distance]「かなりの量［数／収入／距離]」などで覚えておく。

Plus **considerable** と似たつづりで意味が異なる形容詞の **considerate**「思いやりのある」(= **thoughtful**) も重要。→ TARGET 99
You should be more **considerate** toward young people.（あなたは若者に対してもっと思いやりがあるべきだ）

634. 分詞形容詞 embarrassing の用法 → 610

○ **embarrassing**「当惑させるような／まごつかせるような ← 人を当惑させる」を用いる。**It is embarrassing for A to do ... .** は，「A が…するのはきまりが悪い[恥ずかしい]」の意味を表す。

Plus **audience**「観衆」は単数扱いの集合名詞で，「多い／少ない」は **large**[**big**] / **small** で表す。→ 625

635. economic の意味 ― economical との区別 → 619

○ **economic**「経済の」が本問のポイント。**economical**「経済的な／無駄のない」との混同に注意。文頭の with は「…につれて／…と同時に」の意味で，後に economic growth in Asia「アジアの経済成長」と population increases in South America and Africa「南米とアフリカの人口増加」が並列されている。the world は「世界の人々」の意味で使われている。

---

632 ④ bored → boring

633 A sudden drop in sales forced considerable cuts

634 It is embarrassing for many Japanese people to speak in front of a large audience.
[Many Japanese people find it embarrassing to speak in front of a big audience.]

635 アジアの経済成長と南米とアフリカの人口増加により，英語を話す世界の人々の割合は，1958 年の約 9.8%から 1992 年の 7.6%にまで減少した。

2 語法

第18章 副詞の語法

ago, before, hardly, rarely, almost, otherwise などの副詞は，読解・作文の基礎。完璧にマスターしよう。

KEY POINT ▷ 159

636 □□□ Robert lost his watch yesterday and hasn't found it (　　　).
① anymore　② yet　③ anyhow　④ already　〈南山大〉

637 □□□ The president of the university has (　　　) arrived in New York and will meet with the Minister of Education on Monday morning.
① still　② already　③ yet　④ any　〈早稲田大〉

636 ロバートは昨日腕時計をなくしたが，まだそれを見つけていない。
637 その大学の学長はすでにニューヨークに到着しており，月曜日の朝に文部大臣と会合する予定だ。

KEY POINT ▷ 159　yet / already / still

636. yet の用法

▶ **yet** は，否定文で「まだ（…していない）」の意味を表す（→ TARGET 103(1)）。通例，文尾に置くが，He hasn't yet found it. のように，**否定語の直後**に置くこともある。

Plus **still** にも否定文で「まだ（…していない）」の意味を表す用法があるが，He still hasn't found it. のように，still は**否定語の前**に置くことに注意。→ TARGET 103(3)

637. already の用法

○ 肯定文で用いる **already**「すでに（…した）」が本問のポイント。→ TARGET 103(2)

2 語法

TARGET 103　yet / already / still の用法

(1) yet の用法

● yet は**否定文**で「まだ（…していない）」の意味を表す。yet の位置は**文尾**。文語では**否定語の直後**。→ 636

He hasn't arrived here yet. = He hasn't yet arrived here.
（彼はまだここに到着していません）

● yet は**疑問文**で「もう（…しましたか）」の意味を表す。

Has the mail carrier come yet?（郵便屋さんはもう来ましたか）

(2) already の用法

● already は**肯定文**で用いて「すでに（…した）」という**完了**の意味を表す。→ 637

He has already arrived here.（彼はすでにここに到着しました）

● already は**否定文・疑問文**で「もう／そんなに早く」といった**意外・驚き**の意味を表す。否定文の場合は，付加疑問がつくことも多い。

She hasn't come already, has she?（まさかもう彼女が来たのではないでしょうね）
Have you finished your homework already?（もう宿題をやってしまったのですか）

(3) still の用法

● still は**肯定文・疑問文**で「まだ（…している）」という**継続**の意味を表す。→ 638

Somebody came to see you an hour ago and is still here.
（1 時間前に，誰かがあなたを訪ねてきて，まだここにいます）

● still は**否定文**で用いて「まだ（…していない）」という**否定の状態の継続**を強調する意味を表す。still の位置は**否定語の前**。

You still haven't answered my question.（あなたはまだ私の質問に答えていません）

● **文頭**の still は接続詞的に用いられ，前述の内容を受け「**それでも（やはり）**」の意味を表す。→ 639

She turned down his marriage proposal twice. Still he didn't give up.
（彼女は彼のプロポーズを 2 回断った。それでも彼はあきらめなかった）

636 ②　637 ②

638 □□□ Would you like some more coffee? There's (   ) some left.
① still ② already ③ despite ④ too 〈東海大〉

639 □□□ His presentation was not so bad; (   ), it left much to be desired.
① so ② instead ③ thus ④ still 〈関西学院大〉

KEY POINT ▷160

640 □□□ We started working for this firm (   ).
① three years before ② three years after
③ three years past ④ three years ago 〈桜美林大〉

641 □□□ I have never been to Liberty Tower (   ).
① prior ② previous ③ before ④ ago 〈明治大〉

642 □□□ Something went wrong with the computer the day before yesterday and I haven't used it (   ).
① since ② then ③ from ④ now 〈成蹊大〉

638 もう少しコーヒーをいかがですか。まだいくらか残っています。
639 彼の発表はそれほど悪くはなかった。それでも，改善の余地がかなりあった。
640 私たちは，3年前にこの会社で働き始めた。
641 私は今まで一度もリバティー・タワーに行ったことがない。
642 おとといコンピューターに問題が生じて，それ以来使っていない。

638. still の用法 (1)

○ 肯定文で用いる **still**「まだ（…している）」が本問のポイント。→ TARGET 103(3)

639. still の用法 (2)

○ 文頭の **still**「それでも（やはり）」が本問のポイント。→ TARGET 103(3)

Plus **leave much to be desired**「改善の余地がかなりある ← 望まれるべきことを多く残す」は重要。**leave nothing to be desired**「申し分ない」と一緒に覚えておこう。

KEY POINT ▷ 160　ago / before / since

640. ago の用法 ― before との区別

▶ **ago** は，**常に過去時制で用い，期間を表す語句を前**に伴って「今から…前に」の意味になる。

✕ ① three years before にしないこと。before が ago のように時間を表す語句を伴う場合は，原則として過去完了とともに用いて「(過去のある時点から)…前に」の意味になる。

I told her that I had seen him **a week before**.

（1 週間前に彼に会ったと私は彼女に言った）

この例文の a week before は，「私が彼女に言った時点から 1 週間前に」という意味を表す。

Plus **ago** は，期間を表す語句を伴わずに単独で用いることはないが，**before** には単独で用いる用法があることも，ここで押さえる。単独の **before** を現在完了か過去形で用いると，「今より以前に」の意味を表し，過去完了で用いると，「その時より以前に」の意味を表す。

I've seen you somewhere **before**.（私は以前どこかであなたに会ったことがある）

I recognized him at once, as I had seen him **before**.

（私はすぐに彼だとわかった。というのも，その前に彼に会ったことがあったからだ）

641. 単独で用いる before

▶ 問題 640 で扱ったように，単独の **before** が現在完了で用いられると，「今より以前に」の意味を表す用法があることに注意。

642. 単独で用いる since

▶ **since** は，接続詞や前置詞として用いられるが，before と同様に，単独で用いて「その時以来ずっと」の意味を表す副詞用法があることに注意。

Plus **Something goes wrong with A.** は「A はどこか調子が悪くなる」(→ 509, TARGET 79)，**the day before yesterday** は「おととい」の意味。

---

638 ①　639 ④　640 ④　641 ③　642 ①

KEY POINT ▷161

643 □□□ The traffic was so heavy that the taxi driver could (　　　) move.

① almost ② ever ③ hardly ④ little 〈関西学院大〉

644 □□□ Since we live very far apart now, we (　　　) see each other anymore.

① daily ② rarely ③ usually ④ always 〈芝浦工業大〉

645 □□□ Scarcely (　　　) in the office knew what they were supposed to do when the alarm went off.

① everyone ② no one ③ anyone ④ all of them 〈学習院大〉

646 □□□ Jane is an excellent student. She is (　　　) ever absent from class.

① hardly ② mostly ③ frequently ④ usually 〈東邦大〉

TARGET 104 hardly[scarcely] / rarely[seldom] / almost の用法

(1) hardly[scarcely] の用法

● hardly[scarcely] は「程度」を表す準否定語で「ほとんど…ない」の意味。

I was so sleepy then that I hardly[scarcely] remember the story of the movie.

(そのときはとても眠かったので，私はその映画の筋をほとんど覚えていない)

(2) rarely[seldom] の用法

● rarely[seldom] は「頻度」を表す準否定語で「めったに…ない」の意味。

My father rarely[seldom] goes to the movies.（私の父はめったに映画に行きません）

(3) almost の用法

● almost は否定の意味は含まない。「ほとんど…」の意味。

I almost always have popcorn at the movies.

(私は映画館でほとんどいつもポップコーンを食べます)

643 交通渋滞がとてもひどくて，そのタクシードライバーはほとんど動けなかった。
644 私たちは今，とても遠く離れたところに住んでいるので，もうお互いに会うことはめったにない。
645 警報が鳴ったとき，社内のほとんど誰もが何をすべきなのかわからなかった。
646 ジェーンは優秀な学生だ。彼女は授業を欠席することがほとんどない。

KEY POINT ▷ 161　準否定の副詞

643. hardly の用法 — can hardly do

▶ **hardly[scarcely]** は「程度」を表す準否定語で,「ほとんど…ない」の意味を表す（→ TARGET 104(1)）。本問のように，**can hardly do**「ほとんど…できない」の形で用いられることも多い。

644. rarely の用法

▶ **rarely[seldom]** は「頻度」を表す準否定語で,「めったに…ない」の意味を表す。
→ TARGET 104(2)

645. scarcely の用法 — scarcely anyone

▶ **scarcely[hardly]** には，**scarcely[hardly] any + 名詞**の形で「ほとんど…ない」の意味を表す用法がある。可算名詞，不可算名詞のどちらもとり，意味的には **few[little] + 名詞**よりも強く，**no + 名詞**よりも弱いことに注意。

○ **any + 名詞**が代名詞の anyone になった **scarcely[hardly] anyone** は,「ほとんど誰も…ない」の意味を表す。

Plus **be supposed to do**「…することになっている」は重要。**what they were supposed to do** は,「彼らが何をすべきだったのか（ということ)」の意味。

646. hardly の用法 — hardly ever

▶ **hardly[scarcely]** は程度を表す準否定語であるが，**hardly[scarcely] ever** の形で「めったに…ない」の意味を表し,「頻度」を表す準否定語 **rarely[seldom]** とほぼ同意になる。

Plus **be absent from A**「A を欠席している」は重要。**be present at A**「A に出席している」と一緒に押さえておこう。

2 語法

643 ③　644 ②　645 ③　646 ①

KEY POINT ▷162

647 □□□ They were (　　　) run over by a truck.
① close to ② closely ③ hardly ④ nearly 〈福島大〉

648 □□□ After studying Business Administration at university, she decided to go (　　　) to start her own business.
① to the oversea ② oversea ③ to overseas ④ overseas
〈愛知県立大〉

649 □□□ If you want to get a high score on the test, you should study very (　　　).
① hardly ② many ③ hard ④ almost 〈松本歯科大〉

650 □□□ I was (　　　) asleep when you arrived. That's why I didn't hear you knock.
① hard ② fast ③ some ④ slow 〈関西学院大〉

● TARGET 105 「動詞＋(名詞と間違えやすい) 副詞」の重要表現 動画

- go abroad「外国に行く」→ 663
- go overseas「海外へ行く」→ 648
- go downstairs「下の階へ行く」
- go downtown「町へ行く」
- go outdoors「屋外[野外]に行く」
- come[go] home「帰宅する」→ 662
- get home「家に（帰り）着く」
- live next door to A「A の隣に住む」
- play upstairs「上の階で遊ぶ」
- stay indoors「家[室内]にいる」

647 彼らは，危うくトラックにひかれそうになった。
648 大学で経営学を勉強した後で，彼女は起業するために海外に行くことにした。
649 あなたがそのテストで高得点を取りたい場合は，かなり一生懸命に勉強する必要があります。
650 あなたが着いたとき，私はぐっすり眠っていました。だから，私はあなたがノックする音が聞こえなかったのです。

KEY POINT ▷ 162　　注意すべき副詞 (1)

647. nearly の用法

▶ **nearly** には,「危うく（…するところ）」の意味を表す用法がある。→ TARGET 106

Plus **almost** にも,「危うく（…するところ）」の意味があることも押さえておく。
I **almost** missed my train.（危うく列車に乗り遅れるところだった）

Plus nearly と almost はほぼ同意だが, 意味的には almost の方が強い。**almost = very nearly** と押さえておく。

Plus **be run over by A**「A にひかれる」は重要。

648. 名詞ではなく副詞の overseas

▶ **overseas** は,「海外に［へ／で］」の意味を表す副詞。したがって,「海外に行く」は **go overseas**。overseas の前に to などの前置詞を置かないことに注意。→ TARGET 105

649. hardly と紛らわしい hard

▶ **hard** は「一生懸命に」, **hardly** は「ほとんど…ない」（→ 643, TARGET 104）の意味を表す。hard と hardly は, ly の有無によって意味の異なる副詞の代表例。→ TARGET 106

650. fast の用法 ― fast asleep

▶ 副詞の **fast** には, asleep を修飾して「ぐっすりと」の意味を表す用法がある。**fast asleep**「ぐっすり眠って」で押さえておこう。

Plus 同意表現の **sound asleep** も頻出。

Plus **That's why S + V ...**「そういうわけで…だ ← それは…の理由だ」は重要。→ 208

TARGET 106　'ly' の有無によって意味の異なる副詞

'ly' なし	'ly' あり
great「順調に／うまく」	greatly「大いに／非常に」
hard「一生懸命に」→ 649	hardly「ほとんど…ない」
high「(物理的に) 高く／高いところに」	highly「非常に／(比喩的に) 高く」
just「ちょうど」	justly「公正に」
late「遅く」	lately「最近」
most「最も」	mostly「たいていは」
near「近くで」	nearly「危うく（…するところ）」→ 647
pretty「かなり（形容詞の前で）」	prettily「きれいに」
sharp「きっかりに」	sharply「鋭く」

647 ④　648 ④　649 ③　650 ②

651 □□□ The cups and saucers cost $5 and $7 (　　　　).
① respectably　② respective
③ respectively　④ respectable　〈福岡大〉

KEY POINT ▷ 163

652 □□□ Have you (　　　　) been to France in your life?
① already　② ever　③ yet　④ still　〈札幌学院大〉

653 □□□ (　　　　), every student was able to pass the test.
① Interest　② Interested　③ Interestingly　④ Interestedly
〈南山大〉

654 □□□ You shouldn't have bothered sweeping my driveway, Mr. Owen. You're (　　　　) to me.
① much too kind　② too much kind
③ very much kind　④ very too kind　〈西南学院大〉

TARGET 107　副詞 much の強調用法

- The taxi driver was driving **much too fast**.（too ... の強調）→ 654
（そのタクシー運転手はあまりにも速度を出しすぎていた）
- **Much to my joy**, he helped me carry my luggage.（前置詞句の強調）
（とてもうれしいことに，彼は私の荷物を運ぶのを手伝ってくれた）
- His room is **much larger** than mine.（比較級の強調）
（彼の部屋は私の部屋よりもずっと大きい）
- This is **much the best** way.（最上級の強調）
（これがずばぬけて一番よい方法だ）

651 カップと受け皿の値段は，それぞれ５ドルと７ドルです。
652 あなたは，これまでの人生でフランスに行ったことはありますか。
653 興味深いことに，すべての生徒がそのテストに合格できた。
654 オーエンさん，わざわざうちの私有道路を掃除しなくてよかったのに。あなたは私にあまりに親切すぎます。

651. respectively の意味 — respectably との区別

▶ **respectively** は形容詞 **respective**「めいめいの」(→ 614, TARGET 99) の副詞にあたり,「めいめいに／それぞれに」の意味を表す。**respectably** は「立派に，礼儀正しく」の意味。

KEY POINT ▷ 163　注意すべき副詞 (2)

652. ever の用法

▶ **ever** が疑問文で用いられると「これまでに／いかなる時でも」の意味になる。ever は，通例，肯定文では用いないことに注意。

Plus **ever** が否定文で用いられると,「これまでに（一度も／決して）ない」の意味を表し，never と同じになることも重要。**not ever = never** と押さえておこう。

I have**n't ever** been to France. = I have **never** been to France.

（フランスには一度も行ったことがありません）

Plus **ever** は通例，肯定文では用いないが，最上級を用いた以下の例の場合は肯定文でも用いる。定式化された表現として押さえておこう。→ 185

This is the most beautiful sunset I have **ever** seen.

（こんなに美しい夕日は，今までに見たことがない ← これは今までに私が見た一番美しい夕日だ）

✕ ③ yet「もう（…しましたか)」にしないこと。yet は文尾に置く。→ TARGET 103(1)

653. 文修飾の副詞 — Interestingly, S + V ...

▶ 副詞の **interestingly** には，文頭に置き文修飾の副詞（動詞ではなく，文全体を修飾する副詞）として,「おもしろいことに」の意味を表す用法がある。

Plus **Interestingly**, every student was able to pass the test. は **It is[was] interesting that** every student was able to pass the test. と言い換えることができることも押さえておこう。

654. much の用法 — much too ...

▶ **much** には，強調語として「**too + 形容詞[副詞]**」**を強調する**用法がある。
→ TARGET 107

✕ ② too much kind にしないこと。much は，通例，形容詞の原級を修飾できない。
④ very too kind も不可。very は,「too + 形容詞[副詞]」を強調することはできない。

651 ③　652 ②　653 ③　654 ①

655 □□□ (　　　) I thought he was shy, but then I discovered he was just not interested in other people.

① For the first time　② At first　③ Firstly　④ For a start

〈甲南女子大〉

KEY POINT ▷164

656 □□□ You had better keep your mouth shut; (　　　) you'll get into trouble.

① and　② however　③ otherwise　④ therefore　〈明治大〉

657 □□□ 空所に入れるのに適切な語（in a different way の意味で用いる語）を選べ。

Bill wanted to buy the house, but his wife thought (　　　).

① nevertheless　② otherwise　③ separately　④ similarly

〈近畿大〉

658 □□□ The bedroom is a bit too small, (　　　) the house is satisfactory.

① but instead　② but otherwise

③ now that　④ unless that　〈早稲田大〉

● TARGET 108　at first / first(ly) / for the first time の用法

(1) at first「初めのうちは／最初は」→655

I was nervous at first, but soon I was relaxed.

（初めのうちは緊張していたが，すぐに落ち着いた）

(2) first(ly)「（順序を意識して）まず第一に／まず最初に」

First I did the laundry, and then cleaned my room.

（まず，私は洗濯をして，それから部屋を掃除した）

(3) for the first time「初めて」

When I met the boy for the first time, he was being shy.

（その少年に初めて会ったとき，彼は恥ずかしがっていた）

655 最初，私は彼が内気なのかと思ったが，その後で彼が単にほかの人に関心がないのだということがわかった。

656 あなたは黙っていた方がいいでしょう。さもなければ，厄介なことに巻き込まれるでしょう。

657 ビルはその家を買いたかったが，彼の妻の考えは別だった。

658 寝室は少し小さすぎるが，そのほかの点では，その家は申し分がない。

655. at first の意味

▶ **at first** は，「初めのうちは／最初は」の意味で，後から事態・状況が変わることを暗示する。

Plus **at first**，**first(ly)**，**for the first time** の区別は重要。→ TARGET 108

KEY POINT ▷ 164　otherwise

2 語法

656. otherwise の意味 (1)

▶ 副詞の **otherwise** には，「**さもなければ**」「**別のやり方で／違ったふうに**」「**そのほかの点では**」の 3 つの意味がある。

○ 本問の **otherwise** は，「**さもなければ**」の意味を表す。→ TARGET 109(1)

Plus **get into trouble**「問題に巻き込まれる」は重要。

657. otherwise の意味 (2)

○ **otherwise**「**別のやり方で／違ったふうに**」が本問のポイント。→ TARGET 109(2)

Plus **S think otherwise.**「S はそう思わない」(**= S don't think so.**) は頻出表現。

658. otherwise の意味 (3)

○ **otherwise**「**そのほかの点では**」が本問のポイント。→ TARGET 109(3)

TARGET 109　副詞 otherwise の 3 つの用法

(1) otherwise「**さもなければ**」→ 245, 656
She worked hard; otherwise she would not have finished.
(彼女は一生懸命働いたが，そうでなければ終わらなかっただろう)

(2) otherwise「**別のやり方で／違ったふうに**」→ 657
You can arrive earlier by bus than otherwise.
(バスで行けば，ほかの方法よりも早く着きます)

(3) otherwise「**そのほかの点では**」→ 658
The collar is a little too tight, but otherwise the shirt fits me.
(襟が少々きついが，そのほかの点ではそのシャツはぴったりだ)

655 ②　**656** ③　**657** ②　**658** ②

KEY POINT ▷165

659 □□□ They were told to stay home; (　　　), they went on the picnic.
① although ② nevertheless ③ despite ④ for 〈昭和大〉

660 □□□ I lost my job. On top of that, my car was stolen.
① On the roof of that ② Moreover
③ However ④ Owing to that 〈玉川大〉

TARGET 110 文と文の意味をつなぐ副詞（句）  

(1) 連結・追加

- also「その上／さらに」
- moreover「その上／さらに」→ 660
- furthermore「その上／さらに」
  I really enjoyed the exciting concert. Furthermore, I made some new friends there.（私はその刺激的なコンサートをとても楽しんだ。さらに，そこで何人か新しい友だちができた）
- besides「その上／さらに」
  I didn't want to eat dinner last night. Besides, I didn't have any money.
  （私は昨晩，夕食を食べたくなかった。さらに，お金も全く持っていなかった）
- in addition「その上／さらに」

(2) 逆接・対立

- however「しかしながら」
  I took the first train to get to the venue. However, I was late for the event.
  （私は始発電車に乗って会場に行った。しかし，イベントに遅れてしまった）
- nevertheless[nonetheless]「それにもかかわらず」→ 659
- yet「それにもかかわらず」
- all the same「それでもやはり」
- though「しかしながら」
- still「それでもやはり」
  There are many problems with my apartment. Still, I am satisfied living here.
  （私のアパートには多くの問題点がある。それでも，私はここに住むことに満足している）

(3) 選択

- or (else)「さもないと」
- instead「その代わりに／それよりも」

659 彼らは家にとどまるように言われた。それにもかかわらず，彼らはピクニックに行った。
660 私は仕事を失いました。それに加えて，車を盗まれました。

KEY POINT ▷ 165　文と文の意味をつなぐ副詞

659. nevertheless の用法

▶ **nevertheless** は，文と文の意味をつなぐ副詞として「それにもかかわらず」(= **nonetheless**) という「逆接・対立」の意味を表す。→ TARGET 110(2)

660. moreover の用法

▶ **moreover** は，文と文の意味をつなぐ副詞として「その上／さらに」の意味を表す。
→ 216, TARGET 110(1)

Plus **on top of that** は，「そのこと（私が仕事を失ったこと）に加えて」の意味を表す。

Plus **moreover** と同様に，「その上／さらに」の意味を表す副詞(句)として，**besides**，**in addition**，**furthermore**，**also** を押さえておこう。

I rarely eat red meat. Instead, I frequently eat chicken and fish.
（私は赤身の肉はめったに食べない。その代わり，私はよく鶏肉や魚を食べる）

● otherwise「さもないと」
We have to leave here in ten minutes. Otherwise, we'll be late for the class.
（ここを 10 分後に出発しなければなりません。さもないと，授業に遅れてしまいます）

(4) 因果関係

● therefore「それゆえに」
The population of this country is decreasing. Therefore, it is necessary to attract people from other countries.
（この国の人口は減少している。したがって，外国から人々を集めることが必要だ）

● as a result[consequence]「結果として」

● consequently「したがって／結果として」
She missed the bus by a few seconds. Consequently, she was late for the meeting.
（彼女は数秒の差でバスに乗り遅れた。結果として，彼女は会議に遅れた）

● hence「それゆえに」

(5) 説明・例示

● namely「すなわち」
The fast food industry offers one thing that people desire — namely convenience.
（ファストフード産業は人々が望むあるものを提供している。すなわち，利便性である）

● for instance[example]「例えば」

● that is (to say)「つまり」
Every orchestra player was an amateur; that is to say, they were not paid to perform.
（すべてのオーケストラ奏者はアマチュアだった。すなわち，彼らは演奏に対して報酬を受け取っていなかった）

659 ②　660 ②

第18章 副詞の語法 応用問題にTry!

KEY POINT ▷ 159-165

661 □□□ He ①has been working very ②hardly in preparation for this exam in the past six months, so I'm ③pretty sure that he ④will pass the exam. 〈高崎経済大〉

662 □□□ ①Now that the war has ended, ②soldiers will come to home ③and everything should ④be all right. 〈法政大〉

663 □□□ My dream is ①to go to abroad as ②an overseas exchange student during ③my time at university. 〈上智大〉

664 □□□ ①In 1945, when he ②was born in the U.S.A., the war ③had ended only a few months ④ago. 〈甲南大〉

665 □□□ 驚いたことに，彼は１週間前に海外に行きました。

666 □□□ Interpersonal and interactive communications, particularly face-to-face or word-of-mouth communications, still have the most powerful impact on our behavior. 〈横浜市立大〉

665 to one's surprise「驚いたことに」
666 interpersonal「個人間の」，interactive「相互に作用する」，particularly「特に」，face-to-face「対面した」，word-of-mouth「口伝えの」，have the most powerful impact on A「Aに最も大きな影響を与える」，behavior「行動」

661 彼は，この６カ月間，この試験の準備にとても一生懸命に取り組んでいるので，私は彼がその試験に合格すると確信しています。
662 戦争が終わった今，兵士たちは家に帰ることになり，すべては順調にいくはずだ。
663 私の夢は，大学在学中に海外交換留学生として外国に行くことです。
664 1945年，彼がアメリカで生まれたとき，戦争は数カ月前に終わったばかりだった。

KEY POINT ▷ 159-165

661. hardly と紛らわしい hard

○ 問題 649 で扱った **hard**「一生懸命に」と **hardly**「ほとんど…ない」(→ 643, TARGET 106）の区別が本問のポイント。② hardly を hard に修正すればよい。

Plus **in preparation for A**「A に備えて」は重要。

662. 名詞ではなく副詞の home — come home

○ TARGET 105 で扱った **come home**「家に帰る／帰宅する」が本問のポイント。home「家に」は副詞なので前に前置詞を置かない。したがって，② soldiers will come to home を soldiers will come home に修正すればよい。

Plus **now (that) S + V ...**「今や…だから」は重要。→ 415

663. 名詞ではなく副詞の abroad — go abroad

○ TARGET 105 で扱った **go abroad**「外国に行く」が本問のポイント。abroad「外国へ［に／で］」は副詞なので，前に前置詞を置かない。したがって，① to go to abroad を to go abroad に修正する。

Plus **an overseas exchange student** は「海外交換留学生」の意味。

664. before の用法 — ago との区別

○ 問題 640 で扱った，過去完了とともに用いる**時間を表す語句 + before** =「過去のある時点から…前に」が本問のポイント。ago は過去時制で用いるので，ここでは用いることができない。④ ago を before に修正する。**only a few months before** は「(彼が生まれた時点から）ほんの数カ月前に」の意味。

665. 名詞ではなく副詞の abroad[overseas] — go abroad[overseas] → 648, 663, TARGET 105

○ **abroad[overseas]**「外国へ［に／で］」は副詞なので，前に前置詞を置かないのがポイント。

○「1 週間前に」は「今から…前に」の状況なので，**ago** を用いて **a week ago** と表す。→ 640

666. still の用法 → 638

○ 肯定文で用いる **still**「まだ（…している)」は後ろの動詞 have を修飾している。, particularly face-to-face or word-of-mouth communications,「特に対面での，あるいは口頭でのコミュニケーション(は)」は挿入句で，主語の Interpersonal and interactive communications の具体的説明。

---

661 ② hardly → hard　**662** ② soldiers will come to home → soldiers will come home

663 ① to go to abroad → to go abroad　**664** ④ ago → before

665 To my surprise[Surprisingly], he went abroad[overseas] a week ago.

666 個人間の双方向のコミュニケーション，特に対面での，あるいは口頭でのコミュニケーションは，依然として我々の行動に最も大きな影響を与えている。

第19章 名詞の語法

不可算名詞・意味が紛らわしい名詞・思いがけない意味の名詞は頻出。英語の基本なので貪欲に覚えたい。

KEY POINT ▷166

667 □□□
My father didn't give me (　　　　).
① many advices　② many pieces of advices
③ an advice　④ much advice　〈日本大〉

668 □□□
We got (　　　　) about the flight from the travel agency.
① an information　② some information
③ some informations　④ some piece of information
〈名古屋工業大〉

669 □□□
I don't have much (　　　　) — just a desk and chair, a sofa and a coffee table — so it shouldn't take too long to move everything.
① equipment　② furniture　③ goods　④ possessions　〈南山大〉

● TARGET 111　注意すべき不可算名詞

(1) 数を表すことができる不可算名詞（two pieces of A「2個のA」などの形で）

- advice「アドバイス／忠告」→ 667
- baggage「手荷物」
- luggage「手荷物」→ 671
- furniture「家具」→ 669
- work「仕事」
- housework「家事」
- homework「宿題」→ 670
- information「情報」→ 668
- equipment「装置／装備」→ 714
- news「知らせ」
- paper「紙」
- evidence「証拠」→ 673
- scenery「風景」（scene は可算名詞）
- mail「郵便物」
- stationery「文房具」
- jewelry「宝石類」（jewel は可算名詞）
- machinery「機械（類）」→ 672（machine は可算名詞）
- poetry「（ジャンルとしての）詩」（poem は可算名詞）

(2) 数を表すことができない不可算名詞

- damage「損害」
- harm「損害」
- fun「楽しみ」
- progress「進歩」
- traffic「交通(量)」
- weather「天候」

*日本人には数えられると思われる名詞で，英語では不可算名詞になっているものが入試では頻出。

667 父は私にあまりアドバイスをくれなかった。
668 私たちは旅行代理店からその航空便についていくらかの情報を得た。
669 私はあまり多くの家具を持っていない。あるのは机と椅子，ソファー，コーヒーテーブルだけなので，すべてを移動するのにそんなに長い時間がかかるはずはない。

KEY POINT ▷ 166　　不可算名詞

667. much + 不可算名詞 — much advice

▶ **advice**「アドバイス／忠告」は，不可算名詞（数えられない名詞）なので，不定冠詞 an はつかないし，複数形もない。→ TARGET 111(1)

✕ ② many pieces of advices は不可。不可算名詞 advice「アドバイス／忠告」を具体的に数える場合は，**a piece of** を用いるが，「2 つのアドバイス」の場合では piece を複数形にして，**two pieces of advice** と表現する。したがって，「多くのアドバイス」は **many pieces of advice** となる。

668. some + 不可算名詞 — some information

○ 不可算名詞の **information**「情報」が本問のポイント。→ TARGET 111(1)

✕ ④ some piece of information は不可。**some pieces of information** ならば可。

Plus **some + 不可算名詞**は，「多少の…／いくらかの…」の意味を表す。ただし，漠然とした程度を表すので，日本語訳に対応する語が現れないことが多い。→ 595

669. much + 不可算名詞 — much furniture

○ 不可算名詞の **furniture**「家具」が本問のポイント。問題 667 で扱ったように，形容詞の **much** の後には不可算名詞がくるので，② furniture「家具」を選ぶ（→ TARGET 111(1)）。I don't have much furniture. は not ... much の形となっているので，「私はあまり多くの家具を持っていない」の意味を表す。

---

667 ④　668 ②　669 ②

670 □□□ If you don't have (　　　) to do, why don't we go to the movies tonight?

① plenty of homeworks　② many homework
③ much homework　④ a lot of homeworks　〈山梨大〉

671 □□□ We had (　　　).

① many luggages　② a few luggages
③ a luggage　④ a lot of luggage　〈駒澤大〉

672 □□□ A lot of old (　　　) was repaired in our laboratory last Monday.

① machine　② machines　③ machinery　④ machineries　〈名古屋工業大〉

673 □□□ There is (　　　) that recovery from this disease can occur partially or completely through natural healing.

① a large amount of evidences
② growing evidence
③ grown evidence
④ plenty of evidences　〈早稲田大〉

KEY POINT ▷167

674 □□□ It is not easy to make (　　　) him.

① a friend in　② friend with
③ friends with　④ friends to　〈青山学院大〉

670 やるべき宿題があまりなければ，今夜映画を見に行きませんか。
671 私たちには，たくさんの荷物があった。
672 この前の月曜日に，私たちの研究室では多くの古い機械が修理された。
673 この病気からの回復が，部分的に，または完全に自然治癒によって起こりうるという証拠が増えている。
674 彼と友だちになることは簡単ではない。

670. 不可算名詞の homework ― much homework

○ 不可算名詞 **homework**「宿題」が本問のポイント。→ TARGET 111(1)

✕ ① plenty of homeworks は，**plenty of homework** なら可。④ a lot of homeworks も，**a lot of homework** なら可。→ 671

671. a lot of + 不可算名詞 ― a lot of luggage

○ 不可算名詞の **luggage**「手荷物」が本問のポイント。→ TARGET 111(1)

Plus **a lot of + 不可算名詞**は，「たくさんの…」の意味を表す。**a lot of + 複数名詞**「数多くの…」も，ここで確認しておこう。

672. 不可算名詞の machinery ― machine との区別

○ 不可算名詞の **machinery**「機械（類）」が本問のポイント（→ TARGET 111(1)）。問題 671 で扱った **a lot of + 不可算名詞**「たくさんの…」から，③ machinery を選ぶ。

✕ ② machines を選ぶならば，A lot of old machines were repaired ... となるはず。

673. 不可算名詞の evidence ― growing evidence

○ 不可算名詞の **evidence**「証拠」が本問のポイント。→ TARGET 111(1)

Plus **There is growing evidence that S + V ...** は，「…という証拠が増えている」の意味を表す。

Plus 形容詞化した現在分詞 **growing**「増加する」と **grown**「大人の／成長[成熟]した」の区別は重要。現在分詞と過去分詞の名詞修飾は，問題 132, 133 参照。

KEY POINT ▷ 167　常に複数形を用いる表現

674. 慣用的に複数形を用いる表現 (1) ― make friends with A

▶ **make friends with A** は，「A と友だちになる」の意味を表す。friend は必ず複数形になることに注意（→ TARGET 112）。誰かと友だちになるには，自分と相手という 2 人以上の人間が必要だと考えればわかりやすい。

---

670 ③　671 ④　672 ③　673 ②　674 ③

675 □□□ We changed ( ) at Yokohama Station to go to Kamakura.
① trains ② train ③ a train ④ another train 〈駒澤大〉

676 □□□ The children took turns ( ) the heavy baggage all the way for their grandmother.
① carrying ② carried ③ for carrying ④ carry 〈成城大〉

KEY POINT ▷168

677 □□□ I'm fortunate to be on good ( ) with my mother-in-law.
① concern ② opinion ③ periods ④ terms 〈西南学院大〉

678 □□□ Please give her my best ( ) if you get a chance to see her.
① favor ② regards ③ relations ④ care 〈西南学院大〉

● TARGET 112 慣用的に複数形を用いる表現

- make friends with A「A と友だちになる」→ 674
- change trains「列車を乗り換える」→ 675
- change planes「飛行機を乗り換える」
  In order to get to that country, you have to change planes.（その国に行くためには，飛行機を乗り換える必要がある）
- take turns (in / at) doing「交代で…する」→ 676
- exchange business cards「名刺を交換する」
  Students should learn how to exchange business cards before looking for work.（仕事を探し始める前に，学生は名刺を交換する方法を学ぶべきだ）
- shake hands「握手をする」 など
  The leaders of the two countries shook hands to show their friendship.（親密さを示すために，その２か国の首脳は握手をした）

675 私たちは，鎌倉に行くために横浜駅で電車を乗り換えた。
676 子どもたちは，祖母のために最後までずっと重い荷物を交代しながら運んだ。
677 私が義母とよい関係でいられるのは幸せなことです。
678 あなたが彼女に会う機会があったら，ぜひよろしくお伝えください。

675. 慣用的に複数形を用いる表現 (2) — change trains

○ **change trains**「列車を乗り換える」が本問のポイント。→ TARGET 112

676. 慣用的に複数形を用いる表現 (3) — take turns (in / at) doing

○ **take turns (in / at) doing**「交代で…する」が本問のポイント（→ TARGET 112）。turn は「順番」を表す名詞で，複数の人がいないと交代できないので，複数形 turns になると考えればよい。

Plus **all the way**「ずっと／初めから終わりまで」は重要。

KEY POINT ▷ 168　複数形で特別な意味を持つ名詞

677. 複数形で特別な意味を持つ名詞 — be on ... terms with A

▶ **be on good terms with A** は，「A とは仲がよい間柄である」の意味を表す。term の複数形 **terms** は，この表現では「間柄」の意味。→ TARGET 113

Plus **good** の代わりに **bad**「仲が悪い」，**friendly**「友好的な」，**speaking**「話を交わす」，**visiting**「行き来する」などの形容詞もよく用いられる。**be on bad[friendly / speaking / visiting] terms with A** は「A とは仲が悪い[友好的な／話を交わす／行き来する]間柄である」の意味を表す。一緒に覚えておこう。

678. 複数形で特別な意味を持つ名詞 — give A my best regards

○ **give A my best regards = give my best regards to A**「A によろしく伝える」が本問のポイント。複数形の **regards** は「よろしくというあいさつ」の意味を表す。
→ TARGET 113

Plus 同意表現の **remember me to A / say hello to A** も，ここで押さえておこう。

675 ①　676 ①　677 ④　678 ②

679 □□□ 動画

Credit cards can be useful, but they encourage some people to live beyond their (　　　).
① ability　② means　③ power　④ ways　〈南山大〉

KEY POINT ▷169

680 □□□

(　　　) is the son of one's brother or sister.
① An aunt　② A nephew　③ A niece　④ An uncle
〈名古屋女子大〉

● TARGET 113　複数形で特別な意味を持つ名詞

- be on ... terms (with A)「(A とは) …の間柄である」(terms は「間柄」の意味) → 677, 713
- take pains「苦労する」(pains は「苦労／骨折り」の意味)
- put on airs「気取る」(airs は「気取った様子」の意味)
- a man / woman of letters「文学者」(letters は「文学」の意味)
- give A my (best) regards = give my (best) regards to A「A によろしく伝える」(regards は「よろしくというあいさつ」の意味) → 678, 712
- be in high spirits「上機嫌である」(spirits は「気分」の意味)
- arms「武器」　● customs「関税／税関」　● forces「軍隊」
- goods「商品」　● manners「礼儀作法」　● means「資産／収入」→ 679
- works「工場」

679 クレジットカードは便利かもしれないが，そのために収入の範囲を超えて生活する人が生まれる。
680 甥とは，自分の兄弟または姉妹の息子のことだ。

679. 複数形で特別な意味を持つ名詞 ― live beyond one's means

○ **live beyond one's means** は，「収入の範囲を超えて生活する」の意味を表す。この **means** は複数扱いで「**収入**」(**= income**) の意味。→ TARGET 113

Plus **encourage A to do**「A に…するようにけしかける［励ます］」は重要。→ 502, TARGET 76

Plus **live within one's means**「収入の範囲内で生活する」も重要表現。また，**means** には，「**資産**」の意味もある。**a man / woman of means**「資産家」で押さえておこう。

KEY POINT ▷ 169　意味が紛らわしい名詞

680. niece と紛らわしい nephew

▶ **nephew** は「甥（おい）」，**niece** は「姪（めい）」の意味を表す。→ TARGET 114

TARGET 114　意味が紛らわしい名詞

- reservation「（ホテルなどの）予約」
  appointment「（診療・面会などの）予約」→ 681
- view「（特定の場所からの）眺め」
  scenery「風景」（不可算名詞）
- shade「日陰」
  shadow「影」
- flock「鳥や羊の群れ」
  herd「牛や馬の群れ」
  school「魚の群れ」
- habit「個人的な習慣／癖」→ 682
  custom「社会的な慣習」
- nephew「甥（おい）」→ 680
  niece「姪（めい）」
- dentist「歯医者」
  surgeon「外科医」
  physician「内科医」
- sample「（商品）見本」
  example「（人がまねる）手本／見本」
- rule「（競技での）規則／ルール」
  order「（社会の）規律／秩序」
- pessimist「悲観的な人」
  optimist「楽観的な人」
- rotation「（天体の）自転」
  revolution「（天体の）公転」
- lane「道路の車線」
  path「（公園・庭園内の）歩道」

679 ②　680 ②

681 □□□
I have (　　　) with the dentist this afternoon.
① a promise　② an appointment
③ an order　④ a reservation　〈奥羽大〉

682 □□□
It may not be easy for you to break the (　　　) of smoking, but you must try.
① custom　② manner　③ practice　④ habit　〈南山大〉

KEY POINT ▷170

683 □□□
The new stadium is very big. It has a seating (　　　) of about 80,000.
① facility　② ability　③ possibility　④ capacity　〈京都外大〉

684 □□□
A：Excuse me. Could you tell me how to get to the nearest post office?
B：Sorry, I'm a (　　　) here myself, too.
① passenger　② stranger　③ consumer　④ pedestrian　〈愛知学院大〉

685 □□□ 動画
It is always the (　　　) with children.
① case　② chance　③ control　④ leave　〈中央大〉

686 □□□
This mistake is Makoto's (　　　) because he should have known better.
① accusation　② blame　③ fault　④ guilt　〈南山大〉

681 今日の午後，私は歯医者の予約がある。
682 喫煙の習慣を断つのは簡単ではないかもしれないが，あなたは努力しなければなりません。
683 その新しい競技場はとても大きい。それは約８万人の収容能力がある。
684 A：すみません。最寄りの郵便局への行き方を教えていただけますか。
B：すみません，私もこのあたりは不案内なんです。
685 それは，子どもの場合には常に当てはまる。
686 この間違いはマコトのせいだ。なぜなら，彼はもっと分別があるべきだったからだ。

681. reservation と紛らわしい appointment

○ **appointment**「(医者・美容院などの)予約／(面会の)予約」と **reservation**「(ホテル・列車・劇場などの)予約」の区別が本問のポイント。→ TARGET 114

Plus **have an appointment with A**「A の予約がある／ A と会う約束がある」で押さえておこう。

682. custom と紛らわしい habit

○ **habit**「個人的な習慣／癖」と **custom**「社会的な慣習」の区別が本問のポイント。
→ TARGET 114

Plus **break the habit of doing ...**「…する習慣を断つ」で押さえる。

KEY POINT ▷ 170　思いがけない意味を持つ名詞 (1)

683. 思いがけない capacity の意味

▶ **capacity** は,「(潜在的な) 能力／才能」を表す名詞だが, 本問のように「(建物・乗り物などの) 収容能力」の意味で用いられることがある。**a seating capacity of A** は,「A の座席収容能力」の意味。

Plus **capacity** には「(工場などの) 生産能力」の意味があることも押さえておこう。
The factory is working at full **capacity**. (その工場はフル稼働で操業している)

684. 思いがけない stranger の意味

▶ **stranger** には,「(場所に) 不案内な人／不慣れな人」の意味を表す用法がある。

Plus **stranger** には,「**見知らぬ人**」の意味もあるので注意。
Don't speak to **strangers**. (知らない人に話しかけてはいけません)

685. 思いがけない case の意味

▶ **case** には「真相／事実／実情」の意味があり, **be the case**「本当である／事実である／当てはまる」の形で用いることが多い。

○ **be the case with A** は「A に当てはまる」の意味を表す。

Plus **be the case with A** を用いた **as is often the case with A**「A にはよくあることだが」もここで確認しておく。→ 219

686. 思いがけない fault の意味

▶ **fault** には, 通例 **A's fault** の形で「A の責任／ A のせい」の意味を表す用法がある。

✕ ② blame にも「(失敗などの) 責任」の意味があるが, blame の前には所有格の名詞がつかない。blame の場合, 動詞として用いて **be to blame for A**「A に対して責任がある」の表現になる。例えば, **It is my fault.** は **I'm to blame for it.** と書き換えられる。

Plus **should have known better** は「もっと分別があるべきだった」の意味。**should have done** は問題 65, TARGET 11 を参照。

681 ②　682 ④　683 ④　684 ②　685 ①　686 ③

687 □□□ A person who has a good ( ) of English can get a good post at a major company.
① reason ② behavior ③ command ④ sensation 〈西南学院大〉

KEY POINT ▷ 171

688 □□□ I have no ( ) what he wants for his birthday.
① knowledge ② idea ③ consideration ④ eagerness 〈東邦大〉

689 □□□ 動画 We received a letter from that company to the ( ) that they could not accept our offer.
① affect ② affection ③ point ④ effect 〈西南学院大〉

690 □□□ 動画 As Tom is a man of his word, he is the most ( ) person I have known.
① trustworthy ② talkative ③ cheerful ④ solemn 〈北里大〉

691 □□□ 動画 The protesters received a light ( ) from the judge for their civil disobedience.
① sentence ② innocence ③ guilty ④ hazard 〈慶應義塾大〉

692 □□□ Everyone is worried that the company will be losing a lot of money, but that ( ) was not discussed at the meeting.
① subject ② story ③ plan ④ lecture 〈芝浦工業大〉

687 英語が上手な人は，大手企業でいい仕事に就くことができる。
688 彼が誕生日に何を欲しがっているのか，まったくわからない。
689 私たちはその会社から，私たちの提案は受け入れられないという趣旨の手紙を受け取った。
690 トムは約束を必ず守る人なので，彼は私が知っている中で最も信頼できる人だ。
691 抗議者たちは市民としての不服従のかどで，裁判官から軽い判決を受けた。
692 誰もが，その会社が巨額の損失を出すことを心配しているが，その話題については会議で議論されなかった。

687. 思いがけない command の意味

▶ **have a good command of A** は，「A（言語など）を自由にあやつれる」の意味を表す。この **command** は「（言語などを）自由にあやつる能力」の意味。

Plus **command** には，「見晴らし／展望」の意味もある。この command は，**S have (a) command of A** の形で「S から A が見渡せる」の意味を形成する。一緒に押さえておこう。
The hill **has (a) command of** the whole town.（その丘から町全体が見渡せる）

KEY POINT ▷ 171　思いがけない意味を持つ名詞 (2)

688. 思いがけない idea の意味

▶ **idea** には，「見当／想像」の意味を表す用法があり，**have no idea ＋ wh 節 [of A]** の形で「…か[A について]まったくわからない」の意味を形成する。

Plus **have no idea ＋ wh 節 [of A]** の強調表現である **don't have the slightest[faintest / remotest / least] idea ＋ wh 節 [of A]** も頻出表現。
I **don't have the slightest idea of** the result.
（その結果については，まったくわかりません）

689. 思いがけない effect の意味

▶ **effect** には，「趣旨／意味」の意味を表す用法がある。**to the effect that 節** で「…という趣旨の[で]」の意味を形成する。

✕ ③ point は不可。to the point that で「…に至るほど」の意味だが，文意に合わない。

690. 思いがけない word の意味

▶ **a man[woman] of his[her] word** は，「約束を守る人」の意味を表す。
word は，**one's word** の形で「約束」の意味を表すことがある。

○ 文の前半の内容から，① trustworthy「信用[信頼] できる」を選ぶ。

✕ ② talkative「おしゃべりな」，③ cheerful「快活な」，④ solemn「まじめな／厳粛な」は文意に合わない。

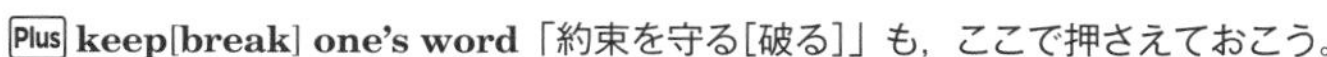

Plus **keep[break] one's word**「約束を守る[破る]」も，ここで押さえておこう。

691. 思いがけない sentence の意味

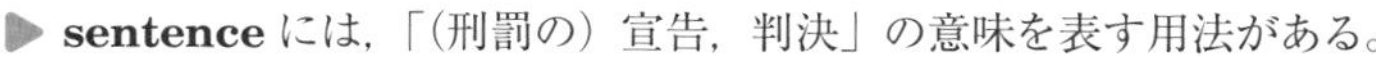

▶ **sentence** には，「（刑罰の）宣告，判決」の意味を表す用法がある。

Plus **receive a light[heavy] sentence**「軽い[重い]判決を受ける」で押さえておこう。
Plus civil disobedience は「市民としての不服従」の意味。

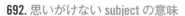

692. 思いがけない subject の意味

▶ **subject** には，「話題／主題」の意味を表す用法がある。

Plus **be worried + that 節**「…ということで心配している」は重要。

687 ③　688 ②　689 ④　690 ①　691 ①　692 ①

693 □□□ 動画

A：Would you like some more chicken?
B：No, thanks. I'd like to leave (　　　) for dessert.
① opening　② place　③ room　④ volume 〈学習院大〉

KEY POINT ▷172

694 □□□ 動画

It was announced yesterday that train companies would raise their (　　　) by more than 10%.
① fees　② bills　③ fares　④ terms 〈東邦大〉

● TARGET 115「お金」に関する名詞

- fare「乗り物の運賃」→ 694
- fee「専門職に対して支払う報酬[料金]／受験・入場・入会のための料金」
  The consultant showed the fee to the client.（そのコンサルタントは顧客に料金を提示した）
- admission「入場料」 The admission for this museum is $5 for adults.（この博物館の入館料は大人５ドルだ）
- charge「サービスに対して支払う料金／（電気・ガスなどの）公共料金／使用料」
  There is an additional charge for using the training gym.（トレーニングジムを利用するには追加料金が必要だ）
- rent「家賃／賃貸料」 The monthly rent for this apartment is much lower than that one.（このアパートの月の家賃はあのアパートよりもずっと安い）
- tuition「授業料」 I noticed that I had not paid the tuition for my art school.（美術学校の授業料を払い忘れていることに気づいた）
- income「収入」 After graduating from college, her income increased a lot.（大学を卒業したら，彼女の収入は大きく上がった）
- expense「費用」 I have to reduce expenses to stay within my budget.（予算内に収めるために，費用を削減しなければならない）
- cost「経費／費用」→ 695
- pay「（一般的な）報酬／手当」 He received his pay later than he was expecting.（彼は予想していたよりも遅く支払いを受け取った）

693 A：もう少し鶏肉はいかがですか。
B：いいえ，結構です。デザートが入る余地を残しておきたいので。
694 昨日，鉄道各社が運賃を 10%以上引き上げることが発表された。

693. 思いがけない不可算名詞 room の意味

▶ 不可算名詞の **room** は,「余地／場所／空間」の意味を表す。**room for A**「A の余地」の形で使われることも多い。**leave room for A**「A の余地を残す」で押さえておこう。

Plus **There is no room for A.**「A の余地はまったくない」, **leave no room for change**「変更の余地がない」, **make room for A**「A に場所を空ける」も頻出表現。

2 語法

KEY POINT ▷ 172　「お金」を表すさまざまな名詞

694.「お金」を表すさまざまな名詞 (1) — fare

▶ **fare** は,「乗り物の運賃」の意味を表す。→ TARGET 115

- salary「給料・賃金」 After negotiating with her boss, her salary increased by 10%.（上司と交渉した後，彼女の給料は 10% 上昇した）
- wage「給料・賃金」 Because of the labor shortage, the minimum wage in the region has been increasing.（労働力不足のために，その地域の最低賃金は上がってきている）
- commission「手数料／歩合」 The broker earns a commission through the sales of real estate.（そのブローカーは不動産売買を通して手数料を稼いでいる）
- interest「利子／利息」 I opened a bank account with a good interest rate.（よい金利がつく銀行口座を開設した）
- profit「利益」 It was a correct decision to invest a part of the profits.（利益の一部を投資に回すとは正しい決断だった）
- tax「税金」 The consumption tax is likely to increase in the near future.（近い将来，消費税が上がりそうだ）
- fine[penalty]「罰金」→ 696
- cash「現金」 Sarah did not have enough cash to buy the jacket.（サラはそのジャケットを買うのに十分なお金を持っていなかった）
- change「小銭／つり銭」 Do you have any change for the vending machine?（自動販売機で使う小銭を持っていますか）
- check「小切手」 Conventional checks will no longer be used in the near future.（近い将来，従来の小切手は使用されなくなるだろう）

693 ③　694 ③

695 □□□ As the (　　　　) of living is higher in Tokyo than in Nagoya, I decided to live in Nagoya.
① cost　② expensive　③ money　④ price 〈南山大〉

696 □□□ 動画 Jane was found guilty of shoplifting. She faced up to two months in jail and a $500 (　　　　).
① full　② fine　③ fair　④ fare 〈関西学院大〉

KEY POINT ▷173

697 □□□ It was a miracle that all the (　　　　) survived the plane crash.
① flights　② passengers　③ ways　④ dangers 〈奥羽大〉

698 □□□ The supermarket is crowded with (　　　　) every Sunday.
① customers　② sellers　③ guests　④ visitors 〈成城大〉

TARGET 116 「客」を表すさまざまな名詞

- guest「宿泊客／招待客」
- audience「(劇場などの) 観客／(講演などの) 聴衆」
- customer「商店の客／顧客」→ 698
- shopper「買い物客」
- client「(弁護士・建築家などの) 依頼人」
- passenger「乗客」→ 697
- visitor「訪問客／来客／見舞客」
- spectator「(スポーツなどの) 観客／見物人」
- patient「患者」
- buyer「(家や車など高価なものの) 購入者，買い手」
- viewer「テレビの視聴者／インターネットの閲覧者」

695 東京での生活費は名古屋のものより高いので，私は名古屋に住むことにした。
696 ジェーンは万引きの罪で有罪となった。彼女は最長２カ月の懲役と500ドルの罰金に直面することになった。
697 乗客全員がその飛行機事故で生き残ったのは奇跡だった。
698 毎週日曜日になると，そのスーパーマーケットはお客で混み合う。

695.「お金」を表すさまざまな名詞 (2) — cost

○ **cost**「経費／費用」が本問のポイント。→ TARGET 115

Plus **the cost(s) of living**「生活費」で押さえておこう。

696.「お金」を表すさまざまな名詞 (3) — fine

○ **fine**「罰金」が本問のポイント。→ TARGET 115

Plus **be guilty of A** は，「A の罪を犯している」の意味。反意表現の **be innocent of A**「A の罪を犯していない」と一緒に覚えておこう。

2 語法

KEY POINT ▷ 173　「客」を表すさまざまな名詞

697.「客」を表すさまざまな名詞 (1) — passenger

▶ **passenger** は，「乗客」の意味を表す。→ TARGET 116

Plus **survive A**「A を切り抜けて生き残る」は重要。

698.「客」を表すさまざまな名詞 (2) — customer

○ **customer**「商店の客／顧客」が本問のポイント。→ TARGET 116

Plus **be crowded with A**「A で混み合っている」は重要。

TARGET 117 「仕事」を表すさまざまな名詞

- business「事業／職務」
- work「仕事」(不可算名詞)
- job「仕事」(可算名詞) → 701
- labor[toil]「(work よりつらい) 骨の折れる仕事」→ 699
- task「課された仕事，任務，課題」
- occupation「職業」→ 700
- profession「(一般に) 職業／専門職／知的職業」→ 700
- trade「職業／商売」
- career「経歴／(生涯の) 仕事」
- assignment「割り当てられた仕事／宿題」(可算名詞)

695 ①　696 ②　697 ②　698 ①

KEY POINT ▷174

699 □□□ When she finally succeeded after hours of work, she felt that her (　　　) had been worthwhile.
① labor ② marsh ③ moisture ④ traffic 〈立命館大〉

700 □□□ Mary told me about her <u>occupation</u>.
① hobby ② profession ③ dream ④ assignment 〈東海大〉

701 □□□ 動画 I hired Naomi five years ago.
= I gave Naomi a (　　　) five years ago.
① recommendation ② present ③ bonus ④ job 〈中央大〉

KEY POINT ▷175

702 □□□ These days there has been a rapid increase (　　　) commuters who leave their bicycles anywhere they like near railway stations.
① in a number of ② in the number of
③ of the number in ④ for the number of 〈清泉女子大〉

703 □□□ Their income taxes are (　　　) ours due to their oil profits.
① less than one fifth of ② less than one fifths of
③ less of one fifth than ④ one fifth less 〈日本大〉

704 □□□ This (　　　) of pants is too tight.
① sheet ② piece ③ couple ④ pair 〈東海大〉

TARGET 118 対になっている衣類・器具を表す名詞

- stockings「ストッキング」
- shoes「靴」
- socks「靴下」
- pants「ズボン」→ 704
- trousers「ズボン」
- gloves「手袋」
- glasses「めがね」
- spectacles「めがね」
- scissors「はさみ」
- binoculars「双眼鏡」

699 何時間もの作業の後でようやく成功したとき，彼女は自分の努力はその価値があったのだと感じた。
700 メアリーは自分の職業について私に話した。
701 私は５年前にナオミを雇った。＝ 私は５年前にナオミに仕事を提供した。

KEY POINT ▷ 174　「仕事」を表すさまざまな名詞

699.「仕事」を表すさまざまな名詞 (1) — labor

▶ **labor** は「(work よりつらい）骨の折れる仕事」の意味を表す。→ TARGET 117

Plus **worthwhile** は,「(時間・労力などをかける）価値がある」の意味。

700.「仕事」を表すさまざまな名詞 (2) — occupation と profession

○ **occupation**「職業」= **profession**「(一般に）職業」を知っているかが本問のポイント。→ TARGET 117

Plus **occupation** は, 日本語の「職業」に最も近い単語。**profession** も, **occupation** と同意で「(一般に）職業」の意味で用いられるが,「医者・技術者・法律家などの専門的な知的職業」の意味で用いられることもある。

701.「仕事」を表すさまざまな名詞 (3) — job

○ I hired Naomi five years ago.「私は 5 年前にナオミを雇った」の内容と同様の意味になるように, ④ job「仕事」を選ぶ。→ TARGET 117

KEY POINT ▷ 175　その他の注意すべき名詞

702. number の用法 — the number of A

▶ **number** は, **the number of A** の形で「A の数」の意味を表す。→ 369

✕「A の増加」は, increase <u>in</u> A なので, ④ <u>for</u> the number of は不可。

Plus **There has been a rapid increase in A.**「A が急激に増えてきた」は, よく用いられる表現。

703. 分数表現 — one fifth of A

▶ 分数表現は, 分子が基数, 分母が序数で表され, 分子が 2 以上の場合は, 分母を複数形にする。例えば「5 分の 1」は **one fifth**,「5 分の 2」は **two fifths** となる。

○「A の 5 分の 1（足らず)」は, **(less than) one fifth of A** と表現するので, ① less than one fifth of を選ぶ。

Plus **due to A**「A のために」(**= owing to A / because of A**) は重要。

704. a pair of を用いる名詞 — this pair of pants

▶ 対になっている衣類・器具を表す名詞を数える場合は, **a pair of** を用いる（→ TARGET 118)。of の後は可算名詞の複数形。数が複数の場合には, pair を複数形にすることに注意。例えば,「3 本のズボン」は **three <u>pairs</u> of pants** と表現する。

702 最近, 鉄道駅の近くのどこでも好きな場所に自分の自転車を置いたままにする通勤者が急激に増えてきた。
703 彼らの所得税は, 石油からの収入のおかげで, 私たちの 5 分の 1 足らずだ。
704 このズボンはきつすぎる。

699 ①　700 ②　701 ④　702 ②　703 ①　704 ④

KEY POINT ▷ 166-175

705 □□□ ①Nowadays, a jumbo jet can lift ②nearly five hundred people and their ③luggages ④into the air with its magnificent engine power. 〈北里大〉

706 □□□ Unemployment ①compensation is money ②to support an unemployed person while he or she ③is looking for ④job. 〈杏林大〉

707 □□□ 外交面ではまだ改善の余地がある。
There is still (　　　) for improvement on the diplomatic front. 〈京都教育大〉

708 □□□ We had (cut / down / how / idea / no / to) on our expenses because we were so used to living in luxury. 〈立教大〉

709 □□□ 次の駅で乗り換えないと，その競技場には行けませんよ。
We can't reach the stadium if we don't (　　　) (　　　) (　　　) the next station. 〈日本大〉

710 □□□ ①Scientists around the world are looking at ②an evidence of climate change and are ③also using computers to come up with ④predictions for our future environment and weather. 〈中央大〉

705 最近では，ジャンボジェット機はエンジンの強力な出力で500人近くとその荷物を飛ばすことができる。
706 失業手当とは，職探しをする期間に失業中の人を支援するためのお金です。
708 私たちは贅沢な生活にあまりにも慣れていたので，どのようにして出費を減らせばよいのかわからなかった。
710 世界中の科学者が気候変動の証拠を調べており，同時にコンピューターを使って将来の環境と天気の予測を立てている。

KEY POINT ▷ 166-175

705. 不可算名詞の luggage

○ 不可算名詞の **luggage**「手荷物」が本問のポイント（➔ 671, TARGET 111(1)）。不可算名詞の複数形はないので，③ luggages を luggage に修正すればよい。

Plus lift A into the air は「A を空中に持ち上げる[飛ばす]」の意味。

706. 仕事を表すさまざまな名詞 — job

○ 可算名詞の **job**「仕事」が本問のポイント（➔ 701, TARGET 117）。文脈から「不特定の1つの仕事」と判断できるので，④ job を a job と修正する。

Plus unemployment compensation は「失業手当」の意味。

707. 不可算名詞 room の意味

○ 問題 693 で扱った不可算名詞 **room** を用いた **room for A**「A の余地」が本問のポイント。

Plus **There is still room for improvement.**「まだ改善の余地がある」はよく用いられる表現。

708. 思いがけない idea の意味

○ 問題 688 で扱った **have no idea ＋ wh 節**「…かまったくわからない」の形が本問のポイント。与えられた語句から，no idea の後が wh 節ではなく「疑問詞 + to do」（➔ 85）になると気づくこと。We had no idea how to とまとめて，動詞の cut down を続ければよい。

Plus **cut down on A**「A を節減する／ A を切り詰める」，**be used to doing**「…することに慣れている」（➔ 115）は重要。

709. 常に複数形を用いる表現 — change trains ➔ TARGET 112

○ 問題 675 で扱った **change trains**「列車を乗り換える」が本問のポイント。「次の駅で」は，「地点」を表す **at**（➔ 436）を用いて，at the next station と表現する。

Plus **change trains at the next station**「次の駅で列車を乗り換える」はよく用いる表現。

710. 不可算名詞の evidence — evidence of A

○ 不可算名詞の **evidence**「証拠」が本問のポイント（➔ 673, TARGET 111(1)）。② an evidence of climate change を evidence of climate change「気候変動の証拠」に修正する。

Plus **come up with predictions for A** は「A の予測をする」の意味。

---

705 ③ luggages → luggage

706 ④ job → a job

707 room

708 no idea how to cut down

709 change trains at

710 ② an evidence of climate change → evidence of climate change

711 □□□ I wish I ①could give you ②a lot of ③advices based on my experience of winning political debates. However, I don't have ④that experience. 〈上智大〉

712 □□□ あなたが帰宅したら，彼女によろしくお伝えください。
Please (when / regards / to / my / you / her / give / get) home.
〈関西学院大〉

713 □□□ ジョンとメアリーは別れたけれど，今でもまあ良い関係だそうです。
Although John and Mary split up, I heard they are still (friendly / with / on / for / reasonably / terms) each other.（1 語不要）
〈成蹊大〉

714 □□□ ①The proper equipments make the whole operation easier, ②so the scientists can conduct more experiments, ③which can often produce better results. ④ALL CORRECT 〈早稲田大〉

715 □□□ そのお客は貴重なアドバイスをいくつかくれたことに対してデパートの店長にお礼を言いました。

716 □□□ In the center of the room was a round table surrounded by chairs, but the table and chairs were covered with papers and boxes and games and books. There was hardly room for Bradley's mother and his teacher to stand. 〈宇都宮大〉

ヒント

715 thank A for doing「…することに対して A に感謝する」, department store manager「デパートの店長」
716 in the center of A「A の中心に，A の真ん中に」, round「丸い」, A surrounded by B「B に囲まれた A」, be covered with A「A で覆われている」, papers「書類」, Bradley「ブラッドリー」（人名）

711 私が政治討論で勝利した経験に基づいて，あなたにいろいろとアドバイスを提供できたらいいのにと思う。しかし，私にはそのような経験がない。
714 適切な装置を使うことで作業全体が以前よりも容易になるので，科学者はより多くの実験を行うことができ，それがしばしば，より好ましい結果をもたらすことがある。

711. 不可算名詞の advice

○ 不可算名詞の **advice** が本問のポイント（→ 667, 671, TARGET 111(1)）。不可算名詞の複数形はないので，③ advices を advice と修正すればよい。

Plus **I wish I could do ...**「私が…できたらいいのにと思う」（→ TARGET 35），**be based on A**「A に基づく」は重要。

712. 複数形で特別な意味を持つ名詞 ― give my (best) regards to A → 678

○ **give my (best) regards to A**「A によろしく伝える」が本問のポイント。

713. 複数形で特別な意味を持つ名詞 ― be on friendly terms with A → 677

○ **be on friendly terms with A**「A とは友好的な間柄である」が本問のポイント。副詞の **reasonably**「ほどよく，まあまあ」は形容詞 **friendly**「友好的な」の前に置く。

714. 注意すべき不可算名詞 ― equipment → TARGET 111

○ **equipment**「装置」**は不可算名詞なので複数形はない**。したがって，主語の下線部①の中の The proper equipments を The proper equipment「適切な装置」とし，動詞の make を makes に修正すればよい。**make O C** は「O を C にする」，下線部③の中の which は，前文の下線部②の内容を先行詞にする非制限用法の関係代名詞。→ 211

715.「客」を表すさまざまな名詞 (2) ― customer → 698

○ デパートでの客なので **customer**「商店の客／顧客」を用いる（→ TARGET 116）。「いくつかのアドバイス」は不可算名詞の **advice**（→ 711）を用いて **some advice**（→ 595, 668）と表現してもよいし，**some pieces of advice**（→ TARGET 111）としてもよい。

716. 思いがけない不可算名詞 room の意味 → 693

○ 本問の **room** には冠詞がついていないため，不可算名詞の **room**「余地／場所／空間」である。hardly は「ほとんど…ない」の意味。**There is hardly (any) room for A to do ...** は「A が…する余地はほとんどない」の意味。**hardly (any) + 名詞**「ほとんど…ない」は問題 645 参照。

---

711 ③ advices → advice　**712** give my regards to her when you get

713 on reasonably friendly terms with（for 不要）

714 ① The proper equipments make the whole operation easier → The proper equipment makes the whole operation easier

715 The customer thanked the department store manager for giving him[her] some (pieces of) valuable[precious] advice.

716（部屋の真ん中には，椅子で囲まれた丸いテーブルがあったが，テーブルや椅子は，書類，箱，ゲームや本で覆われていた。）ブラッドリーの母親と教師が立てる場所はほとんどなかった。

PART 3
イディオム

Bright Stage

第20章 動詞中心のイディオム

KEY POINT ▷176

717 □□□ Jason decided to (　　　) taking his summer vacation because he was too busy at work.
① put down　② put away　③ put in　④ put off　〈玉川大〉

718 □□□ The meeting had to be (　　　) off when the chairperson phoned in sick.
① called　② taken　③ sent　④ given　〈関西学院大〉

719 □□□ I will put (　　　) my coat if it gets cold.
① from　② in　③ on　④ with　〈亜細亜大〉

720 □□□ Please don't forget to (　　　) your shoes when entering a house in Japan.
① put off　② get in　③ turn off　④ take off　〈東邦大〉

721 □□□ John was successful at the interview but he (　　　) the job offer.
① gave out　② looked down　③ took out　④ turned down　〈青山学院大〉

722 □□□ Fifth-year medical students need to (　　　) in their completed application forms by the end of October.
① arrive　② finish　③ hand　④ leave　〈日本大〉

723 □□□ Did you (　　　) this word in your dictionary?
① look up　② read up　③ take up　④ turn up　〈東北学院大〉

717 仕事があまりに忙しかったので，ジェイソンは夏休みをとるのを延期することに決めた。
718 その会議は，議長が病欠の電話をかけてきたので中止しなければならなかった。
719 寒くなったら，私は上着を着ることにします。
720 日本の家屋に入るときは，靴を脱ぐことを忘れないでください。
721 ジョンは面接に合格したが，その仕事の誘いを断った。
722 医学部の５年生は，10月末までにすべて記入済みの申し込み用紙を提出する必要がある。
723 あなたは，この単語を辞書で調べましたか。

KEY POINT ▷ 176　動詞中心のイディオム

717. put off A / put A off「A を延期する」 

　= postpone **A**

○ 後半の「仕事があまりに忙しかった」に着目して,「夏休みを延期した」と考え, ④ put off を選ぶ。

Plus **call off A**「A を中止する」との混同に注意。

718. call off A / call A off「A を中止する」 

　= cancel **A**

○ 文意を「議長が病欠の電話をかけてきたので, 会議が中止になった」と考え, ① called を選ぶ。

Plus **call off A** には「A（命令など）を取り消す」の意味もある。

719. put on A / put A on「A を着る／身につける」

○ 空所の後の my coat に着目して, ③ on を選ぶ。

Plus **put on** は「着る」という行為を表す。「身に着けている」という状態は **wear** で表す。

Plus「A を脱ぐ」は **take off A** で表す。**put off A** は「A を延期する」という意味なので注意。

720. take off A / take A off「A を脱ぐ」

○ 空所の後の your shoes に着目する。

✕ ① put off A「A を延期する」, ③ turn off A「A（明かり・テレビなど）を消す／A（水など）を止める」も重要。

Plus **take off** の後や take と off の間に名詞がない場合は「離陸する」という意味になる。

721. turn down A / turn A down「A を断る／拒絶する」 

　= refuse **A**, reject **A**, decline **A**

○ 空所の後の the job offer に着目して, ④ turned down を選ぶ。

Plus **turn down A** には,「A（音量や温度）を下げる」の意味もある。

722. hand in A / hand A in「A を提出する」 

　= turn in **A** / turn **A** in, submit **A**, present **A**

○ 空所の後の in に着目して, ③ hand を選ぶ。

723. look up A / look A up in a dictionary「A を辞書で調べる」 

　= consult a dictionary for **A**

○ 空所の後の this word (in your dictionary) に着目して, ① look up を選ぶ。

Plus **look up to A**「A を尊敬する」も一緒に押さえておこう。

---

717 ④　718 ①　719 ③　720 ④　721 ④　722 ③　723 ①

724 □□□ We are (　　　　) from stress much more than we realize.
① affecting　② receiving　③ suffering　④ taking　〈中央大〉

725 □□□ The doctor asked Mary to refrain (　　　　) eating fast food as part of her diet.
① about　② from　③ under　④ with　〈青山学院大〉

726 □□□ He is excited about the new promotion and looking forward to (　　　　) more responsibilities.
① getting up　② take on　③ taking in　④ taking on　〈名古屋市立大〉

727 □□□ Please (　　　　) your mother. Though she's improved, I still worry about her.
① look after　② look in　③ look out　④ look up to　〈東洋大〉

728 □□□ When you leave the room, turn (　　　　) the light.
① back　② in　③ off　④ round　〈武蔵大〉

729 □□□ He has succeeded (　　　　) explaining the new technology.
① on　② in　③ to　④ with　〈大阪経済大〉

730 □□□ I ran (　　　　) one of my old friends on my way back home.
① away　② out　③ through　④ into　〈摂南大〉

731 □□□ Have you (　　　　) anything from George recently? He has missed a lot of classes.
① done　② heard　③ known　④ seen　〈青山学院大〉

732 □□□ She was (　　　　) up by her grandparents from the age of five.
① turned　② raised　③ grown　④ brought　〈専修大〉

724 私たちは自分で気づいているよりはるかにストレスを受けている。
725 医者はメアリーに，食事制限の一環としてファストフードを食べないよう求めた。
726 彼は新たな昇進に胸を躍らせ，さらに多くの責任を引き受けることを心待ちにしている。
727 お母さんの様子に気を配ってください。お母さんは回復していますが，まだ心配なのです。
728 部屋から出るときは，電気を消しなさい。
729 彼は新しいテクノロジーを説明するのに成功した。
730 私は家への帰り道で旧友の１人にばったり出会った。
731 最近，ジョージから何か連絡があったかい？　彼はずいぶん授業を休んでいるんだ。
732 彼女は５歳の時から祖父母によって育てられた。

724. suffer from A「A で苦しむ／ A に悩む」

Plus **suffer from A** は進行形で使われることが多く，ある程度の長期間続いているというニュアンスが含まれる。

725. refrain from doing「…することを控える」

Plus **refrain** は「控える／慎む」という意味の自動詞。「…することを控える」と言う場合は **refrain from doing** という形をとる。

726. take on A / take A on「A（仕事・責任など）を引き受ける」

= undertake **A**

○ 空所の後の responsibilities に着目して，④ taking on を選ぶ。

Plus **look forward to doing**「…することを楽しみに待つ」の形になるように，ing 形を選ぶ。

✕ ①，③はそれぞれ **get up**「起き上がる」，**take in A**「A を取り入れる／ A（食べ物・水・空気）を吸収する」の ing 形。

727. look after A「A の世話をする／ A のことに気をつける」

= take care of **A,** care for **A**

✕ ④ **look up to A** は「A を尊敬する」という意味を表す。2 文目の内容とつながらないため，誤り。

728. turn off A / turn A off「A（明かり･テレビなど）を消す／（ガス･水など）を止める」

⇔ turn on **A** / turn **A** on「A（明かり･テレビなど）をつける／ A（水道などの栓）をひねる」

○ 前半の「部屋から出るときに」とつながる **turn off** になるように，③ off を選ぶ。

Plus **turn back**「後戻りする／引き返す」，**turn in A**「A を提出する」，**turn round**「回転する／方向転換する」も重要。

729. succeed in A「A に成功する」

✕ ③ **succeed to A** は「A を相続する／ A の跡を継ぐ」の意味。

730. run into A「A に偶然出会う」

= run across **A,** come across **A,** happen to meet **A**

Plus 日記などでよく使われる表現。

731. hear from A「A から連絡［便り］がある」

Plus **hear of A** は「A の消息を聞く／ A のことを聞く」の意味。

Plus 日常会話で頻出の表現。

732. bring up A / bring A up「A を育てる」

= raise **A**

✕ grow は「育つ」という意味を表す場合は自動詞なので，受動態で使うことができない。他動詞では「（農作物）を栽培する」の意味なので，「人」を目的語にとらない。

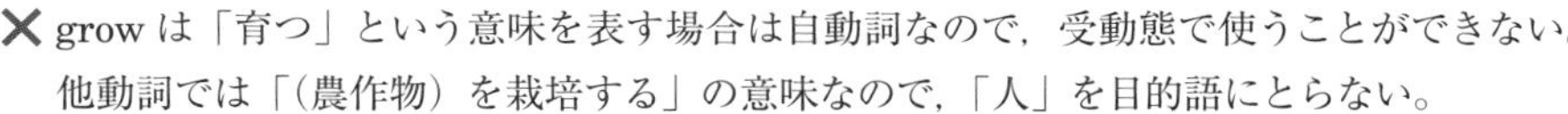

724 ③　725 ②　726 ④　727 ①　728 ③　729 ②　730 ④　731 ②　732 ④

3 イディオム

733 □□□ David is very handsome, and he is said to take after his uncle.
① resemble ② recognize ③ look into ④ be familiar with
〈亜細亜大〉

734 □□□ When you play on a team every member ( ) to its success or failure.
① brings ② contributes ③ gives ④ helps 〈学習院大〉

735 □□□ She asked the shop clerk whether she could ( ) the dress displayed in the window.
① bring with ② give in ③ take over ④ try on 〈名城大〉

736 □□□ Your grief won't disappear overnight. It takes time to ( ) the death of someone close to you.
① get over ② keep up ③ run across ④ take off 〈東京電機大〉

737 □□□ The election brought about a lot of changes in the country.
① connected to ② happened to ③ led to ④ made up for
〈中央大〉

738 □□□ It was so hot that he finished the bottle of water and then ( ) more.
① asked after ② asked for ③ was asking ④ was asking to
〈慶應義塾大〉

739 □□□ We are looking ( ) my wallet. Have you seen it anywhere?
① for ② in ③ to ④ with 〈青山学院大〉

740 □□□ Could you turn up the volume a little?
① raise ② continue ③ preserve ④ abolish 〈千葉工業大〉

733 デビッドはとてもハンサムで，彼のおじさんに似ていると言われている。
734 チームでプレーするときは，すべてのメンバーが成功するか失敗するかを左右する。
735 彼女は店員に，ショーウインドウに飾られているドレスを試着できるかどうか尋ねた。
736 あなたの悲しみは，一晩では消えないでしょう。あなたと親しかった人の死を乗り越えるには時間がかかります。
737 その選挙は，その国にさまざまな変化をもたらした。
738 あまりにも暑かったので，彼はそのボトルの水を飲み終えると，もっと欲しがった。
739 私たちは，私の財布を探しているんです。あなたは，それをどこかで見かけませんでしたか。
740 もう少し音を大きくしていただけますか。

733. take after A「A に似ている」

= resemble **A**

○ 同意語は① resemble「…と似ている」。

Plus **take after A** は血縁関係がある場合にのみ用いられる。

Plus **look into A**「A をのぞき込む／調査する」，**be familiar with A**「A をよく知っている」(→ 985) も重要。

734. contribute to A「A に貢献する／ A の一因となる」

○ 空所の後の to に着目して，② contributes を選ぶ。

Plus 他動詞として **contribute A to B**「A（金など）を B に寄付［寄贈］する」の形でも用いられる。

735. try on A / try A on「A を試着する／身につけてみる」

Plus 買い物の場面で頻出の表現。

736. get over A「A から回復する／A に打ち勝つ」

= recover from **A,** overcome **A**

Plus **get over** は後に病気などを表す名詞が続き，**get over one's[the] cold**「風邪から回復する」などと表現することもできる。この場合は，**recover from** と同様の意味を表す。

737. bring about A / bring A about「A を引き起こす」

= cause **A,** lead to **A**

Plus 新聞記事などでよく見かける表現。書き換え問題としても頻出。

Plus **cause** は他動詞なので前置詞がつかない点に注意。

✕ ①の connect は，**connect A to B** で「A を B につなげる」。

738. ask for A「A を求める」

= request **A**

Plus **finish** は「(飲み物を) 飲み終える」の意味。

✕ ①の **ask after A** は「A の容態を尋ねる」という意味を表す。

739. look for A「A を探す」

Plus 日常会話での必須表現。

Plus **look in A** は「A をのぞき込む」の意味を表す。

740. turn up A / turn A up「A（の音量）を上げる」

⇔ turn down **A /** turn **A** down

Plus turn up は「現れる」という意味もある。→ 816

733 ①　734 ②　735 ④　736 ①　737 ③　738 ②　739 ①　740 ①

741 □□□ The situation is extremely serious and (　　　　) for immediate action.
① calls ② demands ③ takes ④ runs 〈専修大〉

742 □□□ Did the plane (　　　　) off on time?
① take ② land ③ bound ④ leave 〈芝浦工業大〉

743 □□□ Whatever happens, I am committed to (　　　　) out my duty.
① bringing ② carrying ③ showing ④ taking 〈立教大〉

744 □□□ The rainy season will <u>set in</u> this week.
① begin ② ease ③ end ④ settle 〈日本大〉

745 □□□ I was shocked to realize that he did not know TPP stands (　　　　) Trans-Pacific Partnership.
① by ② for ③ in ④ on 〈北里大〉

746 □□□ I think getting (　　　　) with people is as important as being independent.
① along ② by ③ out ④ up 〈学習院大〉

747 □□□ Our neighbor is having a big party. I can't (　　　　) up with the noise.
① end ② have ③ cover ④ put 〈亜細亜大〉

748 □□□ After reading the book, I <u>came up with</u> a possible solution.
① got off ② took out ③ held up ④ thought of 〈名城大〉

749 □□□ I panicked when my pen (　　　　) of ink during the exam.
① dropped off ② gave up ③ kept away ④ ran out 〈青山学院大〉

741 状況は非常に深刻で，すみやかな行動を必要としている。
742 その飛行機は時間通りに飛び立ちましたか。
743 何が起こっても，私は自分の任務を遂行すると約束する。
744 雨季は今週には始まるだろう。
745 私は，彼が TPP とは環太平洋戦略的経済連携協定のことだと知らないと知って，とても驚いた。
746 私は，人とうまく付き合うことが，自立していることと同じくらい大切だと思う。
747 私たちの隣人が大規模なパーティーを開いている。あの騒音には，がまんならない。
748 その本を読んだ後で，私は実行可能な解決策を思いついた。
749 私は，試験の最中にペンのインクがなくなって動転してしまった。

741. call for A「A を必要とする／要求する／ A に値する」

Plus **call**「呼ぶ」と **for**「…を求めて」が組み合わさった形で，「…を求めて呼ぶ」というのが元の意味。

742. take off「離陸する」→ 720

Plus 空港でよく使われる表現。

743. carry out A / carry A out「A を実行する／成し遂げる」

= conduct **A**, perform **A**, accomplish **A**, fulfill **A**

○ 空所の後の out に着目する。

Plus **be committed to doing** で「…することを約束する[誓う]」。

744. set in「（季節などが）始まる／（悪天候・病気などが）起こる」

○ 同意語は① begin。

Plus 悪天候や好ましくない物事が起こる場合に使われることが多い。

745. stand for A「A を表す／ A の略である」

= represent **A**

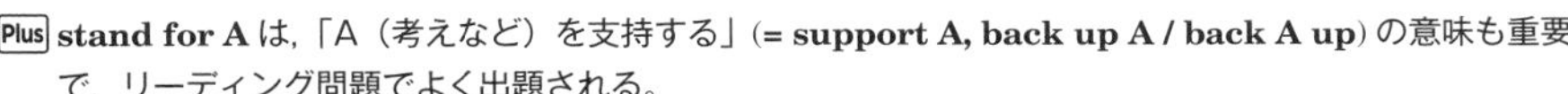

Plus **stand for A** は,「A（考えなど）を支持する」(**= support A, back up A / back A up**) の意味も重要で，リーディング問題でよく出題される。

746. get along with A「A と仲良くやる」

= get on with **A**

Plus **get along with A** は「A（仕事など）がはかどる／ A（仕事など）を進める」という意味でも用いられる。

747. put up with A「A をがまんする」

= bear **A**, endure **A**, stand **A**, tolerate **A**

Plus **put up with** と **stand** は **bear**, **endure**, **tolerate** よりくだけた表現。

748. come up with A「A（考え・計画など）を思いつく」

= think of **A**

Plus **come up with A** には「A を提案する」の意味もあり，同意語には **propose A** がある。

749. run out of A「A を切らす」

○「パニックになった」のは「試験中にペンのインクが切れたから」と考え，④ ran out を選ぶ。

Plus 日常会話で頻出の表現。主語には人が用いられる場合が多い。
We are running out of milk.（もうすぐ牛乳がなくなりそうだ）

---

741 ①　742 ①　743 ②　744 ①　745 ②　746 ①　747 ④　748 ④　749 ④

750 □□□
I got through with my science report late last night.
① fought ② finished ③ submitted ④ updated 〈玉川大〉

751 □□□
Modern society should make every effort to do away with racial discrimination.
① abolish ② evade ③ enhance ④ withstand 〈青山学院大〉

752 □□□
To hear him talk, you would (　　　) him for an American.
① exchange ② have ③ like ④ take 〈武蔵大〉

753 □□□
The most popular sports event is (　　　) place now in New York.
① taking ② happening ③ in ④ being 〈名古屋学院大〉

754 □□□
Mark made up his mind to become a professional baseball player at age ten.
① declared ② decided ③ dreamed ④ demanded 〈東京経済大〉

755 □□□
Many people are looking for ways to take advantage (　　　) low interest rates.
① to ② of ③ at ④ for 〈関西学院大〉

756 □□□
The thieves ran away when they (　　　) sight of the police car.
① took ② caught ③ watched ④ made 〈南山大〉

757 □□□
Mary is such a hardworking student. It's difficult to (　　　) fault with her.
① find ② admit ③ accept ④ say 〈南山大〉

758 □□□
Using the Internet is a great way to (　　　) in touch with old friends.
① catch ② start ③ get ④ make 〈獨協大〉

750 私は昨夜遅くに科学のレポートを書き終えた。
751 現代社会は，人種差別をなくすために，あらゆる努力をすべきだ。
752 彼が話すのを聞けば，あなたは彼がアメリカ人だと思うだろう。
753 最も人気のあるスポーツのイベントが今，ニューヨークで行われている。
754 マークは，10 歳の時に，プロ野球選手になろうと決心した。
755 多くの人たちが，低金利をうまく活用する方法を探している。
756 その泥棒たちは，パトカーが目に入ると逃走した。
757 メアリーはとても勉強熱心な学生だ。彼女の欠点を見つけるのは難しい。
758 インターネットを利用することは，昔の友人と連絡をとるためのすばらしい方法だ。

750. get through with **A**「A（仕事など）を終える」

= finish **A**

751. do away with **A**「A を廃止する」

= abolish **A**, discontinue **A**

752. take **A** for **B**「（誤って）A を B だと思う」

= mistake **A** for **B**

Plus **To hear him talk,** は「彼が話すのを聞けば,」(→ TARGET 36(5)) という意味。仮定法の if 節の代わりに to 不定詞を使っており，**If you heard him talk**, と書き換えることができる。

753. take place「行われる／催される」

= be held

Plus 日本語に引きずられて受動態にしないように注意すること。

Plus **take place** には「起こる」の意味もあるので注意。

When did the battle **take place**?
(その戦闘はいつ起きたのですか)

754. make up one's mind to do「…することを決心する」→ 515

= decide to do

Plus 日記や小説などでよく使われる表現。

755. take advantage of **A**「A を利用する」

= make use of **A**, harness **A**, utilize **A**

Plus **take advantage of A** は「A（人の親切など）につけ込む」などと悪い意味で使われる場合もある。

756. catch sight of **A**「A が目に入る／ A を見つける」

⇔ lose sight of **A**「A を見失う」

Plus **catch sight of A** の代わりに **get[have] sight of A** と表すこともできる。

757. find fault with **A**「A のあら探しをする」

= criticize **A**

○ 空所の後の fault with に着目して，① find を選ぶ。

758. get in touch with **A**「A と連絡をとる／接触する」

= contact **A**

Plus **keep[stay] in touch with A**「A と常に連絡をとり合う」も重要。

---

750 ②　751 ①　752 ④　753 ①　754 ②　755 ②　756 ②　757 ①　758 ③

759 □□□ Some Japanese (　　　) decent healthcare for granted.
① get ② see ③ take ④ think 〈日本大〉

760 □□□ What seems promising at first sight often turns out to be less effective than expected.
① appears ② proves ③ disappoints ④ claims 〈獨協医科大〉

761 □□□ John is a nice person and I've never heard him speak (　　　) of others.
① ill ② rude ③ well ④ wrong 〈学習院大〉

762 □□□ Anne is telling her husband to (　　　) his motorbike. He never rides it any more.
① get rid of ② make up for ③ hold onto ④ come up with 〈玉川大〉

763 □□□ When there is no hope left, will you believe (　　　) miracles?
① at ② by ③ for ④ in 〈早稲田大〉

764 □□□ The company was forced to lay off several hundred employees.
① assemble ② dismiss ③ secure ④ represent 〈亜細亜大〉

765 □□□ The success of the entire concert depends (　　　) Alice.
① to ② by ③ on ④ for 〈関東学院大〉

766 □□□ When you are in trouble, you can always (　　　) on me.
① believe ② come ③ count ④ trust 〈立教大〉

767 □□□ Eastern Valley University (　　　) of eight departments.
① contains ② combines ③ composes ④ consists 〈南山大〉

768 □□□ Mary often tries to make up excuses for her mistakes.
① hire ② invent ③ add ④ fly 〈亜細亜大〉

759 日本人の中には，きちんとした保健医療を当たり前のものだと思っている人がいる。
760 最初は有望だと思っていたものが，期待していたほど有効でないと判明することはよくある。
761 ジョンはいい人で，私は彼が他人の悪口を言うのを聞いたことがない。
762 アンは夫にオートバイを処分するように言い続けている。彼はもう，それに乗ることがまったくないのだ。
763 何の希望も残っていないとき，あなたは奇跡というものを信じるだろうか。

759. take A for granted「A を当然のことと思う」

Plus 形式目的語を用いた **take it for granted + that** 節「…ということを当然のことと思う」の形も重要。

Plus スピーチでよく使われる表現。

760. turn out (to be) A「A だと判明する」

= prove (to be) A

○ 同意語は prove。

761. speak ill of A「A の悪口を言う」

⇔ speak well[highly] of A「A をほめる」

762. get rid of A「A を取り除く／片づける」

= eliminate A

Plus 日常会話では，**eliminate** よりも **get rid of** の方がよく使われる。

763. believe in A「A の存在を信じる／ A をよいと信じる」

Plus **believe A** は基本的に「A を本当だと思う／信用する」の意味。

764. lay off A / lay A off「A を（一時）解雇する」

○ 同意語は② dismiss「…を解雇する」。

Plus **lay off A / lay A off** は「A を一時解雇する」という意味だが，婉曲的に「A をくびにする」の意味で使われる場合もある。

765. depend on[upon] A「A による／ A 次第である」

Plus **depend on[upon] A** は「A に頼る／ A をあてにする」の意味でも用いられる。

766. count on[upon] A「A をあてにする」

= depend on[upon] A, rely on[upon] A, turn to A

767. consist of A「A から成り立つ」

= be made up of A, be composed of A

Plus **consist of** は受動態で使わないので，注意。

Plus **consist in A**「A にある」も重要。→ 862

768. make up A / make A up「A（話・弁解・うそなど）をでっちあげる」

= invent A

3 イディオム

764 その会社は数百人の従業員を解雇せざるをえなかった。
765 そのコンサート全体の成功は，アリス次第だ。
766 あなたが困ったとき，いつでも私に頼っていいですよ。
767 イースタン・バレー大学は，8 つの学部からなる。
768 メアリーはよく自分の間違いをうそで言いつくろおうとする。

759 ③　760 ②　761 ①　762 ①　763 ④　764 ②　765 ③　766 ③　767 ④　768 ②

769 □□□ I told my daughter to put away all her toys.
① go away ② drop off ③ clean up ④ pull off 〈名城大〉

770 □□□ I am not used to hard work. Will you give me some advice on how to deal with this stress?
① increase ② change ③ handle ④ promote 〈名城大〉

771 □□□ A：How do you (　　　) with living in such a noisy neighborhood?
B：I usually listen to loud music.
① bother ② cope ③ stand ④ take 〈学習院大〉

772 □□□ During the meeting, the boss made an announcement that was so unexpected that it was difficult to take in what he had said.
① transcribe ② quote ③ depict ④ comprehend 〈東海大〉

773 □□□ I downloaded an application form for the study abroad program and (　　　) it out this morning.
① filled ② made ③ played ④ spelled 〈学習院大〉

774 □□□ A：Could you (　　　) in the car park next to the station tonight?
B：No problem. What time will your train arrive?
① hold me up ② pick me up ③ put me up ④ show me up 〈学習院大〉

775 □□□ Her mother died (　　　) cancer when she was ten years old.
① by ② for ③ in ④ of 〈学習院大〉

776 □□□ All the dinosaurs died out on the earth long ago.
① declined ② dominated
③ emerged ④ perished ⑤ wiped 〈日本大〉

769 私は娘に，すべてのおもちゃを片づけるように言った。
770 私は重労働に慣れていません。このストレスにどう対処したらよいのか，何かアドバイスをもらえますか。
771 A: そんなに騒音がひどい地域に，どうやって暮らしているんですか。
B: 私はいつも大音量の音楽を聞いています。
772 会議中に，まったく予想外の発表を上司がしたので，彼が言ったことを理解するのは困難だった。

769. put away A / put A away「A を片づける」

○ 同意語は③ clean up「…を片づける」。

Plus **put away A / put A away** は「① A を片づける，② A を蓄える (= **put aside A / put A aside**)，③ A を平らげる」の 3 つの意味を押さえる。

770. deal with A「A に対処する／ A を扱う」

= handle A

Plus 類似表現の **cope with A**「A にうまく対処する」(= deal with A successfully) も重要。

Plus **deal in A** は「A を売買する」の意味。

771. cope with A「A をうまく処理する」

= manage A

772. take in A / take A in「A（新しい事実・情報など）を理解する」

= understand A, comprehend A

○ 同意語は④ comprehend。

Plus **take in A / take A in** には「A をだます」(= **deceive A, cheat A**) の意味もある。

773. fill out A / fill A out「A（文書など）に必要事項を書き込む」→ 575

= fill in A / fill A in

○ 空所の前の an application form「申し込み用紙」と空所の後の out に着目して，① filled を選ぶ。

774. pick up A / pick A up「（車で）A（人）を迎えに行く［来る］」

Plus **pick up A / pick A up** は「A を買う」「A を手に取る」「A を（自然に）身につける」「A（話題など）を（中断したところから）再開する」などの意味でも用いられる。

Plus 待ち合わせなど日常会話でよく用いられる表現。

775. die of[from] A「A（病気など）が原因で死ぬ」

Plus **die of A** は「A（病気など主に直接的な原因）で死ぬ」の意味，**die from A** は「A（喫煙，飲酒など主に間接的な原因）で死ぬ」の意味だが，区別なく使われることが多い。

776. die out「（家系・種族などが）絶滅する」

= perish, disappear

773 私は海外留学プログラム用の申し込み用紙をダウンロードし，今朝，それに必要事項を書き込んだ。
774 A: 今夜は，駅の横にある駐車場まで，私を迎えに来ていただけますか。
B: 問題ないですよ。あなたの列車は何時に到着するのですか。
775 彼女の母親は，彼女が 10 歳の時にガンで亡くなった。
776 あらゆる恐竜は，地球では遠い昔に絶滅した。

---

769 ③　770 ③　771 ②　772 ④　773 ①　774 ②　775 ④　776 ④

777 □□□ The babysitter decided to (　　　　) for the doctor, as the child was running a high temperature.
① bring ② get ③ send ④ treat 〈中央大〉

778 □□□ I will (　　　　) your task when you get tired.
① put on ② move up ③ take over ④ make out 〈青山学院大〉

779 □□□ I would like to (　　　　) physics in college.
① major ② major at ③ major in ④ major on 〈津田塾大〉

780 □□□ There are only a few hospitals which (　　　　) in treating this type of disease.
① special ② specialize ③ specially ④ specialty 〈青山学院大〉

781 □□□ Someone (　　　　) our office last night and took three large computers.
① followed through ② broke into
③ picked up ④ punched out 〈獨協大〉

782 □□□ Those who (　　　　) for the job are required to have an advanced knowledge of computers.
① manage ② found ③ hire ④ apply 〈亜細亜大〉

783 □□□ These math problems are probably too difficult for junior high school students to (　　　　).
① bring up ② put off ③ settle down ④ work out 〈日本大〉

784 □□□ If you want to buy something you need, you should (　　　　) some money.
① put along ② put aside ③ put ahead ④ put over 〈福岡大〉

777 その子が高熱を出していたので，ベビーシッターは医者を呼ぶことにした。
778 疲れたらあなたの仕事を引き継ぎます。
779 私は大学で物理学を専攻したい。
780 この種の病気の治療を専門に行う病院は，ほんのわずかしかない。
781 昨夜，誰かが私たちの会社に押し入り，3台の大型コンピューターを盗んだ。
782 その仕事に応募する人は，コンピューターの高度な知識があることが必要だ。
783 これらの数学の問題は，おそらく中学生が解くには難しすぎる。
784 必要なものを買いたいのであれば，いくらかお金を蓄えておくべきだ。

777. send for A「A を呼ぶ／ A に来てもらう」

Plus **send for A** は「(商品など) を申し込む／取り寄せる」の意味でも使う。

778. take over A / take A over「A を引き継ぐ」

Plus **take over A** には「A (会社など) を買収する／乗っ取る」の意味もある。

The global energy conglomerate **took over** the Tokyo-based power company.
(その国際的なエネルギー複合企業は，東京を拠点とする電力会社を買収した)

779. major in A「A を専攻する／専門にする」

= specialize in **A**

○ 空所の後に **physics**「物理学」と科目が続いていることに着目して，③ major in を選ぶ。

Plus 自己紹介でよく使われる表現。

780. specialize in A「A を専攻する／専門にする」

= major in **A**

Plus 自己紹介でよく使われる表現。

781. break into A「A に押し入る」

○ 空所の後に場所を表す our office が続いていることに着目して，② broke into を選ぶ。

782. apply for A「A に申し込む／ A を求める」

Plus **apply to A** は「A に適用される／出願する」の意味。**apply for** の後には仕事や希望するものが続き，**apply to** の後には申し込む相手や組織が続く。

783. work out A / work A out「A (方法など) を (苦労して) 考え出す／ A (問題) を解く／ A (税金・費用など) を計算する」

○ 本問では，solve「…を解く」と同意の④ work out を選ぶ。

Plus 自動詞の **work out** は「うまくいく／運動する」の意味もある。

784. put aside A / put A aside「A (お金・時間・食物など) をとっておく／蓄える」

= save **A**, put away **A** / put **A** away → 769

× ③，④はそれぞれ **put ahead**「(予定の日時) を早める」，**put over**「向こうへ置く／成功させる」の意味。

---

777 ③　778 ③　779 ③　780 ②　781 ②　782 ④　783 ④　784 ②

785 □□□ Scientists are trying to ( ) out how the universe came into being.
① carry ② figure ③ turn ④ give 〈亜細亜大〉

786 □□□ My birthday falls ( ) Christmas Day.
① on ② in ③ at ④ by 〈名城大〉

787 □□□ I think he should set about learning Chinese.
① consider ② notice ③ start ④ support 〈日本大〉

788 □□□ We cannot rule out the possibility of an earthquake.
① exclude ② raise ③ consider ④ create 〈玉川大〉

789 □□□ 彼は怒りを抑えることができなかった。
He couldn't ( ) his anger.
① mark down ② stop over ③ turn on ④ hold back 〈東京理科大〉

790 □□□ I ( ) playing tennis when I was a university student in England.
① came back ② got out ③ took up ④ went along 〈東洋英和女学院大〉

791 □□□ She pointed ( ) the problem in the project and suggested a solution.
① down ② in ③ out ④ up 〈学習院大〉

792 □□□ Mary absolutely insisted ( ) the need for a change in package design.
① in ② on ③ to ④ at 〈関西学院大〉

793 □□□ その調子でがんばってください。
( ) up the good work.
① Give ② Hold ③ Stay ④ Keep 〈東京理科大〉

785 科学者たちは，どのようにして宇宙が生まれたのかを解明しようとしている。
786 私の誕生日は，クリスマスの日に当たる。
787 私は，彼が中国語の勉強を始めるべきだと思う。
788 私たちは，地震が起こる可能性を排除できない。

785. figure out **A** / figure **A** out「A を理解する／解明する」

= understand **A,** comprehend **A,** make out **A** / make **A** out

Plus **figure out A / figure A out** は「A を解決する」(**= solve A, work out A / work A out**) の意味もあるので注意。

786. fall on **A**「（ある日が）A に当たる」

○ 後ろに特定の日が続く場合に用いる前置詞は，① on である。

787. set about **A**「A にとりかかる」

= go about **A**

○ 同意語は③ start。

788. rule out **A** / rule **A** out「A を除外する／（頑として）認めない」

= exclude **A,** deny **A**

789. hold back **A** / hold **A** back「A（感情など）を抑える／A を秘密にしておく」

Plus A にくる名詞は，感情以外もある。**hold back one's tears** は「涙を抑える」という意味。

790. take up **A**「A（スポーツや習い事など）を始める」

○ 空所の後の playing tennis に着目して，③ took up を選ぶ。

Plus **take up A** は，「A（時間・場所など）を占める」(**= occupy A**)，「A（問題など）を取り上げる／取り上げて検討する」の意味でも用いられる。

791. point out **A**「A を指摘する」

= indicate **A**

792. insist on **A**「A を主張する」

Plus **insist that S（should）+ 原形**「…と主張する」の用法もよく用いられる。→ 504

793. keep up **A** / keep **A** up「A を維持する」

= maintain **A,** continue **A**

Plus Keep up the good work. は，人を励ますときの表現。

3 イディオム

790 私は，イングランドで大学生だったときにテニスをやり始めた。
791 彼女は，そのプロジェクトの問題点を指摘し，解決策を提案した。
792 メアリーは，パッケージデザインを変更する必要性を断固として主張した。

---

785 ②　786 ①　787 ③　788 ①　789 ④　790 ③　791 ③　792 ②　793 ④

794 □□□
I would like to (　　　) the accounting forms with you.
① go along ② go away ③ go out ④ go over 〈東洋大〉

795 □□□
空港までアメリカ人の友人を見送りに行ってきたところです。
I have just been to the airport to see an American friend (　　　).
① around ② forward ③ off ④ out 〈中央大〉

796 □□□
Turn down the television! It's so noisy that I can't (　　　) my studies.
① put up with ② take the place of
③ do without ④ concentrate on 〈青山学院大〉

797 □□□
Do whatever you like, as it all (　　　) to the same thing.
① equals ② amounts ③ ends ④ arrives 〈関西学院大〉

798 □□□
Due to its messiness, John couldn't make out what was written on the note.
① understand ② prove ③ recover ④ transfer 〈亜細亜大〉

799 □□□
We should look (　　　) our report before we submit it.
① down ② on ③ over ④ up 〈日本大〉

800 □□□
The investigation committee (　　　) the cause of the accident says there are thousands of pieces of evidence they have yet to check.
① having looked around ② having looked in
③ looking into ④ looking on as 〈中央大〉

801 □□□
Writing that report was an awful experience. I don't want to (　　　) that experience again!
① go on ② go round ③ go through ④ go to 〈慶應義塾大〉

802 □□□
The man telephoned his friend to say hello.
① called up ② hung up ③ picked up ④ took up 〈日本大〉

794 私は，その勘定書をあなたと一緒に見直したいと思います。
796 テレビの音量を下げなさい！　うるさすぎて勉強に集中できません。
797 何でも好きなようにすればいいさ。何をしても結果は同じなのだから。

794. go over A「A を入念に調べる」

Plus **go into A** にも「A を入念に調べる」の意味がある。

795. see off A / see A off「A を見送る」

⇔ meet **A**「A を出迎える」

796. concentrate on A「A に集中する」

○ **so ... that S + V ～「とても…なので～（結果）／～するほど…（程度）」**の表現に着目し，「うるさすぎて勉強に集中できない」と考える。

797. amount to A「結局 A になる」

= end up **A,** add up to **A**

Plus **amount[come] to the same thing** は「結局同じことになる」という意味の定型表現。

Plus **amount to A** には「総計 A になる」(**= total A**) の意味もある。

Our bill **amounted to** thirty dollars.

（勘定は合計 30 ドルになった）

798. make out A / make A out「A を理解する」

= understand **A,** comprehend **A,** figure out **A /** figure **A** out

799. look over A / look A over「A を調べる／ A に目を通す」

= examine **A,** check **A**

Plus **look over A** には「A をざっと調べる」というニュアンスがある。

800. look into A「A を調査する／研究する」

= investigate **A,** examine **A,** study **A**

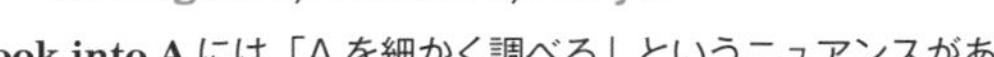

Plus **look into A** には「A を細かく調べる」というニュアンスがある。

801. go through A「A を経験する」

= experience **A,** undergo **A**

○ 空所の後の that experience に着目して，③ go through を選ぶ。

802. call up A / call A up「A（人）に電話する」

= (tele)phone **A,** ring **A**

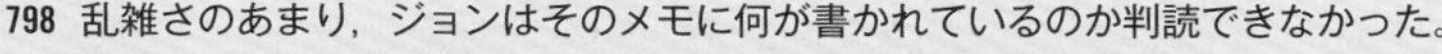

798 乱雑さのあまり，ジョンはそのメモに何が書かれているのか判読できなかった。
799 私たちは，レポートを提出する前に，ざっと目を通すべきだ。
800 その事故の原因を調べている調査委員会は，まだ確認しなければならない何千もの証拠があると語っている。
801 あのレポートを書くのは，ひどい経験だった。あのような経験は二度としたくない！
802 その男は，友人に電話して一声かけた。

---

794 ④　795 ③　796 ④　797 ②　798 ①　799 ③　800 ③　801 ③　802 ①

803 □□□ Parents tend to lay (　　　) some money for their children's future.
① about　② off　③ aside　④ on 〈駒澤大〉

804 □□□ When I was looking for my notebook, I came (　　　) this old letter.
① round　② away　③ back　④ across 〈成城大〉

805 □□□ No other man cares for fame as much as he does.
① avoids　② fears　③ loves　④ trusts 〈日本大〉

806 □□□ A lot of big-name companies are (　　　) up a base in China.
① coming　② getting　③ saving　④ setting 〈獨協大〉

807 □□□ Please don't forget to (　　　) your report when you come back to the office tomorrow.
① turn in　② turn off　③ turn out　④ turn up 〈早稲田大〉

808 □□□ I respect him because he always tries to stand (　　　) his promise.
① by　② for　③ in　④ off 〈芝浦工業大〉

809 □□□ He is supposed to arrive (　　　) the airport at 2:30.
① to　② among　③ with　④ at 〈亜細亜大〉

810 □□□ I've picked (　　　) five places in Europe that I want to visit.
① on　② out　③ away　④ at 〈獨協大〉

811 □□□ The fire fighters did their best to put (　　　) the fire.
① down　② off　③ out　④ up 〈畿央大〉

803 親は，自分の子どもの将来のために，いくらかの資金を蓄えていることが多い。
804 私がノートを探していたら，偶然この古い手紙を見つけた。
805 彼ほど名声を欲しがる男はいない。
806 多くの有名企業が中国に拠点を置きつつある。
807 明日，あなたが会社に戻ってきたとき，忘れずに報告書を提出してください。
808 私が彼を尊敬するのは，彼が常に約束を守ろうとするからだ。
809 彼は２時半に空港に着くことになっている。
810 私は，ヨーロッパで訪れてみたい５つの場所を選んである。
811 消防士たちは，その火事を消し止めるために全力を尽くした。

803. lay aside **A** / lay **A** aside「（将来に備えて）A（金など）を蓄える／（客のために）A（商品など）をとっておく」 

= save **A**, put aside[by] **A** / put **A** aside[by]

Plus **aside** は「わきへ」という意味の副詞。

804. come across **A**「A を偶然見つける」 

= find **A**

Plus **come across A** は「A に偶然出会う」(**= run into A**) の意味もある。→ 730

805. care for **A**「A を好む」

= like **A**, love **A**

○ 同意語は love「…が大好きである」。

Plus この意味での **care for A** は，通例，疑問文・否定文・条件文で用いる。

Plus **care for A** には「A の世話をする」(**= look after A, take care of A**) の意味もある。→ 727

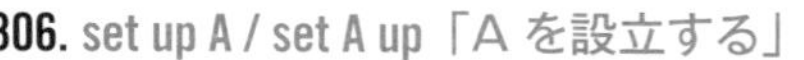

806. set up **A** / set **A** up「A を設立する」 

= establish **A**

807. turn in **A** / turn **A** in「A を提出する」→ 722 

= hand in **A** / hand **A** in, put forward **A** / put **A** forward, submit **A**, present **A**

808. stand by **A**「A（約束・方針など）を守る／A（人）を支持する」

= support **A**, back up **A** / back **A** up

○「約束を守る」という意味になるように，① by を選ぶ。

809. arrive at **A**「A に到着する」 

= get to **A**, reach **A**

Plus **arrive** に続く前置詞は，ほかに **in, on, upon** があるが，**to** は使うことができない。

810. pick out **A** / pick **A** out「A を選び出す」 

= choose **A**

✕ ①，③，④はそれぞれ **pick on A**「A をいじめる」，**pick away A**「A をはぎ取る」，**pick at A**「A に小言を言う」。

811. put out **A** / put **A** out「A を消す」 

= extinguish **A**

○「火を消す」という意味になるように，③ out を選ぶ。

---

803 ③　**804** ④　**805** ③　**806** ④　**807** ①　**808** ①　**809** ④　**810** ②　**811** ③

812 □□□ These camping items don't (　　　　) much room, so I think we only need one car.
① take over　② take in　③ take up　④ take on 〈南山大〉

813 □□□ Mary has carried (　　　　) the tradition of her family.
① of　② on　③ to　④ at 〈畿央大〉

814 □□□ A：Why is it so hot in here?
B：The air conditioner has broken (　　　　).
① down　② in　③ out　④ through 〈学習院大〉

815 □□□ My girlfriend never <u>shows up</u> on time.
① leaves　② comes　③ rises　④ stops 〈中部大〉

816 □□□ きっと彼女はもうすぐ来るよ。
I'm sure she will (　　　　) soon.
① let out　② deal with　③ pull over　④ turn up 〈東京理科大〉

817 □□□ Look out (　　　　) cars when you cross the street.
① against　② for　③ on　④ to 〈武蔵大〉

818 □□□ Mike just got back from work, so I have to <u>hang up</u> now. See you tomorrow!
① start cooking dinner　② put clothes in a closet
③ go out on a date　④ end this call 〈東海大〉

819 □□□ Mary ran down the stairs, then paused in the doorway, not wanting to break in (　　　　) his telephone conversation.
① for　② on　③ over　④ up 〈青山学院大〉

820 □□□ We must <u>cut down</u> our monthly expenses.
① induce　② produce　③ reduce　④ seduce 〈国士舘大〉

812 これらのキャンプ用品は，それほどスペースをとらないので，車は 1 台しか必要ないと思う。
813 メアリーは，彼女の家の伝統を引き継いでいる。
814 A: どうしてここは，こんなに暑いのだろう？
B: エアコンが壊れているんです。
815 僕のガールフレンドは決して時間通りに姿を現さない。
817 通りを横断するときは，車に気をつけなさい。

812. take up A「A（時間・場所など）を占める」 

= occupy **A**

Plus 空所の後の **room** は不可算名詞で「スペース」の意味。

✕ ① take over A は「A を引き継ぐ」（→ 778），② take in A は「A（新しい事実・情報など）を理解する」（→ 772），④ take on A は「A（仕事・責任など）を引き受ける」（→ 726）の意味。

813. carry on A「A を続ける」 

= continue **A**

○「伝統を続けてきた」の意味になるように，② on を選ぶ。

814. break down「故障する／だめになる」 

Plus **break down** は車や機械が故障する場合に用いるのが一般的。

Plus 日常生活でよく使われる表現。

815. show up「現れる」

= turn up, appear, come, arrive

816. turn up「現れる」

= show up, appear, come, arrive

817. look out (for A)「（A に）気をつける／注意する」

= watch out (for **A**)

818. hang up「電話を切る」 

= ring off

⇔ hold[hang] on, hold the line **「電話を切らないでおく」**

○ 同意表現は④ end this call。

819. break in on A「A（会話など）に割り込む／ A を妨げる」

= cut in on **A**, interrupt **A**

820. cut down A / cut A down「A（数・量）を減らす」

= reduce **A**

Plus cut down A には「A（木など）を切り倒す」の意味もある。

818 マイクが仕事から戻ってきたところだから，もう電話を切らなくちゃ。じゃあ，また明日！
819 メアリーは階段を駆け降りると，戸口のところで立ち止まった。彼が電話で話しているところを邪魔したくなかったからだ。
820 私たちは毎月の出費を減らさなければならない。

---

812 ③　813 ②　814 ①　815 ②　816 ④　817 ②　818 ④　819 ②　820 ③

821 □□□ After a quick break, the group of hikers set out for the next checkpoint on the map.
① started ② reached ③ crawled ④ adjourned 〈亜細亜大〉

822 □□□ As a math teacher, Laura (   ) out from all the others in our school.
① breaks ② finds ③ stands ④ strikes 〈立教大〉

823 □□□ I can't (   ) with the pace of this advanced math class.
① take off ② work through ③ keep up ④ put on 〈獨協大〉

824 □□□ The soccer player has promised to make up for her disappointing start to the season.
① aim ② compensate ③ provide ④ stand 〈青山学院大〉

825 □□□ Since your roommate has a cold, you may come down with one yourself within two or three days.
① start to suffer from ② start to overcome
③ start to be afraid of ④ start to enjoy 〈東海大〉

826 □□□ We did our best to succeed, but the project fell (   ) of our goal.
① short ② down ③ low ④ little 〈獨協大〉

827 □□□ We might as well (   ) with our study if we want to pass tomorrow's test.
① get on ② move up ③ put up ④ set off 〈東洋英和女学院大〉

828 □□□ As languages evolve, words (   ) new meanings.
① turn by ② give in ③ come over ④ take on 〈慶應義塾大〉

829 □□□ This is a big decision, so please take time to (   ) it over.
① approve ② insist ③ stick ④ take ⑤ think 〈中央大〉

821 短い休憩の後で，そのハイカーのグループは，地図にある次のチェックポイントに向けて出発した。
822 数学の教師として，ローラはこの学校のほかの教師の誰よりも際立っている。
823 私は，この数学の上級クラスの進度についていくことができない。
824 そのサッカー選手は，今シーズンの期待外れな序盤を埋め合わせると誓った。

821. set out「出発する」

= start, set off

822. stand out「目立つ／際立つ」

✕ ①, ②, ④はそれぞれ break out「(戦争などが) 勃発する／(急に) 起こる」, find out A「A を発見する」, strike out「三振する／失敗する／進む」の意味。

823. keep up with A「A に遅れずについていく」

○ 空所の後の the pace of this advanced math class に着目して, ③ keep up を選ぶ。

Plus **catch up with A** は「A に追いつく」の意味。

824. make up for A「A を埋め合わせる／償う」

= compensate for **A**

825. come down with A「A（病気）にかかる」

○ 同意表現は① start to suffer from。

Plus よく似た表現に come down to A「結局 A に行き着く／A（人）に伝わる」もある。

826. fall short of A「A に達しない」

○ 空所の前の fell と後の of に着目して, ① short を入れる。

827. get on with A「A（仕事など）を続ける／ A と仲良くやる」

○ 本問では, continue A「A を続ける」の意味。

Plus **might as well do**「…してもいいだろう／…する方がいいだろう」は問題 69, Target 13 参照。

828. take on A「A（性質・色・形態・様相・外観・形勢・意味など）を帯びる」

○ 空所の後の new meanings に着目して, ④ take on を選ぶ。

Plus **take on A** には「A（仕事・責任など）を引き受ける」の意味もある。→ 726

829. think over A / think A over「A を熟考する」

= consider **A** carefully

○ 動詞＋目的語＋ over の形をとる⑤ think を選ぶ。

3 イディオム

825 あなたのルームメイトは風邪を引いているから, あなたも 2, 3 日のうちに風邪にかかるかもしれませんよ。
826 私たちは成功するために全力を尽くしたが, そのプロジェクトは目標に達しなかった。
827 私たちが明日の試験に合格したいと思うならば, 勉強を続けた方がよさそうだ。
828 言語が進化するにつれて, 言葉は新しい意味を帯びるようになる。
829 これは重大な決断なので, 時間をかけてよく考えてください。

---

821 ①　822 ③　823 ③　824 ②　825 ①　826 ①　827 ①　828 ④　829 ⑤

830 □□□ Every student in the class really looks (　　　) the young teacher.
① up to　② on to　③ after to　④ upon to　〈関西学院大〉

831 □□□ A good boss never looks down (　　　) her employees; she learns how to praise them instead.
① at　② by　③ for　④ on　〈早稲田大〉

832 □□□ These singers try to (　　　) the expectations of their audience and make each song memorable.
① make up with　② look up to　③ live up to　④ take part in　〈摂南大〉

833 □□□ I tried my best to catch (　　　) with the runner ahead of me.
① down　② against　③ off　④ up　〈摂南大〉

834 □□□ It is important to <u>stand up for</u> what you believe in.
① rise from a sitting position　② defend something
③ get angry about something　④ put something upright　〈杏林大〉

835 □□□ Don't (　　　) in to despair just because you didn't get into the company that was at the top of your wish-list.
① give　② make　③ set　④ put　〈青山学院大〉

836 □□□ Can you tell a caffè latte (　　　) a cappuccino?
① of　② from　③ by　④ about　〈青山学院大〉

837 □□□ Due to the approaching typhoon, we have no choice (　　　) postpone our day at the beach.
① besides　② but to　③ other than　④ except　〈南山大〉

838 □□□ Criticized by many people, the politician was forced to <u>take back</u> what he had said.
① widen　② withdraw　③ weep　④ warn　〈中部大〉

830 クラスの生徒の誰もが，その若手の教師をとても尊敬している。
831 よい上司は，決して部下を見下すことはない。その代わり，彼らのほめ方を覚える。
832 この歌手たちは，聴衆の期待に応え，それぞれの歌を印象に残るものにしようとする。
833 私は，自分の前にいるランナーに追いつこうとベストを尽くした。
834 自分の信じていることを守り抜くことが大事だ。

830. look up to A「A を尊敬する」 

= respect **A**

⇔ look down on **A,** despise **A,** scorn **A**「A を軽蔑する」

831. look down on A「A を軽蔑する」 

= despise **A,** scorn **A**

⇔ look up to **A,** respect **A**

832. live up to A「A（期待など）に応える」 

○ 空所の後の expectations に着目して，③ live up to を入れる。

Plus「期待を裏切る」は **betray[fall short of] one's expectations**。

833. catch up with A「A に追いつく」 

Plus **keep up with A**「A についていく」との違いに注意。

Plus **catch up with A** は，口語で「A と久しぶりに再会して話をする」の意味でもよく用いられる。

834. stand up for A「A を擁護する」 

= defend **A,** support **A**

Plus **believe in A**「A をよいと信じる」→ 763

835. give in to A「A に服従する／屈する」 

= submit to **A,** yield to **A**

○ 空所の後の in to に着目して，① give を入れる。

Plus **give in** だけで「降参する／屈服する」という意味にもなる。

Plus **not ... (just) because S + V** 〜「（単に）〜だからといって…ではない」は重要表現。

836. tell A from B「A と B を区別する」

= distinguish **A** from **B**

837. have no choice but to do「…するしかない／…せざるを得ない」 

○ 空所の前に have no choice とあるので「…するしかない／…せざるを得ない」という意味になるように② but to を選ぶ。この but は「…以外に」の意味を表す。

Plus **due to A** は「A の理由で／せいで」の意味。

838. take back A / take A back「A（言葉など）を取り消す／撤回する」

= withdraw **A**

835 ただ自分の第一志望の会社に入れなかったからといって，絶望に屈してはいけない。
836 あなたは，カフェラテとカプチーノの違いがわかりますか。
837 接近している台風のせいで，私たちはビーチで過ごす日を延期するしかない。
838 多くの人たちから批判されたので，その政治家は発言したことを撤回せざるを得なくなった。

---

830 ①　831 ④　832 ③　833 ④　834 ②　835 ①　836 ②　837 ②　838 ②

3 イディオム

839 □□□ The article makes a (　　　) of explaining the benefits of a balanced diet.
① claim ② deal ③ notice ④ point 〈立教大〉

840 □□□ Don't be silly. Your answer doesn't make any (　　　).
① force ② logic ③ probability ④ sense 〈立教大〉

841 □□□ Most of the customers in the café looked like college students (　　　) time between classes.
① killing ② telling ③ breaking ④ leaving 〈獨協大〉

842 □□□ Anna can (　　　) her breath under water for two minutes.
① keep ② hold ③ stop ④ maintain 〈南山大〉

843 □□□ Will you keep an eye on this baggage until I get back?
① arrange ② lock ③ pack ④ watch 〈青山学院大〉

844 □□□ Investigators should take into account all the varying possibilities and scenarios to help determine the cause of the accident.
① calculate ② consider ③ survey ④ enforce 〈亜細亜大〉

845 □□□ I hope that America bears in mind the global impact of its policies.
① avoids ② considers ③ discusses ④ permits 〈日本大〉

846 □□□ In 2016 the U.S. President (　　　) a visit to Hiroshima for the first time in history.
① formed ② paid ③ served ④ spent 〈学習院大〉

847 □□□ They kept on running in the rain.
① avoided ② continued ③ disliked ④ stopped 〈国士舘大〉

848 □□□ I think that he just wants to show off his talents to everyone.
① hide ② seek ③ display ④ pursue 〈亜細亜大〉

839 その記事は，バランスのとれた食事の利点を説明することを重視している。
840 ばかなこと言うんじゃない。あなたの答えは，まったく意味をなさない。
841 そのカフェのほとんどの客は，授業の合間の時間をつぶしている大学生のように見えた。
842 アナは，水中で２分間息を止めていられる。
843 私が戻ってくるまで，この手荷物を見ていてもらえますか。

839. make a point of doing「…することを重視[強調]している／…することにしている」

= make it a point to do, make it a rule to do

○ 本問は「…することを重視している」の意味。

840. make sense「意味をなす」

Plus 空所の前に doesn't と any があるので,「まったく意味をなさない」という「強意」の意味になる。

841. kill time「時間をつぶす」

Plus 日常会話でよく使われる表現。

Plus **kill time** の後には **by doing**「…することによって」が続くことが多い。

842. hold one's breath「息を止める／息を殺す」

Plus 類似表現に **hold one's tongue**「黙っている」がある。

843. keep an eye on A「A から目を離さない／ A に気をつける」

= watch **A**

844. take A into account「A を考慮に入れる」

= consider **A**, take **A** into consideration

Plus 本問の take の目的語は all the varying possibilities and scenarios だが，長いので後ろに移動されている。

845. bear A in mind「A を心に留めておく／覚えている／考慮に入れる」

= keep **A** in mind, remember **A**, consider **A**, take **A** into account

Plus 本問の bears の目的語は the global impact of its policies だが，長いので後ろに移動されている。

846. pay a visit (to A)「(A を) 訪問する」

= visit **A**

847. keep on doing「…し続ける」

= keep doing, go on doing, continue doing, carry on doing → 813

848. show off A / show A off「A を見せびらかす／誇示する」

= display **A**

844 調査官たちは，その事故の原因を特定するのに役立てるために，あらゆる可能性と状況を考慮すべきだ。
845 私はアメリカに，その政策が世界に及ぼす影響を心に留めておいてほしいと思う。
846 2016 年に，合衆国大統領は史上初めて広島を訪問した。
847 彼らは雨の中を走り続けた。
848 私の考えでは，彼はただ自分の才能をみんなに誇示したいだけだ。

839 ④　840 ④　841 ①　842 ②　843 ④　844 ②　845 ②　846 ②　847 ②　848 ③

849 □□□ In order to compete in the market, it is important to put a good idea into (　　　) as soon as possible.
① plan ② possibility ③ practice ④ principle 〈日本大〉

850 □□□ It is important to consider what gives (　　　) to this idea, rather than what it means.
① rise ② weigh ③ high ④ heavy 〈関西学院大〉

851 □□□ The children made fun of little Mary because she didn't know how to swim.
① despised ② mocked ③ praised ④ admired 〈中部大〉

852 □□□ The country will not take part in the next Olympic Games.
① participate in ② put off ③ run for ④ investigate in 〈駒澤大〉

853 □□□ Judy is a nice person if she doesn't (　　　) her temper.
① make ② pay ③ lose ④ put 〈法政大〉

854 □□□ It must be hard for an actor to learn the script by (　　　).
① brain ② head ③ heart ④ mind 〈武蔵大〉

855 □□□ It took years for me to come to (　　　) with my mother's death.
① belief ② courage ③ denial ④ terms 〈獨協大〉

856 □□□ A：Please turn down the music. It's getting on my (　　　).
B：Oh, sorry.
① brain ② ears ③ mind ④ nerves 〈法政大〉

857 □□□ Go over your application form again before you submit it. Make sure you haven't (　　　) any necessary information.
① added up ② brought up ③ included in ④ left out 〈玉川大〉

849 市場で競争するためには，よいアイデアをできるだけ早く実行することが大事だ。
850 何がこのような考えを生み出すのかを考えることが，それが意味することを考えるよりも大切だ。
851 子どもたちが幼いメアリーをからかったのは，彼女が泳ぎ方を知らなかったからだった。
852 その国は，次のオリンピックに参加しないだろう。
853 ジュディは，かんしゃくさえ起こさなければ，性格のよい人だ。
854 役者が台本を暗記するのは難しいことに違いない。
855 私が母の死を受け入れるまで，何年もかかった。

849. put A into practice「A を実行する」

○ 空所の前の put と into に着目して，③ practice を選ぶ。

850. give rise to A「A を生む／引き起こす」

= give birth to **A**, cause **A**, lead to **A**, bring about **A** / bring **A** about, result in **A**

851. make fun of A「A をからかう／ばかにする」

= ridicule **A**, make a fool of **A**, mock **A**, tease **A**

○ 同意語は mock。

852. take part in A「A に参加する」

= join **A**, participate in **A**, attend **A**

○ 同意語は① participate in。

853. lose one's temper「腹を立てる」

= get angry, get upset

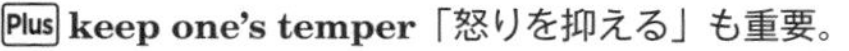

Plus **keep one's temper**「怒りを抑える」も重要。

854. learn A by heart「A を暗記する」

= memorize **A**

○ 空所の前の learn と by に着目して，③ heart を選ぶ。

855. come to terms with A「A（病気・困難など）を受け入れる」

= get over **A** → 736

○ 空所を挟んで come to と with があるので，④ terms を選ぶ。

Plus 会話でよく使われる表現。

856. get on A's nerves「A の神経にさわる」

= irritate **A**

○ **turn down the music**「音楽のボリュームを下げる」に着目して,「神経にさわる」という意味になるように，④ nerves を選ぶ。

857. leave out A / leave A out「A を除外する／（うっかり）抜かす」

= omit **A**

Plus 文頭の go over A は「A を入念に調べる」の意味。→ 794

856 A: 音楽の音量を下げてください。それにはイライラさせられるので。
B: ああ，ごめんなさい。

857 申込書を提出する前に，もう一度見直してください。必要な情報を抜かしていないか確認するように。

849 ③　850 ①　851 ②　852 ①　853 ③　854 ③　855 ④　856 ④　857 ④

858 □□□ I will (　　　) it that there are no mistakes.
① find out ② look over ③ take to ④ see to 〈立教大〉

859 □□□ It was (　　　) home to me how important health is.
① brought ② felt ③ kept ④ served 〈関西学院大〉

860 □□□ When you get into Nanzan University, I recommend that you (　　　) the most of your time.
① get ② make ③ take ④ do 〈南山大〉

861 □□□ To (　　　) regular hours is good for your health.
① spend ② keep ③ take ④ pass 〈畿央大〉

862 □□□ The key to making a good pie (　　　) in making a good crust.
① layed ② lays ③ lies ④ lying 〈慶應義塾大〉

863 □□□ Greg's father loves his Toyota truck because he can always (　　　) it.
① keep on ② settle on ③ trust in ④ rely on 〈南山大〉

864 □□□ If you are feeling stressed and need some relaxation time, your friends might suggest that you (　　　) for the weekend.
① break down ② fall down ③ get away ④ mix up
〈青山学院大〉

865 □□□ The professor (　　　) the lecture in just a few minutes.
① set about ② shut down ③ stepped in ④ summed up
〈東洋英和女学院大〉

866 □□□ The majority of middle-aged people in industrialized nations are afraid that tech will leave them (　　　).
① behind ② in front ③ far ahead ④ slowly 〈中央大〉

858 間違いが 1 つもないように気をつけることにします。
859 健康がどんなに大切なものか，私は思い知った。
860 南山大学に入学したら，自分の時間を最大限に活用することを勧めます。
861 規則正しい生活を送ることは，健康によい。
862 おいしいパイを作るコツは，よいパイ皮を作ることにある。
863 グレッグの父親がトヨタ製のトラックをお気に入りなのは，それが常に信頼できるからだ。
864 あなたがストレスを感じていて，リラックスする時間が必要なら，あなたの友だちは週末にどこかに出かけることを勧めるかもしれない。

858. see to it that S + V ...「…するように取り計らう／気をつける」

○ 空所の後の it that に着目して，④ see to を選ぶ。

Plus to it がない **see that S + V ...** の形もある。

Plus 類似表現の **see to A** は「A の世話をする／A を引き受ける」という意味で用いる。

859. bring A home to B「A のことを B にしみじみわからせる」

= drive **A** home to **B**

Plus 本問は A を主語にした受動態になっている。主語は疑問詞の how 節だが，長いため形式主語 it が用いられている。

Plus 類似表現に **come home to A**「(重要性など) が A にしみじみわかる」がある。

860. make the most of A「A を最大限に利用する」

Plus よく似た表現に **make the best of A**「A(不利な状況) を精一杯利用する／何とか切り抜ける」がある。

Plus ライティングで使える表現。

861. keep regular hours「規則正しい生活をする」

= keep early hours, keep good hours

○ 空所の後の regular hours に着目して，keep regular hours「規則正しい生活をする」となるように，② keep を選ぶ。

862. lie in A「A にある」

= consist in **A**

863. rely on A「A をあてにする／A に頼る」

= depend on[upon] **A**, count on **A** → 766

Plus **depend, count** の方が使用頻度が高く，一般的。

864. get away (from A)「(A から) 逃れる／どこかに行く」

= escape (from **A**)

○「週末，どこかに出かける」という意味になるように，③ get away を選ぶ。

865. sum up A / sum A up「A を要約する／簡潔に述べる」

= summarize **A**

✕ ①，②，③はそれぞれ，**set about A**「A に着手する」，**shut down A**「A を閉める」，**step in A**「A に足を踏み入れる」。

866. leave behind A / leave A behind「A を置き忘れる／後に残す」

865 教授は，その講義をわずか数分間で要約した。
866 先進工業国の中年層の大多数は，自分たちがテクノロジーに取り残されるのではないかと心配している。

858 ④　859 ①　860 ②　861 ②　862 ③　863 ④　864 ③　865 ④　866 ①

3 イディオム

867 □□□ Thank you for this opportunity. I'll work hard to meet your expectations and won't <u>let you down</u>.
① attack you ② offend you
③ promise you ④ disappoint you 〈獨協医科大〉

868 □□□ Global warming (　　　) fuels — the basis of industrial economies today.
① burning fossil from results ② results fossil from burning
③ from fossil results burning ④ results from burning fossil
〈芝浦工業大〉

869 □□□ Smoking can result (　　　) serious health problems.
① out ② in ③ from ④ of 〈中部大〉

870 □□□ He kept (　　　) at the teacher so he was quite rightly punished.
① disobeying ② misbehaving ③ swearing ④ taunting
〈青山学院大〉

871 □□□ I feel terrible — that food didn't (　　　) my stomach.
① agree with ② catch up ③ fight against ④ upset 〈創価大〉

872 □□□ When the student went to university, he found it difficult to (　　　) the small amount of money he had saved during the spring, so he decided to get a part-time job.
① live on ② stand by ③ appeal to ④ account for
〈神戸親和女子大〉

873 □□□ Now that I have found a job, I can <u>dispense with</u> his financial help.
① do without ② set up ③ ask for ④ refer to 〈名城大〉

874 □□□ If you (　　　) to a promise or agreement, you do what you said you would do.
① amount ② compare ③ refer ④ stick 〈跡見学園女子大〉

867 このような機会をいただき，ありがとうございます。みなさんの期待に応えられるよう頑張り，みなさんを失望させないようにします。
868 地球温暖化は，化石燃料を燃やすことによって生じるが，それは現在の産業経済の基盤となっている。

867. let down A / let A down「A（人）を失望させる」

= disappoint **A**

868. result from A「A（原因）によって生じる」

= be caused by **A**

○ Global warming が結果，burning fossil fuels が原因となっている点に着目する。

869. result in A「A（結果）に終わる」

= give rise to **A** → 850

870. swear at A「A を罵る」

Plus swear には「誓う」の意味もある。

871. agree with A「(環境・気候・食べ物が）A（人の体質・性格）に合う」

Plus agree with A には「A に同意する」の意味もある。

872. live on A「A（少額のお金）で生活する」

✕ ②, ③, ④はそれぞれ stand by A「A を支持する」, appeal to A「A に訴える」, account for A「A を構成する／説明する」。

873. do without A「A なしですます／やっていく」

= dispense with **A**

874. stick to A「A（主義・決定など）を堅持する／ A に固執する」

✕ ③ refer to A は「A を参照する／ A に言及する」の意味（→ 878）を表すため，文意に合わない。

869 喫煙は，深刻な健康上の問題を引き起こす可能性がある。
870 彼は先生に悪態をつき続けたので，当然のことながら罰を受けた。
871 私はひどい気分です一その食べ物は私の胃には合いませんでした。
872 その学生は大学に進学すると，春の間に貯めたわずかなお金では生活するのが難しいことがわかったので，アルバイトをすることにした。
873 私は仕事を見つけたので，彼からの金銭的な援助がなくてもやっていけます。
874 あなたが約束や合意を守るということは，自分がすると言ったことをするということだ。

---

867 ④　868 ④　869 ②　870 ③　871 ①　872 ①　873 ①　874 ④

875 □□□ Kate <u>ran across</u> Alex at the library.
① knew ② met by chance ③ overtook ④ saw 〈日本大〉

876 □□□ It (　　　) to me that people would stare at me so intensely.
① never occurred ② did not happen
③ did not desire ④ was not able 〈関西学院大〉

877 □□□ Ken's parents did not (　　　) of his marriage to Lisa because she was too young.
① allow ② approve ③ admit ④ accept 〈南山大〉

878 □□□ Our teacher (　　　) to one of Shakespeare's poems.
① heard ② spoke ③ referred ④ read 〈亜細亜大〉

879 □□□ The mother told her child not to (　　　) the strange-looking man on the bus.
① stare at ② look through ③ see by ④ watch to 〈獨協大〉

880 □□□ If you persist (　　　) late, I'm afraid I've got to report it to the director.
① for arriving ② in arriving ③ of arriving ④ to arrive
〈立命館大〉

881 □□□ I saw a cat get (　　　) over by a car.
① ran ② run ③ running ④ to run 〈日本大〉

882 □□□ I <u>visited</u> my old friend while I was in New York last month.
① called after ② called down ③ called on ④ called up
〈日本大〉

883 □□□ (　　　) the grass! Can't you see the sign?
① Keep out ② Keep on ③ Keep off ④ Keep up 〈岡山理科大〉

884 □□□ My job is to <u>wait on</u> all the customers.
① acknowledge ② await ③ serve ④ expect 〈駒澤大〉

875 ケイトは図書館でアレックスに偶然出くわした。
876 誰もが私をあんなにじっと見つめるなんて，思いもしませんでした。
877 ケンの両親は，リサが若すぎるという理由で，彼が彼女と結婚するのを認めなかった。
878 先生はシェイクスピアの詩の１つに言及した。

875. run across A「A（人・物）に偶然出くわす」

= meet[find] **A** by chance, come across **A**, run into **A** → 750

876. occur to A「（考えなどが）A（人）の心に浮かぶ」

Plus come up with A「A を思いつく」（→ 748）との違いに注意。come up with A は「人」が主語となる。

877. approve of A「A に賛成する／ A を是認する」

⇔ disapprove of **A**

878. refer to A「A に言及する」

= mention **A**, speak about **A**

Plus refer to A には「A（本・辞書など）を参照する」の意味もある。

879. stare at A「（驚いて・怒って）A をじっと見つめる／にらみつける」

✕ ② look through A は「A（書類など）に目を通す」の意味。③，④は他動詞で「…を見る」の意味を表すので，前置詞が不要。

880. persist in doing / A「…し続ける／ A［…すること］に固執する」

= continue to do, stick to **A**

881. run over A / run A over「A をひく」

○ 本問は get + C「…の状態になる」（→ TARGET 78）の用法。C には過去分詞の② run が入る。

882. call on A「A（人）を訪ねる」

= visit **A**

883. keep off A「A に近づかない／ A から離れておく」

884. wait on A「（飲食店で店員が）A（お客）に応対する」

= serve **A**

879 バスの中でその母親は子どもに，その奇妙な外見の男を見つめないようにと言った。
880 あなたが遅刻し続けるようなら，残念ですが，そのことを部長に報告しなければなりません。
881 私は猫が車にひかれるのを見た。
882 先月，私はニューヨークに滞在中に，昔からの友達を訪ねた。
883 芝生に入らないで！　その標識が見えないの？
884 私の仕事は，すべてのお客様に応対することです。

875 ②　876 ①　877 ②　878 ③　879 ①　880 ②　881 ②　882 ③　883 ③　884 ③

885 □□□ Stamps from that era are hard to (　　　).
① come about ② come off ③ come out ④ come by 〈日本大〉

886 □□□ Who will (　　　) for President of the U.S.A.?
① keep ② open ③ go ④ run ⑤ put 〈國學院大〉

887 □□□ The accident was my fault, so I had to pay (　　　) the damage to the other car.
① across ② against ③ by ④ for 〈名古屋学芸大〉

888 □□□ Human beings are under pressure to (　　　) to global warming in this century.
① adapt ② admire ③ adopt ④ advertise 〈駒澤大〉

889 □□□ His speech <u>added to</u> his reputation.
① built up ② damaged ③ decreased ④ established 〈日本大〉

890 □□□ Do you think parents ought to <u>answer for</u> their children's behavior?
① be responsible for ② check for themselves
③ closely monitor ④ have doubts about ⑤ put limits on
〈桜美林大〉

891 □□□ The isolation is beginning to <u>tell on</u> her health.
① affect ② improve ③ maintain ④ recover 〈日本大〉

892 □□□ Children (　　　) to the new teacher at once because she was cheerful and showed consideration for everyone.
① took ② brought ③ sent ④ delighted 〈西南学院大〉

893 □□□ The layout of the restaurant does not <u>lend itself to</u> a romantic atmosphere.
① make for ② care for ③ stand for ④ fall for 〈中央大〉

894 □□□ Business owners should not only <u>focus on</u> moneymaking.
① lead on ② approach for ③ care about ④ collect of
〈亜細亜大〉

885 その時代の切手は手に入れるのが難しい。
886 誰がアメリカ合衆国大統領に立候補するでしょうか。
887 その事故は私の責任だったので，相手の車の損害に賠償金を支払わなければならなかった。

885. come by A「A を手に入れる」

= obtain **A,** get **A**

Plus hard to come by は，副詞用法の不定詞の形容詞の限定「…するには」の用法。→ TARGET 15

886. run for A「A（役職など）に立候補する」

887. pay for A「A の代金を支払う」

888. adapt to A「A（環境など）に順応［適応］する」

Plus adopt との違いに注意。adopt は，adopt A「A を採用する／養子にする」という用法が一般的。

889. add to A「A を増やす」

= increase **A**

○ 類似表現は build up A「A を高める」。

890. answer for A「A の責任を取る」

= be responsible for **A**

891. tell on A「A に（悪い）影響を与える」

= have a harmful effect on **A**

892. take to A「A（人・物）を好きになる」

= like **A**

✕ ④ delighted は，**be delighted with[by / at] A** で「A に喜ぶ」の意味を表す。

893. make for A「A を作り出す／ A に向かっていく」

= create **A,** head for **A**

✕ ②，③，④はそれぞれ **care for A**「A の世話をする」，**stand for A**「A を支持する／（略称などが）A を表す」（→ 745），**fall for A**「A を好きになる／ A にひっかかる」。

894. care about A「A を気にする／心配する」

○ focus on A「A を重視する」の同意表現は③ care about A。

888 今世紀，人類は地球温暖化に適応する必要に迫られている。
889 彼の演説は，彼の評判をさらに高めた。
890 保護者は子どもの行動に対して責任を取るべきだと思いますか。
891 一人で閉じこもっている生活が，彼女の健康に悪い影響を及ぼし始めている。
892 その新任の先生は快活で誰に対しても思いやりを示したので，子どもたちはすぐに彼女を好きになった。
893 そのレストランの間取りは，ロマンチックな雰囲気を生み出していない。
894 企業経営者は，金もうけだけを考えるべきではない。

---

885 ④　886 ④　887 ④　888 ①　889 ①　890 ①　891 ①　892 ①　893 ①　894 ③

895 □□□ Agricultural products (   ) more than half of the country's exports.

① sum up ② calculate ③ account for ④ summarize

〈芝浦工業大〉

896 □□□ We will let you stay at our house when you visit Tokyo.

① keep in touch ② let you down
③ take you to ④ put you up 〈駒澤大〉

897 □□□ When the sun goes down, it's time to break up the beach party.

① begin ② continue ③ finish ④ hold 〈日本大〉

898 □□□ My dog was sick last night. I had to stay (   ) late to care for him.

① by ② down ③ off ④ up 〈兵庫医療大〉

899 □□□ A：(   ) The traffic light is red.
B：I did not notice. Thanks.
A：No problem.

① Take careful. ② Have fun. ③ Watch out. ④ See you.

〈芝浦工業大〉

900 □□□ My puppy passed away suddenly last night.

① press ② push ③ fell ④ died 〈亜細亜大〉

901 □□□ Since I missed class last week, I have to work hard not to (   ) any further in the course.

① catch up ② fall behind ③ get along ④ make up

〈武蔵野美術大〉

902 □□□ Since he takes a walk every day, his shoes will (   ) very quickly.

① break up ② put on ③ take off ④ wear out 〈獨協大〉

903 □□□ It is better for you to set off right now.

① stop ② switch ③ lay ④ leave 〈日本大〉

895 農産物はその国の輸出の半分以上を占めている。
896 あなたが東京に来るときは，私たちの家に泊めてあげます。
897 太陽が沈んだら，そのビーチパーティーはお開きにする時間です。

895. account for A「A（割合・部分など）を占める」

= make up **A**

896. put A up (at B)「A を（B に）宿泊させる／泊める」

Plus **put up (at A)**「（A に）泊まる」という用法もある。

897. break up A「A（会議・パーティーなど）を終わらせる／解散させる」

Plus **break up** には，ほかに「壊れる／（カップルなどが）別れる」などの意味がある。

898. stay up「（寝ないで）起きている」

✕ ①，②，③はそれぞれ **stay by A**「A のそばにいる」，**stay down**「しゃがんだままでいる」，**stay off A**「A から離れている」。

899. watch out「気をつける／警戒する」

= look out**,** be careful

900. pass away「（人が）亡くなる」

= die

901. fall behind (A)「（A に）遅れをとる」

✕ ①，③，④はそれぞれ catch up「追いつく」，get along「仲良くする／何とか生活する」，make up A「A を作り上げる／埋め合わせる／構成する」。

902. wear out「（靴などが）すり減る」

= wear away[down]

903. set off「（旅行などに）出発する」

= set out → 821

3 イディオム

898　昨夜，私の犬は体調不良でした。その世話をするために私は遅くまで起きていなければなりませんでした。
899　A：気をつけて。信号は赤ですよ。
　　B：気づきませんでした。ありがとう。
　　A：どういたしまして。
900　昨夜，うちの子犬が突然亡くなりました。
901　私は先週，授業を欠席したので，これ以上この科目で遅れをとらないように猛勉強しなければならない。
902　彼は毎日散歩するので，靴がすぐにすり減ってしまう。
903　あなたは今すぐ出発した方がいいでしょう。

---

895 ③　**896** ④　**897** ③　**898** ④　**899** ③　**900** ④　**901** ②　**902** ④　**903** ④

904 □□□ I'm going to drop in at Tom's house on my way home.
① look at ② look for ③ call at ④ call for 〈関東学院大〉

905 □□□ I'm terribly sorry to be late. My alarm didn't go (　　　).
① out ② on ③ in ④ off 〈中部大〉

906 □□□ 意識が回復すると，彼は自宅のベッドに横たわっていた。
When he (　　　) to, he found himself lying on his bed at home.
① brought ② came ③ went ④ took 〈獨協医科大〉

907 □□□ The motorist pulled (　　　) to the gate at the factory.
① over ② down ③ in ④ up 〈法政大〉

908 □□□ Her book will (　　　) out next summer. I am looking forward to reading it.
① come ② go ③ bring ④ publish 〈亜細亜大〉

909 □□□ アンとエドがお互いに全く話さなくなったのはなぜですか。
How did it (　　　) about that Ann and Ed don't talk to each other anymore?
① get ② come ③ occur ④ happen 〈中央大〉

910 □□□ If the heat wave continues, we will run (　　　) of water this summer.
① little ② poor ③ short ④ small 〈東京理科大〉

911 □□□ Beth needs to (　　　) on her speaking skills before her presentation.
① make up ② brush up ③ put up ④ take up 〈高千穂大〉

912 □□□ The busy student didn't have a clean shirt, so he had to resort to wearing the one he wore the day before yesterday.
① get rid of ② give out ③ go off
④ hang on to ⑤ make do with 〈中央大〉

904 私は帰りがけにトムの家に立ち寄るつもりです。
905 遅刻してしまい，大変申し訳ありません。目覚まし時計が鳴らなかったのです。
907 そのドライバーは，工場の門のところで車を止めた。

904. drop in (at A)「(ぶらりと)(A に) 立ち寄る」

= drop by (at **A**) / drop around (at **A**) / call at **A**

905. go off「(爆弾などが) 爆発する／(警報・時計などが) 鳴る」

= explode / ring

✕ ① go out は「外出する」の意味。

906. come to「(人が) 意識を取り戻す」

907. pull up (at A)「(車などが)(A に) 止まる／(A で) 一時停止する」

= stop (at **A**)

✕ ①は pull over (at A)「(A で) 車が止まる」の意味。

908. come out「(本などが) 出版される」

= be published

Plus come out には，ほかにも「(結果が) 出る／(真実などが) 明らかになる」などの意味がある。

909. come about「(予想外のことが) 起こる」

= happen

910. run short of A「A (お金・水・時間など) が不足する／足りなくなる」

= lack **A**

911. brush up (on) A「A (忘れていた知識や技術など) を磨き直す」

= improve **A**

○ 後に on A と続くのは，② brush up。

912. make do with A「(十分ではないが何とか) A で間に合わせる／すます」

✕ ①，②，③，④はそれぞれ **get rid of A**「A を削除する」，**give out A**「A を外に出す／発する／(言葉) を口に出す」，**go off**「(物事が) 進行する／(爆弾などが) 爆発する」，**hang on to A**「A にしっかりつかまる」。

Plus resort to A「A (手段) に訴える，頼る」も重要。

3 イディオム

908 彼女の著書は来年の夏に出版されます。今から読むのが楽しみです。
910 もしこの猛暑が続くなら，今年の夏は水不足になるだろう。
911 ベスは，プレゼンテーションの前に，話す技能を磨き直す必要がある。
912 その忙しい学生は洗いたてのシャツがなかったので，おととい着たシャツで間に合わせた。

---

904 ③　905 ④　906 ②　907 ④　908 ①　909 ②　910 ③　911 ②　912 ⑤

913 □□□ You shouldn't (　　　) your parents' advice. It can be quite helpful.
① make light of ② make much of
③ make none of ④ make something of 〈藤女子大〉

914 □□□ He was (　　　) much of for his conduct.
① given ② praised ③ called ④ made 〈東洋大〉

915 □□□ He started to have (　　　) about going on to graduate school.
① doubts to ② second thoughts
③ reconsider thought ④ uncertainty for 〈東京理科大〉

916 □□□ It's hard to distinguish him from his twin brother.
① speak ② address ③ divide ④ tell 〈国士舘大〉

917 □□□ I ordered the book directly (　　　) the publisher as I couldn't find it in nearby bookstores.
① from ② to ③ by ④ on 〈東京経済大〉

918 □□□ I congratulate you (　　　) getting the promotion at work.
① on ② in ③ of ④ at 〈日本大〉

919 □□□ I bought this sweater yesterday, but it's too small. Is it possible to (　　　) it for a bigger size?
① cancel ② return ③ refund ④ exchange 〈中京大〉

920 □□□ Ask each group (　　　) their comments on the matter.
① for ② by ③ through ④ to 〈松山大〉

921 □□□ My brother was named (　　　) our grandfather.
① after ② beyond ③ toward ④ under 〈東京医科大〉

922 □□□ In my anguish, I (　　　) to my father for help.
① appeared ② asked ③ made ④ turned 〈上智大〉

913 あなたは親からの忠告を軽んじるべきではありません。それはとても有益かもしれません。
914 彼はその行動によって，もてはやされた。
915 大学院に行くことに関して，彼は考え直しはじめました。
916 彼と彼の双子の弟を見分けるのは難しい。
917 私は，その本を出版社に直接注文した。近所の書店ではそれが見つからなかったので。

913. make light of A「A を軽んじる／甘く見る」

⇔ make much of **A**

914. make much of A「A を重視する／重んじる」

= value **A**

⇔ make light of **A**

○ 本問は A を主語にした受動態の文になっている。

915. have second thought(s) about A「A を考え直す」

= think better of **A**

✕ ①，④は空所の後の about と前置詞が連続する形になるので，誤り。

916. distinguish A from B「A と B を区別する」

= tell **A** from **B** → 836

917. order A from B「A（品物）を B（店・場所）に注文する」

918. congratulate A on[upon] B / doing「A（人）に B のこと［…したこと］でお祝いを述べる」

Plus 類似表現の **celebrate A**「A を祝う」の **A** には「人」ではなく「出来事」がくる。

919. exchange A for B「A を B 別のものに交換［両替］する」

✕ ③ refund は「返金する」の意味。

920. ask A for B「A（人）に B を（くれと）頼む／要求する」

921. name A after[for] B「B にちなんで A に名前をつける」

○「…にちなんで」という意味の① after を選ぶ。

922. turn to A for B「B（援助・忠告など）を（求めて）A に頼る」

918 職場での昇進，おめでとうございます。
919 私は昨日，このセーターを買ったのですが小さすぎます。大きいサイズのものと交換することはできますか。
920 その件については，各グループに意見を求めてください。
921 私の兄は，祖父にちなんで名づけられた。
922 苦悩のあまり，私は助けが欲しくて父に頼った。

---

913 ①　914 ④　915 ②　916 ④　917 ①　918 ①　919 ④　920 ①　921 ①　922 ④

923 □□□ Television and newspapers (　　　　) a major role in influencing people's opinions.
① play　② make　③ do　④ offer　〈神奈川大〉

924 □□□ I try to do my (　　　　) in saving the environment by reducing my garbage.
① thinking　② position　③ part　④ way　〈獨協大〉

925 □□□ We caught sight of a ship in the distance but soon (　　　　) sight of it.
① avoided　② escaped　③ lost　④ neglected　⑤ returned　〈九州産業大〉

926 □□□ Regrettably, the roof of the church (　　　　) way in the earthquake.
① gave　② kept　③ made　④ took　〈学習院大〉

927 □□□ 彼らはお互いに道を譲るためにゆっくり運転した。
They drove slowly to (　　　　) for each other.
① make way　② put ahead　③ lead in　④ come in　〈獨協医科大〉

928 □□□ He never let his children (　　　　) their own way.
① put　② give　③ make　④ have　〈日本大〉

929 □□□ メアリーは今日休んでいます。彼女の代わりをしてくれますか。
Mary is absent today. Can you (　　　　) her place?
① have　② keep　③ take　④ make　〈成城大〉

930 □□□ Immigration usually has a positive effect (　　　　) most societies.
① after　② by　③ of　④ on　〈獨協大〉

931 □□□ You should be patient and wait until this medicine <u>takes effect</u>.
① appears　② expires　③ persists　④ works　〈東海大〉

923 テレビと新聞は，人々の意見に影響を与える上で大きな役割を果たしている。
924 私は自分の出すゴミを減らすことで，環境を守る上で自分の役割を果たそうと努めています。
925 私たちには遠くに船が見えたが，すぐにそれを見失った。
926 残念なことに，その地震で教会の屋根が崩れてしまった。
928 彼は決して自分の子どもたちに勝手なまねはさせない。

923. play a role[part] in A「A において役割を果たす」

924. do one's part「自分の役割を果たす」

925. lose sight of A「A を見失う／見落とす」

⇔ catch sight of A「A を見つける／ A が目に入る」→ 756

926. give way「崩れる」

= collapse

Plus give way (to A) は「(A に) 譲歩する／屈する」= give in (to A) / yield (to A) の意味もある。

927. make way for A「A に道をあける／道を譲る」

928. have[get] one's (own) way「自分の思い通りにする／勝手なまねをする」

✕ ③の make one's way は「前進する」の意味なので，文意に合わない。

929. take A's place / take the place of A「A に取って代わる／ A の代わりをする」

= replace A

930. have an effect on A「A に影響を及ぼす／効果がある」

= affect A, influence A

931. take effect「(薬などが) 効く／効果を現す」

= work

Plus take effect には，「(法律などが) 効力を生じる」の意味もある。

930　移民は一般に，たいていの社会に好ましい影響をもたらす。
931　この薬が効果を現すまで，あなたは辛抱強く待つ必要があります。

923 ①　924 ③　925 ③　926 ①　927 ①　928 ④　929 ③　930 ④　931 ④

932 □□□ (　　　) his age into consideration, the stamina he showed was remarkable.

① Bringing ② Getting ③ Putting ④ Taking 〈立教大〉

933 □□□ She felt ashamed because she couldn't answer the question.

① lost interest ② lost face ③ lost her way ④ lost time 〈明海大〉

934 □□□ The two children were (　　　) faces to make each other laugh.

① getting ② making ③ skipping ④ taking 〈武庫川女子大〉

935 □□□ When Ben found out he was chosen as the representative for the international team, he (　　　) into tears.

① burnt ② bore ③ burst ④ brought 〈国士舘大〉

936 □□□ The football players take your (　　　) away with their amazing speed and power.

① breath ② eyes ③ foot ④ heart 〈関西学院大〉

937 □□□ Sorry! I'm not really serious. I'm just pulling your leg.

① expecting you ② exhausting you
③ turning you down ④ joking with you 〈東京理科大〉

938 □□□ When the President entered, all those present rose to their feet.

① sat down ② followed up ③ began to walk ④ stood up 〈駒澤大〉

939 □□□ The only way we can pass (　　　) this legacy to future generations is by adapting to changes and not resisting them.

① on ② away ③ from ④ over 〈中央大〉

940 □□□ I will (　　　) this experience in mind forever.

① take ② put ③ keep ④ try 〈東邦大〉

941 □□□ I bet that he will (　　　) his word, no matter what happens. He has never disappointed me before.

① figure ② find ③ keep ④ make ⑤ turn 〈中央大〉

932 彼の年齢を考慮に入れると，彼が示した体力は驚くほどだった。
933 彼女はその質問に答えられなかったので，面目を失った。
934 その二人の子どもはお互いを笑わせようと，こっけいな顔をしてみせた。

932. take A into consideration「A を考慮に入れる」

= take **A** into account, take account of **A**

933. lose face「面目を失う／顔をつぶす」

⇔ save face

Plus 具体的な顔をイメージしていないため，face は無冠詞。

934. make a face[faces]「おもしろい［こっけいな］顔を作る」

935. burst into tears「突然泣きだす」

= burst out crying

Plus **burst into** の後は名詞 **tears**，同意表現の **burst out** の後は動名詞 **crying** が続く。

936. take A's breath away「（美しさ・驚きなどで）A をはっとさせる／ A の息をのませる」

937. pull A's leg「A をからかう／（冗談で）だます」

Plus **pull A's leg** には，日本語の「足を引っ張る（物事の進行の邪魔をする）」の意味はない。

938. rise[get / come] to one's feet「立ち上がる」

= stand up

939. pass on A to B「A（物事）を B に伝える」

= hand down **A** to **B**

940. keep[bear] A in mind「A を心に留めておく／覚えている」

= remember **A**

941. keep one's word[promise]「約束を守る」

⇔ break one's word[promise]

935 ベンは，自分が国際チームの代表に選ばれたことがわかると，突然泣きだした。
936 そのフットボール選手たちの驚くべきスピードとパワーは，息をのむほどだ。
937 ごめんなさい！　本当は本気ではないんです。あなたをちょっとからかっただけです。
938 大統領が入ってくると，その場にいた全員が立ち上がった。
939 この遺産を後世に伝える唯一の方法は，変化に抵抗することなく，変化に適応することである。
940 私はこの経験をいつまでも心に留めておくつもりです。
941 たとえ何が起ころうとも，彼はきっと約束を守ります。彼は今まで私を失望させたことは一度もありません。

932 ④　933 ②　934 ②　935 ③　936 ①　937 ④　938 ④　939 ①　940 ③　941 ③

942 □□□ Mr. Yoshioka <u>had words</u> with the principal over the new curriculum.
① quarreled ② thought ③ was surprised ④ worked 〈日本大〉

943 □□□ The oil tank ( ) fire and exploded.
① caught ② finished ③ made ④ pulled ⑤ run 〈中央大〉

944 □□□ Since I stopped playing sports, I have ( ) a lot of weight.
① set on ② got on ③ gone on ④ put on 〈名城大〉

945 □□□ Paul makes it a habit to <u>keep good hours</u>.
① enjoy himself ② get up and go to bed early
③ have a nice time 〈大阪電気通信大〉

946 □□□ I want to request something of you.
= May I ask you a ( )?
① little ② hand ③ favor ④ point ⑤ question 〈福岡工業大〉

947 □□□ The paper Nancy submitted to the committee left nothing to ( ).
① desiring ② be desired ③ be desiring ④ have desired
〈國學院大〉

948 □□□ She will ( ) of age next April.
① become ② turn ③ come ④ meet ⑤ go 〈國學院大〉

949 □□□ Before the railway came into ( ), people used to travel on horseback.
① existence ② hospitality ③ illusion ④ suggestion
〈同志社女子大〉

942 吉岡先生は，その新しいカリキュラムをめぐって校長と口論した。
943 その石油タンクは火がついて爆発した。
944 私はスポーツをするのをやめてから，かなり体重が増えてしまった。
945 ポールは，早寝早起きをすることを習慣にしている。
946 あなたにあることをお願いしたいのですが。
= あなたにお願いをしてもいいですか。
947 ナンシーが委員会に提出した研究論文は，申し分のない出来だった。
948 彼女は来年の４月に成人になる。
949 鉄道が誕生する前，人は馬に乗って移動していた。

942. have words (with A)「(A と) 口論する」

= quarrel (with **A**)

Plus **have a word (with A)** は「(A と) 少し話をする」の意味。

943. catch fire「(物が) 燃え出す／火がつく」

944. put on weight「体重が増える／太る」

= gain weight

⇔ lose weight「体重が減る／やせる」

945. keep good hours「早寝早起きをする」

= keep early hours, keep regular hours → 861

⇔ keep bad hours「夜更かしする」

946. ask A a favor「A (人) にお願い [頼み事] をする」

= ask a favor of **A**

947. leave nothing to be desired「申し分ない／完璧である」

⇔ leave a lot[much] to be desired「改善の余地がかなりある」→ 952

948. come of age「成人になる／成年に達する」

Plus become や turn は **become[turn] 20**「20 歳になる」のように用いる。

949. come into existence「(人・物が) 生まれる／出現する」

= come into being

○ 名詞で「存在」の意味を表す① existence を選ぶ。

---

942 ①　943 ①　944 ④　945 ②　946 ③　947 ②　948 ③　949 ①

950 □□□ After years of dialogue and negotiation, they were finally able to ( ) an end to the conflict in the area.
① find ② help ③ know ④ put ⑤ tell 〈中央大〉

951 □□□ My sister ( ) birth to a baby boy the day before yesterday.
① offered ② did ③ got ④ gave 〈駒澤大〉

952 □□□ The selection of TV programmes, especially at the weekend, leaves a lot to be ( ).
① accustomed ② desired ③ made ④ taken 〈中央大〉

953 □□□ These rules will <u>hold good</u> for the next ten years.
① make little sense ② be valid ③ be replaced by others
④ attract attention ⑤ be reconsidered 〈桜美林大〉

954 □□□ The twins are so similar that only their parents can ( ) them apart.
① see ② take ③ let ④ tell 〈北里大〉

955 □□□ Scientists needed to ( ) sure that the words they used were precise and easily understood by others.
① do ② let ③ make ④ take 〈東京薬科大〉

956 □□□ Let's ( ) the formalities. We all know each other.
① differ from ② dispense with ③ hear from ④ respond to
〈日本大〉

950 長年にわたる対話と交渉の後で，彼らはついにこの地域の紛争に終止符を打つことができた。
951 私の姉が，おととい男の子を出産しました。
952 放送予定のテレビ番組は，特に週末になると，もの足りない点が多い。
953 これらの規則は今後 10 年の間，有効だ。
954 その双子たちはとてもよく似ているので，両親だけしか見分けられない。
955 科学者たちは必ず，自分たちの使う言葉が正確で，ほかの人たちにも容易に理解できるようにする必要があった。
956 堅苦しい儀礼はなしで行きましょう。私たちはみな知り合い同士なのだから。

950. put an end to A「A を終わらせる／A に終止符を打つ」

951. give birth to A「A を産む」

952. leave a lot[much] to be desired「もの足りない［残念な・不十分な］点が多い」
⇔ leave nothing to be desired「申し分ない」→ 947

953. hold good「（規則・カードなどが）有効である」
○「有効な」という意味の形容詞 valid を用いた② be valid を選ぶ。

954. tell A apart「A を見分ける／区別する」
= distinguish **A**

955. make sure (that) ...「確実に…する／必ず…するようにする」
Plus **make sure of A**「A を確かめる」も重要。

956. dispense with A「A なしですます／やっていく」
= do without **A** → 873
○ dispense with the formalities「堅苦しい儀礼はなしですます」という意味になるように，② dispense with を選ぶ。

---

950 ④　951 ④　952 ②　953 ②　954 ④　955 ③　956 ②

第21章 形容詞中心のイディオム

KEY POINT ▷177

957 □□□ Jane was already financially independent (　　　　) her parents before she finished university.

① for　② of　③ on　④ to　〈共立女子大〉

958 □□□ My brother Joe is really good (　　　　) karate. He has won his last five tournaments.

① with　② on　③ at　④ by　〈南山大〉

959 □□□ When designing a machine, engineers may be <u>indifferent to</u> its color.

① different from　② inseparable from

③ difficult about　④ unconcerned about　〈東海大〉

960 □□□ She was smiling, but her eyes were (　　　　) of anger.

① felt　② filled　③ fueled　④ full　〈東京電機大〉

961 □□□ Julie is proud (　　　　) late for school.

① in never having been　② never of being

③ never on being　④ of never having been　〈東洋大〉

962 □□□ It is likely (　　　　).

① had rained　② rained　③ to rain　④ to raining　〈関西学院大〉

963 □□□ The research paper isn't due for another twenty days, but it's already as (　　　　) finished.

① close to　② all but　③ good as　④ just about　〈関西学院大〉

964 □□□ Tourism, by its very nature, is (　　　　) unique and fragile environments and societies.

① restored by　② appealed on

③ dependent on　④ demanded by　〈法政大〉

957 ジェーンは大学を卒業する前に，すでに親から経済的に自立していた。
958 私の兄［弟］のジョーは，とても空手が得意だ。彼は最近の５つの大会で優勝している。
959 機械を設計するとき，エンジニアはその色には無関心なのかもしれない。
960 彼女は，ほほ笑んでいたが，その目は怒りに満ちていた。

KEY POINT ▷ 177　　形容詞中心のイディオム

957. be independent of A「A から独立している」

⇔ be dependent on[upon] **A**「A に頼っている」→ 964

958. be good at A「A が得意である」

⇔ be poor at **A**「A が苦手である」

959. be indifferent to A「A に無関心である」

⇔ be concerned about **A**「A に関心がある／ A を心配している」

○ 同意表現は be unconcerned about A。

960. be full of A「A でいっぱいである」

= be filled with **A**

961. be proud of A / doing「A［…すること］を誇りに思う」

= pride oneself on **A**, take pride in **A**

Plus 動名詞の否定は never や not といった否定語を直前に置く。本問は完了の動名詞で「経験」を表している。

962. be likely to do「…しそうである」→ 611

⇔ be unlikely to do「…しそうもない」

963. as good as ...「…も同然」→ TARGET 22

= almost ...

Plus 通例，形容詞・副詞・動詞の前で用いられる。本問では過去分詞の分詞形容詞 finished を修飾している。

Plus **due** は「提出期限がきた」の意味の形容詞。

964. be dependent on[upon] A「A に依存している」

⇔ be independent of **A**「A から独立している」→ 957

Plus 動詞形の **depend on**[**upon**] **A**「A に頼る／ A 次第である」も重要。→ 765

3 イディオム

961 ジュリーは，学校に遅刻したことが一度もないのが自慢だ。
962 雨が降りそうだ。
963 その研究論文の締め切りは 20 日先だが，すでに完成したも同然だ。
964 観光業は本質的に，独特だけれども脆いところもある環境や社会に依存している。

957 ②　958 ③　959 ④　960 ④　961 ④　962 ③　963 ③　964 ③

965 □□□ Mary is ( ) of running because it makes her feel refreshed.
① afraid ② aware ③ fond ④ wary 〈学習院大〉

966 □□□ Do you think there is a life <u>free from</u> worry and anxiety?
① owing to ② over ③ without ④ for the purpose of 〈駒澤大〉

967 □□□ The structure of Japanese sentences is similar ( ) that of Korean sentences.
① as ② in ③ to ④ about 〈大阪経済大〉

968 □□□ I'm rather ( ) about my driving test next week.
① sensational ② unknown ③ anxious ④ dreadful
〈芝浦工業大〉

969 □□□ Since he does not earn enough, he is always ( ) of money.
① capable ② short ③ independent ④ proud 〈芝浦工業大〉

970 □□□ All personal belongings are subject ( ) a thorough check before entering the facility.
① at ② on ③ to ④ with 〈青山学院大〉

971 □□□ There is someone who hopes to <u>become acquainted with</u> you.
① advise ② meet ③ protect ④ warn 〈東海大〉

972 □□□ We have to find a good solution to the problem we are ( ).
① addicted to ② confronted with
③ tempted to ④ content with 〈東京電機大〉

973 □□□ We should remain <u>faithful to</u> our principles.
① calm about ② limited to ③ loyal to ④ silent about
〈立命館大〉

974 □□□ Teachers as well as students <u>are up against</u> some major problems now.
① are complaining about ② are deprived of ③ are faced with
④ are opposed to ⑤ are participating in 〈桜美林大〉

965 メアリーが走るのを好きなのは，それが彼女を爽快な気分にしてくれるからだ。
966 あなたは，悩みや心配事のない生活があると思いますか。
967 日本語の文の構造は，韓国語の文の構造と似ている。

965. be fond of A「A が好きである」

Plus **be fond of A** は like の口語的な表現。また，like よりも継続的に好んでいるという意味を表す。

966. be free from[of] A「A がない」

○ 同意語は③ without。

Plus 本問は a life が形容詞句 free from worry and anxiety によって後置修飾された形。

Plus **be free from A** も **be free of A** も「A がない」の意味だが，例えば「料金や税金が免除されている」の意味では **be free of A** の方が好まれる。

967. be similar to A「A に似ている」

Plus 類似表現の **be similar in A**「A（大きさ・形など）の点で似ている」も重要。

968. be anxious about[for] A「A を心配している」→ 975

= be worried about **A**, be concerned about[for] **A**

Plus **be anxious for A** には「A を切望している」の意味もある。

969. be short of A「A が不足している」

Plus 同意語に **lack** があるが，「…が不足している」という動詞の用法と，**lack of A**「A の不足」の形をとる名詞の用法がある。

3 イディオム

970. be subject to A「A を必要とする／A（の影響）を受けやすい／A に従属している」

= require **A** / be likely to be affected **A**

971. be acquainted with A「A と知り合いである／A をよく知っている」

○ 同意語は② meet。

Plus 本問は become が用いられており，**become acquainted with A** で「A と知り合いになる」の意味。

972. be confronted with[by] A「A（困難など）に直面している」

Plus **A confront B**「A（困難など）が B（人）の前に立ちはだかる」を受動態にした表現。

973. be faithful to A「A に忠実である」

= be loyal to **A**

974. be faced with A「A に直面している」

= be up against **A**

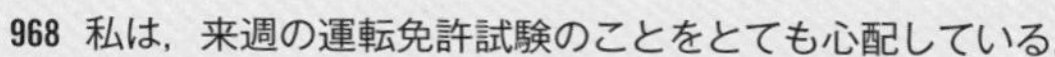

968 私は，来週の運転免許試験のことをとても心配している。
969 彼は十分な稼ぎがないので，いつもお金に困っている。
970 個人の所持品はすべて，この施設に入る前に綿密なチェックを受ける必要があります。
971 あなたと知り合いになりたいという人がいます。
972 私たちは，今直面している問題に対する有効な解決策を見つけなければならない。
973 私たちは，自分たちの信念に対して忠実であり続けるべきです。
974 生徒はもちろん教師も，いくつかの重大な問題に直面している。

---

965 ③　966 ③　967 ③　968 ③　969 ②　970 ③　971 ②　972 ②　973 ③　974 ③

975 □□□ One of the police officers says he's (　　　) about my safety.
① to concern ② concerning ③ concerns ④ concerned
〈獨協大〉

976 □□□ Bill is known (　　　) his incredible sense of humor. He can make anyone laugh!
① to ② with ③ for ④ about 〈南山大〉

977 □□□ I'm fed up with so many boring TV commercials every day.
① conscious of ② satisfied with ③ surprised at ④ tired of
〈愛知学院大〉

978 □□□ Since having a bad experience as a child, Kim has been (　　　) to travel by plane.
① honorable ② presidential ③ reluctant ④ risky 〈駒澤大〉

979 □□□ If you are (　　　) to do or have something, you want to do or have it very much.
① upset ② afraid ③ reluctant ④ eager 〈専修大〉

980 □□□ You are not (　　　) to park here. This lot is only for our customers.
① accustomed ② supposed ③ inclined ④ dedicated
〈東京電機大〉

981 □□□ 私は，いつも素直に他人の忠告を聞きます。
I'm always (　　　) to listen to other people's advice.
① reliable ② similar ③ afraid ④ willing 〈國學院大〉

982 □□□ I am forever (　　　) for what you've sacrificed to get it done.
① grateful ② careful ③ thoughtful ④ hopeful 〈獨協大〉

983 □□□ (　　　) stay on the hiking trail for your own safety.
① Be sure to ② Has to ③ Must you ④ You have 〈京都産業大〉

975 警察官の１人は，私の安全が心配だと言っている。
976 ビルは，優れたユーモアのセンスで知られている。彼は誰でも笑わせることができるのだ！
977 私は毎日，こんなに多くのつまらないテレビコマーシャルを見せられて，うんざりだ。
978 子どもの頃に嫌な体験をしていたので，キムはずっと飛行機で旅行したがらないでいる。
979 あなたが何かをしたり，手に入れたりすることを切望するということは，非常にそうしたがっている，あるいは欲しがっているということです。

975. be concerned about[for] A「A を心配している」 

= be worried about **A,** be anxious about[for] **A** → 968

Plus 類似表現の **be concerned with A**「A に関係する／関心がある」も重要。

976. be known for A「A で有名である」 

= be famous for **A**

Plus 類似表現の **be known to A**「A（人）に知られている」, **be known as A**「A で通っている／A として知られている」との意味の違いに注意。→ TARGET 7

977. be fed up with A「A に嫌気がさしている／飽き飽きしている」 

= be tired of **A**

978. be reluctant to do「…することに気が進まない」 

= be unwilling to do

⇔ be willing to do → 981

Plus 本問は since を用いることによって「理由」の意味が強調されている分詞構文。

979. be eager to do「…したがっている」 

= be anxious to do

✕ ①, ②, ③はそれぞれ **be upset to do**「…して動揺する」, **be afraid to do**「…することを恐れる」, **be reluctant to do**「…することに気が進まない」。

980. be supposed to do「…することになっている／…してください」 

Plus 本問のように **You are / are not supposed to do.** という形になると,「…してください／…しないでください」という意味になる。

981. be willing to do → 978 

「…する気がある／…するのをいとわない／…する用意がある」

⇔ be reluctant to do, be unwilling to do

982. be grateful (to A) for B「B のことで（A に）感謝している」→ 557 

= be thankful[obliged] (to **A**) for **B,** thank **A** for **B**

983. be sure to do「（人・物が）きっと…する／…するのは確実である」

= be certain to do

980 あなたは，ここに駐車してはいけません。この駐車場は，私たちのお客様専用です。
982 私は，あなたがそれをやり遂げるために犠牲にしたことに対し，一生感謝します。
983 ご自身の安全のため，くれぐれもハイキングコースから外れないようにしてください。

975 ④　976 ③　977 ④　978 ③　979 ④　980 ②　981 ④　982 ①　983 ①

984 □□□ A：Have you booked your train tickets already? You're not leaving until next month.
B：Yes, I thought I should. I wanted to be (　　　) getting a good seat.
① afraid of　② anxious about　③ skilled in　④ sure of
〈学習院大〉

985 □□□ Are you familiar (　　　) Arashiyama, Jimmy? It's my favourite part of Kyoto.
① at　② with　③ in　④ to　〈南山大〉

986 □□□ The name of the company is (　　　) nearly everyone in that community.
① familiar to　② familiar for
③ being familiar　④ familiar by　〈東京薬科大〉

987 □□□ We should be (　　　) of the fact that some of the conveniences of everyday life come at a cost to our environment.
① conscious　② conservative　③ consequent　④ considerable
〈法政大〉

988 □□□ The volunteer work I am (　　　) in is for helping homeless people.
① enclosed　② evolved　③ involved　④ participated
〈芝浦工業大〉

989 □□□ A：What are you doing these days?
B：I'm (　　　) about dance. I take dance classes every day.
① fresh　② complete　③ strong　④ crazy　〈奥羽大〉

990 □□□ I'm sorry, but Derek won't be joining us at Nagoya Dome tonight. Apparently, he's not very keen (　　　) baseball.
① on　② to　③ for　④ at　〈南山大〉

991 □□□ My mother is absorbed (　　　) investing her money in stocks.
① in　② on　③ for　④ with　〈松山大〉

984 A：電車のチケットはもう予約したのですか。あなたが出発するのは来月なんですよ。
B：ええ，そうすべきだと思ったのです。よい席を必ず手に入れたかったので。
985 ジミー，嵐山のことをよく知っていますか。そこは，私が京都で一番好きな場所なんです。

984. be sure of[about] A / doing「A を確信する／必ず…する」

985. be familiar with A「(人が) A (物・事) をよく知っている／ A に詳しい」

986. be familiar to A「(物・事が) A (人) によく知られている／ A に見覚え［聞き覚え］がある」

987. be conscious of A「A に気づいている／ A を意識している」

= be aware of **A**

✕ ②, ③, ④はそれぞれ **conservative**「保守的な」, **consequent**「結果として生じる」, **considerable**「かなりの」。

988. be involved in A「A に関わっている／関与している」

✕ ④は不可。**participate in A** で「A に参加する」の意味なので, 空所の前の be 動詞は不要。

989. be crazy about A「A が大好きである／ A に無我夢中である」

= be mad about **A**

990. be keen on A「A に熱心である」

= be enthusiastic about **A**

991. be absorbed in A「A に夢中である／没頭する」

986 その会社の名は, その地域社会のほぼすべての人によく知られている。
987 私たちは, 日常生活を便利にしてくれるものの中には, 環境を犠牲にするものがあるという事実に気づくべきです。
988 私が関わっているボランティア活動は, ホームレスの人たちを支援するためのものです。
989 A：あなたは最近何してる？
B：ダンスに夢中になっています。毎日, ダンスのクラスに通っています。
990 残念ですが, デレクは今夜, 名古屋ドームで私たちに合流しません。どうやら, 彼は野球にあまり興味がないようです。
991 私の母は株式への投資に没頭している。

---

984 ④　**985** ②　**986** ①　**987** ①　**988** ③　**989** ④　**990** ①　**991** ①

992 □□□ I am (　　　　) his reason for going to America.
① familiar to　② ignorant of　③ short of　④ different from
〈北海道医療大〉

993 □□□ The survey shows that our new product is (　　　　) with our customers.
① popular　② popularity　③ popularly　④ population　〈中京大〉

994 □□□ A：Do you think Alex is a better rugby player than George?
B：That's a difficult question. I believe George is (　　　　) Alex, because they're both powerful and fast.
① superior to　② familiar to　③ equal to　④ inferior to
〈群馬大〉

995 □□□ John is absent (　　　　) school today.
① from　② of　③ with　④ away　〈駒澤大〉

996 □□□ This train is (　　　　) for Osaka.
① bound　② unbound　③ bind　④ unbind　〈大阪経済大〉

997 □□□ The sales manager was stuck in traffic, and so he was (　　　　) for work.
① close　② late　③ unable　④ usual　〈関西学院大〉

998 □□□ Each one of us must be (　　　　) the choices we make.
① involved in　② responsible for
③ subject to　④ independent of　〈大阪医科薬科大〉

999 □□□ The old man is <u>anxious about</u> his daughter's operation.
① worried about　② proud of　③ hostile to　④ in favor of
〈駒澤大〉

1000 □□□ The politician was ashamed (　　　　) using the city's money for his own personal benefit.
① of　② if　③ on　④ in　〈名城大〉

992 私は彼がアメリカに行く理由を知らない。
993 その調査によると，我が社の新製品は顧客の間で人気がある。
994 A：あなたは，アレックスがジョージよりも優れたラグビー選手だと思いますか。
B：それは難しい質問ですね。ジョージはアレックスといい勝負だと思います。というのも，二人はどちらも頑強でスピードがありますから。

992. be ignorant of[about] A「A を知らない」

✕ ① familiar to A は「(物・事が) A (人) によく知られている」(➔ 986) の意味。本問のように「人」が主語の場合は，to ではなく with を用いる。➔ 985

993. be popular with[among] A「A の間で人気がある」

994. be equal to A「A に等しい［匹敵する］」

✕ ①の be superior to A は「A より優れている」，④ be inferior to A は「A より劣っている」の意味。いずれも because 以下の文意に合わない。

995. be absent from A「A を欠席する」

996. be bound for A「(交通機関が) A 行きである」

997. be late for A「A に遅れる」

998. be responsible for A「A に対して責任がある」

✕ ①，③，④はそれぞれ **be involved in A**「A に従事している／巻き込まれる」(➔ 988)，**be subject to A**「A の支配下にある」(➔ 970)，**be independent of A**「A から独立している」(➔ 957)。

999. be worried about A「A を気にかける／心配する」

= be anxious[concerned] about A

1000. be ashamed of A / doing「A［…したこと／…であること］を恥じている」

Plus ashamed は「(罪の意識から) 恥じる」という意味。「(失敗するなど人の目が気になって) 恥ずかしい」という場合は embarrassed を用いる。

995 今日，ジョンは学校を休んでいる。
996 この電車は大阪行きです。
997 営業部長は渋滞に巻き込まれたので，仕事に遅れました。
998 私たちはそれぞれ，自分の行う選択に責任を持たなければならない。
999 その高齢の男性は，娘の手術のことを心配している。
1000 その政治家は，市の公金を自分の個人的な便益のために使ったことを恥じた。

992 ②　993 ①　994 ③　995 ①　996 ①　997 ②　998 ②　999 ①　1000 ①

1001 □□□ I am (　　　　) of your talent.
① impressed ② amused ③ curious ④ jealous ⑤ eager
〈法政大〉

1002 □□□ He is very (　　　　) about the way his eggs are cooked for breakfast.
① precision ② particular ③ fond ④ federal 〈亜細亜大〉

1003 □□□ A：Who are the members of the committee?
B：It is (　　　　) mainly of lawyers.
① restricted ② informed ③ composed ④ convinced 〈専修大〉

1004 □□□ Children from disadvantaged backgrounds know fewer words than children who have been (　　　　) to a language-rich environment.
① educated ② exposed ③ expected ④ expelled 〈昭和女子大〉

1005 □□□ Charlie was opposed to the war.
① wanted ② objected ③ supported ④ was interested
〈亜細亜大〉

1006 □□□ The movie is (　　　　) the true story of an inventor living in the 19th century.
① based on ② familiar to ③ fond of ④ present at 〈獨協大〉

1007 □□□ Being popular around the world, that singer is very well off.
① clever ② friendly ③ tired ④ wealthy 〈関東学院大〉

1008 □□□ We are apt to envy the success of others.
① pray to ② hope to ③ are like to ④ are inclined to
〈東京理科大〉

1009 □□□ Parents are bound to look after their children.
① allowed ② asked ③ obliged ④ offered 〈東北薬科大〉

1001 私はあなたの才能に嫉妬している。
1002 彼は，朝食の卵の調理の仕方にとてもこだわりがある。
1003 A：その委員会のメンバーは，どのような人たちですか。
B：主に弁護士で構成されています。
1004 恵まれない環境に育った子どもたちは，豊かな言語環境に置かれていた子どもたちと比べると，知っている単語が少ない。

1001. be jealous of A「A をねたんでいる／A に嫉妬している」

= be envious of **A**

1002. be particular about A「A にやかましい／好みがうるさい」

1003. be composed of A「A から構成されている／成り立っている」

= be made up of **A**, consist of **A** → 767

Plus be composed of A の同意表現 consist of A は受動態にならないので，注意。

1004. be exposed to A「A にさらされている」

1005. be opposed to A「A に反対している」

Plus **oppose A**, **object to A**「A に反対する」も重要。

1006. be based on[upon] A「A に基づいている」

✕ ②，③，④はそれぞれ **be familiar to A**「（物・事が）A（人）によく知られている」（→ 986），**be fond of A**「A が好きである」（→ 965），**be present at A**「A に出席している」。

1007. be well off「裕福である」

= be rich[wealthy]

⇔ be poor, be badly[poorly] off

1008. be apt to do「…しがちである／…する傾向がある」

= be inclined[likely] to do, tend to do

1009. be bound to do「…する義務がある／…しなければならない」

= be obliged[compelled / required] to do

3 イディオム

1005　チャーリーは戦争に反対した。
1006　その映画は，19 世紀に生きた 1 人の発明家の実話に基づいている。
1007　その歌手は世界中で人気があるので，とても裕福だ。
1008　私たちは，他人の成功をうらやましいと思いがちだ。
1009　親には自分の子どもの面倒を見る義務がある。

1001 ④　1002 ②　1003 ③　1004 ②　1005 ②　1006 ①　1007 ④　1008 ④　1009 ③

第22章 副詞中心のイディオム

KEY POINT ▷178

1010 □□□ I need to leave <u>right away</u> to catch the last train.
① at hand ② at last ③ at least ④ at once 〈東京経済大〉

1011 □□□ I see my grandparents <u>every now and then</u>.
① often ② regularly ③ usually ④ occasionally 〈東京経済大〉

1012 □□□ After his retirement, Mike has worked <u>on and off</u> as a freelance proofreader for a publisher.
① hard ② again ③ occasionally ④ continuously 〈日本大〉

1013 □□□ A：What do you think about her term paper?
B：(　　　　) and large it's good.
① In ② By ③ On ④ As 〈専修大〉

1014 □□□ I still don't understand the political system in the United Kingdom, (　　　　) alone the economic structure of the nation.
① but ② let ③ not ④ only 〈関西学院大〉

1015 □□□ (　　　　) only two people have signed up for the school trip to London.
① Other than ② Except for ③ Aside from ④ So far 〈南山大〉

1016 □□□ (　　　　) with this and that I have no time for friends.
① Due ② Since ③ What ④ Thanks 〈青山学院大〉

1010 最終列車に間に合うために，私はすぐにここを出る必要がある。
1011 私はときどき祖父母に会う。
1012 退職後，マイクはときどき出版社でフリーの校正者として働いている。
1013 A: 彼女の期末レポートについてどう思う？
B: 全体として，よく書けていますよ。
1014 私はいまだにイギリスの政治制度が理解できず，ましてや経済構造などなおさらだ。
1015 今のところ，２人しかロンドンへの修学旅行に申し込んでいない。
1016 あれやこれやで忙しく，私は友だちと過ごす時間がない。

KEY POINT ▷ 178　副詞中心のイディオム

1010. right away「すぐに」

= right now, at once, immediately, instantly

○ 同意表現は④ at once。

Plus 命令文とともに日常会話で使われることが多い。

1011. every now and then[again]「ときどき」

= sometimes, occasionally

Plus every を省略して **now and then[again]** と言うこともある。

1012. on and off / off and on「時折／断続的に」

= sometimes, occasionally

○ 同意語は③ occasionally。

1013. by and large「概して」

= as a (general) rule on the whole → 1042, 1053

1014. let alone A「A は言うまでもなく」

= to say nothing of A, much less A → TARGET 16

Plus **let alone A** と **much less A** は，否定文もしくは否定的な内容を表す文の後で用いる。

1015. so far「今まで」

= until[till] now

⇔ from now on「今後は」

○ 空所の後に文を続けられるのは，選択肢の中で④ So far のみと考えることもできる。

Plus 現在までの状況を説明する際に使われるライティングでの必須表現。

1016. what with A and B「A やら B やらで」

Plus A と B には，よくない出来事の原因となる名詞（動名詞）がくる。

Plus この表現の **what** は，「いくぶんは」の意味を表す副詞。**with A** は，文脈によって「理由」(**= because of A**) を表す場合がある。したがって，**what with A and B** の元の意味は「いくぶん A や B の理由で」だと考えればわかりやすい。

1010 ④　1011 ④　1012 ③　1013 ②　1014 ②　1015 ④　1016 ③

1017 □□□
( ), this restaurant is closed on Sundays.
① Much often as not ② Very often as not
③ More often than not ④ Least often than not 〈駒澤大〉

1018 □□□
このシステムなら，パスワードが盗まれることはほぼありえません。
It is ( ) impossible to crack passwords using this system.
① most to ② only to ③ just to ④ next to 〈成城大〉

1019 □□□
It was an abstract painting and I couldn't tell whether it was upside ( ) or not.
① wide ② below ③ out ④ down 〈青山学院大〉

1020 □□□
She was in such a hurry in the morning that she put her sweater on ( ).
① upside down ② inside out ③ sideways ④ side by side
〈法政大〉

1021 □□□
Why don't you settle it <u>once and for all</u>?
① automatically ② finally
③ immediately ④ systematically 〈日本大〉

1022 □□□
( ) yet he has not received the invitation.
① Since ② Though ③ As ④ If 〈駒澤大〉

1023 □□□
Probably, someone will find out the secret sooner ( ) later.
① and ② or ③ but ④ rather 〈芝浦工業大〉

1017 たいてい，このレストランは日曜日には閉まっている。
1019 それは抽象的な絵画だったので，私にはそれが逆さまなのかどうかわかりませんでした。
1020 この朝，彼女はとても急いでいたのでセーターを裏返しに着てしまった。
1021 それは，きっぱりと解決したらどうですか。
1022 今までのところ，彼はその招待状を受け取っていない。
1023 おそらく，遅かれ早かれ誰かがその秘密を知るでしょう。

1017. more often than not「たいてい」

= usually, as a rule (→ 1042), generally

1018. next to A「ほとんど A」

= almost **A**

Plus A には **nothing** や **impossible** など否定的な意味の名詞や形容詞がくる。

1019. upside down「逆さまに」

1020. inside out「裏返しに」

1021. once (and) for all「（これを最後に）きっぱりと」

= finally, for the last time

1022. as yet「（通例否定文で）今までのところ」

1023. sooner or later「遅かれ早かれ／いつかは」

1017 ③　1018 ④　1019 ④　1020 ②　1021 ②　1022 ③　1023 ②

第23章 名詞中心のイディオム

KEY POINT ▷179

1024 □□□ I suppose she was (　　　) since she didn't stop to talk to anyone.
① hurry it up　② in a hurry　③ hurry　④ hurry up　〈摂南大〉

1025 □□□ Once in a while we eat out.
① Sometimes　② Usually　③ Probably　④ Somehow　〈中部大〉

1026 □□□ I hope Tom's broken arm will heal (　　　) time for the festival.
① at　② by　③ in　④ on　〈学習院大〉

1027 □□□ Their friendship grew into love by degrees.
① carefully　② equally　③ gradually　④ suddenly　〈東海大〉

1028 □□□ He was able to meet an online friend (　　　).
① in person　② of person　③ to himself　④ for real time　〈亜細亜大〉

1029 □□□ Can I have your name and phone number just (　　　)?
① of sure　② in case　③ to say　④ with care　〈中央大〉

1030 □□□ Mr. Smith is clever, hard-working and above all, a good leader.
① eventually　② highly popular
③ most importantly　④ to our surprise　〈東海大〉

1031 □□□ New construction is under way for the East Highway extension.
① hitting setbacks　② behind schedule
③ in progress　④ near completion　〈青山学院大〉

1032 □□□ It rained four days (　　　).
① on end　② in end　③ to no end　④ no end　〈足利大〉

1024 彼女は急いでいたのではないかと思う。誰とも話をするために立ち止まらなかったので。
1025 ときどき私たちは外食をする。
1026 トムの骨折した腕が，そのお祭りに間に合うように治ってほしいと思う。
1027 彼らの友情は，次第に愛へと育っていった。

KEY POINT ▷ 179　名詞中心のイディオム

1024. in a hurry「急いで」

　= in haste

1025. once in a while「ときどき」

　= occasionally, sometimes → 1011, 1012

Plus 意味を強めて **every once in a while** と言うこともある。

1026. in time (for A)「(A に) 間に合って」

　⇔ late (for A)「(A に) 遅れて」

✕ ④の **on time** は「時間通りに」の意味。

1027. by degrees「徐々に／次第に」

　= gradually

1028. in person「自分で／本人自らが／直接会って」

　= personally

1029. (just) in case「(通例，文尾で) 万一の場合に備えて」

Plus **in case** を使った表現として，**in case of A**「A の場合に備えて」，接続詞として **in case S + V ...**「…の場合に備えて」もある。→ 414

1030. above all「とりわけ／特に」

　= particularly, especially

○ 同意表現は③ most importantly。

1031. under way「進行中で」

　= in progress

Plus **under way** には「(船が) 航行中で」の意味もある。

1032. on end「(ある一定期間) 続けて／立て続けに」

✕ ③ to no end は「無益に」の意味。

3 イディオム

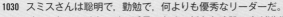

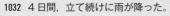

1028　彼は，ネット友だちと直接会うことができた。
1029　念のため，あなたのお名前と電話番号を教えてもらえますか。
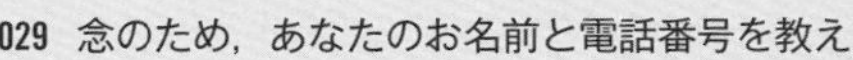
1030　スミスさんは聡明で，勤勉で，何よりも優秀なリーダーだ。
1031　イースト・ハイウェイの延長のため，新たな建設工事が進行中だ。
1032　4 日間，立て続けに雨が降った。

1024 ②　1025 ①　1026 ③　1027 ③　1028 ①　1029 ②　1030 ③　1031 ③　1032 ①

1033 □□□ If you cannot come to the party, please let us know (　　　).
① as if　② as of　③ in advance　④ as well as　〈東邦大〉

1034 □□□ I got this job (　　　) chance.
① by　② in　③ at　④ to　〈名古屋学院大〉

1035 □□□ I was fortunate to have interviewed him <u>at length</u> twice.
① at last　② for a long time
③ once upon a time　④ sometimes　〈日本大〉

1036 □□□ I think she did not answer the question <u>on purpose</u> to annoy me.
① intentionally　② sadly　③ finally　④ successfully　〈名城大〉

1037 □□□ After trying many times, Stan has finally quit smoking for (　　　).
① long　② good　③ fine　④ large　〈獨協大〉

1038 □□□ John took someone's umbrella (　　　) mistake since it looked similar to his own.
① by　② with　③ in　④ at　〈関西学院大〉

1039 □□□ Jim was upset when he heard that his friends were speaking ill of him (　　　).
① before his face　② above the head
③ behind his back　④ on the other hand　〈獨協大〉

1040 □□□ All the members helped one another to clean the meeting room <u>in no time</u>.
① quickly　② timely　③ in the end　④ for a while　〈清泉女子大〉

1041 □□□ Anna is Japanese (　　　) birth, but she has Korean nationality.
① in　② with　③ by　④ at　〈南山大〉

1033 もしパーティーに来られなければ，事前に私たちに知らせてください。
1034 私はこの仕事をたまたま手に入れた。
1035 私は彼を長時間，２回にわたってインタビューできて，ついていた。
1036 私は彼女が私を困らせるために，わざとその質問に答えなかったのだと思う。
1037 何度も挑戦した後でようやく，スタンはすっかりタバコをやめた。

1033. in advance「前もって／あらかじめ」

= beforehand

Plus 具体的な期間を示す場合は，**three days in advance**「3 日前に」のように **in advance** の前に置く。

1034. by chance「偶然に」

= accidentally, by accident

⇔ on purpose **「故意に」** → 1036

1035. at length「長時間にわたって／ついに［ようやく］詳細に」

= for a long time / at last / in detail

○ 本問の **at length** は「長時間にわたって」の意味。

✕ ① at last は不可。文末に twice「2 回」があるので，文意に合わない。

1036. on purpose「故意に／わざと」

= intentionally, deliberately

⇔ by accident, by chance, accidentally **「偶然に」** → 1034

Plus **on purpose to do** で「…するために」の意味になる。

1037. for good (and all)「永久に／これを最後に」

= forever, permanently, finally

1038. by mistake「誤って／間違って」

= accidentally, by accident

1039. behind A's back「A のいないところで」

⇔ to A's face **「A に面と向かって」**

Plus 文中の **speak ill of A**「A の悪口を言う」も重要。→ 761

1040. in no time「すぐに／間もなく」

○ 同意語は① quickly。

Plus **in** は「経過」を表し,「…（期間）のうちに／（今から）…後」の意味（→ 435）。in の後が no time なので,「時が経たず（すぐに）」という意味になる。

1041. by birth「生まれは」

3 イディオム

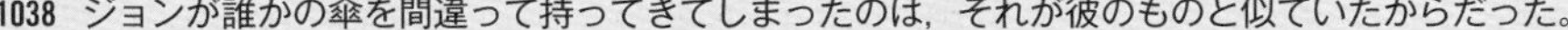

1038 ジョンが誰かの傘を間違って持ってきてしまったのは，それが彼のものと似ていたからだった。
1039 ジムは，彼の友だちが陰で自分の悪口を言っていると聞いて腹を立てた。
1040 すべてのメンバーが，お互いに協力し合って会議室をすぐに片づけた。
1041 アンナは，生まれは日本だが韓国の国籍がある。

1033 ③　1034 ①　1035 ②　1036 ①　1037 ②　1038 ①　1039 ③　1040 ①　1041 ③

1042 □□□ <u>As a rule</u>, our children go to bed before 9:00 every night.
① Consequently ② Constantly ③ Rarely ④ Usually 〈亜細亜大〉

1043 □□□ This elevator is ( ). Please use the other one instead.
① out of place ② out of order
③ out of danger ④ out of work 〈南山大〉

1044 □□□ The members are determined to complete the project ( ) all costs.
① at ② with ③ for ④ in 〈芝浦工業大〉

1045 □□□ <u>All at once</u> my car stopped in front of the bus stop.
① Suddenly ② Actually ③ Slowly ④ Hardly 〈日本大〉

1046 □□□ Everything is probably all right. <u>All the same</u>, I had better go and make sure.
① And ② Besides ③ For ④ Nevertheless 〈中央大〉

1047 □□□ Have you seen Masa today by any ( )?
① opportunity ② chance ③ way ④ time 〈芝浦工業大〉

1048 □□□ It was impossible for Mika to carry the table on ( ), so Taichi helped her.
① her ② herself ③ her own ④ hers 〈専修大〉

1049 □□□ When it comes to baseball, he is ( ) to none.
① second ② first ③ best ④ worst 〈関西学院大〉

1050 □□□ I saw immediately that she was ill at ( ).
① ease ② large ③ odds ④ peace 〈津田塾大〉

1042 普通，うちの子どもたちは毎晩９時前にベッドに入る。
1043 このエレベータは故障しています。代わりに別の方を使ってください。
1044 メンバーたちは，何としてでもそのプロジェクトを終わらせようと固く決意している。
1045 突然，私の車はバス停の前で止まった。
1046 おそらく，すべて順調だ。それでも，私が確かめに行った方がいい。
1047 もしかして，あなたは今日，マサを見かけましたか。
1048 ミカはそのテーブルを自分だけで運ぶことができなかったので，タイチが彼女を手伝った。
1049 野球のこととなると，彼にかなう者はいない。
1050 私には，彼女が落ち着かない気持ちであることがすぐにわかった。

1042. as a rule「概して／大体のところ／一般に」

= generally, as a general rule → 1013

○ 同意語は④ usually。

1043. out of order「故障して」

⇔ in order「正常で／順序正しく」

○ 空所の後の文の「代わりに別の方を使ってください」という部分に着目して，② out of order を選ぶ。

Plus out of A は「A の範囲外で」なので，out of order は「正常な状態の範囲外で」がもともとの意味。

1044. at all costs「ぜひとも／どんな犠牲を払っても」

= at any cost → 1091

1045. all at once「突然に」

= suddenly, all of a sudden → 1107

1046. all the same「それでも（やはり）」

= nevertheless (→ 659, TARGET 110(2)), just the same

Plus 文・節の始めまたは終わりで使われる。

1047. by any chance「ひょっとして／万一にも」

Plus **by any chance** は疑問文で使われるイディオム。

Plus 口語表現としてよく使われる。

1048. on one's own「ひとりで／独力で」

= alone, by oneself

✕ ② herself は不可。空所の前が by であれば正解となる。

1049. second to none「誰［何］にも劣らない」

Plus「誰にも劣らない」という意味なので，**he is the best** と同意になる。

Plus **when it comes to A**「A のことになると」も重要。

1050. ill at ease「不安な／落ち着かない」

= uncomfortable

⇔ at ease, comfortable「安心した／落ち着いた」

1042 ④　1043 ②　1044 ①　1045 ①　1046 ④　1047 ②　1048 ③　1049 ①　1050 ①

1051 □□□ The teacher understood the situation at (　　　) and quickly solved the problem.
① an end ② a glance ③ a loss ④ a time 〈学習院大〉

1052 □□□ He answered the question <u>on the spot</u>.
① accurately ② carefully ③ correctly ④ immediately 〈日本大〉

1053 □□□ We ran into a little bit of traffic on the way here, but (　　　) the whole, the trip was pretty uneventful.
① at ② in ③ on ④ to 〈慶應義塾大〉

1054 □□□ I will leave this town for the time (　　　).
① being ② doing ③ ever ④ on 〈関西学院大〉

1055 □□□ Although the supermarket has lost some customers recently, closing down is <u>out of the question</u>.
① best for everyone ② not possible
③ quite a mystery ④ open for debate 〈青山学院大〉

1056 □□□ You should be careful when you drive in other countries since the steering wheel and the traffic lanes can be (　　　).
① inside out ② one way or another
③ out of place ④ the other way around 〈中央大〉

1057 □□□ <u>In the long run</u>, things will work out. You shouldn't worry too much about everything happening now.
① Quickly ② Precisely ③ Eventually ④ Smoothly 〈亜細亜大〉

1058 □□□ My sister, who is (　　　) an optimist, is confident that her volleyball team will win the championship of the district.
① by nature ② in question ③ under contract ④ with care 〈東京理科大〉

1051 その先生は一目で状況を理解し，素早く問題を解決した。
1052 彼は，すぐにその質問に答えた。
1053 私たちは，ここに来るまでに少しばかり渋滞にはまったが，全体として，この旅はずいぶん平穏無事だった。
1054 私は，この町を当分の間，離れるつもりだ。
1055 そのスーパーマーケットは最近，一部のお客を失ったが，閉店することはありえない。

1051. at a glance「一目見ただけで／一見して」

○ 文意および空所の前の at に着目して，② a glance を選ぶ。

✕ ①，③，④はそれぞれ **at an end**「（仕事などが）終わって」，**at a loss**「途方に暮れて」，**at a time**「一度に」。

1052. on the spot「即座に／直ちに」

= immediately, instantly, right away, at once → 1010

○ 同意語は④ immediately。

1053. on the whole「全体として／概して」

= by and large → 1013

Plus 類似表現の **as a whole**「全体的に」とは前置詞や冠詞が異なるので注意。

1054. for the time being「当分の間／さしあたり」

= for the present, for now

✕ ③ ever は不可。for the first time ever なら「史上初めて」の意味になる。

1055. out of the question「考えられない／論外で」

= impossible

○ 同意表現は② not possible。

1056. the other way around「あべこべに」

✕ ①，②，③はそれぞれ **inside out**「裏返しに」，**one way or another**「何とかして」，**out of place**「場違いで」。

1057. in the long run「結局は／長い目で見れば」

= eventually, ultimately, in the end

○ 同意語は③ Eventually。

1058. by nature「生まれつき／生来」

1056 外国で車を運転するときは注意すべきです。車のハンドルや走行車線が逆の場合があるからです。

1057 長い目で見れば，事はうまく運ぶでしょう。あなたは今起きていることの一部始終を気にしすぎるべきではありません。

1058 私の妹は生まれつき楽観主義者で，自分のバレーボールチームが地区大会で優勝することを確信している。

1051 ②　1052 ④　1053 ③　1054 ①　1055 ②　1056 ④　1057 ③　1058 ①

1059 □□□ (　　　) time to time, careless guests leave their valuables behind when they check out. Our hotel holds onto them for up to six months.

① In ② On ③ From ④ At 〈亜細亜大〉

1060 □□□ My brother and I were not very close. I have not heard from him for several years but he visited me this morning (　　　).

① as usual ② out of the blue

③ up to his promise ④ without a pause 〈成蹊大〉

1061 □□□ A：“How many people will be coming to the party?”

B：“I haven’t heard back from everyone yet, so it’s still (　　　).”

① no idea ② on the way ③ to notice ④ up in the air

〈慶應義塾大〉

1062 □□□ Did he say for (　　　) that he is coming to the party?

① sure ② safe ③ secure ④ serious 〈神奈川大〉

1063 □□□ Winter vacation is <u>around the corner</u>.

① boring ② enjoyable ③ very near ④ far away 〈駒澤大〉

1064 □□□ Because of the heavy snowfall, the train arrived at the station behind (　　　).

① program ② plan ③ schedule ④ timetable 〈國學院大〉

1065 □□□ The politician had to resign <u>of his own accord</u>, as he received a bribe.

① ashamedly ② definitely ③ passively ④ voluntarily

〈青山学院大〉

1066 □□□ A：Be sure to be on time tomorrow.

B：Don’t worry. I’ll be there at nine o’clock without (　　　).

① error ② fail ③ failure ④ promise 〈九州産業大〉

1059 ときどき，チェックアウトするときに，うっかりしたお客様が貴重品を忘れていかれます。当ホテルでは，6カ月までそれを保管いたします。

1060 兄［弟］と私は，あまり親しくはなかった。私は彼から数年間も連絡をもらっていなかったが，彼は今朝，思いがけなく私を訪ねてきた。

1061 A:「パーティーには何人くらいやって来るのですか」
B:「まだ全員から返事をもらっていないので，はっきりしません」

1059. from time to time「ときどき」

= occasionally, every now and then(→ 1011), once in a while → 1025

1060. out of the blue「予告なしに／突然」

= unexpectedly, suddenly, all of a sudden(→ 1107), all at once → 1045

1061. up in the air「未決定で／未定で」

Plus **still**, **very much** とともに使われることが多い。

Plus 計画などについて話す場面で使われることが多い。

1062. for sure「きっと／確かに」

= surely, certainly, for certain

1063. around the corner「すぐ近くに／間近に」

○ 同意表現は③ very near。

1064. behind schedule「予定より遅れて」

⇔ ahead of schedule **「予定より進んで」**

Plus 駅や空港でよく聞くフレーズ。**on schedule**「予定通り」も一緒に覚えておこう。

1065. of one's own accord「自発的に／ひとりでに」

= voluntarily

1066. without fail「(命令・約束を強調して）必ず／確実に」

1062　彼は，パーティーに来るつもりかどうか，はっきり答えましたか。
1063　冬休みが間近に迫っている。
1064　大雪のため，列車は予定よりも遅れて駅に到着した。
1065　その政治家は自ら辞職しなければならなかった。彼が賄賂を受け取ったからだ。
1066　A：明日は必ず時間を守ってね。
　　　B：心配しないで。必ず９時にそこに着いているから。

1059 ③　1060 ②　1061 ④　1062 ①　1063 ③　1064 ③　1065 ④　1066 ②

1067 □□□
She came ( ) from Paris to attend the meeting.
① as far ② as near ③ all in all ④ all the way 〈亜細亜大〉

1068 □□□
His steady research will ( ) fruit in due time.
① hang ② bear ③ tie ④ put 〈東洋大〉

1069 □□□
I haven't eaten my mother's apple pie <u>in such a long time</u>.
① briefly ② for ages ③ for once ④ shortly 〈中部大〉

1070 □□□
They did everything they could, but all their efforts were ( ).
① in vain ② for something ③ at a loss ④ in the end 〈日本大〉

1071 □□□
I suppose this issue will be discussed ( ) in the next session.
① in fact ② in sight ③ in short ④ in detail 〈東邦大〉

1072 □□□
Don't be ( ) to come to a conclusion. You should be more careful as you've got plenty of time.
① at large ② in distress ③ in haste
④ in shifts ⑤ on purpose 〈東京理科大〉

1073 □□□
What do you think these three people have ( )?
① in common ② with common ③ in time ④ with time 〈創価大〉

1074 □□□
Helen considered leaving the firm <u>in earnest</u>.
① definitely ② early ③ seriously ④ temporarily 〈日本大〉

1075 □□□
I discussed the matter with him ( ) private.
① by ② for ③ in ④ out ⑤ to 〈中央大〉

1067 彼女は，その会議に参加するために，はるばるパリから来た。
1068 彼のたゆまぬ研究はやがて実を結ぶことだろう。
1069 私はもう長い間，母の作ったアップルパイを食べていない。
1070 彼らはできる限りのことは何でもしたが，すべての努力はむだだった。
1071 この問題は，次回の会合で詳しく議論されると思う。
1072 急いで結論を出してはいけません。あなたには時間はたっぷりあるので，より慎重になったほうがいいでしょう。
1073 この３人に共通のことは何だと思いますか。

1067. all the way「はるばるずっと／初めから終わりまで」→ 676

○ **come all the way from A**「はるばる A から来る」で押さえておこう。

1068. bear fruit「実を結ぶ」

Plus **bear fruit** は「(植物が) 実を結ぶ」という意味もあるが，本問では「(努力が) 成果を挙げる」の意味。
Plus **in due time** は「やがて／時期がくれば」の意味。

1069. for ages「長い間」

= for a long time

1070. in vain「むだに／空しく」

= to no purpose, for nothing → 344

Plus 同意表現の **for nothing** も重要。for は「交換」を表し，「無価値なものと交換」から「無料で／無益に」の意味になる。

1071. in detail「(説明などが) 詳しく」

1072. in haste「急いで／慌てて」

= in a hurry → 1024

✕ ①，②，④，⑤はそれぞれ **at large**「捕まらないで／逃亡中で」(→ 1083)，**in distress**「苦しんでいる」，**in shifts**「(勤務が) 交代で」，**on purpose**「故意に」(→ 1036)。

1073. in common「共通の／共通に」

1074. in earnest「真剣に／本気で」

= seriously

○ 同意語は③ seriously。

1075. in private「関係者だけで／内密に」

= secretly

⇔ in public「公然と，人前で」

1074　ヘレンは会社を辞めることを真剣に考えた。
1075　私はその件について，彼と内密に話し合った。

1067 ④　1068 ②　1069 ②　1070 ①　1071 ④　1072 ③　1073 ①　1074 ③　1075 ③

1076 □□□ The witnesses testified against the accused by turns.
① voluntarily ② willingly ③ alternately ④ readily〈国士舘大〉

1077 □□□ 遠からず，選挙が行われることになるだろう。
There will be an election (　　　).
① after all ② before long ③ soon over ④ at last〈成城大〉

1078 □□□ All things are (　　　) control. We don't have to stay here any longer.
① below ② among ③ for ④ under〈亜細亜大〉

1079 □□□ A：Let's use the Brooklyn Bridge today.
B：We can't cross it. (　　　)
A：Oh, I didn't know that.
① It's been open over a week. ② It's out of control.
③ It's under construction. ④ It's very convenient.〈東洋大〉

1080 □□□ We keep a supply of canned goods at hand.
① far away ② within reach ③ for fire ④ too much〈駒澤大〉

1081 □□□ My mother is a nurse and she is often on (　　　) in her hospital all night.
① work ② charge ③ duty ④ service〈富山大〉

1082 □□□ You might think that Beatrix Potter, the creator of Peter Rabbit, was a country-woman; her precisely observed characters seem so much at (　　　) in their rural settings. In fact, she was born in London, in 1866.
① all ② home ③ once ④ themselves〈中央大〉

1083 □□□ The police announced that the escaped murderer was still (　　　). Apparently, they don't have a clue where he is.
① at large ② in distress ③ in haste
④ in shifts ⑤ on purpose〈東京理科大〉

1076 証人たちは，代わる代わるその被告人に不利な証言を行った。
1078 すべては管理下にあります。もはや私たちがここに待機している必要はありません。
1079 A：今日はブルックリン橋を通りましょう。
B：そこは渡れません。工事中ですから。
A：ああ，それは知りませんでした。
1080 当店では，缶詰製品の在庫を常に手元に置いてあります。

1076. by turns「代わる代わる／順番に（次々と）」

○ 同意語は③ alternately。

1077. before long「まもなく／やがて」

= soon

1078. under control「支配されて／管理されて」

⇔ out of control「制御できない」

1079. under construction「建設中で／工事中で」

= being constructed

1080. at hand「（すぐ利用できるように）近くに／手元に」

= within reach

○ 同意表現は② within reach。

1081. on duty「勤務中で／当番で」

= at work

⇔ off duty「非番で」

1082. at home「気楽に／くつろいで」

1083. at large「（危険な人などが逃げたまま）捕まらないで／逃亡中で」

1081 私の母は看護師で，病院では徹夜で勤務することがよくある。

1082 あなたは，「ピーター・ラビット」の生みの親，ビアトリクス・ポターは田舎育ちの女性だったと思うかもしれません。というのも，彼女が緻密に観察した登場キャラクターたちが田舎という環境にすっかり溶け込んでいるように見えるからです。実際には，彼女は 1866 年にロンドンで生まれました。

1083 警察は，逃走した殺人犯がまだ逃亡中だと発表した。どうやら，警察は彼が今どこにいるのか見当がつかないようだ。

1076 ③　1077 ②　1078 ④　1079 ③　1080 ②　1081 ③　1082 ②　1083 ①

1084 □□□ Before his job interview I tried my best to put my nervous brother at (　　　) by telling him jokes popular among my friends at school.

① ease　② last　③ length　④ sight　〈東京理科大〉

1085 □□□ He hasn't been absent from school all year. (　　　), he's never even been late.

① But　② In contrast　③ In fact　④ Therefore　〈京都産業大〉

1086 □□□ Let me tell you briefly what happened when the earthquake struck the east coast of Honshu.

① in detail　② in turn　③ in effect　④ in short　〈東京理科大〉

1087 □□□ (　　　), I like taking walks in the park in my free time.

① Especially　② Special　③ In particular　④ Particles

〈熊本県立大〉

1088 □□□ 取扱説明書が見当たらなくて途方にくれている。

I'm (　　　) for I cannot find the instruction manual.

① on a field　② in a box　③ at a loss　④ for a gain　〈東京理科大〉

1089 □□□ You shouldn't worry, because you have the best medical advice in the country (　　　) your disposal.

① at　② for　③ on　④ under　〈学習院大〉

1090 □□□ I agree with you (　　　), but there is yet room for improvement in this plan.

① in advance　② on duty　③ on purpose　④ to some extent

〈摂南大〉

1091 □□□ Mr. Yamada had to arrive at the airport before 6 o'clock at any (　　　).

① cost　② means　③ account　④ way　〈東邦大〉

1084 就職面接を前に緊張している弟をなんとか落ち着かせようと，私は学校の友達の間で流行っているジョークを話して聞かせた。
1085 彼は１年にわたって学校を欠席したことがない。実は，彼は遅刻したことさえ一度もない。
1086 本州の東岸を襲った地震で何が起こったのか手短に説明させてください。

1084. at ease「気楽に／安心して」

= relaxed

⇔ ill at ease「不安で／落ち着かない」

1085. in fact「実際に（は）」

= actually, in reality

Plus in fact は，本問のように「前言の補強」のほか「前言に反する内容」を導く場合がある。

1086. in short「（一言でまとめて）要するに」

1087. in particular「特に／とりわけ」

= especially / particularly

✕ ① Especially は通例修飾する語句の直前（主語の場合は直後）に置き，本問のような文修飾の用法はない。

1088. at a loss「困って／途方に暮れて」

○ 本問の for は「というのも，…」と理由を表す等位接続詞。for 以下の内容と合う③ at a loss を選ぶ。

1089. at A's disposal / at the disposal of A「A の自由になる」

1090. to some extent「ある程度は」

= partly

Plus to と extent は一緒に押さえておきたい。先行詞 **extent** の後に「前置詞＋関係代名詞」の **to which** が続く問題もよく出る。

1091. at any cost[price]「どんな犠牲を払っても／どんなことがあっても」

= at all costs

3 イディオム

1087　特に，私は空いた時間に公園を散歩するのが好きです。
1089　あなたは心配しないでください。国内で最高の医学的アドバイスを自由に受けられますから。
1090　私はある程度あなたに同意しますが，この計画にはまだ改善の余地があります。
1091　山田さんは，どんなことがあっても6時前に空港に到着しなければならなかった。

1084 ①　1085 ③　1086 ④　1087 ③　1088 ③　1089 ①　1090 ④　1091 ①

1092 □□□
A : Will you let me go with you?
B : (　　　　)
① Me too.　② By all means.
③ Not at all.　④ Help yourself to more.　〈東邦大〉

1093 □□□
We have to move that big fallen tree off the road. It's really (　　　　) the way.
① along　② by　③ in　④ on　〈山梨大〉

1094 □□□
The butterfly he had been looking for was close, but (　　　　) reach.
① open　② inside　③ full　④ out of　〈福岡大〉

1095 □□□
I can't believe that the computer I bought just three years ago is already considered out of (　　　　).
① capability　② time　③ date　④ course　〈獨協大〉

1096 □□□
The party got out of (　　　　), so the neighbors called the police.
① hand　② foot　③ back　④ face　〈法政大〉

1097 □□□
His explanation about the need for change was <u>to the point</u>.
① sharp　② compact　③ essential　④ direct　〈日本大〉

1098 □□□
Past developmental initiatives were put into effect <u>by degrees</u>.
① little by little　② so on and so forth
③ as much as　④ on and off　〈駒澤大〉

1099 □□□
考え直して出かけることにしました。
On second (　　　　), I decided to go out.
① mind　② view　③ thought　④ opinion　〈東京理科大〉

1100 □□□
<u>As far as I'm concerned</u>, the new project can start without delay.
① In my opinion　② Without my knowledge
③ Beyond my belief　④ With all my heart　〈東海大〉

1092 A：あなたと一緒に行ってもいいですか。
B：ぜひどうぞ。
1093 私たちは，その大きな倒木を道路の外に移動しなければなりません。とても邪魔になっています。
1094 彼が探していたチョウは近くにいたが，手は届かなかった。
1095 わずか3年前に購入したコンピューターが，もう旧式だと見なされているなんて信じられない。

1092. by all means「必ず／ぜひとも」

Plus by no means「決して…ない」(→ TARGET 44) との区別に注意。

1093. in the way (of A)「(A の) 邪魔になって」

= in **A**'s way

1094. out of reach (of A)「(A の) 手の届かないところに」

⇔ within reach (of A)「(A の) 手の届くところに」

1095. out of date「時代遅れの／旧式の」

= old-fashioned, outdated

1096. out of hand「(状況などが) 手に負えない／収拾がつかない」

1097. to the point「(説明などが) 要領を得た」

⇔ beside[off] the point「的外れで」

○ 同意語は④ direct。

1098. little by little「少しずつ／徐々に」

= gradually, by degrees

○ 同意表現は① little by little。

1099. on second thought(s)「考え直して (やっぱり…する)」

1100. in A's opinion「A の意見では」

= as far as **A** is concerned →416

○ 同意表現は① In my opinion。

✕ ④ With all my heart は「心から」の意味。

1096 そのパーティーは収拾がつかなくなったので，近所の住民たちが警察に通報した。
1097 変化の必要性についての彼の説明は要領を得ていた。
1098 過去の開発構想が少しずつ実行に移された。
1100 私の意見では，その新プロジェクトは滞りなく開始できると思います。

1092 ②　1093 ③　1094 ④　1095 ③　1096 ①　1097 ④　1098 ①　1099 ③　1100 ①

1101 □□□ What she said was true <u>in a way</u>.
① for sure ② in a sense ③ in itself ④ of course 〈日本大〉

1102 □□□ He had promised to give the money back, but in the (　　　) he didn't.
① end ② final ③ future ④ last 〈学習院大〉

1103 □□□ She never considers others. In (　　　) words, she is selfish.
① all ② any ③ other ④ every 〈畿央大〉

1104 □□□ I thought she would be happy with the result of the exam, but, (　　　) the contrary, she was disappointed.
① at ② of ③ on ④ in 〈国士舘大〉

1105 □□□ I have nothing to say (　　　).
① by contrary ② to the contrary
③ for the contrary ④ contrary 〈関西学院大〉

1106 □□□ <u>Incidentally</u>, what does "UNESCO" stand for?
① Of course ② In truth ③ At last ④ By the way 〈関西外大〉

1107 □□□ サッカーをして2時間ほど経ったとき，突然大きな音が聞こえた。
We had been playing football for about two hours when all of a (　　　) we heard a big noise.
① happen ② delay ③ rush ④ sudden 〈國學院大〉

1108 □□□ I have been busy these days, as a matter (　　　) fact.
① about ② in ③ of ④ to 〈専修大〉

1109 □□□ On one hand, my school is famous for its long history. (　　　), yours is famous for its modern equipment.
① On the other hand ② On other hand
③ On one more hand ④ On another hand 〈東京農業大〉

1110 □□□ This TV program is harmful from an educational point of (　　　). We should not let children see it.
① ground ② opinions ③ view ④ effect 〈広島修道大〉

1101 彼女の言ったことは，ある意味では真実だった。
1102 彼はお金を返すと約束していたが，結局は返さなかった。
1103 彼女はまったく他人のことは考えない。言い換えれば，彼女は利己的なのだ。

1101. in a[one] sense「ある意味では」

○ in a way の同意表現は② in a sense。
①，③，④はそれぞれ **for sure**「確かに」，**in itself**「それ自体」，**of course**「もちろん」。

1102. in the end「（いろいろやって）最終的に／結局は」
= at last

1103. in other words「言い換えれば／つまり」

1104. on[to] the contrary「（発言などを否定して）それどころか」

1105. to the contrary「（修飾する語句の後で）それとは反対の」

○ to the contrary が nothing to say を修飾している。

1106. by the way「（話題を変えて）ところで」
= incidentally

○ Incidentally の同意表現は④ By the way。

1107. all of a sudden「突然／不意に」
= suddenly, all at once / out of the blue → 1060

1108. as a matter of fact「実際は／実は」
= actually, in fact

1109. on the other hand「他方で／その一方で」

○ **on (the) one hand ... on the other (hand)** 〜は，2 つの異なる事柄や視点などを対比して述べるときに用いる表現。**on the other hand** だけが使われることも多い。

1110. from a ... point of view「…の視点［観点／立場］から」
= from a ... viewpoint[standpoint]

3 イディオム

1104　私は彼女がその試験の結果に満足するだろうと思ったが，それどころかがっかりしていた。
1105　私には反論することがありません。
1106　ところで，「ユネスコ」とは何の略ですか。
1108　実は，このところずっと私は忙しいのです。
1109　一方では，私の学校はその長い歴史で有名です。他方，あなたの学校は最新の設備で有名です。
1110　このテレビ番組は教育という観点から見て有害です。子どもたちに見させるべきではありません。

1101 ②　1102 ①　1103 ③　1104 ③　1105 ②　1106 ④　1107 ④　1108 ③　1109 ①
1110 ③

第24章 群前置詞

KEY POINT ▷180

1111 □□□ (　　　) to the weather forecast, it is going to rain tonight.
① Due　② Thanks　③ Owing　④ According　〈杏林大〉

1112 □□□ A：My parents are always treating me like a child.
B：Don't get angry (　　　) that. That's the way parents are.
① just as　② just because of　③ just by　④ just since　〈玉川大〉

1113 □□□ I really admire Tim. (　　　) being a good student, he is also an outstanding athlete.
① Although　② Since　③ Not only　④ In addition to　〈南山大〉

1114 □□□ Mariko went to school (　　　) the pain in her leg.
① far from　② as to　③ owing to　④ in spite of　〈名城大〉

1115 □□□ They gave us some food as (　　　) as something to drink.
① also　② good　③ nice　④ well　〈宮崎大〉

1116 □□□ In (　　　) of what we know about protecting personal privacy, every school should be able to tell you what steps they are taking to protect their children's privacy.
① comparison　② competition　③ despite　④ light　〈関西学院大〉

1117 □□□ He moved to the seaside (　　　) his daughter's health.
① at the mercy of　② by way of
③ for the sake of　④ in place of　〈東海大〉

1111 天気予報によると，今夜は雨が降ることになっている。
1112 A: 両親はいつも私を子ども扱いしているんです。
B: 単にそれだけの理由で腹を立ててはいけないよ。それが親というものなんだから。
1113 私はティムをとても尊敬します。優秀な生徒であることに加え，彼は優れたスポーツマンでもあるんです。
1114 マリコは脚に痛みがあったにもかかわらず，学校に行った。
1115 彼らは，私たちに飲み物だけでなく，食べ物も与えてくれた。
1116 個人のプライバシーを保護することについて私たちが知っていることの観点から，すべての学校は子どもたちのプライバシーを保護するためにどんな段階を踏んでいるのかをあなたに伝えることができなければならない。
1117 彼は娘の健康のために海辺へ引っ越した。

KEY POINT ▷ 180　　群前置詞

1111. according to A「A によれば」

Plus **according to A** は「A に従って」の意味でも用いられる。

1112. because of A「A の理由で」

= on account of **A** (→ 1118), owing to **A** (→ 1119), due to **A** → 1120

✕ ①の as や④の since も理由を表すことができるが，接続詞なので後ろは主語と動詞を含む文が続く。

Plus 理由を表す表現としてライティングで頻出の表現。

Plus **not ... just because S + V ～**「単に～だからといって…ではない」(→ 835)，**not ... just because of A**「ただ A だからといって…ない」も重要。

1113. in addition to A「A に加えて／A のほかに」

= besides **A**

Plus 追加を表す表現としてライティングで頻出の表現。

✕ ③ Not only は not only A but (also) B「A だけでなく B も」の形にする必要がある。

1114. in spite of A「A にもかかわらず」

= despite **A**, with (all) **A**, for all **A** → 1122

✕ ①，②，③はそれぞれ **far from A**「A から離れて／決して A ではなく」，**as to A**「A に関しては」，**owing to A**「A の理由で」。

1115. A as well as B「B と同様に A も／B だけでなく A も」→ TARGET 58

= not only **B** but (also) **A**

✕ ② good は不可。as good as + 形容詞・副詞・動詞で「…も同様」の意味。→ 963

1116. in (the) light of A「A の観点から／A を考慮して」

= considering **A**

Plus アメリカ英語では，通例 the が省略される。

1117. for the sake of A「A の（利益の）ために／A を目的として」

1111 ④　1112 ②　1113 ④　1114 ④　1115 ④　1116 ④　1117 ③

3 イディオム

1118 □□□ The train was delayed on ( ) of the severe weather.
① account ② behalf ③ result ④ principle 〈上智大〉

1119 □□□ ( ) that his argument was the most convincing, he has been chosen as a new member of the discussion group.
① Neither ② In case of ③ Owing to the fact ④ Frankly
〈北里大〉

1120 □□□ Our train was delayed ( ) to heavy snowfall.
① according ② as ③ due ④ in accordance 〈立教大〉

1121 □□□ My old friend bought the land ( ) building her house.
① in order to ② so as to ③ so that ④ with a view to
〈関西学院大〉

1122 □□□ For all his riches, he doesn't feel happy.
① In spite of ② Because of ③ Due to ④ In addition to
〈亜細亜大〉

1123 □□□ Mail carriers are expected to deliver the mail every day ( ) of the weather.
① instead ② regardless ③ nevertheless ④ despite 〈南山大〉

1124 □□□ ( ) what most people think, the bicycle was actually invented after the train.
① Contrarily ② Contrary to
③ Contrasted by ④ Contrasted with 〈慶應義塾大〉

1125 □□□ A：How did you find so much useful information?
B：It was easy ( ) the new library search system.
① because ② thanks to ③ in terms of ④ in the course of
〈法政大〉

1118 その列車は，悪天候のせいで遅延した。
1119 彼の主張が最も納得のいくものだったという事実のために，彼は討議グループの新メンバーに選ばれた。
1120 私たちの列車は，大雪のせいで遅延した。
1121 私の旧友は，自分の家を建てる目的でその土地を購入した。
1122 その財産にもかかわらず，彼は幸福だと感じていない。
1123 郵便集配人は，天候にかかわらず郵便を毎日，配達することになっている。

1118. on account of A「A の理由で／ A のために」 

= because of **A** (→ 1112), owing to **A** (→ 1119), due to **A** → 1120

✕ ②は **on behalf of A**「A の代わりに／ A を代表して」の意味。

1119. owing to A「A の理由で」 

= because of **A** (→ 1112), on account of **A** (→ 1118), due to **A** → 1120

Plus 堅い表現で日常会話ではあまり使われない。

Plus the fact that S + V ...「…という事実」の that は名詞節を導く接続詞で同格を表す。→ 389, TARGET 60

1120. due to A「A の理由で」→ 703

= because of **A** (→ 1112), owing to **A** (→ 1119), on account of **A** → 1118

Plus **be due to do**「…する予定である」の用法もある。

The class **is due to** start at 9 a.m.「その授業は午前 9 時に始まる予定だ」

1121. with a view to doing「…する目的で」

= for the purpose of doing → 1140

Plus to の後には動名詞がくることに注意。

✕ ① in order to, ② so as to の後は動詞の原形（→ 87）。③ so that の後は文がくる。→ 412

1122. for all A「A にもかかわらず」 

= despite **A**, with (all) **A**, in spite of **A** → 1114

○ 同意表現は① In spite of。

1123. regardless of A「A（のいかん）にかかわらず」 

= irrespective of **A**

1124. contrary to A「A とは逆に／ A に反して」 

1125. thanks to A「A のおかげで／ A のせいで」

= because of **A**

✕ ③, ④はそれぞれ in terms of A「A の観点から」, in the course of A「A の過程で」。

1124 たいていの人の考えに反して，自転車は実は列車の後に発明された。
1125 A：そんなに役立つ情報をどのようにして見つけたんですか。
B：新しい図書館検索システムのおかげで簡単でした。

1118 ①　1119 ③　1120 ③　1121 ④　1122 ①　1123 ②　1124 ②　1125 ②

1126 □□□ A : Mary has few close friends. (　　　) John, he is always surrounded by friends.
B : I'm sorry for her. What's the difference between the two?
① For the sake of　② By no means　③ In spite of　④ As for
〈専修大〉

1127 □□□ (　　　) from yourself, has anyone else passed the exam?
① Apart　② Except　③ Not　④ Without　〈青山学院大〉

1128 □□□ If you need to talk to Peter, now might be a good time because he is not doing anything (　　　) than reading a book.
① aside　② except　③ other　④ rather　〈慶應義塾大〉

1129 □□□ The social media site insists that it is (　　　) to you to decide how much you want others to see.
① up　② in　③ on　④ at　〈関西学院大〉

1130 □□□ I went to the kitchen <u>in search of</u> something to eat.
① to buy　② to share with　③ to look for　④ to prepare
〈東海大〉

1131 □□□ In (　　　) for filling out the survey, we will send you a coupon for 50% off your next purchase of furniture in this shop.
① all　② return　③ short　④ sum　〈中央大〉

1132 □□□ Ironically, Japanese people, (　　　) their love of scenic beauty, have done as much as any people to defile it.
① all the better because　② in spite　③ therefore　④ with all
〈杏林大〉

1126 A: メアリーには親しい友人がほとんどいません。ジョンはといえば，彼はいつも友だちに囲まれています。
B: 彼女がかわいそうだ。その２人の違いは何なのだろう？
1127 あなた自身に加えて，ほかに誰かその試験に合格しましたか。
1128 あなたがピーターと話をする必要があるのなら，今がいいチャンスかもしれません。彼は今，読書以外に何もしていないから。

1126. as for A「(文頭で) A について言えば」

Plus 類似表現の **as to A**「A については」(→ 1143) は，文頭以外でも用いることができる。

Plus as for の後は「人・物」いずれでもよいが，as to の後に「人」を置くことはできない。

✕ ①，②，③はそれぞれ **for the sake of A**「A のために」(→ 1117)，**by no means A**「決して A ではない」(→ 280, TARGET 44)，**in spite of A**「A にもかかわらず」(→ 1114)。

1127. apart from A「A は別にすると／A に加えて／A はさておき」

= except for **A**, aside from **A**

1128. other than A「A 以外の」

Plus S is not doing anything other than doing ... は，S is doing nothing other than doing ... と同意で「S は…すること以外何もしていない」の意味を表す。

Plus than につながるのは③ other と④ rather のみ。**rather than A** は「A よりむしろ…」の意味。

1129. (be) up to A「A（人）次第で／A（人）の責任で」

○ **It is up to A to do ... .**「…するのは A 次第だ」は重要表現。主語の it は，形式主語で to do ... を受ける。

1130. in search of A「A を探して」

○ 同意表現は③ to look for「…を探すために」。

Plus **search for A**「A を探す」と前置詞が異なるので注意。

1131. in return for A「A のお返しに」

Plus 単に **in return** だけで「お返しに」という意味になる。

1132. with all A「A にもかかわらず」

= for all **A** (→ 1122), in spite of **A** → 1114

3 イディオム

1129 そのソーシャルメディアサイトは，他人にどれくらい閲覧してほしいかを決めるのは，あなた次第だと主張している。

1130 私は，何か食べるものを探しにキッチンに行った。

1131 アンケートに記入していただくことの見返りとして，私たちは，お客様が次回この店で家具を購入する際に 5 割引となるクーポンをお送りします。

1132 皮肉なことに，日本人は風光の美を愛しているにもかかわらず，ほかのどの国民と同じくらいそれを損なうような行為をしてきた。

1126 ④　1127 ①　1128 ③　1129 ①　1130 ③　1131 ②　1132 ④

1133 □□□ Your company certainly proved eco-conscious when they introduced an argument ( ) solar energy.
① in the nature of ② in favor of
③ in reaction to ④ in the light of 〈上智大〉

1134 □□□ He always evaluates his students ( ) their effort.
① along with ② as long as
③ in comparison to ④ in terms of 〈立教大〉

1135 □□□ I have been in ( ) of financial affairs in this department since December.
① interest ② use ③ charge ④ terms 〈成城大〉

1136 □□□ I am writing ( ) my father who is now in the hospital.
① in charge of ② on behalf of
③ at the cost of ④ in terms of 〈中央大〉

1137 □□□ The dog started barking at the ( ) of the bear.
① landscape ② observation ③ scenery ④ sight 〈芝浦工業大〉

1138 □□□ The mayor announced that he would support the new architect at the ( ) of the other famous designer.
① expense ② voice ③ edge ④ amount 〈関西学院大〉

1139 □□□ We may as well read the textbook ( ) to his boring lectures.
① so as to listening ② that we may listen
③ instead of listening ④ than being listened 〈駒澤大〉

1140 □□□ I went to the department store <u>with a view to</u> buying a present for my friend.
① in spite of ② by way of
③ at the sight of ④ for the purpose of 〈名城大〉

1133 あなたの会社は，太陽エネルギーを支持する主張を表明したときに，環境に対する意識が高いことをはっきりと示しました。
1134 彼は，いつも自分の生徒を，彼らの払った努力という観点から評価する。
1135 私は 12 月から，この部署で財務を担当しています。

1133. in favor of A「A に賛成して／ A を支持して」 

= for **A**

⇔ against **A**, in opposition to **A**「A に反対して」

1134. in terms of A「A の（観）点から」 

✕ ①，②，③はそれぞれ **along with A**「A（人）と共に／ A（もの・こと）に加えて」，**as long as A**「A もの長い間」，**in comparison to A**「A と比べると」の意味。

1135. in charge of A「A の担当で／ A の責任を負って」

Plus be 動詞の後で補語的に使われることが多い表現。

1136. on[in] behalf of A「A の代理として／代表として」 

= on **A**'s behalf (→ 516), in place of **A** → 1148

✕ ①，③，④はそれぞれ **in charge of A**「A の担当で／責任を負って」(→ 1135)，**at the cost of A**「A を犠牲にして」，**in terms of A**「A の（観）点から」(→ 1134)。

1137. at the sight of A「A を見ると」

1138. at the expense of A「A を犠牲にして」

= at the cost of **A**

1139. instead of A / doing「A の[…する]代わりに／ A[…]しないで／ A[…するの]ではなくて」

= in place of **A** → 1148

○ 空所の前の may as well read the textbook「教科書を読んだ方がよさそうだ」に着目して，③ instead of listening を選ぶ。**may as well do ...**「…してもいいだろう／…する方がいいだろう」は，問題 69，**TARGET 13** 参照。

1140. for the purpose of doing「…する目的で」

= in order[so as] to do, with a view to doing → 87, 1121

1136 私は，今入院している父に代わってこれを書いています。
1137 そのイヌは，クマの姿を見て吠えだした。
1138 市長は，別の有名な設計技師を差しおいて，その新参の建築家を支持すると表明した。
1139 私たちは，彼の退屈な講義を聞くよりも，教科書を読んだ方がよさそうだ。
1140 私は，友だちへのプレゼントを買う目的でデパートへ行った。

1133 ②　**1134** ④　**1135** ③　**1136** ②　**1137** ④　**1138** ①　**1139** ③　**1140** ④

1141 □□□ I'm very thankful ( ) the person who brought my wallet, which I lost last night, to the police station.
① with ② by ③ to ④ in 〈東京薬科大〉

1142 □□□ What do you have to say in ( ) to this matter?
① think ② regard ③ short ④ concern 〈青山学院大〉

1143 □□□ If you have any suggestions as ( ) how I can do better, please share them.
① if ② in ③ to ④ with 〈慶應義塾大〉

1144 □□□ The driver's injuries were not serious in ( ) with those suffered by his passenger.
① compete ② competition ③ compare ④ comparison 〈専修大〉

1145 □□□ She won her position by ( ) of hard work.
① effort ② agency ③ virtue ④ lack 〈西南学院大〉

1146 □□□ My American friend came to Tokyo ( ) way of Seoul.
① by ② on ③ in ④ through 〈芝浦工業大〉

1147 □□□ The chairperson named the charity in honor ( ) her youngest son.
① after ② of ③ over ④ for 〈法政大〉

1148 □□□ She went to his home <u>on behalf of</u> her mother.
① in honor of ② in favor of ③ in spite of ④ in place of 〈国士舘大〉

1141 昨日落とした財布を警察署に届けてくれた人に，私はとても感謝している。
1142 あなたは，この件に関して何か言いたいことはありますか。
1143 どうすれば私がもっと上手にできるのかについてご提案があれば，それを話してください。
1144 その運転手のけがは，同乗者のけがに比べれば深刻なものではなかった。
1145 彼女は大変な努力のおかげで，その地位を勝ち取った。
1146 私のアメリカ人の友人は，ソウル経由で東京にやって来た。
1147 会長は自分の末息子にちなんで，その慈善団体を命名した。
1148 彼女は，彼女の母親の代わりに彼の家に行った。

1141. be thankful to A「A に感謝している」

= be grateful[obliged] to **A** → 982

Plus 類似表現の **thank A for B**「A に B のことで感謝する」(→ 557), **thanks to A**「A のおかげで」(→ 1125）も重要。

1142. in[with] regard to A「A に関して／ A に関係して」

= in relation to **A**

1143. as to A「A に関して／ A について」

= about **A**, concerning **A**

1144. in[by] comparison with[to] A「A と比べて」

1145. by virtue of A「A のおかげで／ A の理由で」

= because of **A**

1146. by way of A「A を経由して」

= via **A**

1147. in honor of A / in A's honor「A に敬意を表して／ A を記念して」

1148. in place of A「A の代わりに」

= on behalf of **A**, instead of **A** → 1136, 1139

○ 同意表現は④ in place of。

3 イディオム

1141 ③　**1142** ②　**1143** ③　**1144** ④　**1145** ③　**1146** ①　**1147** ②　**1148** ④

1149 □□□ I am traveling now and may not be able to reply to your email immediately. (　　　) emergency, please call my mobile phone.

① In case of　② While　③ On　④ For　〈中央大〉

1150 □□□ The lost ship drifted at the (　　　) of the wind and waves.

① mankind　② mental　③ merchandise　④ mercy　〈駒澤大〉

1151 □□□ The thief ran away (　　　) the direction of the beach.

① at　② for　③ in　④ on　〈立命館大〉

1152 □□□ (　　　) of an emergency, please proceed calmly to the nearest exit.

① At the event　② At the place

③ In the event　④ In the place　〈日本女子大〉

1153 □□□ She would not play soccer in the rain for (　　　) of catching a cold.

① anxiety　② fear　③ fright　④ worry　〈学習院大〉

1149 私は現在旅行中のため，あなたのメールにすぐには返信できないかもしれません。緊急の用件の場合は，私の携帯電話に連絡してください。

1150 その難破船は，風と波のなすがままに漂流した。

1151 その泥棒は，浜辺の方に向かって逃走した。

1152 緊急事態の場合は，落ち着いて最寄りの出口までお進みください。

1153 彼女は風邪をひくのを恐れて，雨の中でサッカーをしようとはしなかった。

1149. in case of A「A（事故など）の場合は／ A が起こったら」

= in the event of **A** → 1152

1150. at the mercy of A / at A's mercy「A のなすがままに」

1151. in the direction of A / in A's direction「A の方（角）へ」

Plus ✕ to the direction of A とする誤りが多い。前置詞 to の後には到達点がくるが, direction「方向」は到達点ではない。

1152. in the event of A「A の場合には」

= in case of **A** → 1149

1153. for fear of A / doing「A［…すること］を恐れて」

1149 ①　1150 ④　1151 ③　1152 ③　1153 ②

PART 4
会話表現

Bright Stage

KEY POINT ▷ 181

1154 □□□
A：(　　　　)?
B：I work for a bank.
① What do you do
② Why don't you do that
③ What do you think about that
④ How long have you been here

1155 □□□
A：Is it possible for you to help me prepare for the presentation?
B：(　　　　). But I have to write this report.
① It's my pleasure　② I'd love to
③ I wish I could　④ It's none of your business

1156 □□□
A：I've read your essay, but it's difficult to understand your main point.
B：(　　　　)? Should I add more explanations?
① How important is it　② Can you understand that
③ What do you mean　④ When will you read my essay

1157 □□□
A：Do you know that Bill and Mary are going to get married?
B：(　　　　). So it's not surprising to me.
① I will reach a conclusion　② That's beside the point
③ I don't have any information　④ I heard that before

1154 A：どのようなお仕事をされているのですか。
B：銀行で働いています。
1155 A：私がプレゼンテーションの準備をするのを手伝ってもらえますか。
B：そうできればよいのですが。でも，私はこの報告書を書かなければならないんです。
1156 A：私はあなたの論文を読みましたが，その要点は理解しにくいです。
B：どういうことですか。私はもっと説明を加えるべきでしょうか。
1157 A：ビルとメアリーが結婚するって知ってますか。
B：それなら前に聞きました。ですから，私には驚きではありません。

KEY POINT ▷ 181　日常生活

1154. What do you do (for a living)?  

「どのようなお仕事についているのですか」

○ 相手に職業を尋ねる① What do you do を選ぶ。現在形は習慣を表すので，毎日習慣的にしていること，すなわち仕事を尋ねる表現になる。

1155. I wish I could.「できればよいのですが」→ 236  

○ 空所に続く文から，手伝うことができないことを読み取り，③ I wish I could を選ぶ。wish は仮定法を導くので，「実際はできない」という意味が含まれている。

✕ ①，②，④はそれぞれ **It's my pleasure.**「どういたしまして」，**I'd love to.**「喜んで」，**It's none of your business.**「あなたには関係のないことです」の意味。

1156. What do you mean?「どういう意味ですか」  

○ 空所の後で「もっと説明を加えるべきか」と尋ねているので，相手の言っていることがわからない場合や苛立ちを示す③ What do you mean を選ぶ。

1157. I heard that before.「以前それについて聞きました」  

○ 空所の後で「ですから，私には驚きではありません」と述べているので，④ I heard that before を選ぶ。

✕ ②の **That's beside the point.** は「それは的外れです」の意味。

Plus 本問のように単独で過去形や現在完了形とともに用いられる before は，「今より以前に」の意味を表す。→ 641

1154 ①　1155 ③　1156 ③　1157 ④

KEY POINT ▷182

1158 □□□
A : It's $36.55 in total.
B : (   ). Do you have change for $100?
① Here you are ② Same here ③ Not at all ④ It depends

1159 □□□
A : (   )?
B : Thank you. I'm looking for a brand-name bag.
① May I help you ② Can you help me
③ Shall we help anyone ④ Would you like to help me

1160 □□□
A : May I help you?
B : I'm just (   ). Thank you.
① catching ② buying ③ looking ④ serving

1161 □□□
A : (   )?
B : I think it goes well with your jacket.
① How do you like this shirt
② Which shirt would you like
③ What kind of shirt do you have
④ When will you buy this shirt

1162 □□□
A : You (   ) great in that jacket.
B : Thank you. I bought this yesterday.
① see ② look ③ sound ④ hear

1158 A : 合計で 36 ドル 55 セントです。
B : はい，こちらで。100 ドルでお釣りは出せますか。
1159 A : お伺いいたしましょうか。
B : ありがとう。有名ブランドのバッグを探しているんです。
1160 A : お伺いいたしましょうか。
B : ちょっと見ているだけです。ありがとう。
1161 A : このシャツはどう？
B : 君のジャケットによく合うと思うよ。
1162 A : あなたはそのジャケットがとてもよく似合いますね。
B : ありがとう。昨日これを買ったんです。

KEY POINT ▷ 182　　買い物

1158. Here you are.「さあどうぞ」

✕ ②，③，④はそれぞれ **Same here**「こちらにも同じものをお願いします」，**Not at all**「まったく気にしません／どういたしまして」，**It depends**「場合によります」の意味。

1159. May[Can] I help you?「いらっしゃいませ／何にいたしましょうか」
= What can I do for you?

Plus 店員が客に対して用いる表現。

✕ ②，③，④はそれぞれ **Can you help me?**「私を手伝ってくれませんか」，**Shall we help anyone?**「（一緒に）誰かを手伝いませんか」，**Would you like to help me?**「私を手伝いたいですか」の意味。

1160. I'm just looking.「ちょっと見ているだけです」

Plus **I'm just looking.** は，**May[Can] I help you?** と店員から尋ねられた際に答える頻出の表現。

1161. How do you like A?「（意見・判断を求めて）A はどうですか」

Plus yes, no で答える Do you like A? に比べて，**How do you like A?** は感想を尋ねるときに用いられ，気軽なニュアンスが感じられる表現。

1162. look great in A「A がよく似合っている」

○ A がジャケットについて褒め，B がお礼を言っている場面だと考えられるので，② look が正解。

Plus **look** + 形容詞「…に見える」（→ TARGET 78）と，**look at A**（名詞）「A を見る」の違いに注意。

1158 ①　1159 ①　1160 ③　1161 ①　1162 ②

1163 □□□
A：It's $50.10 in total.
B：I'm short of cash. (　　　　)?
① Can I use a credit card　② Can you make change
③ Do you mind my paying in cash　④ Do you have the receipt

KEY POINT ▷183

1164 □□□
A：(　　　　). Please order anything you want.
B：Really? Thank you so much.
① It's on me　② You've had enough
③ Let's call it a night　④ Check please

1165 □□□
A：Would you like some more cake?
B：Thank you, but (　　　　).
① I'd like another piece of cake　② I'm full
③ I feel like eating cake　④ I really enjoyed eating this

1166 □□□
A：I'll pay for this.
B：No, let's (　　　　) the bill.
① divide　② order　③ split　④ collect

1167 □□□
A：Excuse me. I've been waiting for more than 30 minutes, but (　　　　).
B：I'm sorry. I'll go and check it now.
① I've just received my order　② my order hasn't come yet
③ I haven't eaten my dish　④ I canceled my order

1163 A：合計で 50 ドル 10 セントです。
B：現金が足りません。クレジットカードは使えますか。
1164 A：それは私が払います。欲しいものは何でも注文してください。
B：本当に？　どうもありがとう。
1165 A：もう少しケーキをいかがですか。
B：ありがとう，でも満腹なんです。
1166 A：これは私が払います。
B：いいえ，割り勘にしましょう。
1167 A：すみません。私は 30 分以上待っているんですが，注文した料理がまだ来ていません。
B：申し訳ありません。今すぐ確認してきます。

1163. Can I use a credit card?「クレジットカードは使えますか」  

○ 空所の前の文の「現金が足りません」という発言に続くものとして自然なのは，① Can I use a credit card となる。

KEY POINT ▷ 183　レストラン

1164. It's on me.「私のおごりです」 

= It's my treat.

○ 空所の後の文の「欲しいものは何でも注文してください」という発言と，B がお礼を言っている点に着目し，空所には① It's on me「私のおごりです」が入る。

✕ ③，④はそれぞれ **Let's call it a night**「今夜はこれでお開きにしよう」，**Check please**「勘定をお願いします」の意味。

1165. I'm full.「お腹がいっぱいです」 

= I've had enough[plenty / lots].

○ 満腹であることを示し，相手の提案を断る② I'm full「お腹がいっぱいです」を選ぶ。

1166. Let's[We'll] split the bill.「割り勘にしよう」  

Plus **split** は「（費用・利益など）を分け合う」の意味。

1167. A's order hasn't come yet.「A の注文がまだ来ていません」  

○ B の「今すぐ確認してきます」という発言に着目し，注文したものが来ていないことを表す② my order hasn't come yet を選ぶ。

1163 ①　1164 ①　1165 ②　1166 ③　1167 ②

KEY POINT ▷184

1168 □□□
A : Why are you against the plan?
B : It costs too much. (　　　　), it is unrealistic.
① For example ② Because of ③ In addition ④ Otherwise

1169 □□□
A : Has the number of elderly people been increasing in Japan?
B : Yes. (　　　　), the birthrate has been declining.
① Fortunately ② Likewise ③ At the same time ④ In fact

1170 □□□
A : I think the goal is too difficult for us.
B : (　　　　), we can achieve it.
① In my view ② For my point
③ To my regret ④ As my mind

1171 □□□
A : What can we do to protect the environment?
B : There're a lot of things we can do. (　　　　), we can reduce the use of air conditioning.
① For example ② In other words ③ In contrast ④ Such as

KEY POINT ▷185

1172 □□□
A : How often does the bus come?
B : It comes (　　　　) ten minutes or so.
① for ② any ③ in ④ every

1168 A : あなたはなぜその計画に反対なのですか。
B : コストがかかりすぎます。それに加えて，非現実的だからです。
1169 A : 日本では高齢者の数は増えてきていますか。
B : はい。それと同時に，出生率は低下してきています。
1170 A : 私たちにとって，その目標は難しすぎると思います。
B : 私の考えだと，私たちはそれを達成できます。
1171 A : 環境を保護するために，私たちに何ができますか。
B : できることはたくさんあります。例えば，エアコンの使用を減らすことができます。
1172 A : バスはどれくらいの頻度でやって来ますか。
B : だいたい 10 分おきに来ます。

KEY POINT ▷ 184　スピーチ・ディベート

1168. in addition「加えて」

○ 空所の前後が「コストがかかりすぎる」と「非現実的である」といずれも否定的な要素が並んでいるので，追加を表す③ In addition を選ぶ。→ 660

1169. at the same time「同時に」

○ 文意から，前後の内容が同時に起こっていることを表す③ At the same time を選ぶ。

✕ ①，②，④はそれぞれ **fortunately**「幸運にも／ありがたいことに」，**likewise**「同様に」，**in fact**「実際」。

1170. in A's view「A の意見では」

○ 文意から自分の考えを述べる① In my view を選ぶ。

1171. for example「例えば」→ TARGET 110

○ 空所の前の a lot of things we can do「私たちができる多くのこと」の具体例が空所の後に続くので，① For example を選ぶ。

✕ ④ Such as は不可。**B such as A**「A のような B」という形で用いる。

KEY POINT ▷ 185　交通・道案内・旅行

1172. every A minutes「A 分おきに」

○ **How often** は頻度を尋ねる表現（→ TARGET 37）なので，④ every ten minutes「10 分おきに」が正解。

Plus 通常，**every** の後には単数名詞がくるが，この表現では複数名詞がくる点に注意する。→ 327

✕ ① for は不可。for ten minutes は「10 分間」という意味で，時間の長さを表す。

4 会話表現

1168 ③　1169 ③　1170 ①　1171 ①　1172 ④

1173 □□□
A：The flight for New York might be canceled because of the bad weather.
B：(　　　　), I'll go there by train.
① If any　② In that case　③ Without fail　④ By any chance

1174 □□□
A：Excuse me. (　　　　) to the station?
B：I'm sorry. I'm a stranger here.
① Can you teach me the way
② Should you teach me how to go
③ Could you tell me how to get
④ May I tell you the way

1175 □□□
A：I'm afraid we've gotten lost.
B：Let (　　　　) the map.
① me check　② me make　③ you see　④ you take

1176 □□□
A：It looks like we're stuck in traffic.
B：Unless we get out of this traffic jam now, we can't (　　　　) the meeting.
① take it to　② make it to　③ get it in　④ give it on

KEY POINT ▷186

1177 □□□
A：Jim has been absent from school since last week.
B：(　　　　)? I have made phone calls, but I can't contact him.
① Why is he sick
② What is wrong with him
③ When did he get back to school
④ How long has he been absent

1173 A：悪天候のため，ニューヨーク行きの便はキャンセルされるかもしれません。
B：その場合，私は電車でそこに行きます。
1174 A：すみません。駅への行き方を教えていただけますか。
B：申し訳ありません。私はこのあたりは初めてなんです。
1175 A：僕たちは道に迷ったんじゃないかな。
B：地図を確認してみます。
1176 A：私たち，渋滞にはまってしまったようですね。
B：今すぐこの交通渋滞から抜け出さないと，会議に間に合わないね。
1177 A：ジムは先週からずっと欠席しています。
B：彼はどうしたのかな。何度か電話をかけたけど，連絡がつかないんです。

1173. in that case「その場合は／そういうことなら」

○ 前後の文意から，「そういうことなら」という意味の② In that case を選ぶ。

✕ ①，③，④はそれぞれ **if any**「もしあれば」(→ 291)，**without fail**「(いつも決まって行うことについて）必ず」，**by any chance**「(人に丁寧に尋ねる表現として）ひょっとして」の意味。

1174. Could you tell me how to get to A?
「A への行き方を教えていただけますか」

○ B が「このあたりは初めてなんです」と答えているので，A は道を尋ねたと考えることができる。そこで，③ Could you tell me how to get を選ぶ。

✕ ①，②の teach は「(学問など専門的知識）を教える」の意味。

1175. Let me check ... .「…を確認させてください」

Plus **let A do** で「(本人の望み通りに）A に…させてやる」の意味を表す。(→ 495, TARGET 74)

Plus **check the map** で「地図を確認する」の意味。

1176. make it to A「A に間に合う」

○ 空所の前の「交通渋滞から抜け出さないと」という内容に，we can't make it to the meeting「会議に間に合わない」という文を続けると自然な流れになる。したがって② make it to を選ぶ。

Plus **make it** は頻出表現。本問の「間に合う」の意味に加え，「出席する／都合をつける／成功する」の意味がある。

I can't **make it** next Monday.（次の月曜日は都合がつきません）

I couldn't **make it** in business.（私はビジネスで成功できなかった）

4 会話表現

KEY POINT ▷ 186　健康・医療

1177. What is[What's] wrong (with A)?「(A は）どうしたの？」
＝ What happened (to A)?, What's the matter (with A)?

○ 先週から学校を欠席している Jim を心配している文意を考え，② What's wrong with him を選ぶ。

1173 ②　1174 ③　1175 ①　1176 ②　1177 ②

1178 □□□
A：Are you OK? You look pale.
B：I'm fine, thanks. Before a presentation, I sometimes (　　　).
① ache my stomach　② have a pain in my stomach
③ gain a pain on my stomach　④ pain my stomach

1179 □□□
A：I feel cold, and have a headache.
B：That's too bad. Have you (　　　) your temperature?
A：No, not yet.
① taken　② felt　③ judged　④ seen

KEY POINT ▷ 187

1180 □□□
A：May I speak to Mr. Sato?
B：I'm afraid there is no one by that name. (　　　).
① You are the wrong person
② You have to call back later
③ You must have the wrong number
④ You need to make an appointment first

1181 □□□
A：ABC Company. How may I help you?
B：This is Tanaka from XYZ Company (　　　). May I talk to Mr. Smith?
① listening　② telling　③ speaking　④ saying

1178 A：大丈夫ですか。顔色が悪いですよ。
B：問題ないです，ありがとう。プレゼンテーションの前になると，ときどきお腹が痛くなるんです。
1179 A：寒気がして，頭痛もします。
B：それはいけませんね。体温は測りましたか。
A：いえ，まだです。
1180 A：佐藤さんとお話ししたいのですが。
B：申し訳ありませんが，そのような名前の人はおりません。あなたはきっと電話をかけ間違えたのでしょう。
1181 A：ABC 社です。どのようなご用件でしょうか。
B：XYZ 社の田中です。スミスさんをお願いできますか。

1178. have a pain in A's stomach「お腹が痛む」  

= have a stomachache

Plus 前置詞の in に注意したい重要表現。

1179. Have you taken your temperature?「体温を測りましたか」 

○ 空所には① taken を選び，**take A's temperature**「熱を測る」という表現にする。

KEY POINT ▷ 187

電話 

1180. You must have the wrong number.「電話番号をお間違えです」 

Plus 本問の **must** は「…しなければならない」ではなく，「…に違いない」の意味。→ 43, TARGET 9

1181. This is A speaking.「こちらは A です」 

Plus 電話口で自分の名前を名乗る場合に用いる定型表現。**May[Can] I talk[speak] to A?**「A さんをお願いできますか」も重要。

1178 ②　1179 ①　1180 ③　1181 ③

1182 □□□
A：I'm afraid he is out of the office right now. (　　　　)?
B：Thank you. That would be great.
① May I have him call you back
② Will you call him back again
③ Did you call this number
④ Who's calling, please

1183 □□□
A：Can I speak to Mrs. Kato?
B：Just a moment, please. I'll (　　　　) to her.
① make you over　② get you toward
③ let you in　④ put you through

KEY POINT ▷188

1184 □□□
A：When is it convenient for you to attend the meeting?
B：(　　　　). You can decide.
① I'm too busy to attend it　② I'm available most days
③ I'm afraid not　④ I'm relieved to hear that

1185 □□□
A：Everyone seems to have gathered for the meeting.
B：OK. Let's (　　　　).
① get down to business　② get away from business
③ get up with everybody　④ get over the participants

1186 □□□
A：How long have you been doing your job?
B：I have been (　　　　) this for about three years.
① involved in　② searched for　③ turned to　④ shifted into

1182 A：申し訳ありませんが，彼はただいまオフィスにおりません。彼に折り返し電話をさせましょうか。
B：ありがとう。そうしていただけるとありがたいです。
1183 A：加藤さんはいらっしゃいますか。
B：少々お待ちください。彼女におつなぎします。
1184 A：あなたがその会議に出席するのに，いつなら都合がよいですか。
B：ほぼどの日でも時間がとれます。あなたが決めてよいですよ。
1185 A：全員が会議に集まったようです。
B：わかりました。では，本題に入りましょう。
1186 A：今の仕事には，どれくらい携わっているのですか。
B：私はこれに３年ほど関わっています。

1182. May I have A call you back?「A に折り返し電話をさせましょうか」  

Plus この **have** は使役動詞（→ 491）。**have A call** で「A に電話をさせる」の意味。

1183. I'll put you through to A.「あなたの電話を A におつなぎします」 

= I'll connect you with **A.**

Plus 電話を別の人にとりつぐときに用いられる定型表現。

KEY POINT ▷ 188　ビジネス

1184. I'm available most days.「ほぼどの日でも時間がとれます」 

○ 都合のよい日時を尋ねられた B が空所の後で「あなたが決めてよいですよ」と言っているので，② I'm available most days「ほぼどの日でも時間がとれます」が正解。

Plus 本問の **available** は「会う[来る]ことができる」の意味。

Plus **available** は「①入手できる，②利用できる，③会う［来る］ことができる」の 3 つの意味で押さえておこう。

1185. Let's get down to business.  

「さあ，本題に入ろう／仕事に取り掛かろう」

Plus 会議や仕事を始める前に用いる表現。**get down to business** のほかには **start to work, get (down) to work, get on the stick** などがある。

✕ ② get away from A は「A から逃れる」の意味。→ 864

1186. I have been involved in A.「A に関わってきました」  

✕ ②，③，④はそれぞれ能動態で表すと，**search for A**「A を探す」（→ TARGET 81），**turn to A**「A に頼る／ A の方を見る」，**shift into A**「A に転換する」。

1182 ①　1183 ④　1184 ②　1185 ①　1186 ①

KEY POINT ▷189

1187 □□□
A : How was your school trip?
B : I (　　　　) most of my time shopping and sightseeing.
① spent ② had ③ cost ④ took

1188 □□□
A : How was your weekend?
B : I enjoyed myself a lot. I (　　　　) with my old friends.
① enjoyed a good talk time ② enjoyed a time talking good
③ had a good time to talk ④ had a good time talking

1189 □□□
A : Did you see your cousin for the first time in years?
B : That's right. (　　　　), he was much taller than I was expecting.
① For my surprise ② For my surprising
③ To my surprise ④ To my surprising

1187 A：修学旅行はどうでしたか。
B：私は，ほとんどの時間を買い物と観光することで過ごしました。
1188 A：週末はどうでしたか。
B：とても楽しかったです。昔の友だちと話をして楽しい時間を過ごしました。
1189 A：あなたは，いとこに数年ぶりに会ったのですか。
B：そうなんです。驚いたことに，彼は私が思っていたよりもずっと背が高かったんです。

KEY POINT ▷ 189　情報（メール・手紙・インターネット・SNS）

1187. spend A (in) doing「…するのに A（時間・お金）を使う」→ TARGET 19  

○ 空所の後に時間を表す most of my time と動詞の ing 形が続いている。この形をとるのは spend のみ。

1188. have a good[great / big] time doing「…して楽しい時を過ごす」  

○ 週末の感想を聞かれているのに対して,「…して楽しい時を過ごした」と答える④ had a good time talking が正解。

1189. to A's surprise「A が驚いたことに」 

Plus「**to A's**＋感情を表す名詞」で「A が…したことに」という意味を表す。文頭で用いられることが多い。

1187 ①　1188 ④　1189 ③

KEY POINT ▷190

1190 □□□
A：(　　　　). What have you been doing?
B：I've been studying abroad.
① It's been a long time　② It's my fault
③ It sounds like a great idea　④ It's kind of you

1191 □□□
A：I'd better get going. Please (　　　　) to your family.
B：Sure. I will.
① say hello　② get my regard
③ be reminded　④ ask me anything

KEY POINT ▷191

1192 □□□
A：What do you want to eat for lunch?
B：(　　　　) going to the Italian restaurant near the station? It's so popular.
① How come　② How about
③ How are you　④ How long is it

1193 □□□
A：I think that's a good shirt for you. (　　　　) else?
B：No, that's all.
① Anything　② Everything　③ Something　④ Nothing

1190 A：久しぶりですね。どうしていましたか。
B：私は留学していたんです。
1191 A：もうおいとましなければなりません。ご家族の皆様によろしくお伝えください。
B：もちろん。そうします。
1192 A：ランチには何を食べたいですか。
B：駅の近くにあるイタリアンレストランに行くのはどうですか。そこはとても人気があるんです。
1193 A：それはお客様にお似合いのシャツだと思います。ほかにはよろしいですか。
B：はい，それだけです。

KEY POINT ▷ 190　あいさつ

1190. It's been a long time.「お久しぶりですね」

= I haven't seen you for[in] a long time.

= Long time no see.

Plus It's been は現在完了形 It has been の短縮形。

1191. say hello to A「A によろしく伝える」

= remember me to **A**, give my (best) regards to **A** → 678

✕ ③は Be reminded that S + V ... なら「…をご了承ください」の意味。

KEY POINT ▷ 191　提案・申し出

1192. How[What] about A / doing?

「A はいかがですか／…しませんか」

○ ランチに何が食べたいか尋ねる A に対する応答として，最も自然なのは，相手に提案する② How about を用いた文である。

Plus この doing は動名詞で前置詞の目的語。→ 108, 109

✕ ① **How come** は後に主語と述語動詞が続き，「どうして…なのか」の意味。→ 258

1193. Anything else?「ほかにはよろしいですか」

Plus 店員がほかに欲しいものがないか客に尋ねる表現。

1190 ①　1191 ①　1192 ②　1193 ①

1194 □□□
A : (　　　) something to drink?
B : Thank you. I'll have a glass of orange juice.
① Can I get you　② May I have
③ Would you give me　④ Shall I drink

KEY POINT ▷ 192

1195 □□□
A : I can help you after I finish this job.
B : (　　　). Please let me know when you have finished it.
① I'm so sorry to hear that　② I'll let you off this time
③ I have nothing to do today　④ I appreciate it

1196 □□□
A : I think I've finished my task.
B : (　　　). Without your help, I couldn't have finished it on time.
① Thank you for your time　② Don't mention it
③ It's a piece of cake　④ Don't work at a snail's pace

1197 □□□
A : Can you tell me a little more about the plan?
B : Thank you (　　　). I'll explain it in detail.
① asking　② to ask　③ for asking　④ ask me

1198 □□□
A : I would like to meet Mr. Suzuki.
B : Sorry, but he is (　　　).
① back just now　② out now
③ here for hours　④ there for some time

1194 A：あなたに何か飲み物を持ってきましょうか。
B：ありがとう。オレンジジュースをいただきます。
1195 A：この仕事を終えた後だったら，あなたを手伝うことができます。
B：それはありがたいです。それが終わったら知らせてください。
1196 A：私の担当の仕事は終わったと思います。
B：お時間をいただきありがとうございました。あなたの手助けがなかったら，私は時間通りにそれを終えられませんでした。
1197 A：その計画について，もう少し教えてもらえますか。
B：ご質問いただきありがとうございます。詳しく説明しましょう。
1198 A：鈴木さんとお会いしたいのですが。
B：申し訳ありませんが，彼はただいま外出中です。

1194. Can I get you A?「A を持ってきましょうか」

Plus この **get** は「…を持ってくる」の意味。bring と似ているが，bring は離れた場所にいる相手がこちらに持ってくるという意味。get は離れた場所に取りに行き，それを持ってくるという意味で，往復するイメージがある。

KEY POINT ▷ 192　感謝・謝罪

1195. I appreciate it.「感謝します／どうもありがとうございます」→ 558

○「この仕事が終わったら手伝うことができる」という申し出に対する応答として，感謝の言葉である④ I appreciate it を選ぶ。

1196. Thank you for your time.

「お時間をいただきありがとうございました」→ 557

Plus 空所の後の文の **without A**「A がなければ」は仮定法の表現。そのため，主節では助動詞の過去形 couldn't + have done という形が用いられている。

✕ ②，③，④はそれぞれ **Don't mention it**.「どういたしまして」，**It's a piece of cake**.「朝めし前です」，**Don't work at a snail's pace**.「のろのろとしたペースで仕事をしないでください」の意味。

1197. Thank you for doing ... .「…してくれてありがとう」→ 557

○ Thank you for の後に動名詞が続くように，③ for asking を選ぶ。

1198. Sorry, (but) A is out now[at the moment].

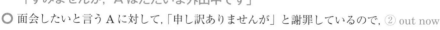

「すみませんが，A はただいま外出中です」

○ 面会したいと言う A に対して，「申し訳ありませんが」と謝罪しているので，② out now を選び，外出中であることを伝えると自然な流れになる。

1194 ①　1195 ④　1196 ①　1197 ③　1198 ②

KEY POINT ▷193

1199 □□□
A：Can I eat the last piece of cake?
B：(　　　　). I'm so full.
① No kidding ② Go ahead ③ Maybe not ④ I can't

1200 □□□
A：Why don't we go to see a movie next Sunday?
B：(　　　　)? I'm free this weekend.
① What for ② Like when ③ How could you ④ Why not

1201 □□□
A：(　　　　) make a hotel reservation.
B：Sure. I'll do that after lunch.
① I might ② I'd like to
③ I'd like you to ④ I hope you to

KEY POINT ▷194

1202 □□□
A：Are you for or against the plan?
B：I definitely (　　　　) to it.
① disagree ② deny ③ object ④ refuse

1203 □□□
A：Don't you think his speech was wonderful?
B：(　　　　) I wasn't very impressed by it. He could have done a better job, considering his skills.
① I'm afraid ② I feel good ③ As follows ④ It's fortunate

1199 A：最後に残ったケーキを食べてもいいですか。
B：どうぞ。私はとてもお腹いっぱいです。
1200 A：次の日曜日に映画を見に行きませんか。
B：いいですね。今週末は時間が空いています。
1201 A：ホテルの予約をしてもらいたいのですが。
B：わかりました。それはランチの後にいたします。
1202 A：あなたはその計画に賛成ですか，それとも反対ですか。
B：それには絶対反対です。
1203 A：彼のスピーチは，すばらしかったと思いませんか。
B：残念ながら，あまり感銘を受けませんでした。彼の能力を考えると，もっとうまくできたはずです。

KEY POINT ▷ 193　　許可・依頼

1199. Go ahead.「さあ，どうぞ」

Plus 命令文の形で許可を示す表現。

Plus 類似表現には **Certainly**. / **Sure**. / **All right**. / **Yes, of course**. などがある。

1200. Why not?「いいですとも」

○ **Why don't we ...?**「…しませんか」という誘いに同意する④ Why not が正解。

1201. I'd like you to do「あなたに…していただきたいのですが」

✕ ② I'd like to do「…したいです」との違いに注意。また，hope は後に「目的語＋ to do」の形をとることができないため，④は誤り。→ 499

KEY POINT ▷ 194　　賛成・反対

1202. object to A「A に反対です」→ 598

○ 空所の後の to につながるのは③ object のみ。

✕ ①，②，④はそれぞれ **disagree with A**「A に反対である」，**deny A**「A を否定する」，**refuse A**「A を断る／拒絶する」と使う。

1203. I'm afraid S + V ...「残念ながら…です」

○ 空所の後の「あまり感銘を受けなかった」という否定的な内容につながる① I'm afraid を選ぶ。

Plus **I'm afraid　S + V ...** の S + V の部分には否定的な内容がくる。

1199 ②　1200 ④　1201 ③　1202 ③　1203 ①

『TARGET』一覧

本体収録の『TARGET』(1～118)一覧です。何度も読んで
文法・語法情報の確認や復習に役立ててください。

● TARGET 1　現在時制が表すもの

1. 不変の真理　The earth goes around the sun.（地球は太陽のまわりを回る）
2. 現在の習慣　Jack plays tennis after class every day.（ジャックは毎日放課後にテニスをする）➔1
3. 現在の状態　I live in this town.（私はこの町に住んでいます）

● TARGET 2　原則として過去時制で用いる副詞表現

● yesterday「昨日」➔2　● ... ago「…前」● last ...「この間の…／昨…」
● then「その時に」● just now「今しがた／たった今」● When ...?「いつ…したか」
● when I was six years old「私が６歳のとき」などの過去を明示する副詞節など

● TARGET 3　原則として進行形にしない動詞

●知覚状態を表す動詞

see「…が見える」 hear「…が聞こえる」 feel「…を感じる」
smell「…のにおいがする」 taste「…の味がする」

●心理状態を表す動詞

like「…が好きである」 love「…を愛する」 hate「…を嫌う」 want「…が欲しい」
know「…を知っている」 understand「…を理解する」 believe「…を信じる」

●その他の状態を表す動詞

belong「所属する」(➔8) resemble「…に似ている」 depend「頼る」
need「…を必要とする」 include「…を含む」 contain「…を含む」
consist「成り立つ，ある」 exist「存在する」 have「…を持っている，所有している」
possess「…を所有している」

* have は「…を持っている」の意味では進行形にしないが，「…を食べる」の意味では進行形にできる。
* smell が「…のにおいをかぐ」の意味の場合，taste が「…の味見をする」の意味の場合は進行形にできる。
* listen，look，watch は進行形にできる。

TARGET 4　when 節と if 節の見分け ― 副詞節か名詞節かの区別

● when 節のケース

(1) 副詞節「…するとき」― when は時を表す副詞節を導く接続詞 → 18

when 節内が未来のことでも，現在形を用いる。

I'll call you when she comes home.（彼女が帰宅したら，あなたに電話します）

(2) 名詞節「いつ…するか」― when は名詞節を導く疑問副詞

when 節内が未来のことであれば，will を用いる。

I don't know when she will come home.（彼女がいつ帰宅するかわかりません）

S　V　O

● if 節のケース

(1) 副詞節「もし…すれば」― if は条件を表す副詞節を導く接続詞

if 節内が未来のことでも，現在形を用いる。

I'll stay home if it rains tomorrow.（明日雨が降れば私は家にいます）

(2) 名詞節「…するかどうか」― if は名詞節を導く接続詞（= whether）→ 19, 390

if 節内が未来のことであれば，will を用いる。通例，動詞や be sure の目的語で用いられる。

I don't know if it will rain tomorrow.（明日雨が降るかどうかわかりません）

S　V　O

TARGET 5　「…してから～（時間）になる」の表現

以下の英文は，伝わる内容はほぼ同意と考えてよい。

(1) It has been[is] three years *since* he died. → 20

(2) Three years have passed *since* he died.

(3) He died three years *ago*.

(4) He has been dead *for* three years.

*(1)～(3) は，ほかの「…してから～になる」の表現に一般化することが可能だが，(4) は die の形容詞 dead の場合のみ成り立つ表現。

TARGET 6 by 以外の前置詞と結びつく慣用表現

- be interested in A「A に興味がある」→ 33
  Paul is interested in astronomy.（ポールは天文学に興味がある）
- be covered with A「A に覆われている」
  The top of the desk was covered with dust.
  （その机の上は，ほこりで覆われていた）
- be caught in A「A（雨や交通渋滞など）にあう」→ 34
  We were caught in a traffic jam during rush hour on Friday.
  （私たちは金曜日のラッシュアワーで交通渋滞にあった）
- be satisfied with A「A に満足している」
  They were satisfied with their new house.（彼らは新しい家に満足していた）

TARGET 7 be known の後の前置詞句

- be known to A「A（人）に知られている」
  This song is known to all Japanese.
  （その歌はすべての日本人に知られている）
- be known for A「A で知られている」
  British people are known for their love of nature.
  （イギリス人は自然を愛することで知られている）
- be known as A「A として知られている」→ 35
  He is known as a jazz pianist.
  （彼はジャズピアニストとして知られている）
- be known by A「A で見分けられる」
  A tree is known by its fruit.
  （果実を見れば木の良し悪しがわかる = 人は行為によって判断される）

TARGET 8 「確信度」の順位

- 「話者の確信度」は must が一番高く，could が一番低い。（左から右へ「確信度」が下がる）
  must / will / would / ought to / should / can / may / might / could

* can は「理論上の可能性」。may は「単なる推量」で 50%の「確信度」。

TARGET 9 may / can / must

(1) may

①「…かもしれない」→ 42 ②「…してもよい」→ 45

③（否定文で）「…してはいけない」

④「S が…でありますように」（May ＋ S ＋ 原形 ...! の形で）

(2) can

①「…できる」 ②「…でありうる」 ③（疑問文で）「はたして…だろうか」

④（否定文で）「…のはずがない」→ 44 ⑤「…してもよい（= may)」→ 46

(3) must

①「…に違いない」→ 43（⇔ cannot「…のはずがない」）

②「…しなければならない」（⇔ don't have to / need not / don't need to「…する必要はない」）

③（否定文で）「…してはいけない」→ 47

TARGET 10 should do と ought to do → 52

(1) should do / ought to do ①「…すべきだ」 ②「当然…するはずだ」

(2) should not do / ought not to do「…すべきでない」

TARGET 11 「助動詞＋have done」の意味

(1) must have done「…したに違いない」→ 62

(2) can't[cannot / couldn't] have done「…したはずがない」→ 63

(3) could have done「…したかもしれない」

(4) may[might] have done「…したかもしれない」→ 64

(5) may[might] not have done「…しなかったかもしれない」

(6) needn't[need not] have done「…する必要はなかったのに（実際はした）」

(7) should have done / ought to have done
- ①「…すべきだったのに（実際はしなかった）」→ 65, 74
- ②「当然…した［している］はずだ」

(8) should not have done / ought not to have done 「…すべきではなかったのに（実際はした）」

(9) would like to have done / would have liked to do「…したかったのだが（実際はできなかった）」

● TARGET 12 後に「that ＋ S(＋should)＋原形」の形が続く動詞・形容詞

(1) 動詞

- insist「主張する」
- demand「要求する」→ 66
- require「要求する」
- request「懇願する」
- order「命令する」
- propose「提案する」
- suggest「提案する」
- recommend「勧める」 など

(2) 形容詞

- necessary「必要な」
- essential「不可欠な」
- important「重要な」
- right「正しい」
- desirable「望ましい」 など

*過去時制でも that 節中の「should ＋ 原形」または「原形」は変化しない。

● TARGET 13 助動詞を含む慣用表現

(1) cannot ... too ～＝ cannot ... enough ～「どんなに～しても…しすぎることはない」→ 67

(2) cannot help doing = cannot help but do

①「…せずにはいられない」→ 68，②「…するのは仕方ない」

(3) may well do ①「…するのも当然だ」，②「おそらく…するだろう」

① You may well complain about the treatment.
（あなたがその扱いに対して不平を言うのは当然だ）

② It may well rain tonight.
（おそらく今晩，雨が降るだろう）

(4) might[may] as well do ... as do ～「～するくらいなら…する方がよい／～するのは…するようなものだ」

We might as well walk home as try to catch a taxi here.
（ここでタクシーを拾おうとするくらいなら，歩いて家に帰った方がいい）

(5) might[may] as well do「…してもいいだろう／…する方がいいだろう」→ 69

● TARGET 14 疑問詞 ＋ to 不定詞の意味

- how to do「…する方法［仕方］，どのように…すべきか」→ 85
- where to do「どこに［で／に］…すべきか」
- when to do「いつ…すべきか」
- what to do「何を…すべきか」
- which to do「どれを…すべきか」
- what A to do「何の A を…すべきか」
- which A to do「どの A を…すべきか」

TARGET 15 副詞用法の不定詞の意味と用法

(1) 目的「…するために／…する目的で」→ 86

We must practice hard to win the game.

(その試合に勝つために，私たちは一生懸命練習しなければならない)

(2) 感情の原因「…して」→ 89

I was very glad to hear the news.（その知らせを聞いて，とてもうれしかった）

(3) 判断の根拠「…するなんて／…するとは」

He must be rich to have such a luxury watch.

(そんな高級腕時計を持っているなんて，彼は金持ちに違いない)

(4) 結果「その結果…する」→ 90

She grew up to be a famous scientist.（彼女は大きくなって有名な科学者になった）

(5) 条件「…すれば」

To hear her talk, you would take her for an American.

(彼女が話すのを聞けば，君は彼女をアメリカ人だと思うだろう)

(6) 形容詞の限定「…するには」

This river is dangerous to swim in.（この川は泳ぐには危険だ）

この構造の場合，主語の this river が前置詞 in の意味上の目的語となっている。原則として，以下の形式主語構文に変換できる。

It is dangerous to swim in this river.

TARGET 16 独立不定詞

- to tell (you) the truth「本当のことを言うと」
- to be frank (with you)「率直に言えば」
- so to speak[say]「いわば」
- to begin[start] with「まず／第一に」
- to be sure「確かに」
- to do A justice「A を公平に評価すると」
- to make matters worse「さらに悪いことには」
- to say the least (of it)「控え目に言っても」→ 98
- strange to say「奇妙な話だが」
- not to say A「A とは言わないまでも」
- needless to say「言うまでもなく」
- to say nothing of A「A は言うまでもなく」→ 97

  = not to speak of A / not to mention A

● TARGET 17 「be ＋ to 不定詞」の用法

(1) 予定・運命「…する予定だ／…することになっている」→ 99

We are to meet Mr. Tanaka tomorrow morning.

（私たちは明日の朝，田中さんと会う予定です）

(2) 意図・目的「…するつもり（なら）／…するため（には）」（if 節で使われることが多い）

If you are to succeed, you must work hard.

（成功したいなら，一生懸命働かなければならない）

(3) 可能「…できる」（to be done と受動態になっている場合が多い）

The umbrella was not to be found.

（傘は見つからなかった）

(4) 義務・命令「…すべきだ／…しなさい」

You are to come home by five.

（5 時までに帰ってらっしゃい）

● TARGET 18 to do ではなく to doing となる表現

- look forward to A[doing] 「A[…すること]を楽しみに待つ」→ 114
- be used[accustomed] to A[doing] 「A[…すること]に慣れている」→ 115
- object to A[doing] 「A[…すること]に反対する」

  My son objected to being treated like a child.

  （私の息子は子ども扱いされることを嫌がった）
- devote A to B[doing]

  「A を B[…すること]にささげる／A を B[…すること]に充てる」

  I plan to devote my summer vacation to studying English.

  （私は夏休みを英語の勉強に充てるつもりです）
- come near (to) doing 「もう少しで…するところだ」

  I came near to being run over by a car.

  （私はもう少しで車にひかれるところだった）
- when it comes to A[doing] 「話が A[…すること]になると」

  When it comes to running, John is definitely the best at our school.

  （走ることとなると，ジョンは間違いなく学校で一番だ）
- What do you say to A[doing]? = What[How] about A[doing]? → 117

  「A はいかがですか[…しませんか]」

TARGET 19 (in) doing が後に続く表現

- be busy (in) doing「…することに忙しい」
  She is very busy (in) doing her homework.
  (彼女は宿題をするのにとても忙しい)
- spend A (in) doing「…するのに A(時間・お金)を使う」
  I usually spend two hours a day (in) doing my homework.
  (私はいつも宿題をするのに1日2時間使います)
- have difficulty[trouble] (in) doing「…するのに苦労する」→ 119
- have no difficulty[trouble] (in) doing「…することが容易だ/難なく…する」→ 127
  He has no difficulty (in) remembering names.
  (彼は人の名前を容易に覚えられる)
- There is no use[point / sense] (in) doing「…しても無駄だ」→ 118, 262

TARGET 20 動名詞を用いた慣用表現

- There is no doing「…できない」→ 120 = It is impossible to do
- feel like doing「…したい気がする」→ 121 = feel inclined to do
- on doing「…すると同時に/…するとすぐに」→ 122 = As soon as S + V ...
- in doing「…するときに/…している間に」 = when[while] S + V ...
- It goes without saying that S + V ...「…は言うまでもないことだ」→ 123, 129
  = Needless to say, S + V ... (→ TARGET 16 参照)

TARGET 21 慣用的な分詞構文

- frankly speaking「率直に言えば」
- generally speaking「一般的に言えば」
- strictly speaking「厳密に言えば」
- roughly speaking「おおざっぱに言えば」
- talking[speaking] of A「A と言えば」
- judging from A「A から判断すると」
- seeing (that) S + V ...「…なので」
- depending on A「A に応じて/A 次第で」
- weather permitting「天気がよければ」
- such being the case「そのような事情なので」
- considering A「A を考慮に入れると」
- considering (that) S + V ...「…(ということ)を考慮に入れると」
- given A「A を考慮に入れると/A だと仮定すると」
- given (that) S + V ...「…を考慮に入れると/…だと仮定すると」
- granting[granted] (that) S + V ...「仮に…だとしても」
- provided[providing] (that) S + V ...「もし…なら」
- suppose (that) S + V ...「もし…なら」
- supposing (that) S + V ...「もし…なら」
- all things considered「あらゆることを考慮に入れると」→ 146

TARGET 22 原級を用いたその他の慣用表現

- as ＋ 原級 ＋ as possible ＝ as ＋ 原級 ＋ as S can「できるだけ…」→161
- not so much A as B「A というよりむしろ B」→160
- as ＋ 原級 ＋ as any（＋単数名詞）「どれにも[どの～にも]劣らず…」

  This bag is **as** good **as any** I have used.

  （このバッグは私が使ってきたどのバッグにも劣らずよい）

*最上級に近い意味になることに注意。

- as many A（A は複数名詞）「同数の A」

  She found five mistakes in as many lines.

  （彼女は５行で５か所の間違いを見つけた）

- as many as A「A も（多くの数の）」→163
- as much as A「A も（多くの量の）」

  Some baseball players earn as much as three million dollars a year.

  （1 年に 300 万ドルも稼ぐ野球選手もいる）

* as many as A と同意の表現だが，as much as A は A が「量」的に多いことを表すため，A には金額・重さなどを表す名詞がくることに注意。

- like so many A（A は複数名詞）「さながら A のように」

  The boys were swimming in the pond like so many frogs.

  （少年たちはまるでカエルのように池で泳いでいた）

- as little as A（A は数詞を含む名詞）「わずか A，A しか…ない」

  The pizza will be delivered in as little as 10 minutes.

  （そのピザはわずか 10 分で届けられるだろう）

  ※ A が「量」的に少ないことを示す。

- as few as A（A は数詞＋複数名詞）「わずか A，A しか…ない」

  There were as few as three or four students in his lecture.

  （彼の講義には，３人か４人の学生しかいなかった）

  ※ A が「数」的に少ないことを示す。

- as early as A（A は数詞を含む場合が多い）「早くも A に← A と同じくらい早くに」

  The city was built as early as the eighth century.

  （その都市は早くも８世紀に建設された）

  ※ **as early as A** は「**as＋副詞＋as A**」の強調表現の代表例。as recently as A「つい A に← A と同じくらい最近に」，**as often as A**「A も← A と同じくらい頻繁に」も重要。**as recently as two days ago**「つい２日前に」，as often as five times a week「1 週間に５回も」で覚える。

- as ＋ 原級 ＋ as ever lived「かつてないほど／並はずれて」

  He was as great a scientist as ever lived.

  （彼は並はずれて偉大な科学者だった）

- as good as ＋形容詞「…も同然である」

  The man who stops learning is as good as dead.

（学ぶことをやめる人間は死んだも同然だ）

● as good as one's word「約束を守って」

I said I would be as good as my word.（私は約束を守ると言った）

● not so much as do「…すらしない」

He couldn't so much as write his own name.

（彼は自分の名前すら書けなかった）

● without so much as doing「…すらしないで」

He left without so much as saying "Thank you."

（彼は「ありがとう」すら言わないで出て行った）

● go so far as to do「…しさえする」

She went so far as to say that he was a coward.

（彼女は，彼は臆病者だとさえ言った）

TARGET 23 比較級，最上級の強調表現

●比較級を強調する表現

● much → 167 ● even ● lots

● far ● by far ● a great[good] deal

● still ● a lot

●最上級を強調する表現

● by far → 187 ● far ● much ● very

*ただし，very は「the very ＋ 最上級 ＋ 単数名詞」の語順になることに注意。

She is by far the best swimmer in her class.

= She is the very best swimmer in her class.

（彼女はクラスでずば抜けて泳ぎがうまい）

TARGET 24 no ＋ 比較級 ＋ than A から生まれた no more than A など

なかなか覚えにくい表現のようだが，問題 172 で扱った「not ＋ 比較級 ＋ than A」と「no ＋ 比較級 ＋ than A」の違いを認識していれば容易。

● not more than A「多くとも A ← A 以上ではない」= at most A

● not less than A「少なくとも A ← A 以下ではない」= at least A

● no more than A「わずか A／A しかない」→ 174（← ① A と同じだが，② more の反対（少ない）という視点から）= only A

● no less than A「A も（たくさん）」→ 175（← ① A と同じだが，② less の反対（多い）という視点から）= as many as A（数の場合），as much as A（量の場合）

● no fewer than A「A も（たくさん）」= as many as A（数に関して）

TARGET 25 比較級を用いたその他の慣用表現

- more than A「A より多い」
  More than a thousand people attended the international conference.
  (千人を超える人が，その国際会議に出席した)
- less than A「A 足らずの ← A より少ない」
  Jim recovered from the cold in less than a day.
  (ジムは 1 日足らずで風邪から回復した)
- 比較級 + and + 比較級「ますます…」
  More and more Japanese are visiting Hawaii.
  (ハワイを訪れる日本人がますます多くなっている)
- no[little] better than A「A にすぎない／A も同然」
  He is no better than a beggar.
  (彼は物ごいにすぎない［同然だ］)
- more or less「多かれ少なかれ／いくぶん」
  He is more or less familiar with the subject.
  (彼はそのことに多少なりとも通じている)

TARGET 26 ラテン比較級

- be inferior to A「A より劣っている」
- be superior to A「A より優れている」→ 180
- be senior to A「A より先輩だ／A より年上だ」
- be junior to A「A より後輩だ／A より年下だ」
- be preferable to A「A より好ましい」

TARGET 27 senior，junior の名詞用法

senior「先輩／年長者」，junior「後輩／年少者」という名詞として用いる表現がある。

He is senior to me. = He is my senior. = I am his junior.
(彼は私の先輩だ／彼は私より年上だ) (私は彼の後輩だ／私は彼より年下だ)

TARGET 28 最上級と同じ意味を表す原級・比較級表現

- Mt. Fuji is the highest of all the mountains in Japan.（最上級）
  （富士山は日本で一番高い山だ）
  = No other mountain in Japan is so[as] high as Mt. Fuji.（原級）
  = No other mountain in Japan is higher than Mt. Fuji.（比較級）
  = Mt. Fuji is higher than any other mountain in Japan.（比較級）→ 188

*最上級表現の場合は「(the) ＋ 最上級 ＋ of ＋ 複数名詞」の形で「～の中で最も…」の意味になることが多い。この場合「of ＋ 複数名詞」が文頭にくる場合もあるので注意。(→ Of all the mountains in Japan, Mt. Fuji is the highest.) → 182

- Time is the most precious thing of all.（最上級）
  （時はすべての中で一番貴重である）
  = Nothing is so[as] precious as time.（原級）→ 189
  = There is nothing so[as] precious as time.（原級）
  = Nothing is more precious than time.（比較級）→ 193
  = There is nothing more precious than time.（比較級）
  = Time is more precious than anything else.（比較級）

TARGET 29 関係代名詞

先行詞＼格	主格	所有格	目的格
人	who[that]	whose	who(m)[that]
人以外	which[that]	whose	which[that]

*目的格の関係代名詞は省略されることがある。→ 200
*who と which は主格と目的格を兼ねることに注意。

TARGET 30 That is why ... と That is because ...

(1) That is why ...「そういうわけで…」
The train was delayed. That's why I was late for school.
（電車が遅れていたんです。そういうわけで学校に遅刻しました）

(2) That is because ...「それは…だからです」
I was late for school. That's because the train was delayed.
（私は学校に遅刻しました。それは，電車が遅れていたからです）

*原因と結果を述べる順序がまったく逆になる点に注意。

● TARGET 31 関係代名詞 as を用いた慣用表現

- as is usual with A「A にはいつものことだが」
- as is often the case with A「A にはよくあることだが」→ 219
- as is evident from A「A から明らかなように」
- as so often happens「よくあることだが」
- as might have been expected「予期されていたことだが」

● TARGET 32 仮定法過去の基本形

If ＋ S ＋ 動詞の過去形 …, S′ ＋ would / could / might / should ＋ 動詞の原形 〜 .
(if 節: If ＋ S ＋ 動詞の過去形 … / 主節: S′ ＋ would / could / might / should ＋ 動詞の原形 〜)

「もし S が…するなら，S′ は〜するだろう（に）」→ 229, 230

* if 節内の be 動詞は原則として were を用いる（今では単数扱いの主語の場合は was が使われることもある）。

* if 節内の動詞表現が「助動詞の過去形＋動詞の原形」となり，助動詞の意味が含まれる場合がある。

If I could fly like a bird, I would go there.
（私が鳥のように飛ぶことができるのなら，そこに行くでしょう）

* 主節の助動詞に should を用いるのは主にイギリス英語で，原則として 1 人称主語（I, we）の場合のみ。

● TARGET 33 仮定法過去完了の基本形

If ＋ S ＋ 動詞の過去完了形(had done) …, S′ ＋ would / could / might / should ＋ have done 〜.
(if 節: If ＋ S ＋ 動詞の過去完了形(had done) … / 主節: S′ ＋ would / could / might / should ＋ have done 〜)

「もし S が…したなら，S′ は〜しただろう（に）」→ 231, 232

* if 節内の動詞表現が「助動詞の過去形 ＋ have done」となり，助動詞の意味が含まれる場合がある。

* 主節の助動詞に should を用いるのは主にイギリス英語で，原則として 1 人称主語（I, we）の場合のみ。

TARGET 34 if S should do ..., と if S were to do ...,

- if S should do ..., で if 節を表す表現は，if S were to do ..., とほぼ同意だが，前者は，主節に助動詞の過去形だけでなく，助動詞の現在時制が用いられる場合も多い。また，主節が命令文になることもある。→ 235
  If anything should happen, please let me know immediately.
  （もし何かあれば，すぐに私に知らせてください）
- if S should do ..., は「まずありえないだろう」という話者の判断を表す表現なので，未来[現在]の実現性の低いことを仮定する場合には用いるが，実現性のないことを仮定する場合には用いない。例えば，「息子が生きているなら 20 歳になっているだろう」は If my son were alive, he would be twenty years old. と表現できるが，（×）If my son should be alive, ... とすることはできない。

TARGET 35 S wish ＋ 仮定法

(1) S wish ＋ S′ ＋動詞の過去形（仮定法過去）... . → 236
「S は S′ が…すればよいのにと思う（現在の事実と反対の事柄の願望）」

(2) S wish ＋ S′ ＋動詞の過去完了形（仮定法過去完了）... . → 237
「S は S′ が…すればよかったのにと思う（過去の事実と反対の事柄の願望）」

(3) S wish ＋ S′ would[could] do ...
「S は S′ が（これから）…してくれれば[できれば]と思う」
（現在への不満と通例，期待感の薄い願望）
I wish it would stop raining.（(雨は降りやみそうではないが，) やんでくれればと思う）

TARGET 36 if 節の代用

(1) without A / but[except] for A「A がなければ／A がなかったら」→ 244

Without your advice, I would have failed.

（君の助言がなかったら，私は失敗していただろう）

(2) with A「A があれば／A があったら」

With a little more time, I could have helped you.

（もう少し時間があったら，君を手伝うことができたのだが）

(3) otherwise「そうしなかったら／さもなければ」→ 245, 250

I wrote to my parents; otherwise they would have worried about me.

（私は両親に手紙を書いた。さもなければ両親は私のことを心配しただろう）

(4) ... ago「…前なら」

Ten years ago, I would have followed your advice.

（10 年前だったら，あなたの忠告に従っていたでしょう）

(5) 不定詞に仮定の意味

To hear him talk, you would take him for an American.

（彼が話すのを聞くと，彼をアメリカ人だと思うでしょう）

(6) 主語に仮定の意味 → 249, 253

A wise person would not say such a thing in front of others.

（賢い人なら，人前でそんなことは言わないでしょう）

TARGET 37 「How ＋ 形容詞・副詞」で問う内容

- how far →「距離」
- how long →「時間の長さ・物の長さ」→ 274
- how large →「大きさ・広さ」
- how often →「頻度・回数」
- how much →「金額・量」
- how soon →「時間の経過」→ 255

*「how ＋ 形容詞・副詞」で形容詞・副詞の程度を問う表現は多いが，上記は特に重要なもの。

TARGET 38 その他の知っておきたい疑問文

- What ... for?「何のために…なのか」
  What did you come here today for?
  (今日は何のために，こちらに来たのですか)
- What do you think about[of] A?「A をどう思いますか」
  What do you think about this book?
  (この本について，どう思いますか)
- What becomes of A?「A はどうなるのか」
  No one knows what has become of her family since then.
  (それから彼女の家族がどうなったのか誰も知らない)
- Why don't you do ...?「…したらどうですか」= Why not do ...?
  Why don't you give your parents a call once in a while?
  = Why not give your parents a call once in a while?
  (たまには，ご両親に電話をしたらどうですか)

TARGET 39 さまざまな付加疑問

- 肯定文の付加疑問（一般動詞）
  All the students understood the lecture, didn't they?
  (学生たちはみんな講義を理解しましたよね)
- 肯定文の付加疑問（助動詞）
  He can speak English, can't he?
  (彼は英語を話せますよね)
- 否定文の付加疑問（一般動詞）→ 263
  Some people don't have any place to sleep, do they?
  (寝る場所がない人もいるのですよね)
- 否定文の付加疑問（完了形の動詞）
  You have never been there, have you?
  (一度もそこに行ったことはないですよね)
- 肯定の命令文の付加疑問は，「..., will[won't] you?」
  Please say hello to your family, will[won't] you?
  (ご家族の皆さんによろしくお伝えくださいね)
- Let's ... の付加疑問は，「..., shall we?」
  Let's play tennis, shall we?
  (テニスをしましょうよ)

TARGET 40 強制的に倒置が生じる場合

(1) never[little] など否定語が文頭にきた場合 → 264
Never have I read such an interesting story.
(こんなにおもしろい話は読んだことがない)

(2) 否定の副詞表現が文頭にきた場合 → 265
At no time must you leave the baby alone.
(どんな時でも赤ちゃんを独りにしておいてはいけない)

(3) only のついた副詞（句／節）が文頭にきた場合 → 266
Only then did I know how glad she was.
(その時になって初めて彼女がどんなに喜んでいるかがわかった)

(4) not only ... but also ～が文と文を結んで，not only が文頭にきた場合
Not only did he ignore what they had said, but he also lied to them.
(彼は彼らの言ったことを無視しただけでなく，彼らにうそもついた)

(5) 否定語のついた目的語「not a (single) ＋単数名詞」が文頭にきた場合
Not a merit did I find in his plan.
(彼の計画には何一つ利点を見いだせなかった)

TARGET 41 代名詞（形容詞）を用いる部分否定，全体否定の表現

	部分否定	全体否定
２人（２つ）	not ... both	neither ... not ... either
	どちらも…というわけではない	どちらも…でない
３人（３つ）以上	not ... all → 279 not ... every	none ... no ＋ 名詞 not ... any → 278
	すべてが…というわけではない	どれも…でない

TARGET 42 部分否定の重要表現

- not necessarily「必ずしも…というわけではない」
- not always「いつも[必ずしも]…というわけではない」
- not exactly「必ずしも…というわけではない」
- not altogether[completely / entirely]「まったく[完全に]…というわけではない」

TARGET 43 強意の否定表現

(1) not (...) at all = not (...) in the least[slightest] / not (...) a bit 「決して[少しも／まったく]…ない」→ 280

I'm not tired at all[in the least / in the slightest].

(私は決して疲れていません)

(2) just[simply] not 「まったく…ない」

I just[simply] can't understand why he did so.

(彼がなぜそうしたのか，私はまったくわかりません)

* not (...) just[simply] は「単なる［単に］…でない」の意味。

He is not just a friend of mine.

(彼は単なる友人ではない)

TARGET 44 強い否定「決して…ない」を表す副詞句

- by no means (= not ... by any means)
- in no way (= not ... in any way)
- in no sense (= not ... in any sense)
- on no account (= not ... on any account)
- under no circumstances (= not ... under any circumstances)

*上記表現が文頭にくると強制倒置が生じることに注意。→ TARGET 40

TARGET 45 far from A と free from A の区別

- far from A 「決して A ではない」→ 285, 300 = anything but A

His answer was far from satisfactory to us.

= His answer was anything but satisfactory to us.

(彼の答えは私たちには決して満足のいくものではなかった)

- free from A 「A がない」→ 286 = without A

Your composition is free from mistakes.

= Your composition is without mistakes.

(君の作文には間違いがありません)

TARGET 46 remain to be done など

We have not solved the problem yet.（私たちはまだその問題を解決していない）

= The problem remains to be solved. → 287

= The problem is[has] yet to be solved.

= We have[are] yet to solve the problem. → 288

TARGET 47 注意すべき強調構文

(1) It is not until ... that ～「…して初めて～する」→ 297

It was not until Tom came to Japan that he learned Japanese.

（トムは日本に来て初めて，日本語を学んだ）

(2) 疑問詞 ＋ is it that (S) ＋ V ～？（疑問詞を強調した強調構文）→ 298

What was it that he was doing then?

（彼がその時やっていたのは，いったい何だったのだろうか）

*間接疑問にすると，以下のように「疑問詞＋ it is that (S) ＋ V ...」の語順になる。

I want to know what it was that he was doing then.

（彼がその時やっていたのはいったい何だったのか，私は知りたい）

TARGET 48 「形式目的語 it ＋ that 節」の形をとる慣用表現

- depend on[upon] it that 節「…するのをあてにする」
- take it that 節「…だと思う／…だと解読する」
- have it that 節「…だと言う」（= say that 節）→ 315
- see (to it) that 節「…するように気をつける」

TARGET 49 「人称代名詞」

		主格	所有格	目的格	所有代名詞
1人称	単数	I	my	me	mine（私のもの）→ 316
	複数	we	our	us	ours（私たちのもの）
2人称	単数	you	your	you	yours（あなたのもの）
	複数	you	your	you	yours（あなたたちのもの）
3人称	単数	he	his	him	his（彼のもの）→ 317
		she	her	her	hers（彼女のもの）
		it	its	it	—
	複数	they	their	them	theirs（彼らのもの）

* it の所有代名詞はない。

TARGET 50 相関的に用いる不定代名詞

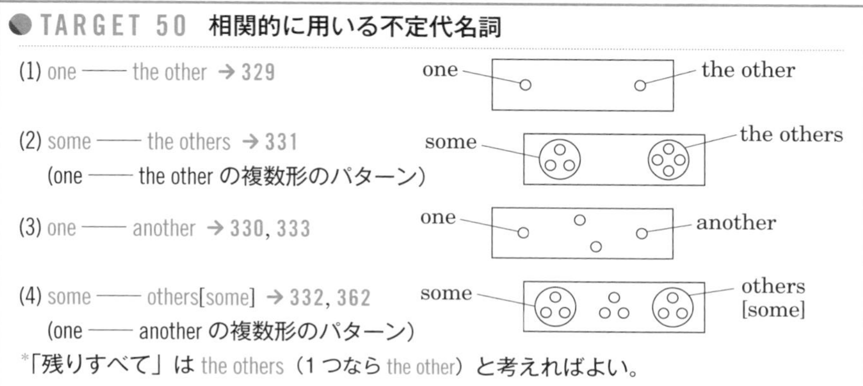

(1) one —— the other → 329

(2) some —— the others → 331
(one —— the other の複数形のパターン)

(3) one —— another → 330, 333

(4) some —— others[some] → 332, 362
(one —— another の複数形のパターン)

*「残りすべて」は the others（1 つなら the other）と考えればよい。

TARGET 51 most, almost all を含む表現

(1) most ＋ 名詞（→ 336, 360）＝ almost all ＋ 名詞（→ 337）「(限定されない）大半の…」

(2) most of the[one's] ＋ 名詞（→ 338）＝ almost all (of) the[one's] ＋ 名詞（→ 339）「(限定された特定の）…の大半」

TARGET 52 so と not − that 節の代用表現

(1) think, believe, expect, guess, suppose は次の 2 通りの表現が可能。→ 340, 341
I don't suppose so. ＝ I suppose not.「そうでないと思う」

(2) hope と be afraid には，直接 not を続ける形しかない。
I hope not.「そうでないことを望む」（×）I don't hope so.
I'm afraid not.「残念ながらそうでないと思う」（×）I'm not afraid so.

TARGET 53 something／nothing を用いた定型表現

(1) have nothing to do with A「A と何の関係もない」→ 342

(2) have something to do with A「A と何らかの関係がある」

(3) There is something ＋ 形容詞 ＋ about A.「A にはどことなく…なところがある」

(4) There is something wrong[the matter] with A.「A はどこか調子が悪い」→ 345

(5) There is nothing like A.「A ほどよいものはない」
＝ There is nothing better than A.

TARGET 54 再帰代名詞

人称＼数	単数	複数
1人称	myself	ourselves
2人称	yourself	yourselves
3人称	himself / herself / itself	themselves

TARGET 55 「前置詞 + 再帰代名詞」の慣用表現

- by oneself (= alone)「一人で」→ 351
- to oneself「自分だけに」→ 352
- for oneself「独力で／自分のために」
- in itself / in themselves「それ自体／本質的に」
- in spite of oneself「思わず」
- between ourselves「ここだけの話だが」
- beside oneself (with A)「(Aで) 我を忘れて」→ 353

TARGET 56 相関的表現が主語の場合

(1) 複数扱いするもの (A and B が主語の場合，一般に複数扱い)
- both A and B「AもBも」

(2) 原則としてBに一致させるもの
- not A but B「AではなくB」→ 425
- not only A but (also) B「AだけではなくBもまた」→ 365
- either A or B「AかBかどちらか」
- neither A nor B「AもBも…ない」→ 366

(3) 原則としてAに一致させるもの
- A as well as B「BだけでなくAも」= not only B but (also) A

TARGET 57 Aに動詞を一致させるもの

- most of A「Aの大半」→ 338
- half of A「Aの半分」
- some of A「Aのいくらか」
- all of A「Aのすべて」
- the rest of A「Aの残り」
- 分数 + of A → 367, 378

TARGET 58　等位接続詞を用いた相関表現

- both A and B「A も B も」→ 385
- not A but B「A ではなく B」→ 386, 425 = B, (and) not A
- not only A but (also) B「A だけでなく B もまた」(= B as well as A)
- either A or B「A か B のどちらか」→ 387
- neither A nor B「A も B も…ない」→ 388
  = not ... either A or B
  = not ... A or B

*原則として A，B には文法的に対等な表現がくる。

TARGET 59　名詞節を形成する接続詞 that と関係代名詞 what

接続詞 that と関係代名詞 what はいずれも名詞節を形成するが，次の違いがある。

- 接続詞 that：that 以下は完結した文。
- 関係代名詞 what：what 以下は名詞表現が欠落した文（what 自体が，節内で名詞の働きをするため）。

(1) My uncle knows (　　　　) I want this bicycle.
（私のおじは私がこの自転車を欲しがっていることを知っている）

(2) My uncle knows (　　　　) I want.
（私のおじは私が欲しいものを知っている）

*(1) は空所の後が完結した文であるため，接続詞 that が入る。(2) は空所の後が want の目的語が欠落した文であるため，what が入る。what は，節内で want の目的語として名詞の働きをしている。

TARGET 60　同格の that 節をとる名詞

●後ろに that 節をとる動詞の名詞形（「動詞 + that 節」⇒「名詞 + that 節」）

- demand「要求」
- suggestion「示唆，提案」
- conclusion「結論」
- report「報告」
- assertion「主張」
- order「命令」
- supposition「仮定」
- claim「主張」
- belief「考え」
- recognition「認識」
- proposal「提案」
- thought「考え」
- proposition「提案」
- hope「希望」
- request「提案」
- dream「夢」

●その他の名詞

- idea「考え」→ 424
- possibility「可能性」
- news「知らせ」
- opinion「意見」
- theory「理論」
- rumor「うわさ」
- impression「印象」
- evidence「証拠」
- chance「見込み」
- fact「事実」→ 389

TARGET 61　接続詞 the moment など

as soon as S＋V ...「…するとすぐに」(→ 399) と同様の意味・用法を持つ接続詞に，以下のものがある。

- the moment S＋V ... → 400
- the minute S＋V ...
- directly S＋V ...（英）
- the instant S＋V ...
- immediately S＋V ...（英）

TARGET 62　... hardly ... when ～など

「…するとすぐに～」の意味を表す相関表現は，以下のように整理して押さえておくとよい。

(1) ... { hardly / scarcely } ... { when / before } ～

(2) ... no sooner ... than ～

＊主節動詞（...）に過去完了，従節動詞（～）に過去形を用いて，過去の内容を表すことが多い。

＊hardly，scarcely，no sooner は否定語だから，文頭にくると主語と動詞は倒置（疑問文の語順）になる。→ 401

＊なお，(1) で hardly，scarcely ではなく not を用いて，had not done ... before[when] ～の形になると，「…しないうちに～する」の意味となる。

I had not gone far before it began to rain.
（遠くまで行かないうちに雨が降りだした）

TARGET 63　time を用いた接続詞

- the first time「初めて…するときに」
  The first time I met her, I liked her at once.
  （彼女に初めて会ったとき，すぐに好きになった）
- (the) next time「次に…するときに」
  ＊節内が「未来」のことであれば，the をつけない。
  Next time I come, I'll bring along my children.
  （今度来るときには子どもたちを連れてきます）
- the last time「最後に…するときに」
  The last time I met him, he looked tired.
  （最後に彼に会ったとき，彼は疲れて見えた）
- any time / anytime「…するときはいつも」
  Come and see me, any time you want to.
  （私に会いたいときはいつでも会いにきてください）
- every time[each time]「…するときはいつも／…するたびに」→ 402
  Every time we go on a picnic, it rains.
  （私たちがピクニックに行くたびに雨が降る）

TARGET 64　動詞から派生した条件節を導く表現

以下はいずれも if S ＋ V ...「もし…ならば」の意味を表す表現。

- provided (that) S ＋ V ...
- supposing (that) S ＋ V ...
- providing (that) S ＋ V ...
- suppose (that) S ＋ V ... → 403

*(×) supposed (that) S ＋ V ... の形はない。誤答選択肢に使われることがあるので注意すること。

TARGET 65　接続詞 as の用法

(1) 原因・理由の as「…なので」→ 427

Let's go by car, as I have a car.（車があるから，車で行きましょう）

(2) 様態の as「…するように／…するとおりに」

He sang as she did. = He sang the way she did.（彼は彼女の歌うとおりに歌った）

***このas は the way でも表現できることも押さえておきたい。**

(3) 比例の as「…するにつれて／…するにしたがって」→ 420

As one grows older, one becomes wiser.（人は年をとるにつれて，賢くなる）

(4) 時の as「…するとき／…しながら／…したとたんに」

He went out just as I came in.（ちょうど私が入ってきたとき，彼は出て行った）

* when や while よりも同時性が強い。

(5) 譲歩の as「…だけれども」→ 409

Tired as he was, he went on working.（疲れていたけれども，彼は働き続けた）

***譲歩を表すのは,「形容詞／副詞／無冠詞名詞 ＋ as ＋ S ＋ V ...」の形の場合に限られる。**

(6) 限定の as「…のような」

Language as we know it is a human invention.

（私たちの知っているような言語は人間が創り出したものです）

***直前の名詞の意味を限定する。** it は language を受ける。

TARGET 66　時を表す in / on / at

(1) in —「幅のある期間（年／季節／月）」に用いる。
- in 2020「2020 年に」 ● in July「7 月に」
- in (the) spring「春に」

(2) on —「日（曜日／日付）」に用いる。
- on Tuesday「火曜日に」→ 429
- on September 10(th)「9 月 10 日に」→ 466

(3) at —「時の 1 点（時刻）」に用いる。
- at seven o'clock「7 時に」

*不特定で一般的な朝・午後・夜などを morning, afternoon, evening で表す場合は, in the morning / in the afternoon / in the evening など **in** を用いる。

*他方, 特定の朝·午後·夜などや形容詞で修飾する場合には, 例えば on the morning of June 25th / on a cold morning / on Sunday afternoon などのように **on** を用いる。→ 428

* night の場合は, 不特定で一般的な「夜」なら at night を用いるが, cold などの形容詞で修飾する場合には on a cold night と表現する。

TARGET 67　場所を表す in / on / at

(1) in —①「空間」(space)をイメージする比較的広い場所の中であること, ②何かで囲まれた「内部」を示す。→ 436
①in Japan「日本で」, ②in the park「その公園で」

(2) on —①「面」(surface)に接触していること, ②「近接」を示す。→ 438
①on the wall「壁に」, ②a village on the lake「湖のほとりの村」

(3) at —①「点」(point)をイメージする比較的狭い場所であること, ②「地点」を示す。→ 436
①at the corner「角で[に]」, ②at the door「ドアのところで」

TARGET 68　具体的な交通・通信手段を表す表現

①小型の乗り物 —— in our car(→ 449), in the elevator
②大型の乗り物 —— on the train, on our ship
③またがる乗り物 —— on my bicycle, on his motorcycle
④通信手段 —— on the (tele)phone(→ 448), on the radio, on the Internet

TARGET 69 動詞＋A＋前置詞＋the＋身体の一部

- seize[catch / hold] A by the arm「A の腕をつかむ」→ 455
- shake A by the arm「A の腕をゆさぶる」
- touch A on the head「A の頭に触れる」
- hit A on the head「A の頭をたたく」
- slap A on[in] the face「A の顔を平手打ちする」
- kiss A on the cheek「A のほおにキスをする」
- tap A on the shoulder「A の肩を軽くたたく」
- look A in the eye(s)「A の目を見る」
- stare A in the face「A の顔をじっと見る」 など

*この用法の look, stare は他動詞で at が不要なことに注意。

TARGET 70 目的語に動名詞をとり，不定詞はとらない動詞

- mind「…するのを気にする」→ 469
- miss「…しそこなう」
- enjoy「…するのを楽しむ」→ 470
- escape「…するのを逃れる」
- give up「…するのをあきらめる」→ 471
- admit「…するのを認める」
- avoid「…するのを避ける」→ 475
- finish「…するのを終える」→ 472
- practice「…する練習をする」
- put off「…するのを延期する」
- postpone「…するのを延期する」
- stop「…するのをやめる」→ 473
- consider「…するのを考慮する」→ 474
- deny「…するのを拒否する」 など

TARGET 71 目的語に不定詞をとり，動名詞はとらない動詞

- afford「…する余裕がある」→ 478
- attempt「…しようと試みる」
- decide「…することに決める」
- hope「…することを望む」→ 476
- intend「…するつもりである」
- offer「…することを申し出る」
- promise「…する約束をする」など
- manage「どうにか…する」→ 480
- wish「…することを願う」
- fail「…することを怠る／…しない」→ 477
- hesitate「…するのをためらう」
- pretend「…するふりをする」→ 479
- refuse「…するのを断る」

*基本的には未来志向の動詞が多い。

TARGET 72 目的語が不定詞と動名詞で意味が異なる動詞

- remember to do「…することを覚えておく／忘れずに…する」→ 481
  remember doing「…したことを覚えている」→ 482
- forget to do「…することを忘れる」→ 483
  forget doing「…したことを忘れる」→ 484
- regret to do「残念ながら…する」
  regret doing「…したことを後悔する[残念に思う]」→ 487
- mean to do「…するつもりである」= intend to do
  mean doing「…することを意味する」→ 488
- need to do「…する必要がある」
  need doing「…される必要がある」= need to be done → 489
- go on to do「(異なることを) さらに続けて…する」
  go on doing「(同じことを) …し続ける」
- try to do「…しようとする」→ 485, 583
  try doing「試しに…してみる」→ 486
- stop to do「…するために立ち止まる」
  *この場合の stop は自動詞，to do は「目的」を表す不定詞の副詞用法。
  stop doing「…することをやめる」→ 473

TARGET 73 get[have] A done

(1) (使役)「A を…してもらう[させる]」→ 493
I'm going to get[have] this bicycle repaired.（私はこの自転車を修理してもらうつもりです）

(2) (受身・被害)「A を…される」→ 492
She got[had] her wallet stolen.（彼女は財布を盗まれた）

(3) (完了)「(自分が) A を…してしまう」
You have to get[have] your homework done by tomorrow.
(明日までに宿題を終わらせなさい)

TARGET 74 「V＋A＋do」の形をとる動詞

- make A do「A に…させる」→ 494
- have A do「A に…してもらう[させる]」→ 491
- let A do「A に…させてやる」→ 495
- help A (to) do「A が…するのを手伝う[するのに役立つ]」→ 496

* help は help A do, help A to do の両方の形がある。

- see A do「A が…するのを見る」
- look at A do「A が…するのを見る」
- watch A do「A が…するのを見守る」
- hear A do「A が…するのが聞こえる」
- listen to A do「A が…するのを聞く」
- feel A do「A が…するのを感じる」

TARGET 75 動詞 help がとる形

- help A to do = help A do「A が…するのを手伝う／A が…するのに役立つ」→ 496
  He helped me (to) change the tires.（彼は私がタイヤの交換をするのを手伝ってくれた）
- help A with B「A（人）の B を手伝う」
  I will help you with your homework.（宿題を手伝ってあげましょう）
- help to do = help do「…するのに役立つ／…するのを手伝う」→ 497
  I helped (to) clear the table after dinner.（私は夕食後にテーブルを片づけるのを手伝った）

TARGET 76 入試でねらわれる「V + A + to do」のパターンをとる動詞

- allow A to do「A が…するのを許す」→ 500
- advise A to do「A に…するように忠告する」
- ask A to do「A に…するように頼む」
- cause A to do「A が…する原因となる」
- compel A to do「A に…することを強制する」
- drive A to do「A を…するように追いやる／駆り立てる」
- enable A to do「A が…するのを可能にする」→ 501
- encourage A to do「A が…するように励ます[けしかける]」→ 502
- expect A to do「A が…すると予期する[思っている]」→ 499
- force A to do「A に…することを強制する」→ 503
- invite A to do「A に…するよう勧める」
- leave A to do「A に…することを任せる」
- lead A to do「A に…するようにし向ける」
- permit A to do「A が…するのを許す」
- persuade A to do「A を説得して…させる」
- remind A to do「A に…することを気づかせる」
- require A to do「A に…するように要求する」
- urge A to do「A が…することを強く迫る」
- warn A to do「A に…するよう警告する[注意する]」

TARGET 77 「V + A + to do」の形をとらない注意すべき動詞

以下の動詞は英作文などで「V + A + to do」の形で使いがちな動詞。択一式の問題でも，誤答選択肢として頻出。

- admit「認める」
- excuse「許す」
- forgive「許す」
- inform「知らせる」
- demand「要求する」
- propose「提案する」
- suggest「提案する」→ 504
- insist「主張する」
- explain「説明する」
- hope「希望する」→ 476, 499
- prohibit「禁ずる」

TARGET 78 「S＋V＋C［形容詞］」の形をとる動詞

- feel「…のような感触を持つ／…と感じられる」→ 506
- look「…に見える」
- appear「…のように思われる[見える]」
- go「…になる」→ 509
- lie「…の状態にある」
- stay「…の（状態の）ままでいる」→ 507
- become「…の状態になる」
- smell「…のにおいがする」
- turn out「…とわかる／…と判明する」
- come true「実現する」（慣用表現として押さえる）→ 510
- seem「…のように思われる[見える]」
- sound「…に聞こえる」
- turn「…になる」
- remain「…の（状態の）ままでいる」
- get「…の状態になる」
- taste「…の味がする」→ 508
- prove「…とわかる／…と判明する」

TARGET 79 「go＋形容詞」の代表例

- go bad「（食べ物が）腐る」
- go bankrupt「破産する」
- go flat「パンクする」
- go astray「迷子になる」
- go blind「目が見えなくなる」
- go mad「正気でなくなる」
- go wrong「故障する／うまくいかない」→ 509
- go sour「すっぱくなる」
- go bald「はげる」
- go blank「うつろになる」

TARGET 80 自動詞と間違えやすい他動詞

- approach A「A に近づく」→ 513
- reach A「A に着く」
- enter A「A の中に入る」
- attend A「A に出席する」
- discuss A「A について議論する」→ 511
- mention A「A について言及する」→ 512
- oppose A「A に反対する」
- answer A「A に答える」
- marry A「A と結婚する」→ 515
- inhabit A「A に住む」
- resemble A「A と似ている」→ 514
- obey A「A に従う」
- search A「A の中を捜す」
- survive A「A より長生きする／A を切り抜けて生き残る」 など

TARGET 81 他動詞と間違えやすい自動詞

- apologize (to A) for B「(Aに) Bのことで謝る」→ 516
- complain (to A) about[of] B「(Aに) Bについて不満を言う」→ 517
- argue with A (about B)「(Bについて) Aと口論する」→ 518
- graduate from A「Aを卒業する」
- enter into A「A（議論など）を始める」
- search for A「Aを捜す」 など

TARGET 82 二重目的語をとる do

- do A good「Aのためになる」= do good to A（good は名詞で「利益」）→ 585
- do A harm「Aの害になる」= do harm to A（harm は名詞で「害」）→ 519
- do A damage「Aに損害を与える」= do damage to A
- do A a favor「Aの頼みを聞き入れる」→ 520

*上記の左側の表現は文脈から明らかな場合はAが省略されることもある。

TARGET 83 二重目的語をとる注意すべき動詞

- cost A B「AにB（費用）がかかる／AにB（犠牲など）を払わせる」→ 521, 522
- take A B「Aが（…するのに）Bを必要とする」→ 523
- save A B「AのBを節約する／AのBを省く」→ 525
- spare A B「AにBを割く／AのBを省く」→ 526
- allow A B「AにBを割り当てる」
- offer A B「AにBを提供する」
- cause A B「AにBをもたらす」
- leave A B「AにBを残して死ぬ／AにBを残す」
- deny A B「AにBを与えない」
- charge A B「AにB（お金）を請求する」→ 524
- owe A B「AにBを借りている[負っている]」
- lend A B「AにBを貸す」
- loan A B「(利子をとって) AにBを貸す」
- wish A B「AにBを祈る」
- envy A B「AのBをうらやましく思う」 など

TARGET 84 意外な意味を表す自動詞 do / pay / sell / read / last / work

(1) do は自動詞で用いられると「**十分である／間に合う**」の意味になる。→ 529
This place will do for playing baseball.（この場所は野球をするのには十分だろう）

(2) pay は自動詞で用いられると「**利益になる／割に合う**」の意味になる。→ 527
Honesty sometimes does not pay.（正直は時として割に合わないことがある）

(3) sell は自動詞で用いられると「**売れる**」の意味になる。
This car should sell at a high price.（この車は高値で売れるはずだ）

(4) read は自動詞で用いられると「**解釈される／読める**」の意味になる。
This historical book reads like a novel.（この歴史書は小説のように読める）

(5) last は自動詞として，期間を表す副詞(句)を伴って「(もの・ことが) **ある期間続く**／(物・食べ物などが) **ある期間長持ちする**」の意味を表す。→ 528

(6) work は自動詞として，しばしば well などの様態を表す副詞を伴い，work (well) の形で「(計画などが) **うまくいく**／(薬などが) **効き目がある**」の意味を表す。
Practically, the plan did not work well.（その計画は，事実上，うまくいかなかった）

TARGET 85 自動詞と他動詞で紛らわしい動詞

(自) lie「横になる／…のままである」《活用》lie-lay-lain-lying → 531
(他) lay「…を横たえる／…を置く／(卵など) を産む」《活用》lay-laid-laid-laying
(自) lie「うそをつく」《活用》lie-lied-lied-lying

(自) sit「座る」《活用》sit-sat-sat-sitting
(他) seat「…を座らせる」《活用》seat-seated-seated-seating

(自) rise「上がる／昇る」《活用》rise-rose-risen-rising → 530
(他) raise「…を上げる／…を育てる」《活用》raise-raised-raised-raising → 532

(自) arise「生じる」《活用》arise-arose-arisen-arising
(他) arouse「…を目覚めさせる／…を刺激する」《活用》arouse-aroused-aroused-arousing

● TARGET 86 tell / say / speak / talk の用法

(1) tell「…に話す」— 基本的には他動詞
- tell A B = tell B to A「A に B を話す」
- tell A about B「B について A に話す」
- tell A to do「A に…するように言う」
- tell A that 節［wh 節］「A に…ということを言う」→ 535, 581

＊上記の形で使える点が大きな特徴。

(2) say「…を［と］言う」— 基本的には他動詞
- say (to A) that 節［wh 節］「(A に) …だと言う」→ 533
- S say that 節「S（新聞／手紙／天気予報など）には…と書いてある／S によれば…」→ 534

＊S say that 節の形はよくねらわれる。
＊目的語に「人」をとらないことに注意。

(3) speak「話す／演説をする」— 基本的には自動詞
- speak A「A（言語／言葉／意見など）を話す」

＊上記の他動詞用法もある。

(4) talk「話す／しゃべる」— 基本的には自動詞
- talk to[with] A about B「B について A と話し合う」→ 536
- talk A into doing[B]「A を説得して…させる／A を説得して B をさせる」→ 537
- talk A out of doing[B]「A を説得して…するのをやめさせる／A を説得して B をやめさせる」

＊speak と言い換えができる場合も多い。
＊下 2 つの他動詞用法はともに頻出。

● TARGET 87 talk A into doing の同意・反意表現

- talk A into doing = persuade A to do「A を説得して…させる」→ 537

⇕

- talk A out of doing = persuade A not to do「A を説得して…するのをやめさせる」
  = dissuade A from doing
  = discourage A from doing → 550, TARGET 90

● TARGET 88「S + V + A + of + B」の形をとる動詞 (1) — of =「関連」の of

- inform A of B「A に B のことを知らせる」→ 541
- remind A of B「A に B のことを思い出させる」→ 539
- convince A of B「A に B のことを確信させる」→ 542
- persuade A of B「A に B のことを納得させる」
- warn A of B「A に B のことを警告する」
- suspect A of B「A に B の嫌疑をかける」

TARGET 89 「S＋V＋A＋of＋B」の形をとる動詞(2)－of＝「分離・はく奪」の of

- deprive A of B「A から B を奪う」→ 543
- rob A of B「A から B を奪う」→ 544
- strip A of B「A から B をはぎ取る」
- clear A of B「A から B を取り除いて片づける」→ 545
- cure A of B「A から B を取り除いて治す」→ 546
- rid A of B「A から B を取り除く」
- relieve A of B「A から B を取り除いて楽にする」
- empty A of B「A から B を取り出して空にする」

TARGET 90 「S＋V＋A＋from doing」の形をとる動詞

- prevent[stop / hinder] A (from) doing「A が…するのを妨げる」→ 547
  ＊from がしばしば省略されるので注意。
- keep A from doing「A が…するのを妨げる」→ 548
  ＊こちらの from は省略されることがない。
- prohibit[forbid / ban] A from doing「A が…するのを禁じる」→ 549
- discourage[dissuade] A from doing「A が…するのを思いとどまらせる」→ 550

TARGET 91 「S＋V＋A＋with＋B」の形をとる動詞

- provide A with B「A に B を供給する」→ 551 ＝ provide B for A
- supply A with B「A に B を供給する」＝ supply B to[for] A
- serve A with B「A に B を供給する」＝ serve B to A
- present A with B「A に B を贈る[与える]」＝ present B to A
- furnish A with B「A に B を備える[備えつける]／A に B を提供[供給]する」→ 552
- equip A with B「A に B を備えつける」
- share A with B「A を B と分かち合う，A を B に話す」→ 553
- compare A with B「A を B と比較する」＝ compare A to B → 582
- identify A with B「A を B と同一視する[関連づける]」

TARGET 92 「S＋V＋A＋for＋B」の形をとる動詞

- blame A for B「B のことで A を非難する」→ 554
- criticize A for B「B のことで A を非難する」
- punish A for B「B のことで A を罰する」
- scold A for B「B のことで A を叱る」
- excuse A for B「B について A を許す」
- forgive A for B「B について A を許す」
- admire A for B「B のことで A を称賛する」
- praise A for B「B のことで A をほめる」
- reward A for B「B のことで A に賞を与える」
- thank A for B「B のことで A に感謝する」→ 557
- respect A for B「B のことで A を尊敬する」

TARGET 93 「B のことで A を非難する／A を告発する／A に責任を負わせる」を表す動詞

(1)「B のことで A を非難する」
- blame A for B → 554
- criticize A for B
- accuse A of B → 555
- charge A with B

(2)「B のことで A を告発する」
- charge A with B → 556
- accuse A of B

(3)「B のことで A に責任を負わせる」
- blame A for B
- blame B on A

TARGET 94 「S＋V＋A＋to＋B」の形をとる動詞

- owe A to B「A については B のおかげである」
- take A to B「A を B に持っていく[連れていく]」→ 559
- bring A to B「A を B に持ってくる[連れてくる]」→ 560
- transfer A to B「A を B へ移す」
- introduce A to B「A を B に紹介する」→ 561
- leave A to B「A を B に任せる」
- assign A to B「A（仕事など）を B に割り当てる」
- attribute A to B「A を B のせいにする／A を B の原因に帰する」
- contribute A to B「A を B に寄付する[与える]」
- add A to B「A を B に加える」
- drive A to B「A を B の状態に追いやる」
- expose A to B「A を B（風雨・危険など）にさらす」

TARGET 95 「貸す」「借りる」を表す動詞

- borrow A (from B)「(B から）A を無料で借りる」→ 564
- rent A「A（家など）を有料で借りる[貸す]／一時的に A（車など）を有料で借りる」
- use A「A（トイレ・電話など）を一時的に借りる／A を利用する」
- owe A B = owe B to A「A に B（お金）を借りている」→ 565, 566
- lend A B = lend B to A「A に B を貸す」→ 565
- loan A B = loan B to A「(利子をとって）A に B（お金）を貸す」

TARGET 96 many / much / few / little の用法と意味

用法＼意味	(1) 可算名詞（数えられる名詞）につけて「数」を表す。 (2) 名詞は複数形になる。	(1) 不可算名詞（数えられない名詞）につけて「量」「程度」を表す。 (2) 名詞の形は変わらない。
たくさんの	many → 593	much → 592
ほとんど…ない（否定的）	few → 591	little → 589
少しの（肯定的）	a few → 590	a little → 588
かなりたくさんの	quite a few → 596 not a few	quite a little not a little

TARGET 97 感情表現の他動詞の現在分詞から派生した分詞形容詞

- amazing「驚嘆すべき ← 人を驚嘆させる」
- astonishing「驚くばかりの ← 人をびっくりさせる」
- surprising「驚くべき ← 人を驚かせる」→598
- exciting「刺激的な ← 人をわくわくさせる」→600
- thrilling「ぞくぞくするような ← 人をぞくぞくさせる」
- interesting「おもしろい ← 人に興味を引き起こさせる」→599
- pleasing「楽しい ← 人を喜ばせる」
- satisfying「満足のいく ← 人を満足させる」
- moving「感動的な ← 人を感動させる」→606
- touching「感動的な ← 人を感動させる」
- boring「退屈な ← 人を退屈させる」→604, 632
- disappointing「期待はずれな ← 人を失望させる」→602
- tiring「きつい ← 人を疲れさせる」→609
- annoying「うるさい，いやな ← 人をいらいらさせる」
- irritating「いらだたしい ← 人をいらいらさせる」
- confusing「紛らわしい ← 人を混乱させる」
- embarrassing「当惑させるような／まごつかせるような ← 人を当惑させる」→610
- frightening「恐ろしい ← 人を怖がらせる」
- shocking「衝撃的な ← 人をぎょっとさせる」

TARGET 98 感情表現の他動詞の過去分詞から派生した分詞形容詞

- amazed「驚嘆して ← 驚嘆させられて」
- astonished「びっくりして ← びっくりさせられて」
- surprised「驚いて ← 驚かされて」
- excited「興奮して／わくわくして ← 興奮させられて」→ 601
- thrilled「ぞくぞくして ← ぞくぞくさせられて」
- interested「興味があって ← 興味を引き起こされて」→ 628
- pleased「喜んで／気に入って ← 喜ばされて」→ 607
- satisfied「満足して ← 満足させられて」
- moved「感動して ← 感動させられて」
- touched「感動して ← 感動させられて」
- bored「退屈して ← 退屈させられて」→ 605
- disappointed「失望して ← 失望させられて」→ 603
- tired「疲れて ← 疲れさせられて」
- annoyed「いらいらして ← いらいらさせられて」
- irritated「いらいらして ← いらいらさせられて」
- confused「混乱して ← 混乱させられて」→ 608
- embarrassed「当惑して／きまりの悪い ← 当惑させられて」
- frightened「おびえて ← 怖がらせられて」
- shocked「ぎょっとして ← ぎょっとさせられて」

*これらの過去分詞から派生した分詞形容詞が,「S ＋ V（be 動詞など）＋ C」の形の C（主格補語）で用いられるのは，原則として S（主語）が「人」のときである。

TARGET 99 似たつづりで意味が異なる形容詞

- alike「似ている／そっくりで」→ 611
  likely「ありそうな」
- childlike「子どもらしい」
  childish「子どもっぽい／幼稚な」
- economic「経済の」→ 619
  economical「経済的な／無駄のない」
- forgettable「忘れられやすい」
  forgetful「(人が) 忘れっぽい」
- historic「歴史上有名な」
  historical「歴史の」
- industrial「産業の／工業の」
  industrious「勤勉な」
- manly「男らしい」
  mannish「(女性が) 男っぽい」
- sensitive「敏感な／傷つきやすい」→ 613
  sensible「分別のある」
- sleepy「眠い」
  asleep「眠って」
- imaginable「想像できる」
  imaginary「想像上の」→ 617
  imaginative「想像力に富んだ」

TARGET 100 叙述用法（補語となる用法）でしか用いない形容詞

- afraid「恐れて」
- alike「よく似て」→ 611
- alive「生きて」→ 612
- alone「ひとりで／孤独な」
- ashamed「恥じて」
- asleep「眠って」
- awake「目が覚めて」
- aware「気づいて」
- content「満足して」
- liable「責任があって」

など

TARGET 101 「可能」「不可能」を表す形容詞

able[unable], capable[incapable], possible[impossible] の用法は次の形で押さえておく。

- be able[unable] to do → 622
  He is (un)able to do the job.（彼はその仕事をすることができる[できない]）
- be capable[incapable] of doing → 621, 630
  He is (in)capable of doing the job.（彼はその仕事をすることができる[できない]）
- It is possible[impossible] for A to do → 621
  It is (im)possible for him to do the job.（彼がその仕事をすることは可能だ[不可能だ]）

- respectable「立派な」
  respective「めいめいの」
  respectful「礼儀正しい／敬意を表して」→ 614
- alive「生きて（いる）」→ 612
  lively「活発な／生き生きとした」
- considerate「思いやりのある」
  considerable「かなりの」→ 633
- favorite「お気に入りの」
  favorable「好都合の／好意的な」→ 616
- healthy「健康な」
  healthful「健康によい」
- invaluable「非常に価値のある」
  valueless「価値のない」
- regrettable「（事が）残念で／遺憾で」
  regretful「（人が）後悔して／残念で」
- social「社会の／社交界の」
  sociable「社交的な」
- successful「成功した」→ 615
  successive「連続の」
- literate「読み書きのできる」
  literal「文字通りの」
  literary「文学の」

TARGET 102　high[low] や large[small] を用いる名詞

(1) high[low] を用いる名詞

- salary「給料」
- price「価格」
- wage「賃金」
- pay「報酬」
- interest「利子」
- income「収入」
- cost「費用」　など

(2) large[small] を用いる名詞

- population「人口」
- crowd「群衆」
- audience「聴衆／観衆」→ 625
- amount「量」
- number「数」
- sum「金額」
- salary「給料」
- income「収入」　など

TARGET 103 yet / already / still の用法

(1) yet の用法

- yet は否定文で「まだ（…していない）」の意味を表す。yet の位置は文尾。文語では否定語の直後。→ 636

He hasn't arrived here yet. ＝ He hasn't yet arrived here.
（彼はまだここに到着していません）

- yet は疑問文で「もう（…しましたか）」の意味を表す。

Has the mail carrier come yet?（郵便屋さんはもう来ましたか）

(2) already の用法

- already は肯定文で用いて「すでに（…した）」という完了の意味を表す。→ 637

He has already arrived here.（彼はすでにここに到着しました）

- already は否定文・疑問文で「もう／そんなに早く」といった意外・驚きの意味を表す。否定文の場合は，付加疑問がつくことも多い。

She hasn't come already, has she?（まさかもう彼女が来たのではないでしょうね）
Have you finished your homework already?（もう宿題をやってしまったのですか）

(3) still の用法

- still は肯定文・疑問文で「まだ（…している）」という継続の意味を表す。→ 638

Somebody came to see you an hour ago and is still here.
（1 時間前に，誰かがあなたを訪ねてきて，まだここにいます）

- still は否定文で用いて「まだ（…していない）」という否定の状態の継続を強調する意味を表す。still の位置は否定語の前。

You still haven't answered my question.（あなたはまだ私の質問に答えていません）

- 文頭の still は接続詞的に用いられ，前述の内容を受け「それでも（やはり）」の意味を表す。→ 639

She turned down his marriage proposal twice. Still he didn't give up.
（彼女は彼のプロポーズを２回断った。それでも彼はあきらめなかった）

TARGET 104 hardly[scarcely] / rarely[seldom] / almost の用法

(1) hardly[scarcely] の用法

- hardly[scarcely] は「程度」を表す準否定語で「ほとんど…ない」の意味。
  I was so sleepy then that I hardly[scarcely] remember the story of the movie.
  (そのときはとても眠かったので，私はその映画の筋をほとんど覚えていない)

(2) rarely[seldom] の用法

- rarely[seldom] は「頻度」を表す準否定語で「めったに…ない」の意味。
  My father rarely[seldom] goes to the movies. (私の父はめったに映画に行きません)

(3) almost の用法

- almost は否定の意味は含まない。「ほとんど…」の意味。
  I almost always have popcorn at the movies.
  (私は映画館でほとんどいつもポップコーンを食べます)

TARGET 105 「動詞＋(名詞と間違えやすい) 副詞」の重要表現

- go abroad「外国に行く」→ 663
- go overseas「海外へ行く」→ 648
- go downstairs「下の階へ行く」
- go downtown「町へ行く」
- go outdoors「屋外[野外]に行く」
- come[go] home「帰宅する」→ 662
- get home「家に（帰り）着く」
- live next door to A「A の隣に住む」
- play upstairs「上の階で遊ぶ」
- stay indoors「家[室内]にいる」

TARGET 106 'ly' の有無によって意味の異なる副詞

'ly' なし	'ly' あり
great「順調に／うまく」	greatly「大いに／非常に」
hard「一生懸命に」→ 649	hardly「ほとんど…ない」
high「(物理的に) 高く／高いところに」	highly「非常に／（比喩的に）高く」
just「ちょうど」	justly「公正に」
late「遅く」	lately「最近」
most「最も」	mostly「たいていは」
near「近くで」	nearly「危うく（…するところ)」→ 647
pretty「かなり（形容詞の前で)」	prettily「きれいに」
sharp「きっかりに」	sharply「鋭く」

● TARGET 107 副詞 much の強調用法

● The taxi driver was driving much too fast.（too ... の強調）→ 654
（そのタクシー運転手はあまりにも速度を出しすぎていた）

● Much to my joy, he helped me carry my luggage.（前置詞句の強調）
（とてもうれしいことに，彼は私の荷物を運ぶのを手伝ってくれた）

● His room is much larger than mine.（比較級の強調）
（彼の部屋は私の部屋よりもずっと大きい）

● This is much the best way.（最上級の強調）
（これがずばぬけて一番よい方法だ）

● TARGET 108 at first / first(ly) / for the first time の用法

(1) at first「初めのうちは／最初は」→ 655
I was nervous at first, but soon I was relaxed.
（初めのうちは緊張していたが，すぐに落ち着いた）

(2) first(ly)「（順序を意識して）まず第一に／まず最初に」
First I did the laundry, and then cleaned my room.
（まず，私は洗濯をして，それから部屋を掃除した）

(3) for the first time「初めて」
When I met the boy for the first time, he was being shy.
（その少年に初めて会ったとき，彼は恥ずかしがっていた）

● TARGET 109 副詞 otherwise の 3 つの用法

(1) otherwise「さもなければ」→ 245, 656
She worked hard; otherwise she would not have finished.
（彼女は一生懸命働いたが，そうでなければ終わらなかっただろう）

(2) otherwise「別のやり方で／違ったふうに」→ 657
You can arrive earlier by bus than otherwise.
（バスで行けば，ほかの方法よりも早く着きます）

(3) otherwise「そのほかの点では」→ 658
The collar is a little too tight, but otherwise the shirt fits me.
（襟が少々きついが，そのほかの点ではそのシャツはぴったりだ）

TARGET 110　文と文の意味をつなぐ副詞（句）

(1) 連結・追加
- also「その上／さらに」
- besides「その上／さらに」
- moreover「その上／さらに」→ 660
- in addition「その上／さらに」
- furthermore「その上／さらに」

(2) 逆接・対立
- however「しかしながら」
- though「しかしながら」
- nevertheless[nonetheless]「それにもかかわらず」→ 659
- yet「それにもかかわらず」
- still「それでもやはり」
- all the same「それでもやはり」

(3) 選択
- or (else)「さもないと」
- otherwise「さもないと」
- instead「その代わりに／それよりも」

(4) 因果関係
- therefore「それゆえに」
- consequently「したがって／結果として」
- as a result[consequence]「結果として」
- hence「それゆえに」

(5) 説明・例示
- namely「すなわち」
- that is (to say)「つまり」
- for instance[example]「例えば」

TARGET 111　注意すべき不可算名詞

(1) 数を表すことができる不可算名詞（two pieces of A「2個のA」などの形で）
- advice「アドバイス／忠告」→ 667
- baggage「手荷物」
- luggage「手荷物」→ 671
- furniture「家具」→ 669
- work「仕事」
- housework「家事」
- homework「宿題」→ 670
- information「情報」→ 668
- equipment「装置／装備」→ 714
- news「知らせ」
- paper「紙」
- evidence「証拠」→ 673
- scenery「風景」（scene は可算名詞）
- mail「郵便物」
- stationery「文房具」
- jewelry「宝石類」（jewel は可算名詞）
- machinery「機械（類）」→ 672（machine は可算名詞）
- poetry「（ジャンルとしての）詩」（poem は可算名詞）

(2) 数を表すことができない不可算名詞
- damage「損害」
- harm「損害」
- fun「楽しみ」
- progress「進歩」
- traffic「交通(量)」
- weather「天候」

*日本人には数えられると思われる名詞で，英語では不可算名詞になっているものが入試では頻出。

TARGET 112 慣用的に複数形を用いる表現

- make friends with A「A と友だちになる」→ 674
- change trains「列車を乗り換える」→ 675
- change planes「飛行機を乗り換える」
- take turns (in / at) doing「交代で…する」→ 676
- exchange business cards「名刺を交換する」
- shake hands「握手をする」 など

TARGET 113 複数形で特別な意味を持つ名詞

- be on ... terms (with A)「(A とは) …の間柄である」(terms は「間柄」の意味) → 677, 713
- take pains「苦労する」(pains は「苦労／骨折り」の意味)
- put on airs「気取る」(airs は「気取った様子」の意味)
- a man / woman of letters「文学者」(letters は「文学」の意味)
- give A my (best) regards ＝ give my (best) regards to A「A によろしく伝える」(regards は「よろしくというあいさつ」の意味) → 678, 712
- be in high spirits「上機嫌である」(spirits は「気分」の意味)
- arms「武器」
- customs「関税／税関」
- forces「軍隊」
- goods「商品」
- manners「礼儀作法」
- means「資産／収入」→ 679
- works「工場」

TARGET 114 意味が紛らわしい名詞

- reservation「(ホテルなどの) 予約」
  appointment「(診療・面会などの) 予約」→ 681
- view「(特定の場所からの) 眺め」
  scenery「風景」(不可算名詞)
- shade「日陰」
  shadow「影」
- flock「鳥や羊の群れ」
  herd「牛や馬の群れ」
  school「魚の群れ」
- habit「個人的な習慣/癖」→ 682
  custom「社会的な慣習」
- nephew「甥 (おい)」→ 680
  niece「姪 (めい)」
- dentist「歯医者」
  surgeon「外科医」
  physician「内科医」
- sample「(商品) 見本」
  example「(人がまねる) 手本/見本」
- rule「(競技での) 規則/ルール」
  order「(社会の) 規律/秩序」
- pessimist「悲観的な人」
  optimist「楽観的な人」
- rotation「(天体の) 自転」
  revolution「(天体の) 公転」
- lane「道路の車線」
  path「(公園・庭園内の) 歩道」

● TARGET 115 「お金」に関する名詞

- fare「乗り物の運賃」→ 694
- fee「専門職に対して支払う報酬[料金]／受験・入場・入会のための料金」
- admission「入場料」
- charge「サービスに対して支払う料金／(電気・ガスなどの) 公共料金／使用料」
- rent「家賃／賃貸料」
- expense「費用」
- pay「(一般的な) 報酬／手当」
- wage「給料・賃金」
- interest「利子／利息」
- fine[penalty]「罰金」→ 696
- change「小銭／つり銭」
- tuition「授業料」
- cost「経費／費用」→ 695
- salary「給料・賃金」
- commission「手数料／歩合」
- profit「利益」
- cash「現金」
- check「小切手」
- income「収入」
- tax「税金」

● TARGET 116 「客」を表すさまざまな名詞

- guest「宿泊客／招待客」
- audience「(劇場などの) 観客／(講演などの) 聴衆」
- customer「商店の客／顧客」→ 698
- shopper「買い物客」
- client「(弁護士・建築家などの) 依頼人」
- passenger「乗客」→ 697
- visitor「訪問客／来客／見舞客」
- spectator「(スポーツなどの) 観客／見物人」
- patient「患者」
- buyer「(家や車など高価なものの) 購入者，買い手」
- viewer「テレビの視聴者／インターネットの閲覧者」

● TARGET 117 「仕事」を表すさまざまな名詞

- business「事業／職務」
- work「仕事」(不可算名詞)
- job「仕事」(可算名詞) → 701
- labor[toil]「(work よりつらい) 骨の折れる仕事」→ 699
- task「課された仕事，任務，課題」
- occupation「職業」→ 700
- profession「(一般に) 職業／専門職／知的職業」→ 700
- trade「職業／商売」
- career「経歴／(生涯の) 仕事」
- assignment「割り当てられた仕事／宿題」(可算名詞)

TARGET 118　対になっている衣類・器具を表す名詞

- stockings「ストッキング」
- shoes「靴」
- socks「靴下」
- pants「ズボン」→ 704
- trousers「ズボン」
- gloves「手袋」
- glasses「めがね」
- spectacles「めがね」
- scissors「はさみ」
- binoculars「双眼鏡」

対訳式完成文リスト

全問題の対訳式完成文

Bright Stage収録問題のうち，特に英文読解や英作文，英会話に役立つ100問の完成文リストを掲載しました。何度も声に出して読んで暗唱しましょう。

番号	項目	完成文
12 □□	大過去の用法 — had done	As soon as I shut the door, I realized I had left the key inside. ドアを閉めるとすぐに中に鍵を置き忘れてきたことに気がついた。
20 □□	慣用表現「S が…してから～になる」	It has been ten years since the two companies merged. その２社が合併してから 10 年が経った。
28 □□	否定の受動態	A lot of food is thrown away because it is not consumed in time. 期限内に消費されないため，多くの食べ物が捨てられている。
36 □□	「S ＋ V ＋ O ＋ do」の形をとる動詞の受動態	He was seen to go out of the room. 彼は部屋から出るのを（人に）見られた。
50 □□	have only to do の用法	You have only to let me have a glance at it. あなたは私にそれをちょっと見せてくれるだけでいいんです。
53 □□	助動詞の need	You need not tell her if you don't want to. あなたがそうしたくなければ，彼女に話す必要はありません。
57 □□	used to do の用法	Before he got sick, he used to practice every day. 彼は病気になる前は，毎日練習していたものだった。
59 □□	would rather do の用法	I would rather come on Sunday than on Saturday. 私は土曜日よりもむしろ日曜日に来たいと思います。
61 □□	had better do の用法	Oh dear. It's already five o'clock and I'm late. I had better leave now. おやまあ。もう5時で，遅くなってしまいました。私はもう出た方がいいですね。
62 □□	must have done の用法	A : The window was unlocked and there is mud on the floor. B : So the thief must have come into the apartment that way. A：窓は鍵が開けられていて，床には泥がついています。 B：それなら，泥棒はそうやってアパートに入ったに違いない。
65 □□	should have done の用法	I'm sorry that I couldn't follow the very last part of her speech. I should have listened more carefully. 彼女のスピーチのまさに最後の部分を理解できなかったのが残念です。私はもっと注意深く耳を傾けるべきでした。
66 □□	demand that S ＋原形	During the 1970s, many students demanded that student committees be given the power to make decisions about school rules. 1970 年代に，多くの学生は，学生委員会が校則に関する決定権を与えられるよう要求した。
68 □□	cannot help doing の用法	She tried to be serious but she couldn't help laughing. 彼女は真剣になろうとしたが，笑わずにはいられなかった。
69 □□	might as well do の用法	It takes so long by train. You might as well fly. 電車ではかなり時間がかかる。飛行機を使ってもいいだろう。
79 □□	It is ... for A to do. の形式主語構文	It is difficult for you to pass the English examination. あなたがその英語の試験に合格することは難しい。

80 □□	形式目的語を用いた find it impossible to do	She found it impossible to believe what I said. 彼女は，私が言ったことを信じることが不可能だとわかった。
85 □□	疑問詞＋ to 不定詞	A : Could you tell me how to get to the closest post office? B : Sure. Go straight down this street and you'll see it on the right, across from the bank. A：一番近い郵便局への行き方を教えてもらえますか。 B：もちろんです。この通りを直進すると右側に，つまり銀行の向かい側に見えるでしょう。
87 □□	in order to do の用法	He had to attend night school in order to improve his computer skills. 彼はコンピューターのスキルを上達させるために，夜間学校に通わなければならなかった。
91 □□	形容詞＋ enough to do の用法	She is rich enough to buy everything. 彼女は十分に金持ちなので何でも買える。
95 □□	不定詞を用いた慣用表現 ― too ... for A to do	The problem was too complex for him to handle alone. その問題は，彼が一人で処理するには複雑すぎた。
99 □□	be ＋ to 不定詞 ― 予定・運命	On the last day of the festival this year, a violin concert is to be held at this hall. 今年の祭りの最終日には，このホールでバイオリンのコンサートが開催される予定です。
110 □□	動名詞の否定 ― not の位置	I am ashamed of not knowing the answer to the question. 私はその問題の答えを知らなくて恥ずかしい。
112 □□	受動態の動名詞	The student tried to get into the classroom without being noticed by the teacher. その生徒は，先生に気づかれずに教室に入ろうとした。
114 □□	to の後に動名詞（名詞）が続く表現 ― look forward to doing	A : Will you be at the meeting tomorrow? B : Yes, I will. I look forward to seeing you again there. A：明日，会議に出る予定ですか。 B：はい，そうします。そこでまたあなたにお会いできるのを楽しみにしています。
115 □□	to の後に動名詞（名詞）が続く表現 ― be used to doing	She is not used to writing formal letters. 彼女は改まった手紙を書くことに慣れていない。
119 □□	省略可能な in の後に動名詞が続く表現 ― have difficulty (in) doing	I have difficulty concentrating on studying because I want to watch my favorite movies on TV. 私はテレビで大好きな映画を見たいので，勉強に集中するのに苦労している。
120 □□	動名詞を用いた慣用表現 ― There is no doing	There is no telling what will happen tomorrow. 何が明日起こるのかはわからない。
122 □□	動名詞を用いた慣用表現 ― on doing / in doing	As soon as I arrived at the station, I was able to find him. = On arriving at the station, I was able to find him. 駅に着くとすぐに，私は彼を見つけることができた。
125 □□	A is worth doing の用法	The TV program is worth watching. そのテレビ番組は見る価値がある。
132 □□	名詞修飾の分詞 ― 現在分詞	My bicycle is completely broken, but the shop selling new bicycles is closed today. 私の自転車はすっかり壊れているが，新しい自転車を売る店は，今日は閉まっている。

No.	項目	例文
133 □□	名詞修飾の分詞 — 過去分詞	A : Do you know that Chris had a skiing accident? B : Yes. He has a broken leg, but I think he'll be OK. A：クリスがスキー事故に遭ったことを知ってる？ B：うん。彼は脚を骨折しているけど，よくなると思うよ。
136 □□	目的格補語として 用いられる分詞 — 現在分詞	Professor Smith, I'm very sorry to have kept you waiting so long. スミス教授，長い間お待たせしてたいへん申し訳ありません。
139 □□	目的格補語の現在分詞 — see O ＋ C ［現在分詞］	The children are outside. I can see them playing in the garden. 子どもたちは外にいる。私には彼らが庭で遊んでいるのが見える。
140 □□	現在分詞から始まる 分詞構文	Doing exactly the same job, he understands my situation better. まったく同じ仕事をしているので，彼は私の立場をよく理解してくれる。
142 □□	完了分詞構文	Several former classmates gathered for lunch, having attended their high school reunion the night before. 何人かの元クラスメートがランチのために集まったが，彼らは前の晩に高校の同窓会に出席していた。
148 □□	付帯状況を表す with A done	The basketball player made the free throw for the victory with only 2.2 seconds left on the clock. そのバスケットボール選手は，残り時間わずか 2.2 秒でフリースローを投じて勝利を決めた。
158 □□	倍数表現 — three times as ＋原級＋ as A	This report has taken me three times as long to write as I had imagined. この報告書を書くのに，私が想像した３倍の時間がかかった。
160 □□	原級を用いた慣用表現 — not so much A as B	A man's worth is to be estimated not so much by his social position as by his character. 人の価値は，その人の社会的地位よりも，人格によって判断されるべきだ。
161 □□	原級を用いた慣用表現 — as ＋原級＋ as possible	A : How often do you visit your grandparents? B : I try to see them as much as possible. A：あなたは自分のおじいさん，おばあさんをどのくらいの頻度で訪ねますか。 B：できるだけたくさん会うようにしています。
166 □□	less ＋原級＋ than ...	The subway is safe during the day but less safe at night. 地下鉄は，日中は安全だが，夜は安全性が低くなる。
168 □□	the ＋比較級 ..., the ＋比較級 〜	The more John heard about it, the less he liked it. ジョンは，それについて聞けば聞くほど，ますますそれが気に入らなかった。
179 □□	比較級を用いた 慣用表現 — no longer	It is no longer a dream to fly to the moon. 月まで行くことは，もはや夢ではない。
184 □□	one of the ＋最上級 ＋複数名詞	It is one of the most properly structured arguments. それは，最も厳密に組み立てられている論拠の１つだ。
186 □□	the ＋序数詞 ＋最上級	Is it true that Osaka is the third largest city in Japan? 大阪が日本で３番目に大きい都市だというのは本当ですか。
188 □□	A is ＋比較級 ＋ than any other ＋単数名詞	Professor Jones is stricter than any other teacher in our department. ジョーンズ教授は，私たちの学部のほかのどの教師よりも厳格だ。
189 □□	Nothing is so[as] ＋原級＋ as A	Nothing is so precious as time. 時間ほど貴重なものはない。

No.	項目	例文
196 □□	主格関係代名詞 who — 先行詞が「人」	The class is for students who wish to apply for the student exchange program. そのクラスは，交換留学プログラムに応募したい生徒のためのものです。
201 □□	所有格関係代名詞 whose — 先行詞が「人」	Are you the boy whose bicycle was stolen? あなたが自転車を盗まれた少年ですか。
202 □□	所有格関係代名詞 whose — 先行詞が「人」以外	Take a look at the house whose roof is blue. 屋根が青いあの家を見てください。
203 □□	前置詞 ＋関係代名詞	Red, blue and yellow are the three primary colors from which all other colors can be created. 赤，青，黄色は，ほかのすべての色を作れる三原色です。
205 □□	関係副詞 where	They arrived at the hotel where they had reserved their room. 彼らは，部屋を予約していたホテルに到着した。
206 □□	関係副詞 where —「場所」以外の先行詞	A : How do you treat your colleagues in cases where they don't work well? B : We must raise their motivation to work. A：同僚の働きぶりがよくない場合，あなたはどのように対応しますか。 B：彼らの働く意欲を高めなければなりません。
208 □□	関係副詞 why	Mother Teresa dedicated her life to helping sick people. That is the reason why I respect her. マザー・テレサは，病気の人たちを助けることに人生を捧げました。それが，私が彼女を尊敬する理由です。
210 □□	関係代名詞の 非制限用法	The elderly woman, who had known Tom well, said that he was very kind to her. その年配の女性は，トムのことをよく知っていたのだが，彼が自分にはとても親切だと言った。
212 □□	関係副詞の 非制限用法	He bought a cottage in the countryside, where he spent the last days of his life. 彼は田舎に小さな家を買い，そこで彼の人生の最後の日々を過ごした。
213 □□	関係代名詞 what	What Stephen said in the conference made the chairperson angry. その会議でスティーブンが言ったことは，議長を怒らせた。
215 □□	what を用いた 慣用表現 — what S seem to be	A person should not be judged by what he or she seems to be. 人は，見かけの姿によって判断されるべきではない。
229 □□	仮定法過去 — if 節の形	If I were you, I wouldn't go out with such a person. 私があなただったら，そのような人と一緒に出かけたりしないだろうに。
234 □□	if S were to do ... 「S が(これから) …すれば」	If I were to win a lot of money, the first thing I would do is buy a new car. もし私が大金を獲得したら，私が最初にすることは，新しい車を買うことです。
235 □□	if S should do ...	I don't think he will stop by my office. But if he should come while I'm out, give him more information about that. 彼が私のオフィスに立ち寄るとは思いません。でも，万が一私の外出中に彼が来たら，そのことについてもっと詳しい情報を渡してください。
236 □□	S wish ＋ S' ＋動詞の過去形 （仮定法過去）	A : The weather is absolutely beautiful today, isn't it? B : Yes, I wish it was like this more often. A：今日の天気はとてもすばらしいですね。 B：ええ，もっとこんな日が多いといいのに。

237 □□	S wish ＋ S' ＋動詞の過去完了形 （仮定法過去完了）	I wish I had asked that guy from Tokyo for his e-mail address last night. 昨夜，東京から来たあの男に E メールアドレスを尋ねておけばよかった。
241 □□	as if ＋仮定法	Ann looked as if she hadn't heard anything though she knew all about it. アンはそのことについてはすべて知っていたのに，まるで何も聞いていなかったかのように見えた。
243 □□	if it were not for A と if it had not been for A	If it were not for his bad temper, he would be a nice person. もし短気な性格がなければ，彼はいい人なのに。
249 □□	if 節のない仮定法 — 主語に仮定の意味	The man at the window must be a spy, since he works slowly and keeps looking around. A real cleaner would not wash the windows twice. 窓際の男はスパイに違いない。なぜなら，彼はゆっくりと作業をし，周りを常に見回しているからだ。本物の清掃係なら，窓を２回も洗ったりしないだろう。
256 □□	間接疑問 — 節内は 平叙文の語順	Check the newspaper and you will know what time the movie will start. 新聞をチェックすれば，その映画が何時に始まるかわかるでしょう。
259 □□	知っておきたい疑問文 — What[How] about doing ...?	It's time for another meeting. What about talking about this matter again tomorrow? 次の会議の時間になりました。この件については，明日もう一度話しませんか。
264 □□	否定語による強制倒置 — never が文頭	Well, well, I'm quite impressed! Never have I met so many well-balanced little children. おや，おや，私はとても感心しました！　私は今まで，こんなに大勢の健全な幼い子どもたちに一度も出会ったことがありません。
279 □□	部分否定 — not ... all	Not all the participants are expected to finish the race. It's over 35 km long. すべての参加者が競技を終えるとは思われていない。距離は 35 キロ以上あるからだ。
281 □□	否定語を用いない 否定表現 — the last A ＋関係代名詞節	A : Did you talk over your summer plans with Sam? B : He is the last person whom I would want to talk to about that. A : Sorry. I forgot you two are no longer on speaking terms. A：夏の予定についてサムと話したかい。 B：彼は，それについて最も話をしたくない人です。 A：ごめん。君たち２人がもう口も利かない間柄だってことを忘れていたよ。
285 □□	否定語を用いない 否定表現 — far from A	The publishing firm expected his new novel to be a great hit, but it was far from being a success. その出版社は，彼の新しい小説が大ヒットすると期待していたが，それは成功からはほど遠かった。
289 □□	二重否定 — never do ... without doing ～	I cannot listen to this song without recalling my junior high school days. 私はこの歌を聞くと，必ず中学時代のことを思い出す。
290 □□	副詞節での 「S ＋ be 動詞」の省略	When trained, even dangerous white bears can become skillful performers at zoos. 訓練を受けると，危険なシロクマでさえ動物園で巧みな芸ができるようになる。
296 □□	強調構文 — It is A that ～	Mom always says it is kindness that plays a very important part in human relationships. 母は，人間関係でとても重要な役割を果たすのは思いやりだといつも言っている。

297 □□	注意すべき強調構文 — It is not until ... that ～	It was not until I had children of my own that I understood how my parents felt. 私は自分が子どもを持って初めて，両親の気持ちを理解した。
313 □□	形式主語の it — It is anticipated that 節	It is anticipated that about 50,000 people will come to their concert. 彼らのコンサートに約 50,000 人が来ると見込まれています。
318 □□	neither の用法	I asked two people the way to the national library but neither of them knew. 私は 2 人に国立図書館への道を尋ねたが，どちらも知らなかった。
365 □□	not only A but also B が主語 — 動詞は B と一致	Not only Elizabeth, but also her friends are interested in buying a new spring coat in Paris next month. エリザベスだけでなく彼女の友人たちも，来月パリで新しいスプリングコートを買うことに興味があります。
366 □□	neither A nor B が主語 — 動詞は B と一致	Neither Brian nor I am fond of professional baseball. ブライアンも私もプロ野球が好きではない。
384 □□	and の用法 — 命令文 ..., and ～	Take a subway or bus in New York, and you'll find yourself reading interesting advertisements along the way. ニューヨークで地下鉄やバスに乗ると，道中でふと，おもしろい広告を読むことになる。
386 □□	等位接続詞を用いた相関表現 — not A but B	What is important is not what has been said, but what has not been said in the meeting. 重要なのは，会議で話されてきたことではなく，話されてこなかったことだ。
389 □□	同格の名詞節を導く接続詞 that — A ＋ that 節	I could not believe the fact that California used to belong to Mexico. 私は，カリフォルニアがかつてメキシコに属していたという事実を信じることができなかった。
391 □□	名詞節を導く that — in that S ＋ V ...	Human beings differ from other animals in that they can make use of fire. 人間は火を使えるという点で，ほかの動物とは異なる。
397 □□	until の用法 — not ... until S ＋ V ～	We won't be getting married until we've saved enough money. 私たちは十分なお金を貯めるまで，結婚することはありません。
398 □□	before の用法 — It won't be long before S ＋ V ...	It won't be long before spring comes. もうすぐ春が来るでしょう。
399 □□	時の副詞節を導く as soon as	I'll proceed to the convention center registration desk as soon as I've finished checking into the hotel. ホテルへのチェックインを終え次第，私はコンベンションセンターの登録受付所に向かう。
405 □□	unless S ＋ V ...	Unless we fix the problem now, we will never be able to succeed. 今，問題を解決しない限り，私たちは決して成功することができないだろう。
408 □□	「譲歩」を表す接続詞 — even if	Even if we understand his anger, we cannot accept his behavior. たとえ私たちが彼の怒りを理解したとしても，彼の振る舞いを容認することはできない。
410 □□	「結果」「程度」を表す so ... that S ＋ V ～	In Japan, the advertisements carry so many foreign words that people who are concerned for the future of the Japanese language often let out cries of alarm. 日本では，広告にとても多くの外国語が含まれているので，日本語の将来を心配する人たちは，しばしば警戒の声を発している。

No.	項目	例文
411 □□	「結果」「程度」を表す such ... that S ＋ V ～	It was such a lovely day that I took a day off from work. とてもよい天気だったので，私は１日仕事を休んだ。
412 □□	「目的」を表す so that S can ...	Tatsuya went home early today so that he could prepare dinner for his wife. タツヤは妻のために夕食の準備ができるように，今日は早めに帰った。
414 □□	in case S ＋現在形	You should insure your car in case it is stolen. あなたは，車が盗まれた場合に備えて保険をかけるべきだ。
482 □□	remember doing	I remember seeing Michael five years ago when he had a concert in Osaka. マイケルが大阪でコンサートを開いた５年前に彼を見たことを覚えている。
491 □□	have A do ― 原形不定詞が補語	The manager has decided to have his secretary bring the necessary files to close the deal. 部長は取引をまとめるために，自分の秘書に必要なファイルを持って来させることにした。
493 □□	have A done ― 過去分詞が補語	I went to the dentist yesterday to have my teeth treated. 私は昨日，歯の治療をしてもらうために歯医者に行った。
494 □□	使役動詞としての make ― make A do	The trainer made the elephant enter the cage by hitting it with a stick. 調教師は，ゾウを棒でたたいて檻の中に入らせた。
521 □□	二重目的語をとる cost ― cost A B	I paid ￥28,000 for this European furniture. = This European furniture cost me ￥28,000. このヨーロッパの家具に私は 28,000 円払った。 ＝ このヨーロッパの家具の代金は 28,000 円だった。
523 □□	二重目的語をとる take ― take A B	It took the virus a few minutes to destroy the data on the computer. そのウイルスがコンピューター上のデータを破壊するのに数分かかった。
548 □□	keep の用法 ― keep A from doing	Put the pizza at the bottom of the oven to keep the cheese from burning. チーズが焦げないように，ピザはオーブンの一番下に入れてください。
571 □□	matter の定式化された表現	It doesn't matter what day you come but please come in the morning. あなたがどの日に来ても構いませんが，午前中に来てください。

▷ 英語さくいん

ふつうの数字は問題番号を示しています。そのうち赤の数字は主項目として扱っている問題番号です。先頭にTのついた数字は，その番号のTargetに掲載されている項目という意味で（　）内のp.000という数字はそのページです。

A

T

▷日本語さくいん

ふつうの数字は問題番号を示しています。そのうち赤の数字は主項目として扱っている問題番号です。先頭にTのついた数字は，その番号のTargetに掲載されている項目という意味で（　）内のp.000という数字はそのページです。

●編集協力　小宮　徹
●英文校閲　Karl Matsumoto
●写真提供　Getty Images（カバー・表紙）

Bright Stage[ブライトステージ] 英文法・語法問題 New Edition

2020年 7 月 10 日　初　版第 1 刷発行
2024年 10 月 10 日　改訂版第 1 刷発行

編著者　瓜生 豊
発行人　門間 正哉
発行所　株式会社 桐原書店
〒 114-0001 東京都北区東十条 3-10-36
TEL：03-5302-7010（販売）
www.kirihara.co.jp
装　丁　塙 浩孝（ハナワアンドサンズ）
本文レイアウト・DTP　有限会社マーリンクレイン
印刷・製本　TOPPAN クロレ株式会社

ISBN978-4-342-21197-3
Printed in Japan

② 文の要素 >>

<table>
<tr><td rowspan="3">主語
(S)</td><td colspan="2">文の中心的な話題や，話し手，動作をしている人や物</td></tr>
<tr><td>人</td><td>My grandfather sometimes took me to the ballpark when he was young.
(祖父は若いとき時々私を野球場に連れて行った)</td></tr>
<tr><td>物</td><td>Today's paper says that the government passed a new law.
(今日の新聞は政府が新法を可決したと報じている)</td></tr>
<tr><td rowspan="4">述語
(V)</td><td colspan="2">文の中心となる動詞</td></tr>
<tr><td>be動詞</td><td>They are my classmates.
(彼らは私の級友です)</td></tr>
<tr><td>一般動詞(動作動詞)</td><td>She reads an English paper every morning.
(彼女は毎朝英字新聞を読む)</td></tr>
<tr><td>一般動詞(状態動詞)</td><td>I have a present for you.
(あなたにあげるプレゼントがあります)</td></tr>
<tr><td rowspan="5">目的語
(O)</td><td colspan="2">動作の対象となる名詞，代名詞，名詞句，名詞節</td></tr>
<tr><td>名詞</td><td>I want to buy a black guitar at that shop.
(あの店で黒いギターを買いたい)</td></tr>
<tr><td>代名詞</td><td>She grabbed me by the arm.
(彼女は私の腕をつかんだ)</td></tr>
<tr><td>名詞句</td><td>I didn't know what to say.
(何と言えばいいのかわからなかった)</td></tr>
<tr><td>名詞節</td><td>I couldn't believe what she said.
(彼女の言ったことが信じられなかった)</td></tr>
<tr><td rowspan="4">補語
(C)</td><td colspan="2">SVやSVOだけでは意味がはっきりしない場合に補われる語(主語や目的語を説明する形容詞，名詞，代名詞，副詞，句など)</td></tr>
<tr><td>SVC
(V＝be動詞)</td><td>She was a famous movie star in her youth.
(彼女は若いころ有名な映画スターだった)</td></tr>
<tr><td>SVC
(V≠be動詞)</td><td>The leaves of the tree turn red in fall.
(その木の葉は秋になると赤くなる)</td></tr>
<tr><td>SVOC</td><td>The management elected John chairman of the board.
(経営陣はジョンを会長に選出した)</td></tr>
</table>

修飾語（M）	主語, 述語動詞, 目的語, 補語などの文の要素を修飾して意味を付け加える語	
	形容詞	He always drinks strong coffee.（←名詞 coffee を修飾） （彼はいつも濃いコーヒーを飲む）
	形容詞句（分詞句）	The man wearing thick glasses looked at the timetable in the station.（←名詞 man を修飾） （度の強いメガネをかけた男性は駅で時刻表を見た）
	形容詞句（前置詞句）	The man with thick glasses looked at the timetable in the station.（←名詞 man を修飾） （度の強いメガネをかけた男性は駅で時刻表を見た） *上の例文の前置詞句による言い換え表現
	副詞	He performs his work energetically.（←動詞 performs を修飾） （彼は精力的に仕事をこなす）
	副詞句（前置詞句）	He performs his work with energy.（←動詞 performs を修飾） （彼は精力的に仕事をこなす） *上の例文の副詞句による言い換え表現

③ 句と節 ＞＞

句	2語以上の語で名詞, 形容詞, 副詞などの働きをし, SとVを含まないもの	
	名詞句	Making cookies is interesting.（←動名詞） （クッキーを作るのはおもしろい） I want to travel around Japan some day.（←不定詞） （いつか日本中を旅行したい） Do you know how to use this photocopier?（←疑問詞＋不定詞） （このコピー機の使い方がわかりますか）